6) 20) 99)
100)

COLLECTION BESCHERELLE

# 8 0 0 0

# v e r b e s

# i t a l i e n s

## F o r m e s   e t   e m p l o i s

**Luciano Cappelletti**

HATIER

# GRAMMAIRE DU VERBE 5

### Généralités

| | |
|---|---|
| Verbes transitifs et intransitifs | 6 |
| La forme : active, passive, pronominale | 7 |

### Les conjugaisons

| | |
|---|---|
| Les verbes du 1er groupe | 8 |
| Les verbes du 2e groupe | 8 |
| Les verbes du 3e groupe | 9 |
| Les pronoms sujets, la forme de politesse | 9/10 |
| La place de l'accent tonique | 11 |

### Les auxiliaires

| | |
|---|---|
| Essere ou avere | 13 |
| Les verbes «servili» | 15 |
| Les formes idiomatiques andare, stare et venire | 16 |
| Les verbes impersonnels | 17 |
| Les formes impersonnelles du verbe essere | 18 |
| La forme passive | 18 |
| La forme pronominale | 19 |
| Les pronoms personnels | 21 |

### Les verbes irréguliers

| | |
|---|---|
| Les auxiliaires | 24 |
| La 1re conjugaison | 24 |
| La 2e conjugaison | 24 |
| La 3e conjugaison | 27 |
| Futur / conditionnel | 28 |
| Les verbes défectifs | 28 |
| La diphtongaison ou diphtongue mobile | 29 |
| Les verbes «sovrabbondanti» | 30 |

### Les temps et les modes

| | |
|---|---|
| Indicatif | 31 |
| Subjonctif | 33 |
| Conditionnel | 36 |
| Impératif | 36 |
| Infinitif | 37 |
| Participes : présent; passé : accord | 38 |
| Gérondif | 40 |

### La concordance des temps

| | |
|---|---|
| La phrase hypothétique | 41 |
| Discours direct, discours rapporté | 42 |

# TABLEAUX DES VERBES TYPES 45

# INDEX DES VERBES ITALIENS 162

## AVERTISSEMENT

Ce livre s'inscrit dans la lignée des Bescherelle. Il se compose de trois parties :

**1** Une introduction à la grammaire du verbe italien.

**2** 112 tableaux de conjugaison présentant systématiquement toutes les formes des verbes types et des verbes irréguliers.

**3** Un index alphabétique d'environ 8.000 verbes avec des indications sur leur prononciation, leurs formes (T, I, Imp, P, R,) leur usage (fréquence, registre linguistique,...).
Ces trois parties constituent un tout unique cohérent qui va au-delà du cadre d'un simple manuel de conjugaison de verbes. Le Bescherelle italien s'adresse à un large public : du niveau débutant-intermédiaire (élèves de CES ou de Lycée) à un niveau plus avancé (Classes Terminales, Université) ou au grand public qui désire avoir un outil sûr et complet de perfectionnement et de consultation.

● ● ●

Le Bescherelle italien est un outil de consultation rapide et aisée qui apporte des réponses claires et complètes à des problèmes de forme et d'emploi des verbes italiens.
Comment l'utiliser ? Voici quelques suggestions :

**1** On peut partir de l'Index (en fin d'ouvrage), trouver le verbe recherché (à l'infinitif), prendre connaissance de tous les renseignements concernant les formes, l'auxiliaire employé, l'usage ; ensuite, grâce au numéro de renvoi, remonter au verbe-type et y retrouver par analogie la ou les formes verbales recherchées, avec leur orthographe et leur prononciation. L'Index indique aussi les prépositions les plus employées pour introduire des subordonnées et, quand un même verbe présente plusieurs formes, l'orthographe la plus courante.

**2** La liste des verbes–modèles p. 46 permet de choisir le tableau de conjugaison désiré et de prendre connaissance de toutes ses particularités indiquées en haut et en bas des pages. La consultation directe des tableaux de conjugaison s'avère fort utile pour un apprentissage systématique des verbes irréguliers et de leurs mécanismes à la fois orthographiques et phonétiques.

**3** La consultation de la grammaire du verbe aide à faire le point sur un phénomène ou sur un problème général de fonctionnement, d'usage ou de syntaxe. Les tableaux grammaticaux favoriseront aussi une systématisation rapide des structures verbales indispensables en apprentissage scolaire. D'autre part, l'utilisateur averti y trouvera des repères sûrs sur des questions plus pointues comme par exemple l'usage des temps et des modes qui posent le plus de problèmes.

● ● ●

Mes sincères remerciements à Noëlle Jacobs qui a assuré la lecture complète du présent ouvrage et à Philippe Guérin qui a fourni d'utiles suggestions sur la grammaire du verbe.
Je remercie également tous les utilisateurs qui voudront bien communiquer leurs remarques aux Éditions HATIER, 8, rue d'Assas, 75278 Cedex 06 Paris.

| | |
|---|---|
| **abbagliare** | verbe particulièrement fréquent |
| abboffarsi,<br>*abbuffarsi* | La forme en italique signale l'ortho-<br>graphe la plus courante du verbe |
| abba̲ttere | La voyelle tonique est soulignée lorsque<br>l'accent ne tombe pas sur l'avant-der-<br>nière syllabe |
| 6 | renvoi aux verbes modèles des tableaux |
| 18 | renvoi aux tableaux (soit à la<br>conjugaison soit aux notes) |
| 6/18 | se conjugue sur le modèle 6 avec des<br>particularités phonétiques du modèle 18 |
| 99/100 | se conjugue sur le modèle 99, plus rare-<br>ment sur le modèle 100 |
| a, di, in, da | prépositions employées usuellement<br>après le verbe |
| T | verbe transitif (auxiliaire avere) |
| I | verbe intransitif (auxiliaire e̲ssere) |
| Imp | verbe impersonnel (auxiliaire e̲ssere) |
| ◆ | verbe intransitif ou impersonnel<br>(auxiliaire avere) |
| ◊ | verbe intransitif ou impersonnel<br>(auxiliaire avere ou e̲ssere) |
| P | verbe pronominal |
| R | verbe réfléchi |
| D | verbe défectif |
| ≃ | ne s'emploie que sous cette forme<br>(verbes défectifs) |
| Irr | verbe irrégulier |
| Lit | littéraire |
| Fam | familier |
| Pop | populaire |
| Vulg | vulgaire |
| Rég | régional |
| Tosc | toscanisme |

Le verbe est la partie de la phrase qui, seul ou avec d'autres éléments, nous fournit des renseignements très variés et complexes sur le sujet en l'actualisant dans le temps.

Ces renseignements peuvent concerner une action (faite ou subie par le sujet), un événement, un état, une façon d'être ou l'existence même du sujet.

Il y a deux parties dans un verbe : le **radical** et la **terminaison.** La terminaison varie ; le radical reste le plus souvent invariable.

La terminaison nous fournit différents renseignements sur :

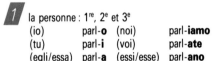

la personne : 1<sup>re</sup>, 2<sup>e</sup> et 3<sup>e</sup>

| (io) | parl-**o** | (noi) | parl-**iamo** |
| (tu) | parl-**i** | (voi) | parl-**ate** |
| (egli/essa) | parl-**a** | (essi/esse) | parl-**ano** |

le nombre : singulier ou pluriel
(tu)   parl-**i**
(noi)  parl-**iamo**

le temps : présent, passé, futur
(io) parl-**o**   : présent
(io) parl-**avo** : imparfait
(io) parl-**erò** : futur simple

le mode :
● personnels : indicativo (indicatif), congiuntivo (subjonctif), condizionale (conditionnel), imperativo (impératif) ;
● impersonnels : infinito (infinitif), gerundio (gérondif), participio (participe).

## verbes transitifs et intransitifs

Un verbe est **transitif** (T) lorsqu'il est suivi par un complément d'objet direct (COD).
*Andrea **legge** un libro.*
*Andrea lit un livre.*

Il est **intransitif** (I) lorsqu'il n'a pas besoin de complément pour que l'action ait lieu et lorsqu'il exprime un état.
*Il treno **parte** alle cinque.*
*Le train part à cinq heures.*

*3* En italien comme en français, beaucoup de verbes peuvent être transitifs ou intransitifs selon leur emploi. L'index des verbes en fin d'ouvrage indique toutes les possibilités, en suivant l'ordre d'emploi le plus fréquent : **cominciare** T, I, **a** + verbe à l'infinitif.

*Comincio un lavoro. (T)*
*Je commence un travail.*

*Il giorno **comincia**. (I)*
*Le jour commence.*

*Domani, **comincio a** lavorare. (a)*
*Demain, je commence à travailler.*

## la forme du verbe

*1* La forme **active** : le sujet est l'agent actif, il fait l'action indiquée par le verbe. La forme active s'emploie tant pour les verbes transitifs que pour les verbes intransitifs.

*Andrea **mangia** una mela.*      *Simone **parte** alle cinque.*
*Andrea mange une pomme.*      *Simone part à cinq heures.*

*2* La forme **passive** : le sujet subit l'action exprimée par le verbe. La personne qui fait effectivement l'action est le complément d'agent, introduit par la préposition **da.** Seuls les verbes transitifs peuvent se mettre à la forme passive.

*La mela **è mangiata da** Andrea.*
*La pomme est mangée par Andrea.*

*3* La forme **pronominale** : le sujet fait l'action et en subit en même temps les conséquences, le verbe est précédé du pronom personnel complément correspondant au sujet : **mi, ti, si, ci, vi, si.** Aux temps composés il est toujours conjugué avec l'auxiliaire essere.

*Maria **si lava**.*      *Maria **si è lavata**.*
*Marie se lave.*      *Maria s'est lavée.*

●●●

On classe les verbes italiens en **trois groupes** sur la base de la terminaison de l'infinitif :

| | | |
|---|---|---|
| 1<sup>re</sup> conjugaison : **-are** | amare | 1<sup>er</sup> groupe |
| 2<sup>e</sup> conjugaison : **-ere** | tem**ere,** legg**ere** | 2<sup>e</sup> groupe |
| 3<sup>e</sup> conjugaison : **-ire** | sent**ire,** fin**ire** | 3<sup>e</sup> groupe |

Les voyelles **a, e, i** qui différencient les infinitifs de chaque groupe sont appelées **voyelles caractéristiques.**

## les verbes du 1<sup>er</sup> groupe

Le 1<sup>er</sup> groupe, de loin le plus important, s'enrichit continuellement de verbes nouveaux. Cette conjugaison est **régulière,** à trois exceptions près : **andare, dare** et **stare.**

Particularités orthographiques les plus importantes : les verbes se terminant en :
**-care**/**-gare** prennent un **-h-** devant les terminaisons commençant par **-i-** et **-e-** (présent, futur, conditionnel) (modèles 7 cercare/8 legare) ;
**-ciare**/**-giare** (modèles 9 cominciare/10 mangiare) qui perdent le **-i-** du radical devant les terminaisons commençant par **-e/-i** ;
**-iare** peuvent garder ou perdre le **-i-** du radical devant une terminaison commençant par **-i-** : (modèles 11 inviare/12 studiare).

## les verbes du 2<sup>e</sup> groupe

Le 2<sup>e</sup> groupe est composé presque entièrement de verbes irréguliers.
On considère **fare** et **dire** comme faisant partie de cette conjugaison à cause de leur étymologie (latin facere et dicere).
Pour les mêmes raisons font partie de ce groupe les verbes en **-arre (trarre,** lat. trahere), **-orre (porre,** lat. ponere), **-urre (condurre,** lat. conducere).
Alors que les terminaisons **-are** et **-ire** sont toujours accentuées, pour les verbes en **-ere,** l'accent tonique peut porter soit sur la terminaison (**temere**), soit sur le radical (l**egg**ere).

Particularités
Des deux formes du passé simple (passato remoto), **-etti/-ei,** la première est la plus employée, sauf quand le radical se termine par **-t-** :
    dovere      (io) **dovetti**
    potere donc (io) **potei** et non potetti

## les verbes du 3ᵉ groupe

Le 3ᵉ groupe est divisé en deux sous-groupes :

**1** les verbes, peu nombreux, qui se conjuguent comme **sentire**;

**2** les verbes qui, comme **finire,** ajoutent **-isc** entre le radical et la terminaison aux trois personnes du singulier et à la 3ᵉ personne du pluriel du présent de l'indicatif, du subjonctif et de l'impératif :

| Indicatif présent | | Subjonctif présent | | Impératif | |
|---|---|---|---|---|---|
| (io) | fin-isc-o | che io | finisca | | |
| (tu) | fin-isc-i | che tu | finisca | finisci | (tu) |
| (egli/essa) | fin-isc-e | che egli/essa | finisca | finisca | (egli/essa) |
| (essi/esse) | fin-isc-ono | che (essi/esse) | finiscano | finiscano | (essi/esse) |

## les pronoms sujets

**1** En italien l'emploi du pronom sujet n'est pas systématique. La terminaison suffit générale-ment à indiquer la personne :

parl**o**  (je parle)
parl**i**  (tu parles)
parl**a**  (il parle)

**2** Lorsque le contexte n'est pas suffisamment explicite, on exprime le pronom sujet. C'est le cas des trois premières personnes du singulier du présent du subjonctif et des deux premières du singulier de l'imparfait du subjonctif :

| | | | |
|---|---|---|---|
| che io | parli | io | parlassi |
| che tu | parli | tu | parlassi |
| che egli/essa | parli | (egli/essa) | parlasse |
| che (noi) | parliamo | (noi) | parlassimo |
| che (voi) | parliate | (voi) | parlaste |
| che (essi/esse) | parlino | (essi/esse) | parlassero |

Tableau des pronoms sujets

| singulier | |
| --- | --- |
| **Personne** | |
| 1<sup>re</sup> | io (je) |
| 2<sup>e</sup> | tu (tu) |
| 3<sup>e</sup> masculin | egli (il)[1] <br> esso (il) <br> lui (lui)[1] |
| 3<sup>e</sup> féminin | essa (elle) <br> ella (elle)[1] <br> lei (elle)[1] |

| pluriel | |
| --- | --- |
| **Personne** | |
| 1<sup>re</sup> | noi (nous) |
| 2<sup>e</sup> | voi (vous) |
| 3<sup>e</sup> masculin | essi (ils) <br> loro (eux)[1] |
| 3<sup>e</sup> féminin | esse (elles) <br> loro (elles)[1] |

1) Formes uniquement employées pour les personnes.

## la forme de politesse

*1* Pour la **forme de politesse,** l'italien emploie la **troisième personne au féminin** (Votre Seigneurie).

| | |
| --- | --- |
| *(Signora Rossi)* | ***Lei*** *conosce Roma?* |
| *(Madame Rossi)* | *Est-ce que vous connaissez Rome?* |
| | |
| *(Signor Rossi)* | ***Lei*** *conosce Roma?* |
| *(Monsieur Rossi)* | *Est-ce que vous connaissez Rome?* |
| | |
| *(Signori Rossi)* | ***Loro*** *conoscono Roma?* |
| *(Monsieur et Madame Rossi)* | *Est-ce que vous connaissez Rome?* |

*2* Généralement on accorde au féminin tous les pronoms, mais on préfère accorder avec le sujet réel les **adjectifs** et les **participes passés** :

| | |
| --- | --- |
| ***(Signora*** *Rossi)* | ***La*** *prego di essere buon**a** con noi.* |
| *(Madame Rossi)* | *Vous êtes priée d'être gentille avec nous.* |
| | |
| ***(Signor*** *Rossi)* | ***La*** *prego di essere buon**o** con noi.* |
| *(Monsieur Rossi)* | *Vous êtes prié d'être gentil avec nous.* |

*(**Signora** Rossi)*      **Lei** *è pregata di assistere allo spettacolo.*
*(Madame Rossi)*      *Vous êtes priée d'assister au spectacle.*

*(**Signor** Rossi)*      **Lei** *è pregato di assistere allo spettacolo.*
*(Monsieur Rossi)*      *Vous êtes prié d'assister au spectacle.*

*(**Signori** Rossi)*      **Loro** *sono pregati di assistere allo spettacolo.*
*(Monsieur et Madame Rossi)*      *Vous êtes priés d'assister au spectacle.*

| singulier | |
|---|---|
| **Personne** | |
| 3ᵉ | lei (vous)<br>ella (vous)¹ |

| pluriel | |
|---|---|
| **Personne** | |
| 3ᵉ | loro (vous) |

1) D'un usage plus soutenu et plus cérémonieux que Lei :
**Ella,** *Signor Ministro, ha già parlato.*
*(Vous), Monsieur le Ministre, vous avez déjà parlé.*

## la place de l'accent tonique

*1* La place de l'accent tonique, qui caractérise la prononciation de chaque verbe, peut poser des problèmes.
Le plus souvent, l'accent tonique porte sur l'avant-dernière syllabe (**parola piana**).

     a-ma-re    te-me-re    sen-ti-re
     a-mo    te-mo    sen-to

*2* Si l'accent porte sur la dernière syllabe (**parola tronca**), il est obligatoirement marqué par un **accent écrit**; c'est le cas de la 1ʳᵉ et de la 3ᵉ personne du singulier du futur et de la 3ᵉ personne du singulier du passé simple (passato remoto) des verbes réguliers.

| Futur | (io) | parlerò | ripeterò | sentirò |
|---|---|---|---|---|
| | (egli/essa) | parlerà | ripeterà | sentirà |
| Passé simple | (egli/essa) | parlò | ripeté | sentì |

*3* L'accent tonique peut porter aussi sur la 3ᵉ, 4ᵉ ou très rarement 5ᵉ syllabe à partir de la fin :
**parole sdrucciole, bisdrucciole, trisdrucciole.**
Il n'y a pas de règle absolue. En cas de doute se reporter aux tableaux des modèles conjugués, où sont soulignés tous les accents quand ils précèdent l'avant-dernière syllabe.

On peut aussi s'en tenir à quelques règles empiriques valables surtout pour les présents de l'indicatif, du subjonctif et de l'impératif :

**1** Pour les **trois premières personnes du singulier** et **la 3ᵉ du pluriel**, l'accent tonique est toujours placé sur le **radical**. En tout cas, l'accent de la 3ᵉ personne du pluriel tombe toujours sur la syllabe déjà accentuée aux 3 premières personnes du singulier.

| | | | |
|---|---|---|---|
| (io) | am-o | tem-o | sent-o |
| (tu) | am-i | tem-i | sent-i |
| (egli/essa) | am-a | tem-e | sent-e |
| (essi/esse) | am-ano | tem-ono | sent-ono |

a. Si la forme verbale a trois syllabes ou plus, l'accent peut porter sur l'antépénultième syllabe (3ᵉ avant la fin), mais **toujours sur le radical :**

| | | | |
|---|---|---|---|
| (io) | agit-o | immagin-o | modific-o |
| (tu) | agit-i | immagin-i | modific-hi |
| (egli/essa) | agit-a | immagin-a | modific-a |
| (essi/esse) | agit-ano | immagin-ano | modific-ano |

Font exception les verbes composés qui gardent l'accent du verbe de base :

| | **mettere** | **trasmettere** | **teletrasmettere** |
|---|---|---|---|
| (io) | metto | trasmetto | teletrasmetto |
| (tu) | metti | trasmetti | teletrasmetti |
| (egli/essa) | mette | trasmette | teletrasmette |
| (essi/esse) | mett-ono | trasmett-ono | teletrasmett-ono |

| | **mandare** | **comandare** | **raccomandare** |
|---|---|---|---|
| (io) | mando | comando | raccomando |
| (tu) | mandi | comandi | raccomandi |
| (egli/essa) | manda | comanda | raccomanda |
| (essi/esse) | mandano | comandano | raccomandano |

b. Les verbes du 3ᵉ groupe qui se conjuguent sur **finire** (100) portent toujours l'accent sur la **première voyelle de la terminaison** (-isc-) :

| | | | |
|---|---|---|---|
| (io) | cap-isco | fin-isco | imped-isco |
| (tu) | cap-isci | fin-isci | imped-isci |
| (egli/essa) | cap-isce | fin-isce | imped-isce |
| (essi/esse) | cap-iscono | fin-iscono | imped-iscono |

**2** Pour les **deux premières personnes du pluriel,** l'accent est toujours placé sur l'**avant-dernière syllabe de la terminaison** :

| | | | | | | |
|---|---|---|---|---|---|---|
| (noi) | am-iamo | tem-iamo | sent-iamo | agit-iamo | immagin-iamo | modifich-iamo |
| (voi) | am-ate | tem-ete | sent-ite | agit-ate | immagin-ate | modific-ate |

*3* A **l'impératif**, la particule pronominale accolée au verbe ne change pas la place de l'accent :

| l<u>a</u>va | p<u>a</u>rla | scr<u>i</u>vi |
|---|---|---|
| l<u>a</u>va**ti** | p<u>a</u>rla**mi** | scr<u>i</u>vi**mi** |
| lave-toi | parle-moi | écris-moi |

| lav<u>a</u>te | parl<u>a</u>te | scriv<u>e</u>te |
|---|---|---|
| lav<u>a</u>te**li** | parl<u>a</u>te**mi** | scriv<u>e</u>te**glielo** |
| lavez-les | parlez-moi | écrivez-le-lui |


# L E S   A U X I L I A I R E S
●●●

## essere ou avere

Tout en ayant une signification propre, **essere** (être, exister) et **avere** (avoir, posséder) sont employés comme auxiliaires des autres verbes pour la formation des temps composés.
Le choix de l'un ou de l'autre auxiliaire n'est pas toujours aisé car bon nombre de verbes peuvent être conjugués tantôt avec l'un, tantôt avec l'autre.
L'**index** (en fin d'ouvrage) indique, pour **chaque verbe**, le ou les auxiliaires employés. On peut toutefois donner quelques points de repère pour le choix de l'auxiliaire des temps composés.

*1* Le verbe avere est l'auxiliaire
a. du verbe **avere** lui-même :
*Ho avuto molte noie.*
*J'ai eu beaucoup d'ennuis.*

b. de tous les verbes **transitifs** (T) à la **forme active** :
*Hanno letto molti libri.*
*Ils ont lu beaucoup de livres.*

c. de certains verbes **intransitifs** (I ♦) :
*Il cane ha abbaiato.*
*Le chien a aboyé.*

## 2 Le verbe essere est l'auxiliaire

a. du verbe **essere** lui-même :
*Sono stato in spiaggia.*
*J'ai été à la plage.*

b. de tous les verbes **réfléchis** (R) ou **pronominaux** (P) :
*Mario si è lavato.*
*Mario s'est lavé.*
*Mi sono arrabbiato.*
*Je me suis fâché.*

c. de la **forme passive** des verbes **transitifs** :
*La lettera è scritta da Giovanni.*
*La lettre est écrite par Jean.*

d. des verbes **impersonnels (imp)** ou employés d'une façon impersonnelle :
*È accaduto ieri.*
*C'est arrivé hier.*

Attention : les verbes impersonnels indiquant des phénomènes atmosphériques peuvent se conjuguer avec essere ou avere (imp ◊) :
*È/ha piovuto a dirotto.*
*Il a plu à verse.*

e. de la plupart des verbes **intransitifs** (I) :
*Giovanni è partito con il treno delle sette.*
*Giovanni est parti par le train de sept heures.*

## 3 Essere ou avere

Essere ou avere peuvent être employés avec les verbes intransitifs (I ◊) indiquant :

a. un état, une manière d'être, une condition physique ou morale comme :
abortire, appartenere, convivere, fallire, germinare, impazzire, mancare, rabbrividire, spirare, tardare, trasudare, zampillare...;

b. un mouvement :
accedere, approdare, atterrare, avanzare, circolare, confluire, correre, emigrare, espatriare, evaporare, gravitare, guizzare, inciampare, indietreggiare, naufragare, penetrare, procedere, progredire, saltare, scattare, sciamare, scivolare, sdrucciolare, sguizzare, slittare, strapiombare, straripare, svicolare, traboccare, volare, zompare...
*L'aereo è/ha atterrato a Fiumicino.*
*L'avion a atterri à Fiumicino.*

L'utilisation d'un auxiliaire plutôt qu'un autre peut introduire des nuances de signification :

| Verbes | avec essere | avec avere |
|---|---|---|
| esplodere | La bomba non è esplosa.<br>La bombe n'a pas explosé.<br>(matière explosive) | La rivoltella non ha esploso.<br>Le revolver n'a pas explosé.<br>(arme) |
| naufragare | Sono naufragati.<br>Ils ont fait naufrage.<br>(des personnes) | Una grossa nave ha naufragato.<br>Un gros bâtiment a fait naufrage.<br>(des choses) |
| principiare | È principiata la trasmissione.<br>L'émission a commencé.<br>(des choses) | Ha ben principiato.<br>Il a bien commencé.<br>(des personnes) |
| volare | È volato via questa mattina.<br>Il s'est envolé ce matin.<br>(déroulement de l'action) | Ha volato per la prima volta.<br>Il a pris l'avion pour la première fois.<br>(l'action en tant que telle) |

## les verbes «servili»

**Dovere, potere, volere** ont une signification propre, mais souvent ils accompagnent un verbe à l'infinitif; pour cette fonction assez proche de l'auxiliaire ils sont appelés «servili» (serviles) du verbe qui les suit, mais on peut les appeler aussi **modaux** car ils indiquent les modalités de l'action exprimée par l'infinitif qui les suit, en apportant au verbe une signification supplémentaire de nécessité (dovere), de possibilité (potere) et de volonté (volere) :

$$\text{Io } \begin{vmatrix} devo \\ posso \\ voglio \end{vmatrix} \text{ studiare.} \qquad \text{Je } \begin{vmatrix} dois \\ peux \\ veux \end{vmatrix} \text{ étudier.}$$

Aux temps composés les verbes dovere, potere, volere
a. se conjuguent avec l'auxiliaire avere dans leur sens propre :
Hanno voluto quel libro.
Ils ont voulu ce livre.

b. Suivis d'un infinitif, ils prennent l'auxiliaire de l'infinitif :

$$\text{Giovanni è } \begin{vmatrix} dovuto \\ potuto \\ voluto \end{vmatrix} \text{ partire.} \qquad \text{Giovanni a } \begin{vmatrix} dû \\ pu \\ voulu \end{vmatrix} \text{ partir.}$$

| Giovanni ha | dovuto<br>potuto<br>voluto | scrivere una lettera. | | Giovanni a | dû<br>pu<br>voulu | écrire une lettre. |

c. Toutefois, dans l'usage contemporain, on tend à employer le plus souvent l'auxiliaire avere.

## les formes idiomatiques

**Andare, stare, venire,** tout en n'étant pas de vrais auxiliaires, contribuent au fonctionnement de la phrase au-delà de leur signification propre

**1 Andare** (aller) peut donner lieu à différentes constructions :
a. **andare** + **a** + **infinitif.** Cette construction est liée à une idée de déplacement. Comme tous les verbes de mouvement, il est suivi de la préposition **a** et de l'infinitif.
> *Vado a lavorare, a studiare...*
> *Je vais travailler, étudier...*

b. **andare** + **participe passé** traduit l'idée de nécessité, d'obligation
> *La lezione va studiata.*
> *La leçon doit être étudiée.*

c. **andare** + **gérondif** (être en train de...)
> *Che cosa vai dicendo?*
> *Qu'est-ce que tu es en train de dire?*

**2 Stare** (être, rester) peut être employé pour exprimer une action en train de se réaliser ou qui va commencer :
a. **stare** + **gérondif** (être en train de...)
> *Che cosa stai facendo?*   *Qu'est-ce que tu es en train de faire?*
> *Sto studiando.*   *Je suis en train d'étudier.*

b. **stare** + **per** + **infinitif** (être sur le point de...)
> *Giovanni sta per partire.*
> *Giovanni est sur le point de partir.*

**3 Venire** (venir) peut exprimer aussi une action qui est en train de se réaliser mais avec une nuance de subjectivité, avec l'implication du locuteur.
> venire + gérondif (être en train de)
> *Paola mi viene dicendo strane cose.*
> *Paola est en train de me dire des choses bizarres.*

## les verbes impersonnels

La forme impersonnelle, emploi du verbe uniquement à la 3ᵉ personne du singulier, est relativement rare en italien. Elle est réservée à certaines catégories de verbes :

 Verbes indiquant des **phénomènes atmosphériques**[1]

| | |
|---|---|
| 10 albeggiare | 19 **nevicare** |
| 12 annebbiare | 66 **piovere** |
| 6 annottare | 18 **piovigginare** |
| 6 balenare | 6 **pioviscolare** |
| 6 **brinare** | 6 rannuvolare |
| 12 **diluviare** | 6 rischiarare |
| 7 fioccare | 100 schiarire |
| 6 folgorare | 100 **scurire** |
| 6 **fulminare** | 6 **sgelare** |
| 6 **gelare** | 66 **spiovere** |
| 6 **grandinare** | 6 **tempestare** |
| 100 imbrunire | 13 **tuonare** |
| 10 **lampeggiare** | 6 **ventare** |

1. Sont indiqués en caractères gras, les verbes qui se conjuguent soit avec avere soit avec essere.

Ces verbes peuvent être construits personnellement et prennent alors un sens figuré, voire littéraire :

*Piovono tegole dal tetto.*  *I proiettili grandinano durante la battaglia.*
*Des tuiles pleuvent du toit.*  *Les balles pleuvent pendant la bataille.*

Le verbe **fare** utilisé dans des locutions comme <u>fare bello</u>, <u>fare caldo</u>, <u>fare freddo</u> (auxiliaire **avere**) :

*Fa caldo oggi.*  *Tutto l'inverno ha fatto freddo.*
*Aujourd'hui il fait chaud.*  *Il a fait froid tout l'hiver.*

D'autres verbes **essentiellement impersonnels** (auxiliaire **essere**) :

| | |
|---|---|
| 28 accadere | 6 giovare (<u>essere/avere</u>) |
| 110 avvenire | D licere |
| 6 bastare | 38 occorrere |
| 6 bisognare | 61 parere |
| 92 calere | 64 piacere |
| 6 constare | 39 rincrescere |
| 110 convenire | 6 sembrare |
| 64 dispiacere | 6 spettare |
| | 35 succedere |

Attention : ces verbes qui sont employés à la 3ᵉ personne du singulier et du pluriel s'accordent avec leur sujet :

*Succede una cosa strana.*  *Succedono strane cose.*
*Il arrive une chose étrange.*  *Il arrive des choses étranges.*

## les formes impersonnelles du verbe essere

*1* En italien le verbe essere est employé dans des locutions impersonnelles qui ont toutefois une forme et des significations différentes du français.
Précédées de **ci** les 3ᵉ personnes du singulier et du pluriel :
a. permettent de situer dans l'espace :

*C'è un libro sul tavolo.*  *Il y a un livre sur la table.*
*Ci sono due libri sul tavolo.*  *Il y a deux livres sur la table.*

b. introduisent le début d'un conte, d'une fable :

*C'era una volta un re...*
*Il était une fois un roi...*

*2* D'autres formes impersonnelles peuvent être construites en ayant recours au pronom **si** (on en français) :

*Si parla molto.*
*On parle beaucoup.*
*Si lavora tutto il giorno.*
*On travaille toute la journéee.*

Cette construction peut avoir aussi une valeur passive (voir ci-dessous n. 5).

## la forme passive

Il y a en italien différentes manières de construire la forme passive :

*1* Avec l'auxiliaire **essere et le participe passé** du verbe conjugué (c'est la forme la plus courante).

| Forme active | Forme passive |
|---|---|
| *Andrea scrive una lettera.* | *Una lettera è scritta da Andrea.* |
| *Andrea écrit une lettre.* | *Une lettre est écrite par Andrée.* |
| *Andrea ha scritto una lettera.* | *Una lettera è stata scritta da Andrea.* |
| *Andrea a écrit une lettre.* | *Une lettre a été écrite par Andrea.* |

**2** Avec le verbe **venire**, mais **uniquement aux temps simples** (présent, imparfait, passé simple, futur simple, conditionnel) :

> *La lettera viene scritta da Paola. (La lettera è scritta da Paola).*
> *La lettre est écrite par Paola.*

**3** Avec le verbe **andare**

a. traduisant une idée d'obligation à la place du verbe dovere + essere :

> *Le lettere vanno inviate (le lettere devono essere inviate).*
> *Les lettres doivent être envoyées.*

b. devant les verbes disperdere, perdere, smarrire, sprecare :

> *La lettera andò perduta (la lettera fu perduta).*
> *La lettre fut perdue.*

**4** Avec les verbes **finire, restare, rimanere** généralement aux temps simples exprimant une **nuance de conclusion d'un processus inéluctable.**

> *La città rimase sepolta dalla lava.*
> *La ville fut ensevelie par la lave.*

**5** Avec le pronom **si** (on) uniquement à la **troisième personne du singulier et du pluriel** de la **forme active.**

> *In Italia si leggono molti settimanali.*
> *En Italie on lit beaucoup d'hebdomadaires.*

Cette forme impersonnelle est très employée dans la langue courante et dans le langage spécialisé (commerce, journaux...); elle peut donner lieu à des formes synthétiques avec inversion du pronom :

> *Si affitta appartamento.*      *Affittasi appartamento.*
> *On loue appartement.*      *(On) loue appartement.*

---

### La forme pronominale

A l'intérieur des verbes pronominaux on distingue en italien différentes catégories selon les rapports existant entre sujet, verbe et pronom complément.

 Les verbes réfléchis (R)

**a. Réfléchis propres**
L'action exprimée par le verbe se «réfléchit» sur le sujet lui-même. Ce dernier fait l'action et en même temps la subit.

> *Tu ti lavi.*      *Tu te laves.*

b. **Réfléchis apparents** (R).

La forme est apparemment «réfléchie», le pronom personnel complément correspond au sujet, mais l'action est subie non par le sujet mais par le complément direct.

*Tu ti lavi le mani.*
*Tu te laves les mains.*

c. **Réfléchis réciproques** (R).

L'action est à la fois faite et subie par 2 ou plusieurs sujets.

*Simone e Andrea si abbracciano.*
*Simone et Andrea s'embrassent.*

 Les verbes pronominaux (P) :

a. **essentiellement pronominaux :**

Ces verbes ont une forme pronominale et une valeur active :

accanirsi, accorgersi, adirarsi, arrabbiarsi, arrendersi, avvalersi, avvedersi, congratularsi, imbattersi, impadronirsi, incapricciarsi, intestardirsi, lagnarsi, ostinarsi, pentirsi, ravvedersi, ribellarsi, vergognarsi... Ils ne peuvent se conjuguer qu'avec les pronoms personnels réfléchis.

b. **accidentellement pronominaux :**

Un certain nombre de verbes, normalement transitifs, peuvent devenir accidentellement pronominaux, dans ce cas ils acquièrent une valeur intransitive et changent parfois de signification : abbattere un albero (abattre un arbre) abbattersi (se décourager).

Ainsi se comportent abbandonare, abbattere, accostare, addormentare, allontanare, annoiare, avviare, alzare, decidere, dimenticare, eccitare, fermare, invitare, muovere, offendere, rallegrare, rattristare, ricordare, svegliare...

 Certains verbes, pronominaux en français, ne le sont pas en italien, et viceversa :

| Pronominaux en français | | | |
|---|---|---|---|
| se disputer | bisticciare | se lever | sorgere (soleil) |
| se désister | desistere | se méfier | diffidare |
| s'échapper | scappare | se moquer de | canzonare, deridere |
| s'écouler (le temps) | trascorrere | se noyer | annegare - affogare |
| s'écrier | esclamare, gridare | se passer (de) | fare a meno di |
| s'écrouler | crollare | se porter (bien/mal) | stare (bene/male) |
| s'enfuir | fuggire | se promener | passeggiare |
| s'épanouir | sbocciare | se rappeler | ricordare et ricordarsi |
| s'évader | evadere | se sauver | scappare |
| s'évanouir | svenire - venir meno | se taire | tacere et tacersi |
| s'extasier | andare in estasi | se terminer | terminare |
| se faner | appassire | se tromper (de) | sbagliare et sbagliarsi |
| se flétrir | avvizzire | | |

| | | | |
|---|---|---|---|
| accomiatarsi | prendre congé | felicitarsi con | féliciter |
| ammalarsi | tomber malade | prendersi la libertà | prendre la liberté |
| approfittarsi | profiter | muoversi | bouger |
| arrampicarsi | grimper | rallegrarsi con | féliciter |
| complimentarsi con | féliciter | restarsene | rester |
| buscarsi | attraper | sciogliersi | fondre |
| degnarsi di | daigner de | tuffarsi | plonger |
| dimenticarsi | oublier | vergognarsi | avoir honte |
| dimettersi | démissionner | | |

La construction de ces verbes étant particulièrement complexe, nous vous conseillons d'en vérifier les différents sens dans le dictionnaire; certains ne sont pas purement pronominaux :

*dimenticarsi di qualcosa*    *approfittarsi di qualcuno*
*dimenticare qualcuno*    *approfittare di qualcosa*

**4** Aux temps composés les verbes **réfléchis** (R) et **pronominaux** (P) se conjuguent avec l'auxiliaire essere et leur participe passé s'accorde généralement avec le sujet (voir p. 39) :

*Paola si è alzata. Paola s'est levée.*

## les pronoms personnels

**1** Place des pronoms réfléchis
Les pronoms personnels réfléchis **mi** (me), **ti** (te), **si** (se), **ci** (nous), **vi** (vous), **si** (se) :
a. précèdent généralement le verbe : **mi** lavo;

b. cependant ils sont placés **après** le verbe auquel ils se rattachent :
● à l'infinitif : lavarsi (avec suppression du -e final de l'infinitif) ;
● au gérondif : lavandosi;
● à l'impératif : lavati, laviamoci, lavatevi;
● au participe passé absolu : lavatosi, lavatasi.

c. d'autre part, ces pronoms personnels peuvent être placés indifféremment **avant** ou **après le verbe** dans les cas suivants :
● à la forme négative de l'impératif : non ti lavare/non lavarti. Non vi lavate/non lavatevi
● à l'infinitif dans le cas de construction avec les verbes «servili» (dovere, potere, volere) :
*Mi devo lavare/devo lavarmi. Je dois me laver.*
*Mi posso servire/posso servirmi. Je peux me servir.*
*Mi voglio divertire/voglio divertirmi. Je veux m'amuser.*

Tableau des formes des pronoms personnels

| **singulier** Nombre | Sujets | Compléments | | | |
|---|---|---|---|---|---|
| | | formes faibles[1] | | formes fortes[2] | |
| Personne | | directs | indirects | directs | indirects |
| 1re | io (je) | mi (me) | | me (moi) | |
| 2e | tu (tu) | ti (te) | | te (toi) | |
| 3e masculin | egli (il)[3] esso (il) lui (lui)[3] | lo (le) | gli (lui) | lui (lui) | lui (lui) esso[4] (lui) |
| 3e féminin | essa (elle) ella (elle)[3] lei (elle)[3] | la (la) | le (lui)[6] | lei (elle) | lei (elle) essa[4] (elle) |
| 3e politesse | Lei (vous)[3] Ella (vous)[3] | la (vous) | le (vous) | Lei (vous) | |
| 3e pronominale | | si (se) | | sé[7] (soi/lui, elle) | |

| **pluriel** Nombre | Sujets | Compléments | | | |
|---|---|---|---|---|---|
| | | formes faibles[1] | | formes fortes[2] | |
| Personne | | directs | indirects | directs | indirects |
| 1re | noi (nous) | ci (nous) | | noi (nous) | |
| 2e | voi (vous) | vi (vous) | | voi (vous) | |
| 3e masculin | essi (ils) loro (eux)[3] | li (les) | loro[5] | loro (eux) | loro essi[4] (eux) |
| 3e féminin | esse (elles) loro (elles)[3] | le (les) | loro[5] (elles) | loro (elles) | loro esse[4] (elles) |
| 3e politesse | Loro[3] (vous) | Le (vous) | Loro[5] (vous) | Loro (vous) | |
| 3e pronominale | | si (se) | | sé[7] (soi) | |

1) Les **formes faibles** se placent toujours avant le verbe, sauf à l'infinitif, au participe passé absolu, à l'impératif et au gérondif.

2) Les **formes fortes** se placent après le verbe ou sont précédées d'une préposition :
*Esci con me. Tu sors avec moi.*

3) Uniquement pour les personnes; (**ella** est considérée comme une forme littéraire, particulièrement solennelle).

4) Esso/i, essa/e comme compléments indirects précédés de préposition s'emploient uniquement pour désigner un animal ou une chose.

5) Toujours après le verbe. *Io parlo **loro**. Je leur parle.* Dans l'italien contemporain on a tendance à remplacer **loro** par la forme du masculin singulier : **gli.** *Gli scrivo. Je leur écris.*

6) La tendance actuelle est de n'utiliser qu'une seule forme pour le complément indirect précédant le verbe, pour le masculin et le féminin, pour le singulier et le pluriel : **gli.**
*Io gli parlo* pour *io le parlo/io parlo loro.*

7) **Sé** peut même se rapporter à un sujet déterminé; dans ce cas, il remplace lui/elle, eux/elles.
*Giovanna pensa solo a **sé**. Giovanna ne pense qu'à elle.*

**Sé** a un accent pour ne pas le confondre avec la conjonction **se** (si), mais il peut ne pas être accentué lorsqu'il est suivi de **stesso** ou **medesimo.**
*Si è corretta da sé stessa (se stessa). Elle s'est corrigée d'elle-même.*

 Formes pronominales composées

| Pronoms indirects faibles | + pronoms directs faibles | | | | |
|---|---|---|---|---|---|
| | lo | la | li | le | ne |
| mi[1] | me lo | me la | me li | me le | me ne |
| ti[1] | te lo | te la | te li | te le | te ne |
| gli[2]/le[3] | **glielo** | **gliela** | **glieli** | **gliele** | **gliene** |
| ci[1] | ce lo | ce la | ce li | ce le | ce ne |
| vi[1] | ve lo | ve la | ve li | ve le | ve ne |
| loro[4] | lo... loro **glielo** | la... loro **gliela** | li... loro **glieli** | le... loro **gliele** | ne... loro **gliene** |

Remarques :

1) Changement de voyelle (i-e) pour les 1[res] et 2[es] personnes : mi/me, ti/te, ci/ce, vi/ve.

2) A la 3[e] personne du singulier, gli devient **glie**.

3) **Gli** est également employé pour le féminin à la place de **le**.

4) Dans l'italien contemporain, on a tendance à employer pour le pluriel **gli** à la place de **loro**.
*Glielo dico. Je le lui/leur dis.*

Les formes avec **gli** sont accolées (**glielo**) alors que les autres formes restent séparées. Cependant lorsqu'elles sont employées après le verbe à l'impératif, à l'infinitif, au participe passé et au gérondif, elles s'unissent au verbe avec lequel elles ne forment qu'un seul mot : *portamelo : apporte-le moi.*

# L E S  V E R B E S  I R R É G U L I E R S

●●●

Ce sont les verbes qui ne suivent pas la conjugaison des verbes types. Ils sont nombreux en italien.
Seule la pratique permet de mémoriser ces verbes très employés.
Nous donnons dans les tableaux de conjugaisons les formes de tous les verbes irréguliers et de leurs
dérivés. Les principales irrégularités concernent les formes du passé simple et du participe passé.

## auxiliaires

| Infinito<br>Infinitif | Presente indicativo<br>Indicatif présent | Passato remoto<br>Passé simple | Participio passato<br>Participe passé |
|---|---|---|---|
| essere | sono | fui | stato |
| avere | ho | ebbi | avuto |

## 1re conjugaison

| Infinito<br>Infinitif | Presente indicativo<br>Indicatif présent | Passato remoto<br>Passé simple | Participio passato<br>Participe passé |
|---|---|---|---|
| andare | vado | andai | andato |
| dare | do | diedi | dato |
| stare | sto | stetti | stato |

## 2e conjugaison

| Infinito | -SI<br>Passato remoto | -SO<br>Participio passato | Infinito | -SI<br>Passato remoto | -SO<br>Participio passato |
|---|---|---|---|---|---|
| accendere | accesi | acceso | correre | corsi | corso |
| accludere | acclusi | accluso | decidere | decisi | deciso |
| alludere | allusi | alludo | difendere | difesi | difeso |
| appendere | appesi | appeso | dividere | divisi | diviso |
| ardere | arsi | arso | elidere | elisi | eliso |
| aspergere | aspersi | asperso | espandere | espansi | espanso |
| chiudere | chiusi | chiuso | espellere | espulsi | espulso |
| contundere | contusi | contuso | esplodere | esplosi | esploso |

| Infinito | -SI Passato remoto | -SO Participio passato | Infinito | -SI Passato remoto | -SO Participio passato |
|---|---|---|---|---|---|
| emergere | emersi | emerso | recidere | recisi | reciso |
| evadere | evasi | evaso | rendere | resi | reso |
| fondere | fusi | fuso | ridere | risi | riso |
| immergere | immersi | immerso | rifulgere | rifulsi | rifulso |
| incidere | incisi | inciso | rodere | rosi | roso |
| intridere | intrisi | intriso | scendere | scesi | sceso |
| invadere | invasi | invaso | spargere | sparsi | sparso |
| ledere | lesi | leso | spendere | spesi | speso |
| mordere | morsi | morso | tendere | tesi | teso |
| perdere | persi | perso | tergere | tersi | terso |
| persuadere | persuasi | persuaso | uccidere | uccisi | ucciso |
| prendere | presi | preso | valere | valsi | valso |
| radere | rasi | raso | | | |

Attention au présent de l'indicatif du verbe valere (valgo).

| Infinito | -SSI Passato remoto | -SSO Participio passato | Infinito | -SSI Passato remoto | -SSO Participio passato |
|---|---|---|---|---|---|
| affiggere | affissi | affisso | muovere | mossi | mosso |
| annettere | annessi | annesso | percuotere | percossi | percosso |
| comprimere | compressi | compresso | riflettere | riflessi | riflesso |
| concedere | concessi | concesso | scindere | scissi | scisso |
| discutere | discussi | discusso | scuotere | scossi | scosso |
| incutere | incussi | incusso | | | |

| Infinito | -SI Passato remoto | -TO Participio passato | Infinito | -SI Passato remoto | -TO Participio passato |
|---|---|---|---|---|---|
| assolvere | assolsi | assolto | cogliere | colsi | colto |
| assumere | assunsi | assunto | distinguere | distinsi | distinto |
| cingere | cinsi | cinto | dipingere | dipinsi | dipinto |

| Infinito | -SI Passato remoto | -TO Participio passato | Infinito | -SI Passato remoto | -TO Participio passato |
|---|---|---|---|---|---|
| dolersi | mi dolsi | dolutosi | scorgere | scorsi | scorto |
| ergere | ersi | erto | spegnere | spensi | spento |
| fingere | finsi | finto | spengere | | |
| frangere | fransi | franto | spingere | spinsi | spinto |
| piangere | piansi | pianto | svellere | svelsi | svelto |
| mungere | munsi | munto | torcere | torsi | torto |
| porgere | porsi | porto | tingere | tinsi | tinto |
| pungere | punsi | punto | ungere | unsi | unto |
| redimere | redensi | redento | vincere | vinsi | vinto |
| rimanere | rimasi | rimasto | volgere | volsi | volto |
| scegliere | scelsi | scelto | | | |

Attention au présent de l'indicatif des verbes : cogliere (colgo), dolersi (mi dolgo), rimanere (rimango), scegliere (scelgo), spegnere/spengere (spengo).

| Infinito | -SSI Passato remoto | -TTO Participio passato | Infinito | -SSI Passato remoto | -TTO Participio passato |
|---|---|---|---|---|---|
| affligere | afflissi | afflitto | negligere | neglessi | negletto |
| condurre | condussi | condotto | proteggere | protessi | protetto |
| cuocere | cossi | cotto | redigere | redassi | redatto |
| dire | dissi | detto | reggere | ressi | retto |
| dirigere | diressi | diretto | scrivere | scrissi | scritto |
| distruggere | distrussi | distrutto | struggere | strussi | strutto |
| friggere | frissi | fritto | trarre | trassi | tratto |
| leggere | lessi | letto | | | |

Attention au présent de l'indicatif des verbes condurre (conduco), cuocere (cuocio), dire (dico), trarre (traggo).

| Infinito | Passato remoto -SI | Participio passato -STO | Infinito | Passato remoto -SI | Participio passato -STO |
|---|---|---|---|---|---|
| chiedere | chiesi | chiesto | rispondere | risposi | risposto |
| porre | posi | posto | | | |

Attention au présent de l'indicatif du verbe porre (pongo).

| Infinito<br>Infinitif | REDOUBLEMENT DE CONSONNE | |
|---|---|---|
| | Passato remoto<br>Passé simple | Participio passato<br>Participe passé |
| bere | bevvi | bevuto |
| cadere | caddi | caduto |
| conoscere | conobbi | conosciuto |
| crescere | crebbi | cresciuto |
| piovere | piovvi | piovuto |
| rompere | ruppi | rotto |
| tenere | tenni | tenuto |
| vivere | vissi | vissuto |
| volere | volli | voluto |

## 3ᵉ conjugaison

| Infinito<br>Infinitif | Presente indicativo<br>Indicatif présent | Passato remoto<br>Passé simple | Participio passato<br>Participe passé |
|---|---|---|---|
| apparire | appaio | apparvi | apparso |
| aprire | apro | aprii | aperto |
| morire | muoio | morii | morto |
| udire | odo | udii | udito |
| uscire | esco | uscii | uscito |
| venire | vengo | venni | venuto |

| Infinito<br>Infinitif | Presente indicativo<br>Indicatif présent | Futuro semplice<br>Futur simple | Condizionale presente<br>Conditionnel présent |
|---|---|---|---|
| andare | vado | andrò | andrei |
| avere | ho | avrò | avrei |
| bere | bevo | berrò | berrei |
| cadere | cado | cadrò | cadrei |
| dovere | devo | dovrò | dovrei |
| godere | godo | godrò | godrei |
| morire | muoio | morirò/morrò | morirei/morrei |
| parere | paio | parrò | parrei |
| potere | posso | potrò | potrei |
| sapere | so | saprò | saprei |
| valere | valgo | varrò | varrei |
| vedere | vedo | vedrò | vedrei |
| venire | vengo | verrò | verrei |

## Les verbes défectifs

Ce sont des verbes qui ne sont pas couramment employés à toutes les formes. Pour les formes qui font défaut on fait souvent appel à d'autres verbes.

Ces verbes sont tous répertoriés dans l'index, en fin d'ouvrage; après le signe ≈ sont indiquées les formes en usage ou, le cas échéant, les formes qui ne sont pas employées.

Dans la liste qui suit, les **verbes en caractères gras** sont ceux qui n'ont pas de participe passé et donc pas de temps composés. Les **verbes précédés d'un D** n'ont qu'un nombre très limité de formes : elles sont toutes indiquées dans l'index.

Pour les autres verbes, le numéro qui les précède renvoie aux tableaux des conjugaisons.

| | | | | | |
|---|---|---|---|---|---|
| 20 | **acquiescere** | 20 | **competere** | 48 | **divergere** |
| 41 | addirsi | 20 | **concernere** | 47 | dovere |
| 52 | affarsi | 6 | constare | 88 | eccellere |
| 6 | aggradare | 26 | consumere | 77 | **erompere** |
| 6 | **arcaizzare** | 20 | controvertere | 73 | **esimere** |
| 111a | ardire | 48 | **convergere** | 49 | **espandere** |
| D | arrogere | 20 | **delinquere** | 20 | **estrovertere** |
| 111b | atterrire | 73 | **dirimere** | 6 | fallare |
| D | **aulire** | 6 | **disaggradare** | 21 | **fendere** |
| 6 | bisognare | 20 | **discernere** | D | **fervere** |
| 92 | **calere** | 41 | disdire | D | **folcire** |
| 20 | **cernere** | 16 | **distare** | 67 | **fulgere** |

| 55 | fungere | D | mulcere | 20 | soccombere |
|---|---|---|---|---|---|
| 50 | impellere | 42 | negligere | 98a | solere |
| 20 | incombere | D | olire | 49 | spandere |
| 67 | indulgere | D | ostare | 112b | sparire |
| 100 | inerire | 42 | prediligere | 10 | spesseggiare |
| 92 | invalere | 70 | propendere | 21 | splendere |
| D | ire | 20 | prudere | 6 | strapiombare |
| 20 | istare | D | redire | 74 | stridere |
| D | licere | 6 | ribisognare | 100 | stridire |
| D | lucere | 20 | ridiscernere | 98b | suggere |
| D | malandare | D | riedere | 65 | tangere |
| D | malvolere | 67 | rifulgere | D | tepere |
| 112a | marcire | D | rilucere | D | tralucere |
| 39 | mescere | 21 | risplendere | 55 | urgere |
| 31 | mingere | 20 | scernere | 20 | vertere |
| D | molcere | 105 | smorire | 72 | vigere |

## la diphtongaison ou diphtongue mobile

Phénomène classique de la phonétique et de l'orthographe italiennes, qui a perdu beaucoup de son importance dans l'usage contemporain. Il intéresse les verbes de toutes les conjugaisons. Il comporte deux règles :

*1* Lorsque l'accent tonique tombe sur les voyelles **e, o** du radical, celles-ci se transforment en **ie** ou **uo**.

$$e \rightarrow ie$$
$$o \rightarrow uo$$

sedere    (io) siedo    (essi/esse) siedono    mais (noi) sediamo
suonare    (io) suono    (essi/esse) suonano    mais (noi) soniamo

*2* Il n'y a pas de diphtongue même si les voyelles **e/o** sont accentuées lorsqu'elles se trouvent en syllabe fermée (se terminant par une consonne) :

(io)          mossi    parce que    mos-si
(essi/esse)   mossero          mos-sero

La tendance actuelle est de **garder** pour toutes les personnes la **forme de l'infinitif** :
giocare    io gioco, tu giochi au lieu de io giuoco, tu giuochi... ;
muovere    io muovo, tu muovi... mais aussi noi muoviamo au lieu de noi moviamo

tout en respectant la règle 2 dans un nombre limité de formes (1re et 3e personnes du singulier et 3e du pluriel du passé simple et participe passé) :

(io)          mossi    mosso
(egli/essa)   mosse
(essi/esse)   mossero

Quelquefois la diphtongue peut servir à différencier des verbes de significations différentes :

| abbuonare (remettre, pardonner) | abbonare (abonner) |
| nuotare (nager) | notare (remarquer) |
| vuotare (vider) | votare (voter) |

## verbes «sovrabbondanti»

Ce sont des verbes[1] qui possèdent une double forme appartenant à deux conjugaisons différentes (généralement la 1<sup>re</sup> et la 3<sup>e</sup>) mais ayant la même signification :

| | | | | | |
|---|---|---|---|---|---|
| 18 | abbrustolare | 100 | **abbrustolire** | 7 | **imbiancare** | 100 | imbianchire |
| 6 | **accalorare** | 100 | accalorire | 9 | **incapricciarsi** | 100 | incapriccirsi |
| 33 | **adempiere** | 33 | adempire | 6 | indurare | 100 | **indurire** |
| 12 | aggranchiare | 100 | aggranchire | 6 | intorbidare | 100 | **intorbidire** |
| 6 | ammansare | 100 | ammansire | 6 | raggrinzare | 100 | **raggrinzire** |
| 6 | ammollare | 100 | ammollire | D | redire | D | riedere |
| 6 | ammusare | 100 | ammusire | 33 | riempiere | 33 | **riempire** |
| 6 | ammutare | 100 | ammutire | 6 | **rischiarare** | 100 | rischiarire |
| 6 | annerare | 100 | annerire | 49 | scandere | 100 | **scandire** |
| 6 | approfondare | 100 | **approfondire** | 9 | **scapricciare** | 100 | scapriccire |
| 6 | assordare | 100 | assordire | 6 | **schiarare** | 100 | schiarire |
| 6 | attristare | 100 | attristire | 6 | scolorare | 100 | **scolorire** |
| 20 | **cernere** | 20 | cernire | 12 | sgranchiare | 100 | **sgranchire** |
| 6 | **colorare** | 100 | colorire | 6 | smagrare | 100 | smagrire |
| 33 | **compiere** | 33 | compire | 6 | starnutare | 100 | **starnutire**/ |
| 6 | dimagrare | 100 | **dimagrire** | | | 100 | sternutire |
| 33 | empiere | 33 | **empire** | 6 | tintinnare | 100 | tintinnire |

1) Les formes les plus employées de ces verbes sont en caractères gras.

D'autres verbes ne sont qu'apparemment «sovrabbondanti», en réalité il s'agit de verbes différents, avec forme et significations différentes.

| | | | |
|---|---|---|---|
| 6 | **abbonare** (2)<br>(abonner) | 100 | abbonire<br>(calmer) |
| 6 | **abbronzare**<br>(bronzer, hâler) | 100 | abbronzire<br>(recouvrir de bronze) |
| 23 | **ardere**<br>(brûler) | 111a | **ardire**<br>(oser) |
| 6 | arrossare<br>(rougir/rendre rouge) | 100 | **arrossire**<br>(rougir/devenir rouge) |
| 6 | **atterrare**<br>(abattre, atterrer, atterir, abattre) | 111b | atterrire<br>(terrifier) |

30

| 9 **marciare** | 112a **marcire** |
|---|---|
| (marcher) | (pourrir) |
| 7 **sbiancare** | 100 sbianchire |
| (décolorer/pâlir, se décolorer) | (décolorer/déteindre) |
| 6 **sfiorare** | 100 **sfiorire** |
| (effleurer) | (se faner) |
| 6 **sparare** | 112b **sparire** |
| (tirer avec une arme à feu) | (disparaître) |
| 6 **tornare** | 100 **tornire** |
| (revenir) | (tourner au tour) |

# M O D E S    E T    T E M P S
●●●

## l'indicatif (indicativo)

C'est le mode de la réalité, de la certitude, de l'objectivité.
Dans l'ensemble son usage en italien n'est pas différent du français.

*1* Présent (presente)
Indique l'action au moment où elle se déroule.
*Giovanni **parla**. Giovanni parle.*

Il peut prendre d'autres valeurs :
a. Futur proche introduit par des adverbes *adesso, ora, subito*
   *Ora **parto**. Je vais partir.*

b. Futur avec des locutions temporelles indiquant le futur comme (*fra..., domani*) :
   **Parto** *domani.       Fra tre giorni **finiscono** le vacanze*
   *Je pars demain.      Les vacances finissent dans trois jours.*
Ici le futur exprime une action à venir dont on est absolument certain.

Une action située dans le passé peut être exprimée avec différents temps simples :

*2* Imparfait (imperfetto)
L'imparfait peut exprimer :
a. une action qui se déroule dans le passé et qui n'est pas encore entièrement terminée :
   **Lavorava** *da molti anni a Milano.*
   *Il travaillait à Milan depuis de nombreuses années.*

b. une action qui se répétait habituellement :
> *Tutte le matine Sonia **andava** a scuola.*
> Tous les matins Sonia allait à l'école.

c. un désir (registre familier) :
> ***Volevo** due pizze.*
> Je voudrais deux pizzas.

**3** Passé composé (passato prossimo)
Indique un fait qui s'est réalisé dans un passé (proche ou lointain) qui garde des liens avec le présent.
> *Stamani **ho visto** un bel quadro.*
> Ce matin j'ai vu un beau tableau.

> ***Sono arrivato** a Roma cinque anni fa. (j'habite encore Rome)*
> Je suis arrivé à Rome il y a cinq ans.

**4** Passé simple (passato remoto)
Indique un fait complètement révolu dans le passé, qui n'a plus de relations avec le présent de l'énonciation.
> *Cesare **conquistò** la Gallia nel 50 avanti Cristo.*
> César conquit la Gaule en 50 a.C.

mais on dira :
> *Mio fratello **è nato** nel 1979.*
> Mon frère est né en 1979.

D'une manière générale le passato remoto est davantage ressenti comme une forme de la langue écrite. Dans la langue parlée, il est de plus en plus remplacé par le passé composé.

**5** Plus-que-parfait (trapassato prossimo)
Il est employé pour exprimer l'antériorité d'une action par rapport à une autre. Cette dernière peut être à l'imparfait, au passé composé, au passé simple.
> *Siccome non **avevo dormito** abbastanza, non potei svegliarmi in tempo.*
> Comme je n'avais pas assez dormi, je ne pus me réveiller à temps.

> *Si riposavano perchè **avevano studiato** tutto il giorno.*
> Ils se reposaient parce qu'ils avaient étudié toute la journée.

**6** Passé antérieur (trapassato remoto)
Il indique, généralement dans une subordonnée temporelle, une action qui s'est complètement réalisée dans le passé, avant une autre, accomplie elle aussi dans le passé.
Il n'est plus très employé.
> *Quando **ebbi finito** il lavoro andai in vacanze.*
> Quand j'eus terminé mon travail je partis en vacances.

## 7 Futur (futuro)

Il indique un fait encore à venir au moment où l'on parle, où l'on écrit.
Le futur peut aussi exprimer :

a. Une supposition, une approximation :

> ***Saranno*** *dieci anni che non fumo più.*
> *Ça fait peut-être dix ans que je ne fume plus.*
> *Sul tavolo ci* ***saranno*** *una ventina di libri.*
> *Sur la table il y a peut-être une vingtaine de livres.*

b. Une incertitude dans le présent ou dans le futur (phrases interrogatives) :

> *Di chi* ***sarà*** *questo libro?*
> *A qui ce livre peut-il appartenir?*

c. Un doute, la négation d'une affirmation faite par autrui :

> ***Sarà*** *interessante, ma in questo momento ho altri problemi.*
> *C'est peut-être intéressant, mais en ce moment j'ai d'autres problèmes.*

## 8 Futur antérieur (futuro anteriore)

Ce temps est employé pour marquer l'antériorité par rapport au futur simple.

> *Quando* ***avrò finito*** *questo libro, ne leggerò un altro.*
> *Quand j'aurai terminé ce livre, j'en lirai un autre.*

## le subjonctif (congiuntivo)

● **EMPLOI**

C'est le mode de la possibilité, du doute, de l'incertitude, de l'hypothèse.
Il s'oppose à l'indicatif pour indiquer ce qui est peu vraisemblable, incertain, douteux.
Même si l'italien contemporain tend à réduire son importance, l'usage du subjonctif est **obligatoire** dans les cas suivants :

## 1 Dans les phrases subordonnées en dépendance des :

a. Verbes d'**opinion** : credere, dire, pensare, supporre, trovare, cercare...

> *Penso che* ***sia*** *vero.*
> *Je pense que c'est vrai.*
> *Credo che tu* ***abbia*** *molta fortuna.*
> *Je crois que tu as beaucoup de chance.*

b. Verbes indiquant un **sentiment**, un **doute**, la **crainte** : dispiacere, piacere, sperare, temere, aver paura, esser contento, dubitare...

> *Mi dispiace che egli non* ***venga*** *questa sera.*
> *Je regrette qu'il ne vienne pas ce soir.*

> *Temo che tu* ***abbia*** *torto.*
> *Je crains que tu n'aies tort.*

A noter que le verbe **sperare** se construit avec le subjonctif :
*Spero* che tu *venga* al cinema con me → venga : subjonctif présent
*J'espère que tu viendras au cinéma avec moi.*

*Speravamo* che tu *venissi* al cinema con noi → venissi : subjonctif imparfait
*Nous espérions que tu viendrais au cinéma avec nous.*

c. Verbes indiquant la **volonté** ou le **souhait** : volere, esigere, pretendere, ordinare, augurare, chiedere, desiderare, pregare...
*Voglio che tu **venga** subito.*
*Je veux que tu viennes tout de suite.*

d. Verbes ou locutions impersonnels traduisant la **nécessité**, la **possibilité**, l'**impossibilité**, l'**improbabilité** : bisognare, occorrere, parere, sembrare, essere necessario/importante/indispensabile/possibile, convenire, può darsi, si dice/dicono.
*È possibile che **sia partito** questa mattina.*
*Il est possible qu'il soit parti ce matin.*

e. Certains verbes à la forme négative lorsqu'ils impliquent l'**incertitude** :
*Non capisco chi **sia**. Je ne comprends pas qui il peut bien être.*
*Non vedo dove tu **vada**. Je ne vois pas où tu peux bien aller.*
*Non ricordo come si **chiami**. Je ne me rappelle pas comment il peut bien s'appeler.*
*Non so dove egli **abiti**. Je ne sais pas où il peut bien habiter.*

*2* Dans les subordonnées introduites par un **pronom relatif** ayant pour antécédent :
a. Un superlatif relatif ou un comparatif :
*Il monte Bianco è la cima più alta che io **abbia visto**.*
*Le mont Blanc est le sommet le plus élevé que j'aie vu.*

b. Les adjectifs solo, unico :
*Simone è l'unico amico che **abbia**.*
*Simone est le seul ami que j'aie.*

c. Les pronoms ou adjectifs indéfinis négatifs nessuno, niente...
*Non c'è nessuno che **sappia** risolvere questo problema.*
*Il n'y a personne qui sache résoudre ce problème.*

*3* Dans les phrases hypothétiques exprimant la **possibilité** ou l'**impossibilité**, introduites par **se** ou par **un adverbe** ou une **locution** : qualora, quand'anche, nel caso che/in cui, caso mai, magari... on emploie alors le subjonctif imparfait ou plus-que-parfait (voir tableau p. 44)
*Se tu **lavorassi** avresti dei buoni risultati.*
*Si tu travaillais tu aurais de bons résultats.*

*Se tu **avessi lavorato** avresti avuto dei buoni risultati.*
*Si tu avais travaillé tu aurais eu de bons résultats.*

● **TEMPS**

**1** Présent (presente)

C'est le temps le plus employé du subjonctif.

Il indique la contemporanéité par rapport à un présent ou à un futur :

    *Penso che **sia** vero.*      *Crederanno che **sia** vero.*

    *Je pense que c'est vrai.*      *Ils croiront que c'est vrai.*

Il remplace les personnes manquantes de l'impératif (3e du singulier et 1re et 3e du pluriel) :

| sia | (egli/essa/Lei) | ami | tema | senta |
|---|---|---|---|---|
| siamo | (noi) | amiamo | temiamo | sentiamo |
| siano | (essi/esse/Loro) | amino | temano | sentano |

**2** Imparfait (imperfetto)

Il exprime un désir, un souhait que l'on estime irréalisable, ou bien que l'on craint.

    *Se **fossi** una colomba!*      *Se **fosse** qui!*

    *Si j'étais une colombe!*      *S'il était ici!*

Dans les subordonnées il indique la contemporanéité par rapport à un temps passé.

    *Credevo **fosse** in casa. Je croyais qu'il était chez lui.*

Il est aussi employé dans la phrase hypothétique pour indiquer la possibilité.

    *Se **studiassi**, saresti promosso. Si tu étudiais, tu serais reçu.*

**3** Passé (passato)

Il exprime un doute, un désir, une possibilité dans le passé :

    *Che **abbiano vinto** alla lotteria?*

    *Serait-il possible qu'ils aient gagné au loto?*

Dans les subordonnées* il indique une action antérieure à un temps présent ou futur :

    *Spero che tu **abbia trovato** un appartamento.*

    *J'espère que tu as trouvé un appartement.*

    *Crederò che **abbia avuto** ragione solo quando l'avrò ascoltata.*

    *Je croirai qu'elle a eu raison seulement quand je l'aurai entendue.*

* Noter que dans ce cas en français on emploie le temps correspondant de l'indicatif.

**4** Plus-que-parfait (trapassato)

Il indique un désir, un souhait qui ne se sont pas réalisés dans le passé :

    ***Avessi avuto** più fortuna! Si j'avais eu plus de chance!*

Dans la phrase hypothétique pour indiquer que la condition n'a pas été réalisée.

    *Se **avessi studiato** sarei stato promosso. Si j'avais étudié j'aurais été reçu.*

## le conditionnel (condizionale)

C'est le mode de l'hypothèse, de la condition ; il peut avoir différentes valeurs.

**1** Modale

a. pour indiquer l'atténuation

| | | |
|---|---|---|
| d'une demande : | ***Vorresti*** *dirmi dove siamo ?* | *Voudrais-tu me dire où nous sommes ?* |
| d'un ordre : | ***Dovresti*** *aiutare la mamma.* | *Tu devrais aider ta mère.* |
| d'un désir : | ***Mi piacerebbe*** *visitare Venezia.* | *J'aimerais visiter Venise.* |
| d'un conseil : | ***Potresti*** *studiare di più.* | *Tu pourrais étudier davantage.* |

b. pour rapporter un fait dont on n'est pas sûr :

*Secondo la stampa l'aereo* **sarebbe caduto** *in mare.*
*D'après la presse l'avion serait tombé en mer.*

c. dans les phrases hypothétiques introduites par **se**, par un **adverbe** ou une **locution** : qualora, quand'anche, nel caso che/in cui, caso mai, magari... (voir tableau hypothèse, p. 41-42).
Si la condition est considérée comme réalisable, on emploie le conditionnel présent, si elle est donnée comme impossible, irréalisable, on emploie le conditionnel passé.

*Se tu mi ascoltassi mi* **capiresti** *meglio.*
*Si tu m'écoutais tu me comprendrais mieux.*

*Se tu mi avessi ascoltato, mi* **avresti capito** *meglio.*
*Si tu m'avais écouté, tu m'aurais mieux compris.*

*Qualora venisse* **andremmo** *tutti al cinema.*
*Au cas où il viendrait nous irions tous au cinéma.*

**2** Temporelle

Lorsque le conditionnel introduit une action future par rapport à un temps passé, l'italien emploie le conditionnel passé au lieu du conditionnel présent.

*Diceva che* **sarebbe venuto.**      *Aveva detto che* **sarebbe venuto.**
*Il disait qu'il viendrait.*         *Il avait dit qu'il viendrait.*

## l'impératif (imperativo)

**1** Impératif affirmatif

Il n'a pas de première personne. Il n'a en propre que les 2es personnes du singulier et du pluriel, les autres personnes étant empruntées au présent du subjonctif :

| | | | | | |
|---|---|---|---|---|---|
| **parla** | (tu) | **temi** | (tu) | **senti** | (tu) |
| parli | (Lei) | tema | (Lei) | senta | (Lei) |
| parliamo | (noi) | temiamo | (noi) | sentiamo | (noi) |
| **parlate** | (voi) | **temete** | (voi) | **sentite** | (voi) |
| parlino | (Loro) | temano | (Loro) | sentano | (Loro) |

~~~ Remarque
Andare, dare, fare, stare, dire ont plusieurs formes pour la 2ᵉ personne du singulier : va, vai/va'; dà, dai/da'; fa, fai/fa'; sta, stai/sta'; di/di'.

**2** Impératif négatif

a. A la forme négative, la 2ᵉpersonne du singulier de l'impératif se forme avec **non** + **infinitif** :
   non amare   non temere   non sentire

b. Les autres personnes se forment régulièrement :

| | | | |
|---|---|---|---|
| non ami | (Lei) | non tema | (Lei) |
| non amiamo | (noi) | non temiamo | (noi) |
| non amate | (voi) | non temete | (voi) |
| non amino | (Loro) | non temano | (Loro) |

~~~ Attention à la place des pronoms personnels compléments **mi/ti/ci/vi, lo/li, l'/la/le, gli** et **ne**.

a. Après le verbe avec la 1ʳᵉ personne du pluriel et les 2ᵉ personnes du singulier et du pluriel :

| | | |
|---|---|---|
| amami | temilo | prendile |
| amiamoci | temiamola | prendiamone |
| amatevi | temetela | prendetene |

b. Devant le verbe avec la 3ᵉ du singulier et du pluriel :

| | | |
|---|---|---|
| le ami | lo tema | le senta |
| lo amino | lo temano | le sentano |

c. Avec les verbes andare, dare, fare et dire, la 2ᵉ personne du singulier de l'impératif étant monosyllabique, il y a redoublement de la consonne initiale du pronom complément :
   vacci (ci + vai);   stacci  (ci + stai);   dallo (lo + dà)   fallo (lo + fa)
   dimmi (mi + di);   dillo   (lo + di);

~~~ Remarquer la forme : Vattene! Va-t-en!

## l'infinitif (infinito)

Il indique d'une manière indéfinie l'action exprimée par le verbe sans indications de personne ou de nombre. Ses terminaisons indiquent le groupe d'appartenance du verbe **-are, -ere, -ire.**
Il a deux temps : le **présent** qui n'a aucune notation temporelle : amare, temere, sentire; le **passé** qui marque l'antériorité par rapport aux autres temps : avere amato, avere temuto, avere sentito.

**1** L'infinitif a différentes valeurs :

a. Nominale : il peut remplir toutes les fonctions d'un substantif.

*Leggere* troppo fa male agli occhi.     *Lavorare* stanca.
Lire trop abîme les yeux.     Le travail fatigue.

Comme un substantif il peut être précédé d'un déterminant : articles, adjectifs possessifs ou démonstratifs.

> **Il troppo bere** rovina la salute.
> Boire trop nuit à la santé.

b. Modale : il indique la modalité d'une action :

| | | |
|---|---|---|
| • un ordre ou | Agitare prima dell'uso. | Agiter avant usage. |
| • un conseil : | Aprire lentamente la porta. | Ouvrir lentement la porte. |
| • une interdiction : | Non fumare. | Ne pas fumer. |
| • un doute, une inquiétude : | Che fare? Che dire? | Que faire? Que dire? |
| • l'indignation, la surprise : | Dirmi una cosa simile! A me! | Me dire une chose pareille! A moi! |
| • un regret : | Pensare che ero così felice! | Et dire que j'étais si heureux! |

*2* L'infinitif peut être précédé de différentes prépositions en particulier :
• **a** (après les verbes de mouvement) :

> Corro **a comprare** il giornale.  Vado **a vedere** la mostra di pittura.
> Je cours acheter le journal.  Je vais voir l'exposition de peinture.

• **da** : Un libro **da studiare**.  E' così intelligente **da capire** ciò che deve fare.
> Un livre à étudier.  Il est assez intelligent pour comprendre ce qu'il doit faire.

• **di** : Penso **di fare** una gita.
> Je pense faire une excursion.

> L'infinitif qui suit un verbe indiquant un mouvement (andare, correre, fuggire...) est précédé par la préposition **a**.
>
> Vado **a** lavorare. Je vais travailler.
>
> Corrono **a** vedere l'ultimo film di Fellini.
> Ils courent voir le dernier film de Fellini.

## le participe (participio)

*1* **Participe présent** (participio presente)
Il se forme en ajoutant au radical les terminaisons **-ante** (1er groupe), **-ente** (2e et 3e groupes) :

am-are   am-ante
ard-ere   ard-ente
part-ire   part-ente

Il n'a que deux formes singulier/pluriel : -ante/-anti, -ente/-enti. Il s'accorde toujours.

En italien le participe présent a rarement une valeur verbale, il est plutôt employé comme adjectif ou substantif :

*Non ci sono più animali feroci **viventi** in Italia.*
*Il n'y a plus d'animaux féroces vivant en Italie.*

*I **residenti** in città devono presentarsi al Comune.*
*Les personnes résidant en ville doivent se présenter à la Mairie.*

Le participe présent français avec valeur verbale est souvent remplacé en italien par une proposition relative au subjonctif

*Cerco un alunno **che parli** cinese.*
*Je cherche un élève parlant chinois.*

### Remarques

Le verbe avere a deux participes présents : **avente/i** (substantif : les ayants...) et **abbiente/i** (celui qui possède). Le participe présent du verbe essere : **ente/i** est employé comme un nom.

*L'INPS è un ente pubblico. L'INPS est un organisme public.*

## 2 Participe passé (participio passato) – Accord

Le participe passé sert à former les temps composés. Il s'accorde en genre et en nombre.

mas. sing. partit**o**      fém. sing. partit**a**
mas. plur. partit**i**      fém. plur. partit**e**

Son accord dépend de l'auxiliaire employé : essere ou avere ; de la forme : impersonnelle/pronominale, et dans certains cas, de la place et de la nature du complément d'objet direct (COD).

a. Avec l'auxiliaire **essere** l'accord doit se faire **avec le sujet** :

*Piero è partit**o**.        Piero e Giovanna sono partit**i**.*
*Paola è partit**a**.        Paola e Giovanna sono partit**e**.*

### Cas particuliers

● avec la forme impersonnelle introduite par **si** (on/nous) on ne fait l'accord avec le sujet que si le verbe se conjugue habituellement avec essere :

*(Noi) Si è lavorato fino a tarda notte. (lavorare T = avere)*
*Nous avons travaillé tard dans la nuit.*

*(Noi) Si è partiti a tarda notte. (partire I = essere)*
*Nous sommes partis tard dans la nuit.*

● avec les verbes réfléchis apparents accompagnés d'un COD autre que la particule pronominale (mi, ti, si, ci, vi, si...), l'accord se fait avec le sujet et plus rarement avec le COD et cela indépendamment de la place occupée par le COD.

*Paola si è lavat**a**(e) le mani.*
*Le mani che Paola si è lavat**a**(e) sono pulite.*

b. Avec l'auxiliaire **avere** l'accord se fait avec le **COD s'il précède le verbe** mais à certaines conditions :

● Si le COD est un pronom complément de la 3ᵉ personne, lo/li, la/le, l'accord est obligatoire.
    *Li ho visti nel negozio.*          *Le ho incontrate per strada.*
    *Je les ai vus dans le magasin.*      *Je les ai rencontrées dans la rue.*

● Avec les pronoms compléments indirects mi (me), ti (te), ci (nous), vi (vous) et ne (en) l'accord est facultatif :
    *Vi ho incontrato.* | *Je vous ai rencontrés.*
    *Vi ho incontrati.* |

● Lorsque ne a une signification partitive l'accord est obligatoire :
    *La frutta? Ne ho già mangiata.*
    *Les fruits? J'en ai déjà mangé.*

● Si le COD est un nom ou un pronom relatif l'accord est possible, mais assez rare.
    *I libri che ho visto(i) sono molto interessanti.*
    *Les livres que j'ai vus sont très intéressants.*

> Le participe passé s'accorde obligatoirement avec :
> a. le sujet quand il est accompagné de l'auxiliaire essere
>     *Giovanni e Paolo sono partiti.*          *Giovanni et Paolo sont partis.*
> b. avec le COD exprimé par les pronoms lo/li, la/le, ne (avec signification partitive), qui précèdent le verbe accompagné de l'auxiliaire avere
>     *Giovanna? L'abbiamo vista.* Giovanna? Nous l'avons vue.
>     *Paola e Giovanna? Le abbiamo viste.* Paola et Giovanna? Nous les avons vues.

c. Le participe passé, employé seul, peut remplacer des phrases temporelles, relatives; il s'accorde alors soit avec le sujet, soit avec le COD.
    *Arrivato alla stazione, comprai un giornale.*     *Dette queste parole, partì.*
    *Arrivé à la gare, j'achetai un journal.*        *Après avoir prononcé ces mots, il partit.*

## le gérondif (gerundio)

Le gérondif italien se forme en ajoutant au radical du verbe la terminaison **-ando** pour la 1ʳᵉ conjugaison et **-endo** pour les deux autres conjugaisons.
        am-are  am-**ando**      tem-ere  tem-**endo**      sent-ire  sent-**endo**
Il indique une action dans son devenir, au moment même où elle se produit.

 Il peut s'employer seul.
    *Leggendo ha imparato molte cose.*      *Sbagliando s'impara.*
    *En lisant il a appris beaucoup de choses.*     *On apprend en se trompant.*

Il peut aussi s'employer dans des constructions idiomatiques pour indiquer une action qui est en train de se réaliser

a. **Stare** + **gérondif** (c'est la forme la plus employée)
   *Fai silenzio, **sta parlando**. Tais-toi, il est en train de parler.*

b. **andare** + **gérondif** avec une nuance d'objectivité
   *La situazione **va migliorando** di ora in ora.*
   *La situation s'améliore d'heure en heure.*

c. **venire** + **gérondif** forme plus subjective, le locuteur est impliqué directement
   ***Mi viene raccontando** storie incoerenti.*
   *Il est en train de me raconter des choses bizarres.*

Le gérondif a aussi une forme passée : **avendo/essendo** + **participe passé**
Elle exprime une action antérieure à celle de la phrase principale.
   *Avendo scritto la lettera, la imbucò.*
   *Ayant écrit la lettre, il la posta.*

# C O N C O R D A N C E   D E S   T E M P S
# D E S   S U B O R D O N N É E S
### ● ● ●

**phrase hypothétique**

Dans la phrase hypothétique qui est introduite par **se,** les modes et les temps employés changent selon le degré de probabilité de réalisation des hypothèses.

 La condition est donnée comme réalisable.

| se + présent indicatif<br>se + futur indicatif | futur/présent indicatif<br>futur |
|---|---|
| Se **vinco** al Totocalcio,<br>Se **vincerò** al Totocalcio, | **compro/comprerò** una Ferrari.<br>**comprerò** una Ferrari. |

La condition est irréalisable dans le présent mais possible dans le futur.

| se + imparfait du subjonctif | conditionnel présent |
|---|---|
| Se **vincessi** al Totocalcio, | **comprerei** una Ferrari. |

*3* La condition n'a pas été réalisée.

| se + plus-que-parfait | conditionnel passé |
|---|---|
| **Se** io **avessi vinto** al Totocalcio, | **avrei comprato** una Ferrari. |

Contrairement au français, l'italien peut employer :
a. Un double futur dans la phase hypothétique de la probabilité (tableau 1).
   *Se **verrò** mi **vedrai**.*
   *Si je viens tu me verras.*
b. Le subjonctif après se pour exprimer le doute ou l'irréalité (tableaux 2 et 3).
   *Se tu **partissi** subito **arriveresti** in tempo.*
   *Si tu partais tout de suite tu arriverais à l'heure.*
   *Se tu **fossi partito** subito **saresti arrivato** in tempo.*
   *Si tu étais parti tout de suite tu serais arrivé à l'heure.*

## discours direct/discours rapporté

Le passage du discours direct au discours rapporté entraîne des modifications du message initial :
● pronoms personnels et adjectifs possessifs;
● adverbes et adjectifs de temps et de lieu.
En ce qui concerne les modes et les temps des verbes, il faut noter que :

*1* Si le **verbe introducteur** (chiedere, dire, domandare, rispondere...) est au **présent** ou au **futur de l'indicatif,** le mode et le temps de la subordonnée ne changent pas, sauf pour l'impératif qui devient présent du subjonctif :

| | | SUBORDONNÉE | | | |
|---|---|---|---|---|---|
| | **PRINCIPALE** | L'action exprimée est antérieure : ieri/il giorno prima... | L'action exprimée est simultanée : oggi/quel giorno... | L'action exprimée est postérieure : domani/il giorno dopo... | |
| **Discours direct** | Présent/Futur | Passé composé | Présent | Futur | Impératif présent |
| | Paola dice : dirà : | "Ho studiato" | "Studio" | "Studierò" | "Studia al posto mio." |

|  | SUBORDONNÉE | | | |
|---|---|---|---|---|
| **PRINCIPALE** | L'action exprimée est antérieure : ieri/il giorno prima... | L'action exprimée est simultanée : oggi/quel giorno... | L'action exprimée est postérieure : domani/il giorno dopo... | |
| **Discours rapporté** — Présent/Futur | Passé composé | Présent | Futur | Subjonctif présent |
| Paola dice dirà che | ha studiato | studia | studierà | io studi al posto suo. |

2️⃣ Si le **verbe introducteur** est au **passé** (imparfait, passé composé, passé simple de l'indicatif) on a :

|  | SUBORDONNÉE | | | |
|---|---|---|---|---|
| **PRINCIPALE** | L'action exprimée est antérieure : ieri/il giorno prima... | L'action exprimée est simultanée : oggi/quel giorno... | L'action exprimée est postérieure : domani/il giorno dopo... | |
| **Discours direct** — Imparfait Passé composé Passé simple | Passé composé | Présent | Futur | Impératif présent |
| diceva Paola ha detto disse | "Ho già studiato" | "Studio oggi" | "Studierò domani" | "Studia al posto mio." |
| **Discours rapporté** — Imparfait Passé composé Passé simple | Plus-que-parfait | Imparfait | Conditionnel passé | Subjonctif imparfait |
| diceva Paola ha detto disse | che aveva già studiato | che studiava oggi | che avrebbe studiato il giorno dopo | che io studiassi al posto suo |

Si le **verbe introducteur** (à l'indicatif) demande un subjonctif, dans la subordonnée on a :

|  |  | SUBORDONNÉE | | |
|---|---|---|---|---|
|  | **PRINCIPALE** | L'action exprimée est antérieure : ieri/il giorno prima... | L'action exprimée est simultanée : oggi/quel giorno... | L'action exprimée est postérieure : domani/il giorno dopo... |
| **Discours direct** | Présent/Futur | Subjonctif imparfait | Subjonctif Présent | Futur |
|  | Penso Penserò (che) | tu avessi ragione[1] | tu abbia ragione | avrai ragione |
| **Discours rapporté** | Imparfait Passé composé Passé simple | Subjonctif Plus-que-parfait | Subjonctif imparfait | Conditionnel passé |
|  | Pensavo Ho pensato (che) Pensai | tu avessi avuto ragione | tu avessi ragione | tu avresti avuto ragione |

1) abbia avuto ragione (subjonctif passé) pour indiquer une action complètement terminée dans le passé.

Si le **verbe introducteur** (au conditionnel) demande un subjonctif, dans la subordonnée on a :

|  |  | SUBORDONNÉE | | |
|---|---|---|---|---|
|  | **PRINCIPALE** | L'action exprimée est antérieure : ieri/il giorno prima... | L'action exprimée est simultanée : oggi/quel giorno... | L'action exprimée est postérieure : domani/il giorno dopo... |
| **Discours direct** | Conditionnel présent | Subjonctif plus-que-parfait | Subjonctif imparfait | Subjonctif imparfait |
|  | Vorrei (che) | tu avessi lavorato | tu lavorassi | tu lavorassi |
| **Discours rapporté** | Conditionnel passé | Subjonctif plus-que-parfait | Subjonctif Imparfait | Subjonctif imparfait |
|  | Avrei voluto (che) | tu avessi lavorato | tu lavorassi | tu lavorassi |

conjugaison

## CRITÈRES DE CHOIX

**1** Classification des verbes

● Pour les 1<sup>er</sup> et 3<sup>e</sup> groupes sont d'abord présentés les verbes types des conjugaisons : **amare** (1<sup>re</sup> conjugaison), **sentire/finire** (3<sup>e</sup> conjugaison). Les verbes sont ensuite classés selon les principales irrégularités orthographiques, des plus simples aux plus complexes. Les modèles présentant des problèmes de prononciation (place de l'accent tonique) sont repris en dernier.

● Les verbes du 2<sup>e</sup> groupe (presque tous irréguliers) sont classés par ordre alphabétique. Les verbes types ont été choisis en tenant compte non seulement de la morphologie mais aussi de la phonétique, en particulier de la place de l'accent tonique à l'infinitif. Ainsi acc<u>e</u>ndere (<u>e</u>ndere) mais aussi <u>a</u>rdere sont conjugués bien que certaines formes soient communes aux 2 verbes.
Ce choix a permis de rendre compte de toutes les formes de ces verbes irréguliers.

**2** Graphie et formes présentées

Nous faisons figurer les pronoms sujets de toutes les formes conjuguées mais aux 3<sup>e</sup> personnes nous donnons uniquement les formes du masculin. Pour celles du féminin se reporter à la grammaire du verbe, pages 9 et 10 où les pronoms personnels font l'objet d'une présentation organique.
De même, les participes passés sont accordés avec les pronoms sujets masculins. Pour les règles d'accord se reporter à la grammaire du verbe page 39.
Les irrégularités orthographiques sont signalées systématiquement en haut des tableaux; exemple : **cercare,** modèle 7, page 55. Sont également signalées les formes irrégulières du passato remoto (passé simple) et du participio passato (participe passé); exemple : **dare,** modèle 15, page 63.

**3** Les modes et les temps

Les modes et les temps des verbes sont en italien.
Nous donnons ici leur correspondant en français :

**Indicativo :** indicatif
**Congiuntivo :** subjonctif.
**Condizionale :** conditionnel.
**Imperativo :** impératif.
**Infinito :** infinitif.
**Participio :** participe.
**Gerundio :** gérondif.

**presente :** présent;
**passato prossimo :** passé composé;
**imperfetto :** imparfait;
**trapassato prossimo :** plus-que-parfait;
**passato remoto :** passé simple;
**trapassato remoto :** passé antérieur;
**futuro semplice :** futur simple;
**futuro anteriore :** futur antérieur.

## VERBES MODÈLES

### Auxiliaires

| | |
|---|---|
| 1 | essere |
| 2 | avere |

### 1ᵉ conjugaison

| | | | | | |
|---|---|---|---|---|---|
| 6 | amare | 11 | inviare | 16 | stare |
| 7 | cercare | 12 | studiare | 17 | agitare |
| 8 | legare | 13 | giocare | 18 | immaginare |
| 9 | cominciare | 14 | andare | 19 | modificare |
| 10 | mangiare | 15 | dare | | |

### 2ᵉ conjugaison

| | | | | | | | |
|---|---|---|---|---|---|---|---|
| 20 | temere | 40 | cuocere | 60 | nuocere | 80 | scendere |
| 21 | accendere | 41 | dire | 61 | parere | 81 | scindere |
| 22 | affiggere | 42 | dirigere | 62 | perdere | 82 | scrivere |
| 23 | ardere | 43 | discutere | 63 | persuadere | 83 | scuotere |
| 24 | assistere | 44 | distinguere | 64 | piacere | 84 | sedere |
| 25 | assolvere | 45 | distruggere | 65 | piangere | 85 | spargere |
| 26 | assumere | 46 | dolersi | 66 | piovere | 86 | spegnere |
| 27 | bere | 47 | dovere | 67 | porgere | 87 | stringere |
| 28 | cadere | 48 | emergere | 68 | porre | 88 | svellere |
| 29 | chiedere | 49 | espandere | 69 | potere | 89 | tenere |
| 30 | chiudere | 50 | espellere | 70 | prendere | 90 | torcere |
| 31 | cingere | 51 | esplodere | 71 | radere | 91 | trarre |
| 32 | cogliere | 52 | fare | 72 | redigere | 92 | valere |
| 33 | compiere | 53 | flettere | 73 | redimere | 93 | vedere |
| 34 | comprimere | 54 | fondere | 74 | ridere | 94 | vincere |
| 35 | concedere | 55 | giungere | 75 | rimanere | 95 | vivere |
| 36 | condurre | 56 | leggere | 76 | rispondere | 96 | volere |
| 37 | conoscere | 57 | mettere | 77 | rompere | 97 | volgere |
| 38 | correre | 58 | muovere | 78 | sapere | 98a | solere |
| 39 | crescere | 59 | nascere | 79 | scegliere | 98b | suggere |

### 3ᵉ conjugaison

| | | | | | | | |
|---|---|---|---|---|---|---|---|
| 99 | sentire | 103 | cucire | 107 | seguire | 111a | ardire |
| 100 | finire | 104 | fuggire | 108 | udire | 111b | atterrire |
| 101 | apparire | 105 | morire | 109 | uscire | 112a | marcire |
| 102 | aprire | 106 | salire | 110 | venire | 112b | sparire |

# 1 ESSERE/ÊTRE ▶ verbe auxiliaire

| indicativo presente | | passato prossimo | | |
|---|---|---|---|---|
| io | sono | io | sono | stato |
| tu | sei | tu | sei | stato |
| egli | è | egli | è | stato |
| noi | siamo | noi | siamo | stati |
| voi | siete | voi | siete | stati |
| essi | sono | essi | sono | stati |

| indicativo imperfetto | | trapassato prossimo | | |
|---|---|---|---|---|
| io | ero | io | ero | stato |
| tu | eri | tu | eri | stato |
| egli | era | egli | era | stato |
| noi | eravamo | noi | eravamo | stati |
| voi | eravate | voi | eravate | stati |
| essi | erano | essi | erano | stati |

| passato remoto | | trapassato remoto | | |
|---|---|---|---|---|
| io | fui | io | fui | stato |
| tu | fosti | tu | fosti | stato |
| egli | fu | egli | fu | stato |
| noi | fummo | noi | fummo | stati |
| voi | foste | voi | foste | stati |
| essi | furono | essi | furono | stati |

| futuro semplice | | futuro anteriore | | |
|---|---|---|---|---|
| io | sarò | io | sarò | stato |
| tu | sarai | tu | sarai | stato |
| egli | sarà | egli | sarà | stato |
| noi | saremo | noi | saremo | stati |
| voi | sarete | voi | sarete | stati |
| essi | saranno | essi | saranno | stati |

| infinito presente | infinito passato |
|---|---|
| essere | essere stato |

| congiuntivo presente | | congiuntivo passato | | |
|---|---|---|---|---|
| io | sia | io | sia | stato |
| tu | sia | tu | sia | stato |
| egli | sia | egli | sia | stato |
| noi | siamo | noi | siamo | stati |
| voi | siate | voi | siate | stati |
| essi | siano | essi | siano | stati |

| congiuntivo imperfetto | | congiuntivo trapassato | | |
|---|---|---|---|---|
| io | fossi | io | fossi | stato |
| tu | fossi | tu | fossi | stato |
| egli | fosse | egli | fosse | stato |
| noi | fossimo | noi | fossimo | stati |
| voi | foste | voi | foste | stati |
| essi | fossero | essi | fossero | stati |

| condizionale presente | | condizionale passato | | |
|---|---|---|---|---|
| io | sarei | io | sarei | stato |
| tu | saresti | tu | saresti | stato |
| egli | sarebbe | egli | sarebbe | stato |
| noi | saremmo | noi | saremmo | stati |
| voi | sareste | voi | sareste | stati |
| essi | sarebbero | essi | sarebbero | stati |

| imperativo presente | gerundio presente |
|---|---|
| | essendo |
| sii (tu) | |
| sia (Lei) | |
| siamo (noi) | gerundio passato |
| siate (voi) | essendo stato |
| siano (Loro) | |

| participio presente | participio passato |
|---|---|
| ente, enti[1] | stato, stati[2] |
| | stata, state |

**Essere** sert d'auxiliaire à tous les verbes intransitifs sauf ceux qui sont suivis de ♦, à tous les verbes pronominaux ou réfléchis, à tous les verbes impersonnels sauf exception.
Le verbe riessere se conjugue comme **essere** mais à la 3e personne du singulier du passé simple il prend un accent : *egli rifù.*

1) S'emploie uniquement comme substantif : *un ente statale. Dio è l'ente supremo.*
2) Forme empruntée au verbe **stare.**

| indicativo presente | passato prossimo | congiuntivo presente | congiuntivo passato |
|---|---|---|---|
| io ho [1] | io ho [1] avuto | io abbia | io abbia avuto |
| tu hai [1] | tu hai [1] avuto | tu abbia | tu abbia avuto |
| egli ha [1] | egli ha [1] avuto | egli abbia | egli abbia avuto |
| noi abbiamo | noi abbiamo avuto | noi abbiamo | noi abbiamo avuto |
| voi avete | voi avete avuto | voi abbiate | voi abbiate avuto |
| essi hanno [1] | essi hanno [1] avuto | essi abbiano | essi abbiano avuto |

| indicativo imperfetto | trapassato prossimo | congiuntivo imperfetto | congiuntivo trapassato |
|---|---|---|---|
| io avevo | io avevo avuto | io avessi | io avessi avuto |
| tu avevi | tu avevi avuto | tu avessi | tu avessi avuto |
| egli aveva | egli aveva avuto | egli avesse | egli avesse avuto |
| noi avevamo | noi avevamo avuto | noi avessimo | noi avessimo avuto |
| voi avevate | voi avevate avuto | voi aveste | voi aveste avuto |
| essi avevano | essi avevano avuto | essi avessero | essi avessero avuto |

| passato remoto | trapassato remoto | condizionale presente | condizionale passato |
|---|---|---|---|
| io ebbi | io ebbi avuto | io avrei | io avrei avuto |
| tu avesti | tu avesti avuto | tu avresti | tu avresti avuto |
| egli ebbe | egli ebbe avuto | egli avrebbe | egli avrebbe avuto |
| noi avemmo | noi avemmo avuto | noi avremmo | noi avremmo avuto |
| voi aveste | voi aveste avuto | voi avreste | voi avreste avuto |
| essi ebbero | essi ebbero avuto | essi avrebbero | essi avrebbero avuto |

| futuro semplice | futuro anteriore | imperativo presente | gerundio presente |
|---|---|---|---|
| io avrò | io avrò avuto | | avendo |
| tu avrai | tu avrai avuto | abbi (tu) | |
| egli avrà | egli avrà avuto | abbia (Lei) | |
| noi avremo | noi avremo avuto | abbiamo (noi) | gerundio passato |
| voi avrete | voi avrete avuto | abbiate (voi) | avendo avuto |
| essi avranno | essi avranno avuto | abbiano (Loro) | |

| infinito presente | infinito passato | participio presente | participio passato |
|---|---|---|---|
| avere | avere avuto | abbiente, abbienti [2] | avuto, avuti |
| | | | avuta, avute |

**Avere** sert d'auxiliaire à tous les verbes transitifs, aux verbes intransitifs suivis de ♦.
Riavere se conjugue comme **avere** sauf aux 3 personnes du singulier et à la 3e du pluriel de l'indicatif présent : *io riò, tu riai, egli rià, essi rianno.*

1) Les trois premières personnes du singulier et la 3e du pluriel de l'indicatif présent prennent un **h** pour distinguer ces formes de **o** (conjonction, interjection ou voyelle), **ai** (préposition contractée), **a** (préposition) et **anno** (substantif). Plutôt rares les formes avec accent sans le **h** : *io ò, tu ài, egli à, essi ànno.*
2) **Abbiente/i** adjectif ou substantif : *gli abbienti, le classi abbienti...; les riches.*

| indicativo presente | | passato prossimo | | | futuro semplice | | |
|---|---|---|---|---|---|---|---|
| io sono amato | | io sono stato amato | | | io sarò amato | | |
| tu sei amato | | tu sei stato amato | | | tu sarai amato | | |
| egli è amato | | egli è stato amato | | | egli sarà amato | | |
| noi siamo amati | | noi siamo stati amati | | | noi saremo amati | | |
| voi siete amati | | voi siete stati amati | | | voi sarete amati | | |
| essi sono amati | | essi sono stati amati | | | essi saranno amati | | |

| indicativo imperfetto | | trapassato prossimo | | | futuro anteriore | | |
|---|---|---|---|---|---|---|---|
| io ero amato | | io ero stato amato | | | io sarò stato amato | | |
| tu eri amato | | tu eri stato amato | | | tu sarai stato amato | | |
| egli era amato | | egli era stato amato | | | egli sarà stato amato | | |
| noi eravamo amati | | noi eravamo stati amati | | | noi saremo stati amati | | |
| voi eravate amati | | voi eravate stati amati | | | voi sarete stati amati | | |
| essi erano amati | | essi erano stati amati | | | essi saranno stati amati | | |

| passato remoto | | trapassato remoto | | | |
|---|---|---|---|---|---|
| io fui amato | | io fui stato amato | | | **infinito presente** |
| tu fosti amato | | tu fosti stato amato | | | essere amato |
| egli fu amato | | egli fu stato amato | | | |
| noi fummo amati | | noi fummo stati amati | | | **infinito passato** |
| voi foste amati | | voi foste stati amati | | | essere stato amato |
| essi furono amati | | essi furono stati amati | | | |

On peut aussi former le passif avec :
– le verbe **venire,** aux temps simples, qui dans ce cas remplace essere :
*È amato dai genitori/Viene amato dai genitori.*
– le verbe **andare :**
a. en remplacement du verbe dovere associé à une forme passive :
*Le lettere devono essere inviate/Le lettere vanno inviate.*
b. lorsqu'il est auxiliaire de verbes comme **disperdere, perdere, smarrire, sprecare :**
*La lettera andò perduta.* (Voir Grammaire pages 7, 18-19).

| congiuntivo presente | | | congiuntivo imperfetto | | | condizionale presente | | |
|---|---|---|---|---|---|---|---|---|
| io | sia | amato | io | fossi | amato | io | sarei | amato |
| tu | sia | amato | tu | fossi | amato | tu | saresti | amato |
| egli | sia | amato | egli | fosse | amato | egli | sarebbe | amato |
| noi | siamo | amati | voi | fossimo | amati | noi | saremmo | amati |
| voi | siate | amati | voi | foste | amati | voi | sareste | amati |
| essi | siano | amati | essi | fossero | amati | essi | sarebbero | amati |

| congiuntivo passato | | | | congiuntivo trapassato | | | | condizionale passato | | | |
|---|---|---|---|---|---|---|---|---|---|---|---|
| io | sia | stato | amato | io | fossi | stato | amato | io | sarei | stato | amato |
| tu | sia | stato | amato | tu | fossi | stato | amato | tu | saresti | stato | amato |
| egli | sia | stato | amato | egli | fosse | stato | amato | egli | sarebbe | stato | amato |
| noi | siamo | stati | amati | noi | fossimo | stati | amati | noi | saremmo | stati | amati |
| voi | siate | stati | amati | voi | foste | stati | amati | voi | sareste | stati | amati |
| essi | siano | stati | amati | essi | fossero | stati | amati | essi | sarebbero | stati | amati |

**imperativo presente**

| sii | amato | (tu) |
|---|---|---|
| sia | amato | (Lei) |
| siamo | amati | (noi) |
| siate | amati | (voi) |
| siano | amati | (Loro) |

**gerundio presente**

essendo amato

**gerundio passato**

essendo stato amato

**participio presente**

—

**participio passato**

stato amato, stati amati
stata amata, state amate

- les verbes **finire, restare, rimanere** aux temps simples (avec une nuance de conclusion d'un processus inéluctable) :
  *La valle rimase sommersa dall'acqua.*
- le pronom personnel complément **si** et la **3e personne** du **singulier** et du **pluriel** de la **forme active** :
  *In Italia si leggono molti rotocalchi.*

| indicativo presente | passato prossimo | | congiuntivo presente | congiuntivo passato | |
|---|---|---|---|---|---|
| io mi lavo | io mi sono | lavato | io mi lavi | io mi sia | lavato |
| tu ti lavi | tu ti sei | lavato | tu ti lavi | tu ti sia | lavato |
| egli si lava | egli si è | lavato | egli si lavi | egli si sia | lavato |
| noi ci laviamo | noi ci siamo | lavati | noi ci laviamo | noi ci siamo | lavati |
| voi vi lavate | voi vi siete | lavati | voi vi laviate | voi vi siate | lavati |
| essi si lavano | essi si sono | lavati | essi si lavino | essi si siano | lavati |

| indicativo imperfetto | trapassato prossimo | | congiuntivo imperfetto | congiuntivo trapassato | |
|---|---|---|---|---|---|
| io mi lavavo | io mi ero | lavato | io mi lavassi | io mi fossi | lavato |
| tu ti lavavi | tu ti eri | lavato | tu ti lavassi | tu ti fossi | lavato |
| egli si lavava | egli si era | lavato | egli si lavasse | egli si fosse | lavato |
| noi ci lavavamo | noi ci eravamo | lavati | noi ci lavassimo | noi ci fossimo | lavati |
| voi vi lavavate | voi vi eravate | lavati | voi vi lavaste | voi vi foste | lavati |
| essi si lavavano | essi si erano | lavati | essi si lavassero | essi si fossero | lavati |

| passato remoto | trapassato remoto | | condizionale presente | condizionale passato | |
|---|---|---|---|---|---|
| io mi lavai | io mi fui | lavato | io mi laverei | io mi sarei | lavato |
| tu ti lavasti | tu ti fosti | lavato | tu ti laveresti | tu ti saresti | lavato |
| egli si lavò | egli si fu | lavato | egli si laverebbe | egli si sarebbe | lavato |
| noi ci lavammo | noi ci fummo | lavati | noi ci laveremmo | noi ci saremmo | lavati |
| voi vi lavaste | voi vi foste | lavati | voi vi lavareste | voi vi sareste | lavati |
| essi si lavarono | essi si furono | lavati | essi si laverebbero | essi si sarebbero | lavati |

| futuro semplice | futuro anteriore | | imperativo presente | gerundio presente |
|---|---|---|---|---|
| io mi laverò | io mi sarò | lavato | | lavandosi |
| tu ti laverai | tu ti sarai | lavato | lavati (tu) | |
| egli si laverà | egli si sarà | lavato | si lavi (Lei) | |
| noi ci laveremo | noi ci saremo | lavati | laviamoci (noi) | gerundio passato |
| voi vi laverete | voi vi sarete | lavati | lavatevi (voi) | |
| essi si laveranno | essi si saranno | lavati | si lavino (Loro) | essendosi lavato |

| infinito presente | infinito passato | particzipio presente | participio passato |
|---|---|---|---|
| lavarsi | essersi lavato | lavantesi, lavantisi | lavatosi, lavatisi |
| | | | lavatasi, lavatesi |

Les verbes réfléchis et pronominaux se conjuguent avec l'auxiliaire **essere**.
Le participe passé de ces verbes s'accorde généralement avec le sujet : *Giovanni si è alzato/Paola si è alzata/Giovanni e Paola si sono alzati.*
Cependant, dans le cas des verbes réfléchis avec un complément d'objet direct autre que la particule pronominale l'accord est possible soit avec le sujet soit avec le complément d'objet, mais le premier est préféré : *Maria si è lavata le mani* ou *Maria si è lavate le mani.* (Voir Grammaire pages 7, 19-21).

| 1re | 2e | 3e | |
|---|---|---|---|
| -are | -ere | -ire | -ire (-isc) |

| 1re | 2e | 3e | |
|---|---|---|---|
| -are | -ere | -ire | -ire (-isc) |

### indicativo presente

| 1re | 2e | 3e | |
|---|---|---|---|
| o | o | o | isco |
| i | i | i | isci |
| a | e | e | isce |
| iamo | iamo | iamo | |
| ate | ete | ite | |
| ano | ono | ono | iscono |

### congiuntivo presente

| 1re | 2e | 3e | |
|---|---|---|---|
| i | a | a | isca |
| i | a | a | isca |
| i | a | a | isca |
| iamo | iamo | iamo | |
| iate | iate | iate | |
| ino | ano | ano | iscano |

### indicativo imperfetto

| 1re | 2e | 3e |
|---|---|---|
| avo | evo | ivo |
| avi | evi | ivi |
| ava | eva | iva |
| avamo | evamo | ivamo |
| avate | evate | ivate |
| avano | evano | ivano |

### congiuntivo imperfetto

| 1re | 2e | 3e |
|---|---|---|
| assi | essi | issi |
| assi | essi | issi |
| asse | esse | isse |
| assimo | essimo | issimo |
| aste | este | iste |
| assero | essero | issero |

### indicativo passato remoto

| 1re | 2e | 3e |
|---|---|---|
| ai | ei | ii |
| asti | esti | isti |
| ò | é | ì |
| ammo | emmo | immo |
| aste | este | iste |
| arono | erono | irono |

### condizionale presente

| 1re | 2e | 3e |
|---|---|---|
| erei | erei | irei |
| eresti | eresti | iresti |
| erebbe | erebbe | irebbe |
| eremmo | eremmo | iremmo |
| ereste | ereste | ireste |
| erebbero | erebbero | irebbero |

### indicativo futuro semplice

| 1re | 2e | 3e |
|---|---|---|
| erò | erò | irò |
| erai | erai | irai |
| erà | erà | irà |
| eremo | eremo | iremo |
| erete | erete | irete |
| eranno | eranno | iranno |

### imperativo presente

| 1re | 2e | 3e | |
|---|---|---|---|
| a | i | i | isci |
| i | a | a | isca |
| iamo | iamo | iamo | |
| ate | ete | ite | |
| ino | ano | ano | iscano |

### infinito presente

| 1re | 2e | 3e |
|---|---|---|
| are | ere | ire |

### gerundio

| 1re | 2e | 3e |
|---|---|---|
| ando | endo | endo |

### participio presente

| 1re | 2e | 3e |
|---|---|---|
| ante/i | ente/i | ente/i |

### participio passato

| 1re | 2e | 3e |
|---|---|---|
| ato/i | uto/i | ito/i |
| ata/e | uta/e | ita/e |

SUBJ

| indicativo presente | passato prossimo |
|---|---|
| io amo | io ho amato |
| tu ami | tu hai amato |
| egli ama | egli ha amato |
| noi amiamo | noi abbiamo amato |
| voi amate | voi avete amato |
| essi amano | essi hanno amato |

| indicativo imperfetto | trapassato prossimo |
|---|---|
| io amavo | io avevo amato |
| tu amavi | tu avevi amato |
| egli amava | egli aveva amato |
| noi amavamo | noi avevamo amato |
| voi amavate | voi avevate amato |
| essi amavano | essi avevano amato |

| passato remoto | trapassato remoto |
|---|---|
| io amai | io ebbi amato |
| tu amasti | tu avesti amato |
| egli amò | egli ebbe amato |
| noi amammo | noi avemmo amato |
| voi amaste | voi aveste amato |
| essi amarono | essi ebbero amato |

| futuro semplice | futuro anteriore |
|---|---|
| io amerò | io avrò amato |
| tu amerai | tu avrai amato |
| egli amerà | egli avrà amato |
| noi ameremo | noi avremo amato |
| voi amerete | voi avrete amato |
| essi ameranno | essi avranno amato |

| infinito presente | infinito passato |
|---|---|
| amare | aver amato |

| congiuntivo presente | congiuntivo passato |
|---|---|
| io ami | io abbia amato |
| tu ami | tu abbia amato |
| egli ami | egli abbia amato |
| noi amiamo | noi abbiamo amato |
| voi amiate | voi abbiate amato |
| essi amino | essi abbiano amato |

| congiuntivo imperfetto | congiuntivo trapassato |
|---|---|
| io amassi | io avessi amato |
| tu amassi | tu avessi amato |
| egli amasse | egli avesse amato |
| noi amassimo | noi avessimo amato |
| voi amaste | voi aveste amato |
| essi amassero | essi avessero amato |

| condizionale presente | condizionale passato |
|---|---|
| io amerei | io avrei amato |
| tu ameresti | tu avresti amato |
| egli amerebbe | egli avrebbe amato |
| noi ameremmo | noi avremmo amato |
| voi amereste | voi avreste amato |
| essi amerebbero | essi avrebbero amato |

| imperativo presente | gerundio presente |
|---|---|
| | amando |
| ama (tu) | |
| ami (Lei) | |
| amiamo (noi) | gerundio passato |
| amate (voi) | avendo amato |
| amino (Loro) | |

| participio presente | participio passato |
|---|---|
| amante, amanti | amato, amati |
| | amata, amate |

Les verbes qui se terminent en -gnare comme bagnare, insegnare, sognare ont deux formes orthographiques possibles avec ou sans -i- aux 1ʳᵉ et 2ᵉ personnes du pluriel de l'indicatif et du subjonctif présent : *noi bagniamo/bagnamo, voi bagniate/bagnate*. La première forme est plus littéraire.

*— SUBJ*

| indicativo presente | passato prossimo | | congiuntivo presente | congiuntivo passato | |
|---|---|---|---|---|---|
| io | io | ho cercato | io cerchi | io | abbia cercato |
| tu cerchi | tu | hai cercato | tu cerchi | tu | abbia cercato |
| egli cerca | egli | ha cercato | egli cerchi | egli | abbia cercato |
| noi cerchiamo | noi | abbiamo cercato | noi cerchiamo | noi | abbiamo cercato |
| voi cercate | voi | avete cercato | voi cerchiate | voi | abbiate cercato |
| essi cercano | essi | hanno cercato | essi cerchino | essi | abbiano cercato |

| indicativo imperfetto | trapassato prossimo | | congiuntivo imperfetto | congiuntivo trapassato | |
|---|---|---|---|---|---|
| io cercavo | io | avevo cercato | io cercassi | io | avessi cercato |
| tu cercavi | tu | avevi cercato | tu cercassi | tu | avessi cercato |
| egli cercava | egli | aveva cercato | egli cercasse | egli | avesse cercato |
| noi cercavamo | noi | avevamo cercato | noi cercassimo | noi | avessimo cercato |
| voi cercavate | voi | avevate cercato | voi cercaste | voi | aveste cercato |
| essi cercavano | essi | avevano cercato | essi cercassero | essi | avessero cercato |

| passato remoto | trapassato remoto | | condizionale presente | condizionale passato | |
|---|---|---|---|---|---|
| io cercai | io | ebbi cercato | io cercherei | io | avrei cercato |
| tu cercasti | tu | avesti cercato | tu cercheresti | tu | avresti cercato |
| egli cercò | egli | ebbe cercato | egli cercherebbe | egli | avrebbe cercato |
| noi cercammo | noi | avemmo cercato | noi cercheremmo | noi | avremmo cercato |
| voi cercaste | voi | aveste cercato | voi cerchereste | voi | avreste cercato |
| essi cercarono | essi | ebbero cercato | essi cercherebbero | essi | avrebbero cercato |

| futuro semplice | futuro anteriore | | imperativo presente | gerundio presente |
|---|---|---|---|---|
| io cercherò | io | avrò cercato | | cercando |
| tu cercherai | tu | avrai cercato | cerca (tu) | |
| egli cercherà | egli | avrà cercato | cerchi (Lei) | |
| noi cercheremo | noi | avremo cercato | cerchiamo (noi) | gerundio passato |
| voi cercherete | voi | avrete cercato | cercate (voi) | avendo cercato |
| essi cercheranno | essi | avranno cercato | cerchino (Loro) | |

| infinito presente | infinito passato | participio presente | participio passato |
|---|---|---|---|
| cercare | aver cercato | cercante, cercanti | cercato, cercati |
| | | | cercata, cercate |

Les verbes qui se terminent en -ficare se conjuguent de la même manière, mais l'accent tonique est déplacé (voir tableau 19).
Ainsi se conjuguent accecare et cecare mais aux trois premières personnes du singulier et à la 3e du pluriel du présent de l'indicatif, du subjonctif et à l'impératif, un -i- vient s'intercaler : *io accieco...*

-g- = -gh- + e/i

*SUBJ*

| indicativo presente | | passato prossimo | | |
|---|---|---|---|---|
| io | lego | io | ho | legato |
| tu | leghi | tu | hai | legato |
| egli | lega | egli | ha | legato |
| noi | leghiamo | noi | abbiamo | legato |
| voi | legate | voi | avete | legato |
| essi | legano | essi | hanno | legato |

| indicativo imperfetto | | trapassato prossimo | | |
|---|---|---|---|---|
| io | legavo | io | avevo | legato |
| tu | legavi | tu | avevi | legato |
| egli | legava | egli | aveva | legato |
| noi | legavamo | noi | avevamo | legato |
| voi | legavate | voi | avevate | legato |
| essi | legavano | essi | avevano | legato |

| passato remoto | | trapassato remoto | | |
|---|---|---|---|---|
| io | legai | io | ebbi | legato |
| tu | legasti | tu | avesti | legato |
| egli | legò | egli | ebbe | legato |
| noi | legammo | noi | avemmo | legato |
| voi | legaste | voi | aveste | legato |
| essi | legarono | essi | ebbero | legato |

| futuro semplice | | futuro anteriore | | |
|---|---|---|---|---|
| io | legherò | io | avrò | legato |
| tu | legherai | tu | avrai | legato |
| egli | legherà | egli | avrà | legato |
| noi | legheremo | noi | avremo | legato |
| voi | legherete | voi | avrete | legato |
| essi | legheranno | essi | avranno | legato |

| infinito presente | infinito passato |
|---|---|
| legare | aver legato |

| congiuntivo presente | | congiuntivo passato | | |
|---|---|---|---|---|
| io | leghi | io | abbia | legato |
| tu | leghi | tu | abbia | legato |
| egli | leghi | egli | abbia | legato |
| noi | leghiamo | noi | abbiamo | legato |
| voi | leghiate | voi | abbiate | legato |
| essi | leghino | essi | abbiano | legato |

| congiuntivo imperfetto | | congiuntivo trapassato | | |
|---|---|---|---|---|
| io | legassi | io | avessi | legato |
| tu | legassi | tu | avessi | legato |
| egli | legasse | egli | avesse | legato |
| noi | legassimo | noi | avessimo | legato |
| voi | legaste | voi | aveste | legato |
| essi | legassero | essi | avessero | legato |

| condizionale presente | | condizionale passato | | |
|---|---|---|---|---|
| io | legherei | io | avrei | legato |
| tu | legheresti | tu | avresti | legato |
| egli | legherebbe | egli | avrebbe | legato |
| noi | legheremmo | noi | avremmo | legato |
| voi | leghereste | voi | avreste | legato |
| essi | legherebbero | essi | avrebbero | legato |

| imperativo presente | | gerundio presente |
|---|---|---|
| | | legando |
| lega | (tu) | |
| leghi | (Lei) | |
| leghiamo | (noi) | gerundio passato |
| legate | (voi) | avendo legato |
| leghino | (Loro) | |

| participio presente | participio passato |
|---|---|
| legante, leganti | legato, legati |
| | legata, legate |

**COMINCIARE**/COMMENCER **9**

*— SUBJ*

| indicativo presente | passato prossimo | | congiuntivo presente | congiuntivo passato | |
|---|---|---|---|---|---|
| io comincio | io ho cominciato | | io cominci | io abbia cominciato | |
| tu cominci | tu hai cominciato | | tu cominci | tu abbia cominciato | |
| egli comincia | egli ha cominciato | | egli cominci | egli abbia cominciato | |
| noi cominciamo | noi abbiamo cominciato | | noi cominciamo | noi abbiamo cominciato | |
| voi cominciate | voi avete cominciato | | voi cominciate | voi abbiate cominciato | |
| essi cominciano | essi hanno cominciato | | essi comincino | essi abbiano cominciato | |

| indicativo imperfetto | trapassato prossimo | | congiuntivo imperfetto | congiuntivo trapassato | |
|---|---|---|---|---|---|
| io cominciavo | io avevo cominciato | | io cominciassi | io avessi cominciato | |
| tu cominciavi | tu avevi cominciato | | tu cominciassi | tu avessi cominciato | |
| egli cominciava | egli aveva cominciato | | egli cominciasse | egli avesse cominciato | |
| noi cominciavamo | noi avevamo cominciato | | noi cominciassimo | noi avessimo cominciato | |
| voi cominciavate | voi avevate cominciato | | voi cominciaste | voi aveste cominciato | |
| essi cominciavano | essi avevano cominciato | | essi cominciassero | essi avessero cominciato | |

| passato remoto | trapassato remoto | | condizionale presente | condizionale passato | |
|---|---|---|---|---|---|
| io cominciai | io ebbi cominciato | | io comincerei | io avrei cominciato | |
| tu cominciasti | tu avesti cominciato | | tu cominceresti | tu avresti cominciato | |
| egli cominciò | egli ebbe cominciato | | egli comincerebbe | egli avrebbe cominciato | |
| noi cominciammo | noi avemmo cominciato | | noi cominceremmo | noi avremmo cominciato | |
| voi cominciaste | voi aveste cominciato | | voi comincereste | voi avreste cominciato | |
| essi cominciarono | essi ebbero cominciato | | essi comincerebbero | essi avrebbero cominciato | |

| futuro semplice | futuro anteriore | | imperativo presente | gerundio presente |
|---|---|---|---|---|
| io comincerò | io avrò cominciato | | | cominciando |
| tu comincerai | tu avrai cominciato | | comincia (tu) | |
| egli comincerà | egli avrà cominciato | | cominci (Lei) | |
| noi cominceremo | noi avremo cominciato | | cominciamo (noi) | gerundio passato |
| voi comincerete | voi avrete cominciato | | cominciate (voi) | avendo cominciato |
| essi cominceranno | essi avranno cominciato | | comincino (Loro) | |

| infinito presente | infinito passato | | participio presente | participio passato |
|---|---|---|---|---|
| cominciare | aver cominciato | | cominciante, comincianti | cominciato, cominciati cominciata, cominciate |

Ainsi se conjugue associare sauf au futur et au conditionnel où il garde le **-i-** du radical : *io associerò, io associerei.*

-gi- = -g- + e/i

| indicativo presente | passato prossimo | | congiuntivo presente | congiuntivo passato | |
|---|---|---|---|---|---|
| io mangio | io ho mangiato | | io mangi | io abbia mangiato |
| tu mangi | tu hai mangiato | | tu mangi | tu abbia mangiato |
| egli mangia | egli ha mangiato | | egli mangi | egli abbia mangiato |
| noi mangiamo | noi abbiamo mangiato | | noi mangiamo | noi abbiamo mangiato |
| voi mangiate | voi avete mangiato | | voi mangiate | voi abbiate mangiato |
| essi mangiano | essi hanno mangiato | | essi mangino | essi abbiano mangiato |

| indicativo imperfetto | trapassato prossimo | | congiuntivo imperfetto | congiuntivo trapassato | |
|---|---|---|---|---|---|
| io mangiavo | io avevo mangiato | | io mangiassi | io avessi mangiato |
| tu mangiavi | tu avevi mangiato | | tu mangiassi | tu avessi mangiato |
| egli mangiava | egli aveva mangiato | | egli mangiasse | egli avesse mangiato |
| noi mangiavamo | noi avevamo mangiato | | noi mangiassimo | noi avessimo mangiato |
| voi mangiavate | voi avevate mangiato | | voi mangiaste | voi aveste mangiato |
| essi mangiavano | essi avevano mangiato | | essi mangiassero | essi avessero mangiato |

| passato remoto | trapassato remoto | | condizionale presente | condizionale passato | |
|---|---|---|---|---|---|
| io mangiai | io ebbi mangiato | | io mangerei | io avrei mangiato |
| tu mangiasti | tu avesti mangiato | | tu mangeresti | tu avresti mangiato |
| egli mangiò | egli ebbe mangiato | | egli mangerebbe | egli avrebbe mangiato |
| noi mangiammo | noi avemmo mangiato | | noi mangeremmo | noi avremmo mangiato |
| voi mangiaste | voi aveste mangiato | | voi mangereste | voi avreste mangiato |
| essi mangiarono | essi ebbero mangiato | | essi mangerebbero | essi avrebbero mangiato |

| futuro semplice | futuro anteriore | | imperativo presente | gerundio presente |
|---|---|---|---|---|
| io mangerò | io avrò mangiato | | | mangiando |
| tu mangerai | tu avrai mangiato | | mangia (tu) | |
| egli mangerà | egli avrà mangiato | | mangi (Lei) | |
| noi mangeremo | noi avremo mangiato | | mangiamo (noi) | gerundio passato |
| voi mangerete | voi avrete mangiato | | mangiate (voi) | avendo mangiato |
| essi mangeranno | essi avranno mangiato | | mangino (Loro) | |

| infinito presente | infinito passato | | participio presente | participio passato |
|---|---|---|---|---|
| mangiare | aver mangiato | | mangiante, mangianti | mangiato, mangiati mangiata, mangiate |

Ainsi se conjugue *effigiare* sauf au futur et au conditionnel où il garde le **-i-** du radical : *io effigierò, io effigierei.*

| indicativo presente | passato prossimo | congiuntivo presente | congiuntivo passato |
|---|---|---|---|
| io invio | io ho inviato | io invii | io abbia inviato |
| tu invii | tu hai inviato | tu invii | tu abbia inviato |
| egli invia | egli ha inviato | egli invii | egli abbia inviato |
| noi inviamo | noi abbiamo inviato | noi inviamo | noi abbiamo inviato |
| voi inviate | voi avete inviato | voi inviate | voi abbiate inviato |
| essi inviano | essi hanno inviato | essi inviino | essi abbiano inviato |

| indicativo imperfetto | trapassato prossimo | congiuntivo imperfetto | congiuntivo trapassato |
|---|---|---|---|
| io inviavo | io avevo inviato | io inviassi | io avessi inviato |
| tu inviavi | tu avevi inviato | tu inviassi | tu avessi inviato |
| egli inviava | egli aveva inviato | egli inviasse | egli avesse inviato |
| noi inviavamo | noi avevamo inviato | noi inviassimo | noi avessimo inviato |
| voi inviavate | voi avevate inviato | voi inviaste | voi aveste inviato |
| essi inviavano | essi avevano inviato | essi inviassero | essi avessero inviato |

| passato remoto | trapassato remoto | condizionale presente | condizionale passato |
|---|---|---|---|
| io inviai | io ebbi inviato | io invierei | io avrei inviato |
| tu inviasti | tu avesti inviato | tu invieresti | tu avresti inviato |
| egli inviò | egli ebbe inviato | egli invierebbe | egli avrebbe inviato |
| noi inviammo | noi avemmo inviato | noi invieremmo | noi avremmo inviato |
| voi inviaste | voi aveste inviato | voi inviereste | voi avreste inviato |
| essi inviarono | essi ebbero inviato | essi invierebbero | essi avrebbero inviato |

| futuro semplice | futuro anteriore | imperativo presente | gerundio presente |
|---|---|---|---|
| io invierò | io avrò inviato | | inviando |
| tu invierai | tu avrai inviato | invia (tu) | |
| egli invierà | egli avrà inviato | invii (Lei) | |
| noi invieremo | noi avremo inviato | inviamo (noi) | gerundio passato |
| voi invierete | voi avrete inviato | inviate (voi) | |
| essi invieranno | essi avranno inviato | inviino (Loro) | avendo inviato |

| infinito presente | infinito passato | participio presente | participio passato |
|---|---|---|---|
| inviare | aver inviato | inviante, invianti | inviato, inviati |
| | | | inviata, inviate |

Ainsi se conjuguent :
– les verbes en -iare qui à la 1re personne du singulier de l'indicatif et du subjonctif présent ont l'accent tonique sur le -i- : *spiare, io spio* donc *tu spii, che io/tu/egli spii, che essi spiino;*
– les verbes suivants : alleviare *(tu allevii che io/tu/egli allevii, che essi alleviino);* odiare *(tu odii,che io/tu/egli odii, che essi odiino);* radiare *(tu radii, che io/tu/egli radii, che essi radiino);* variare *(tu varii, che io/tu/egli varii, che essi variino),* pour éviter des confusions possibles avec des formes des verbes allevare *(tu allevi);* udire *(tu odi),* radere *(tu radi),* varare *(tu vari).*

| indicativo presente | passato prossimo | | congiuntivo presente | congiuntivo passato | |
|---|---|---|---|---|---|
| io studio | io ho studiato | | io studi | io abbia studiato | |
| tu studi | tu hai studiato | | tu studi | tu abbia studiato | |
| egli studia | egli ha studiato | | egli studi | egli abbia studiato | |
| noi studiamo | noi abbiamo studiato | | noi studiamo | noi abbiamo studiato | |
| voi studiate | voi avete studiato | | voi studiate | voi abbiate studiato | |
| essi studiano | essi hanno studiato | | essi studino | essi abbiano studiato | |

| indicativo imperfetto | trapassato prossimo | | congiuntivo imperfetto | congiuntivo trapassato | |
|---|---|---|---|---|---|
| io studiavo | io avevo studiato | | io studiassi | io avessi studiato | |
| tu studiavi | tu avevi studiato | | tu studiassi | tu avessi studiato | |
| egli studiava | egli aveva studiato | | egli studiasse | egli avesse studiato | |
| noi studiavamo | noi avevamo studiato | | noi studiassimo | noi avessimo studiato | |
| voi studiavate | voi avevate studiato | | voi studiaste | voi aveste studiato | |
| essi studiavano | essi avevano studiato | | essi studiassero | essi avessero studiato | |

| passato remoto | trapassato remoto | | condizionale presente | condizionale passato | |
|---|---|---|---|---|---|
| io studiai | io ebbi studiato | | io studierei | io avrei studiato | |
| tu studiasti | tu avesti studiato | | tu studieresti | tu avresti studiato | |
| egli studiò | egli ebbe studiato | | egli studierebbe | egli avrebbe studiato | |
| noi studiammo | noi avemmo studiato | | noi studieremmo | noi avremmo studiato | |
| voi studiaste | voi aveste studiato | | voi studiereste | voi avreste studiato | |
| essi studiarono | essi ebbero studiato | | essi studierebbero | essi avrebbero studiato | |

| futuro semplice | futuro anteriore | | imperativo presente | gerundio presente |
|---|---|---|---|---|
| io studierò | io avrò studiato | | | studiando |
| tu studierai | tu avrai studiato | | studia tu | |
| egli studierà | egli avrà studiato | | studi (Lei) | |
| noi studieremo | noi avremo studiato | | studiamo (noi) | gerundio passato |
| voi studierete | voi avrete studiato | | studiate (voi) | avendo studiato |
| essi studieranno | essi avranno studiato | | studino (Loro) | |

| infinito presente | infinito passato | | participio presente | participio passato |
|---|---|---|---|---|
| studiare | aver studiato | | studiante, studianti | studiato, studiati |
| | | | | studiata, studiate |

| indicativo presente | passato prossimo | | congiuntivo presente | congiuntivo passato | |
|---|---|---|---|---|---|
| io gi[u]oco | io ho giocato | | io gi[u]ochi | io abbia giocato | |
| tu gi[u]ochi | tu hai giocato | | tu gi[u]ochi | tu abbia giocato | |
| egli gi[u]oca | egli ha giocato | | egli gi[u]ochi | egli abbia giocato | |
| noi giochiamo | noi abbiamo giocato | | noi giochiamo | noi abbiamo giocato | |
| voi giocate | voi avete giocato | | voi giochiate | voi abbiate giocato | |
| essi gi[u]ocano | essi hanno giocato | | essi gi[u]ochino | essi abbiano giocato | |

| indicativo imperfetto | trapassato prossimo | | congiuntivo imperfetto | congiuntivo trapassato | |
|---|---|---|---|---|---|
| io giocavo | io avevo giocato | | io giocassi | io avessi giocato | |
| tu giocavi | tu avevi giocato | | tu giocassi | tu avessi giocato | |
| egli giocava | egli aveva giocato | | egli giocasse | egli avesse giocato | |
| noi giocavamo | noi avevamo giocato | | noi giocassimo | noi avessimo giocato | |
| voi giocavate | voi avevate giocato | | voi giocaste | voi aveste giocato | |
| essi giocavano | essi avevano giocato | | essi giocassero | essi avessero giocato | |

| passato remoto | trapassato remoto | | condizionale presente | condizionale passato | |
|---|---|---|---|---|---|
| io giocai | io ebbi giocato | | io giocherei | io avrei giocato | |
| tu giocasti | tu avesti giocato | | tu giocheresti | tu avresti giocato | |
| egli giocò | egli ebbe giocato | | egli giocherebbe | egli avrebbe giocato | |
| noi giocammo | noi avemmo giocato | | noi giocheremmo | noi avremmo giocato | |
| voi giocaste | voi aveste giocato | | voi giochereste | voi avreste giocato | |
| essi giocarono | essi ebbero giocato | | essi giocherebbero | essi avrebbero giocato | |

| futuro semplice | futuro anteriore | | imperativo presente | gerundio presente |
|---|---|---|---|---|
| io giocherò | io avrò giocato | | | giocando |
| tu giocherai | tu avrai giocato | | gi[u]oca (tu) | |
| egli giocherà | egli avrà giocato | | gi[u]ochi (Lei) | |
| noi giocheremo | noi avremo giocato | | giochiamo (noi) | gerundio passato |
| voi giocherete | voi avrete giocato | | giocate (voi) | avendo giocato |
| essi giocheranno | essi avranno giocato | | gi[u]ochino (Loro) | |

| infinito presente | infinito passato | | participio presente | participio passato |
|---|---|---|---|---|
| giocare | aver giocato | | giocante, giocanti | giocato, giocati |
| | | | | giocata, giocate |

La forme avec [u] est considérée comme archaïque pour le verbe giocare, mais elle est préférée pour les verbes suivants : abbonare *(abbuono/i/a/ano, abboniamo/ate)*, dissonare, infocare, rincorare, rinfocare, risolare, risonare, rotare, scoiare, scorare, sfocare, svotare, tonare. (Voir Grammaire pages 29-30).

| indicativo presente | | passato prossimo | | | congiuntivo presente | | congiuntivo passato | | |
|---|---|---|---|---|---|---|---|---|---|
| io | vado, vo[1] | io | sono | andato | io | vada | io | sia | andato |
| tu | vai | tu | sei | andato | tu | vada | tu | sia | andato |
| egli | va | egli | è | andato | egli | vada | egli | sia | andato |
| noi | andiamo | noi | siamo | andati | noi | andiamo | noi | siamo | andati |
| voi | andate | voi | siete | andati | voi | andiate | voi | siate | andati |
| essi | vanno | essi | sono | andati | essi | vadano | essi | siano | andati |

| indicativo imperfetto | | trapassato prossimo | | | congiuntivo imperfetto | | congiuntivo trapassato | | |
|---|---|---|---|---|---|---|---|---|---|
| io | andavo | io | ero | andato | io | andassi | io | fossi | andato |
| tu | andavi | tu | eri | andato | tu | andassi | tu | fossi | andato |
| egli | andava | egli | era | andato | egli | andasse | egli | fosse | andato |
| noi | andavamo | noi | eravamo | andati | noi | andassimo | noi | fossimo | andati |
| voi | andavate | voi | eravate | andati | voi | andaste | voi | foste | andati |
| essi | andavano | essi | erano | andati | essi | andassero | essi | fossero | andati |

| passato remoto | | trapassato remoto | | | condizionale presente | | condizionale passato | | |
|---|---|---|---|---|---|---|---|---|---|
| io | andai | io | fui | andato | io | andrei | io | sarei | andato |
| tu | andasti | tu | fosti | andato | tu | andresti | tu | saresti | andato |
| egli | andò | egli | fu | andato | egli | andrebbe | egli | sarebbe | andato |
| noi | andammo | noi | fummo | andati | noi | andremmo | noi | saremmo | andati |
| voi | andaste | voi | foste | andati | voi | andreste | voi | sareste | andati |
| essi | andarono | essi | furono | andati | essi | andrebbero | essi | sarebbero | andati |

| futuro semplice | | futuro anteriore | | | imperativo presente | | gerundio presente | |
|---|---|---|---|---|---|---|---|---|
| io | andrò | io | sarò | andato | | | andando | |
| tu | andrai | tu | sarai | andato | va, vai, va'[2] | (tu) | | |
| egli | andrà | egli | sarà | andato | vada | (Lei) | | |
| noi | andremo | noi | saremo | andati | andiamo | (noi) | gerundio passato | |
| voi | andrete | voi | sarete | andati | andate | (voi) | essendo andato | |
| essi | andranno | essi | saranno | andati | vadano | (Loro) | | |

| infinito presente | infinito passato | | participio presente | participio passato |
|---|---|---|---|---|
| andare | essere andato | | andante, andanti | andato, andati |
| | | | | andata, andate |

■ Ainsi se conjugue riandare sauf à la 3ᵉ personne du singulier du présent de l'indicatif : *egli rivà*.

■ 1) Forme plus rare.
2) Abréviation de **vai**.

| indicativo presente | | passato prossimo | | |
|---|---|---|---|---|
| io | do | io | ho | dato |
| tu | dai | tu | hai | dato |
| egli | dà[1] | egli | ha | dato |
| noi | diamo | noi | abbiamo | dato |
| voi | date | voi | avete | dato |
| essi | danno | essi | hanno | dato |

| indicativo imperfetto | | trapassato prossimo | | |
|---|---|---|---|---|
| io | davo | io | avevo | dato |
| tu | davi | tu | avevi | dato |
| egli | dava | egli | aveva | dato |
| noi | davamo | noi | avevamo | dato |
| voi | davate | voi | avevate | dato |
| essi | davano | essi | avevano | dato |

| passato remoto | | trapassato remoto | | |
|---|---|---|---|---|
| io | diedi, detti[2] | io | ebbi | dato |
| tu | desti | tu | avesti | dato |
| egli | diede, dette[2] | egli | ebbe | dato |
| noi | demmo | noi | avemmo | dato |
| voi | deste | voi | aveste | dato |
| essi | diedero, dettero[2] | essi | ebbero | dato |

| futuro semplice | | futuro anteriore | | |
|---|---|---|---|---|
| io | darò | io | avrò | dato |
| tu | darai | tu | avrai | dato |
| egli | darà | egli | avrà | dato |
| noi | daremo | noi | avremo | dato |
| voi | darete | voi | avrete | dato |
| essi | daranno | essi | avranno | dato |

| infinito presente | infinito passato |
|---|---|
| dare | aver dato |

| congiuntivo presente | | congiuntivo passato | | |
|---|---|---|---|---|
| io | dia | io | abbia | dato |
| tu | dia | tu | abbia | dato |
| egli | dia | egli | abbia | dato |
| noi | diamo | noi | abbiamo | dato |
| voi | diate | voi | abbiate | dato |
| essi | diano | essi | abbiano | dato |

| congiuntivo imperfetto | | congiuntivo trapassato | | |
|---|---|---|---|---|
| io | dessi | io | avessi | dato |
| tu | dessi | tu | avessi | dato |
| egli | desse | egli | avesse | dato |
| noi | dessimo | noi | avessimo | dato |
| voi | deste | voi | aveste | dato |
| essi | dessero | essi | avessero | dato |

| condizionale presente | | condizionale passato | | |
|---|---|---|---|---|
| io | darei | io | avrei | dato |
| tu | daresti | tu | avresti | dato |
| egli | darebbe | egli | avrebbe | dato |
| noi | daremmo | noi | avremmo | dato |
| voi | dareste | voi | avreste | dato |
| essi | darebbero | essi | avrebbero | dato |

| imperativo presente | gerundio presente |
|---|---|
| | dando |
| dà, dai, da'[3] (tu) | |
| dia (Lei) | |
| diamo (noi) | gerundio passato |
| date (voi) | avendo dato |
| diano (Loro) | |

| participio presente | participio passato |
|---|---|
| dante[4] | dato, dati |
| | data, date |

Ainsi se conjugue ridare sauf aux formes suivantes de l'indicatif présent : *io ridò* et du subjonctif imparfait : *io ridassi, tu ridassi, egli ridasse, noi ridassimo, voi ridaste, essi ridassero,* pour éviter toute confusion avec les mêmes formes du verbe ridere.

1) Avec accent pour le différencier de la préposition **da.**
2) *Detti, dette, dettero,* sont des formes rares.
3) Abréviation de **dai.**
4) Forme rare du participe présent.

| indicativo presente | passato prossimo | | congiuntivo presente | congiuntivo passato | |
|---|---|---|---|---|---|
| io sto[1] | io sono stato | | io stia | io sia stato | |
| tu stai | tu sei stato | | tu stia | tu sia stato | |
| egli sta[1] | egli è stato | | egli stia | egli sia stato | |
| noi stiamo | noi siamo stati | | noi stiamo | noi siamo stati | |
| voi state | voi siete stati | | voi stiate | voi siate stati | |
| essi stanno | essi sono stati | | essi stiano | essi siano stati | |

| indicativo imperfetto | trapassato prossimo | | congiuntivo imperfetto | congiuntivo trapassato | |
|---|---|---|---|---|---|
| io stavo | io ero stato | | io stessi | io fossi stato | |
| tu stavi | tu eri stato | | tu stessi | tu fossi stato | |
| egli stava | egli era stato | | egli stesse | egli fosse stato | |
| noi stavamo | noi eravamo stati | | noi stessimo | noi fossimo stati | |
| voi stavate | voi eravate stati | | voi steste | voi foste stati | |
| essi stavano | essi erano stati | | essi stessero | essi fossero stati | |

| passato remoto | trapassato remoto | | condizionale presente | condizionale passato | |
|---|---|---|---|---|---|
| io stetti | io fui stato | | io starei | io sarei stato | |
| tu stesti | tu fosti stato | | tu staresti | tu saresti stato | |
| egli stette | egli fu stato | | egli starebbe | egli sarebbe stato | |
| noi stemmo | noi fummo stati | | noi staremmo | noi saremmo stati | |
| voi steste | voi foste stati | | voi staresti | voi sareste stati | |
| essi stettero | essi furono stati | | essi starebbero | essi sarebbero stati | |

| futuro semplice | futuro anteriore | | imperativo presente | gerundio presente | |
|---|---|---|---|---|---|
| io starò | io sarò stato | | | stando | |
| tu starai | tu sarai stato | | sta, stai, sta'[2] (tu) | | |
| egli starà | egli sarà stato | | stia (Lei) | | |
| noi staremo | noi saremo stati | | stiamo (noi) | gerundio passato | |
| voi starete | voi sarete stati | | state (voi) | essendo stato | |
| essi staranno | essi saranno stati | | stiano (Loro) | | |

| infinito presente | infinito passato | | participio presente | participio passato | |
|---|---|---|---|---|---|
| stare | essere stato | | stante | stato, stati | |
| | | | | stata, state | |

Ainsi se conjuguent ristare, soprastare, sottostare ; mais aux 1re et 3e personnes du singulier du présent de l'indicatif, ces verbes prennent un accent : *io ristò/soprastò/stottostò, egli ristà/soprastà/sottostà.*
Se conjuguent sur amare (modèle 6) : distare, présent : *io disto, tu disti... essi distano ;* pas de participe passé ; instare, présent : *io insto, tu insti... essi instano ;* pas de participe passé ; istare, présent : *io isto, tu isti... essi istano ;* pas de participe passé.

1) Pas d'accent sur **sto** et **sta,** de même que sur **fo** et **fa** (fare) car il n'y a pas d'homophones avec lesquels on pourrait les confondre.
2) Abréviation de **stai.**
3) C'est aussi le participe passé du verbe **essere.**

| indicativo presente | passato prossimo | congiuntivo presente | congiuntivo passato |
|---|---|---|---|
| io agito | io ho agitato | io agiti | io abbia agitato |
| tu agiti | tu hai agitato | tu agiti | tu abbia agitato |
| egli agita | egli ha agitato | egli agiti | egli abbia agitato |
| noi agitiamo | noi abbiamo agitato | noi agitiamo | noi abbiamo agitato |
| voi agitate | voi avete agitato | voi agitiate | voi abbiate agitato |
| essi agitano | essi hanno agitato | essi agitino | essi abbiano agitato |

| indicativo imperfetto | trapassato prossimo | congiuntivo imperfetto | congiuntivo trapassato |
|---|---|---|---|
| io agitavo | io avevo agitato | io agitassi | io avessi agitato |
| tu agitavi | tu avevi agitato | tu agitassi | tu avessi agitato |
| egli agitava | egli aveva agitato | egli agitasse | egli avesse agitato |
| noi agitavamo | noi avevamo agitato | noi agitassimo | noi avessimo agitato |
| voi agitavate | voi avevate agitato | voi agitaste | voi aveste agitato |
| essi agitavano | essi avevano agitato | essi agitassero | essi avessero agitato |

| passato remoto | trapassato remoto | condizionale presente | condizionale passato |
|---|---|---|---|
| io agitai | io ebbi agitato | io agiterei | io avrei agitato |
| tu agitasti | tu avesti agitato | tu agiteresti | tu avresti agitato |
| egli agitò | egli ebbe agitato | egli agiterebbe | egli avrebbe agitato |
| noi agitammo | noi avemmo agitato | noi agiteremmo | noi avremmo agitato |
| voi agitaste | voi aveste agitato | voi agitereste | voi avreste agitato |
| essi agitarono | essi ebbero agitato | essi agiterebbero | essi avrebbero agitato |

| futuro semplice | futuro anteriore | imperativo presente | gerundio presente |
|---|---|---|---|
| io agiterò | io avrò agitato | | agitando |
| tu agiterai | tu avrai agitato | agita (tu) | |
| egli agiterà | egli avrà agitato | agiti (Lei) | |
| noi agiteremo | noi avremo agitato | agitiamo (noi) | gerundio passato |
| voi agiterete | voi avrete agitato | agitate (voi) | avendo agitato |
| essi agiteranno | essi avranno agitato | agitino (Loro) | |

| infinito presente | infinito passato | participio presente | participio passato |
|---|---|---|---|
| agitare | aver agitato | agitante, agitanti | agitato, agitati |
| | | | agitata, agitate |

Agitare et les verbes qui se conjuguent sur ce modèle portent l'accent tonique sur la première syllabe, c'est-à-dire sur l'antépénultième (la 3$^e$ à partir de la fin), aux 1$^{re}$, 2$^e$, 3$^e$ personnes du singulier et à la 3$^e$ personne du pluriel de l'indicatif présent et du subjonctif présent et à la 2$^e$ personne du singulier de l'impératif. (Voir Grammaire pages 11-13).

# 18 — **IMMAGINARE**/IMAGINER

| indicativo presente | passato prossimo | | congiuntivo presente | congiuntivo passato | |
|---|---|---|---|---|---|
| io immagino | io ho immaginato | io immagini | io abbia immaginato |
| tu immagini | tu hai immaginato | tu immagini | tu abbia immaginato |
| egli immagina | egli ha immaginato | egli immagini | egli abbia immaginato |
| noi immaginiamo | noi abbiamo immaginato | noi immaginiamo | noi abbiamo immaginato |
| voi immaginate | voi avete immaginato | voi immaginiate | voi abbiate immaginato |
| essi immaginano | essi hanno immaginato | essi immaginino | essi abbiano immaginato |

| indicativo imperfetto | trapassato prossimo | | congiuntivo imperfetto | congiuntivo trapassato | |
|---|---|---|---|---|---|
| io immaginavo | io avevo immaginato | io immaginassi | io avessi immaginato |
| tu immaginavi | tu avevi immaginato | tu immaginassi | tu avessi immaginato |
| egli immaginava | egli aveva immaginato | egli immaginasse | egli avesse immaginato |
| noi immaginavamo | noi avevamo immaginato | noi immaginassimo | noi avessimo immaginato |
| voi immaginavate | voi avevate immaginato | voi immaginaste | voi aveste immaginato |
| essi immaginavano | essi avevano immaginato | essi immaginassero | essi avessero immaginato |

| passato remoto | trapassato remoto | | condizionale presente | condizionale passato | |
|---|---|---|---|---|---|
| io immaginai | io ebbi immaginato | io immaginerei | io avrei immaginato |
| tu immaginasti | tu avesti immaginato | tu immagineresti | tu avresti immaginato |
| egli immaginò | egli ebbe immaginato | egli immaginerebbe | egli avrebbe immaginato |
| noi immaginammo | noi avemmo immaginato | noi immagineremmo | noi avremmo immaginato |
| voi immaginaste | voi aveste immaginato | voi immaginereste | voi avreste immaginato |
| essi immaginarono | essi ebbero immaginato | essi immaginerebbero | essi avrebbero immaginato |

| futuro semplice | futuro anteriore | | imperativo presente | gerundio presente |
|---|---|---|---|---|
| io immaginerò | io avrò immaginato | | immaginando |
| tu immaginerai | tu avrai immaginato | immagina (tu) | |
| egli immaginerà | egli avrà immaginato | immagini (Lei) | |
| noi immagineremo | noi avremo immaginato | immaginiamo (noi) | **gerundio passato** |
| voi immaginerete | voi avrete immaginato | immaginate (voi) | avendo immaginato |
| essi immagineranno | essi avranno immaginato | immaginino (Loro) | |

| infinito presente | infinito passato | | participio presente | participio passato |
|---|---|---|---|---|
| immaginare | aver immaginato | immaginante, immaginanti | immaginato, immaginati immaginata, immaginate |

A l'indicatif et au subjonctif présent (aux 3 premières personnes du singulier et à la 3e du pluriel) et à l'impératif (aux 2 premières personnes du singulier et à la 3e du pluriel) l'accent tonique porte sur l'antépénultième syllabe (la 3e à partir de la fin), et non sur l'avant-dernière.
(Voir Grammaire pages 11-13).

| indicativo presente | passato prossimo | | congiuntivo presente | congiuntivo passato | |
|---|---|---|---|---|---|
| io modifico | io ho | modificato | io modifichi | io abbia | modificato |
| tu modifichi | tu hai | modificato | tu modifichi | tu abbia | modificato |
| egli modifica | egli ha | modificato | egli modifichi | egli abbia | modificato |
| noi modifichiamo | noi abbiamo | modificato | noi modifichiamo | noi abbiamo | modificato |
| voi modificate | voi avete | modificato | voi modifichiate | voi abbiate | modificato |
| essi modificano | essi hanno | modificato | essi modifichino | essi abbiano | modificato |

| indicativo imperfetto | trapassato prossimo | | congiuntivo imperfetto | congiuntivo trapassato | |
|---|---|---|---|---|---|
| io modificavo | io avevo | modificato | io modificassi | io avessi | modificato |
| tu modificavi | tu avevi | modificato | tu modificassi | tu avessi | modificato |
| egli modificava | egli aveva | modificato | egli modificasse | egli avesse | modificato |
| noi modificavamo | noi avevamo | modificato | noi modificassimo | noi avessimo | modificato |
| voi modificavate | voi avevate | modificato | voi modificaste | voi aveste | modificato |
| essi modificavano | essi avevano | modificato | essi modificassero | essi avessero | modificato |

| passato remoto | trapassato remoto | | condizionale presente | condizionale passato | |
|---|---|---|---|---|---|
| io modificai | io ebbi | modificato | io modificherei | io avrei | modificato |
| tu modificasti | tu avesti | modificato | tu modificheresti | tu avresti | modificato |
| egli modificò | egli ebbe | modificato | egli modificherebbe | egli avrebbe | modificato |
| noi modificammo | noi avemmo | modificato | noi modificheremmo | noi avremmo | modificato |
| voi modificaste | voi aveste | modificato | voi modifichereste | voi avreste | modificato |
| essi modificarono | essi ebbero | modificato | essi modificherebbero | essi avrebbero | modificato |

| futuro semplice | futuro anteriore | | imperativo presente | gerundio presente |
|---|---|---|---|---|
| io modificherò | io avrò | modificato | | modificando |
| tu modificherai | tu avrai | modificato | modifica (tu) | |
| egli modificherà | egli avrà | modificato | modifichi (Lei) | |
| noi modificheremo | noi avremo | modificato | modifichiamo (noi) | gerundio passato |
| voi modificherete | voi avrete | modificato | modificate (voi) | avendo modificato |
| essi modificheranno | essi avranno | modificato | modifichino (Loro) | |

| infinito presente | infinito passato | participio presente | participio passato |
|---|---|---|---|
| modificare | aver modificato | modificante, modificanti | modificato, modificati modificata, modificate |

A l'indicatif et au subjonctif présent et à l'impératif, aux 3 premières personnes du singulier et à la 3e du pluriel, l'accent tonique porte sur l'antépénultième syllabe (la 3e à partir de la fin).
Ainsi se conjuguent les verbes en -icare : caricare *(io carico, essi caricano);* applicare *(io applico, egli applica, essi applicano).* (Voir Grammaire pages 11-13).

| indicativo presente | passato prossimo |
|---|---|
| io temo | io ho temuto |
| tu temi | tu hai temuto |
| egli teme | egli ha temuto |
| noi temiamo | noi abbiamo temuto |
| voi temete | voi avete temuto |
| essi temono | essi hanno temuto |

| indicativo imperfetto | trapassato prossimo |
|---|---|
| io temevo | io avevo temuto |
| tu temevi | tu avevi temuto |
| egli temeva | egli aveva temuto |
| noi temevamo | noi avevamo temuto |
| voi temevate | voi avevate temuto |
| essi temevano | essi avevano temuto |

| passato remoto | trapassato remoto |
|---|---|
| io temetti, temei[1] | io ebbi temuto |
| tu temesti | tu avesti temuto |
| egli temette, temé[1] | egli ebbe temuto |
| noi tememmo | noi avemmo temuto |
| voi temeste | voi aveste temuto |
| essi temettero, temerono[1] | essi ebbero temuto |

| futuro semplice | futuro anteriore |
|---|---|
| io temerò | io avrò temuto |
| tu temerai | tu avrai temuto |
| egli temerà | egli avrà temuto |
| noi temeremo | noi avremo temuto |
| voi temerete | voi avrete temuto |
| essi temeranno | essi avranno temuto |

| infinito presente | infinito passato |
|---|---|
| temere | aver temuto |

| congiuntivo presente | congiuntivo passato |
|---|---|
| io tema | io abbia temuto |
| tu tema | tu abbia temuto |
| egli tema | egli abbia temuto |
| noi temiamo | noi abbiamo temuto |
| voi temiate | voi abbiate temuto |
| essi temano | essi abbiano temuto |

| congiuntivo imperfetto | congiuntivo trapassato |
|---|---|
| io temessi | io avessi temuto |
| tu temessi | tu avessi temuto |
| egli temesse | egli avesse temuto |
| noi temessimo | noi avessimo temuto |
| voi temeste | voi aveste temuto |
| essi temessero | essi avessero temuto |

| condizionale presente | condizionale passato |
|---|---|
| io temerei | io avrei temuto |
| tu temeresti | tu avresti temuto |
| egli temerebbe | egli avrebbe temuto |
| noi temeremmo | noi avremmo temuto |
| voi temereste | voi avreste temuto |
| essi temerebbero | essi avrebbero temuto |

| imperativo presente | gerundio presente |
|---|---|
| | temendo |
| temi (tu) | |
| tema (Lei) | |
| temiamo (noi) | gerundio passato |
| temete (voi) | avendo temuto |
| temano (Loro) | |

| participio presente | participio passato |
|---|---|
| temente, tementi | temuto, temuti |
| | temuta, temute |

1) Des deux formes du passé simple, la plus employée est celle en **-etti**.
Mais avec les verbes dont le radical se termine par **-t-** on préfère l'autre forme : pot-ere : *io potei, egli poté, essi poterono*.

_← SUBJ_

| indicativo presente | passato prossimo | | congiuntivo presente | congiuntivo passato | |
|---|---|---|---|---|---|
| io accendo | io ho | acceso | io accenda | io abbia | acceso |
| tu accendi | tu hai | acceso | tu accenda | tu abbia | acceso |
| egli accende | egli ha | acceso | egli accenda | egli abbia | acceso |
| noi accendiamo | noi abbiamo | acceso | noi accendiamo | noi abbiamo | acceso |
| voi accendete | voi avete | acceso | voi accendiate | voi abbiate | acceso |
| essi accendono | essi hanno | acceso | essi accendano | essi abbiano | acceso |

| indicativo imperfetto | trapassato prossimo | | congiuntivo imperfetto | congiuntivo trapassato | |
|---|---|---|---|---|---|
| io accendevo | io avevo | acceso | io accendessi | io avessi | acceso |
| tu accendevi | tu avevi | acceso | tu accendessi | tu avessi | acceso |
| egli accendeva | egli aveva | acceso | egli accendesse | egli avesse | acceso |
| noi accendevamo | noi avevamo | acceso | noi accendessimo | noi avessimo | acceso |
| voi accendevate | voi avevate | acceso | voi accendeste | voi aveste | acceso |
| essi accendevano | essi avevano | acceso | essi accendessero | essi avessero | acceso |

| passato remoto | trapassato remoto | | condizionale presente | condizionale passato | |
|---|---|---|---|---|---|
| io accesi | io ebbi | acceso | io accenderei | io avrei | acceso |
| tu accendesti | tu avesti | acceso | tu accenderesti | tu avresti | acceso |
| egli accese | egli ebbe | acceso | egli accenderebbe | egli avrebbe | acceso |
| noi accendemmo | noi avemmo | acceso | noi accenderemmo | noi avremmo | acceso |
| voi accendeste | voi aveste | acceso | voi accendereste | voi avreste | acceso |
| essi accesero | essi ebbero | acceso | essi accenderebbero | essi avrebbero | acceso |

| futuro semplice | futuro anteriore | | imperativo presente | gerundio presente |
|---|---|---|---|---|
| io accenderò | io avrò | acceso | | accendendo |
| tu accenderai | tu avrai | acceso | accendi (tu) | |
| egli accenderà | egli avrà | acceso | accenda (Lei) | |
| noi accenderemo | noi avremo | acceso | accendiamo (noi) | gerundio passato |
| voi accenderete | voi avrete | acceso | accendete (voi) | avendo acceso |
| essi accenderanno | essi avranno | acceso | accendano (Loro) | |

| infinito presente | infinito passato | particip io presente | particip io passato |
|---|---|---|---|
| accendere | aver acceso | accendente, accendenti | acceso, accesi |
| | | | accesa, accese |

Ainsi se conjuguent appendere, difendere, dipendere, incendere, offendere, raccendere, riaccendere.
Se conjuguent sur le même modèle : fendere, et pendere sauf aux formes suivantes du passé simple : _io fendéi/pendéi, egli fende/pende, essi fenderono/penderono_ (pas de participe passé) ; splendere et risplendere sauf au passé simple : _io (ri)splendei/(ri)splendetti, egli (ri)splende/(ri)splendette, essi (ri)splenderono/(ri)splendettero_. Ces deux verbes n'ont ni participe passé, ni temps composés.

| indicativo presente | passato prossimo | | congiuntivo presente | congiuntivo passato | |
|---|---|---|---|---|---|
| io affiggo | io ho | affisso | io affigga | io abbia | affisso |
| tu affiggi | tu hai | affisso | tu affigga | tu abbia | affisso |
| egli affigge | egli ha | affisso | egli affigga | egli abbia | affisso |
| noi affiggiamo | noi abbiamo | affisso | noi affiggiamo | noi abbiamo | affisso |
| voi affiggete | voi avete | affisso | voi affiggiate | voi abbiate | affisso |
| essi affiggono | essi hanno | affisso | essi affiggano | essi abbiano | affisso |

| indicativo imperfetto | trapassato prossimo | | congiuntivo imperfetto | congiuntivo trapassato | |
|---|---|---|---|---|---|
| io affiggevo | io avevo | affisso | io affiggessi | io avessi | affisso |
| tu affiggevi | tu avevi | affisso | tu affiggessi | tu avessi | affisso |
| egli affiggeva | egli aveva | affisso | egli affiggesse | egli avesse | affisso |
| noi affiggevamo | noi avevamo | affisso | noi affiggessimo | noi avessimo | affisso |
| voi affiggevate | voi avevate | affisso | voi affiggeste | voi aveste | affisso |
| essi affiggevano | essi avevano | affisso | essi affiggessero | essi avessero | affisso |

| passato remoto | trapassato remoto | | condizionale presente | condizionale passato | |
|---|---|---|---|---|---|
| io affissi | io ebbi | affisso | io affiggerei | io avrei | affisso |
| tu affiggesti | tu avesti | affisso | tu affiggeresti | tu avresti | affisso |
| egli affisse | egli ebbe | affisso | egli affiggerebbe | egli avrebbe | affisso |
| noi affiggemmo | noi avemmo | affisso | noi affiggeremmo | noi avremmo | affisso |
| voi affiggeste | voi aveste | affisso | voi affiggereste | voi avreste | affisso |
| essi affissero | essi ebbero | affisso | essi affiggerebbero | essi avrebbero | affisso |

| futuro semplice | futuro anteriore | | imperativo presente | gerundio presente |
|---|---|---|---|---|
| io affiggerò | io avrò | affisso | | affiggendo |
| tu affiggerai | tu avrai | affisso | affiggi (tu) | |
| egli affiggerà | egli avrà | affisso | affigga (Lei) | |
| noi affiggeremo | noi avremo | affisso | affiggiamo (noi) | gerundio passato |
| voi affiggerete | voi avrete | affisso | affiggete (voi) | avendo affisso |
| essi affiggeranno | essi avranno | affisso | affiggano (Loro) | |

| infinito presente | infinito passato | participio presente | participio passato |
|---|---|---|---|
| affiggere | aver affisso | affiggente, affiggenti | affisso, affissi affissa, affisse |

Ainsi se conjuguent crocifiggere, infiggere, prefiggere.
Sur le même modèle sauf au participe passé qui se termine en **-tto** : affliggere (afflitto), configgere (confitto), figgere (fitto), friggere (fritto), infliggere (inflitto), rifiggere (rifitto), rifriggere (rifritto), sconfiggere (sconfitto), sfriggere (sfritto), soffriggere (soffritto), trafiggere (trafitto).

| indicativo presente | passato prossimo | | congiuntivo presente | congiuntivo passato | |
|---|---|---|---|---|---|
| io ardo | io ho | arso | io arda | io abbia | arso |
| tu ardi | tu hai | arso | tu arda | tu abbia | arso |
| egli arde | egli ha | arso | egli arda | egli abbia | arso |
| noi ardiamo | noi abbiamo | arso | noi ardiamo | noi abbiamo | arso |
| voi ardete | voi avete | arso | voi ardiate | voi abbiate | arso |
| essi ardono | essi hanno | arso | essi ardano | essi abbiano | arso |

| indicativo imperfetto | trapassato prossimo | | congiuntivo imperfetto | congiuntivo trapassato | |
|---|---|---|---|---|---|
| io ardevo | io avevo | arso | io ardessi | io avessi | arso |
| tu ardevi | tu avevi | arso | tu ardessi | tu avessi | arso |
| egli ardeva | egli aveva | arso | egli ardesse | egli avesse | arso |
| noi ardevamo | noi avevamo | arso | noi ardessimo | noi avessimo | arso |
| voi ardevate | voi avevate | arso | voi ardeste | voi aveste | arso |
| essi ardevano | essi avevano | arso | essi ardessero | essi avessero | arso |

| passato remoto | trapassato remoto | | condizionale presente | condizionale passato | |
|---|---|---|---|---|---|
| io arsi | io ebbi | arso | io arderei | io avrei | arso |
| tu ardesti | tu avesti | arso | tu arderesti | tu avresti | arso |
| egli arse | egli ebbe | arso | egli arderebbe | egli avrebbe | arso |
| noi ardemmo | noi avemmo | arso | noi arderemmo | noi avremmo | arso |
| voi ardeste | voi aveste | arso | voi ardereste | voi avreste | arso |
| essi arsero | essi ebbero | arso | essi arderebbero | essi avrebbero | arso |

| futuro semplice | futuro anteriore | | imperativo presente | gerundio presente | |
|---|---|---|---|---|---|
| io arderò | io avrò | arso | | ardendo | |
| tu arderai | tu avrai | arso | ardi (tu) | | |
| egli arderà | egli avrà | arso | arda (Lei) | | |
| noi arderemo | noi avremo | arso | ardiamo (noi) | gerundio passato | |
| voi arderete | voi avrete | arso | ardete (voi) | avendo arso | |
| essi arderanno | essi avranno | arso | ardano (Loro) | | |

| infinito presente | infinito passato | | participio presente | participio passato | |
|---|---|---|---|---|---|
| ardere | aver arso | | ardente, ardenti | arso, arsi | |
| | | | | arsa, arse | |

■ Ainsi se conjugue riardere.

| indicativo presente | passato prossimo | | congiuntivo presente | congiuntivo passato | |
|---|---|---|---|---|---|
| io assisto | io ho assistito | | io assista | io abbia assistito | |
| tu assisti | tu hai assistito | | tu assista | tu abbia assistito | |
| egli assiste | egli ha assistito | | egli assista | egli abbia assistito | |
| noi assistiamo | noi abbiamo assistito | | noi assistiamo | noi abbiamo assistito | |
| voi assistete | voi avete assistito | | voi assistiate | voi abbiate assistito | |
| essi assistono | essi hanno assistito | | essi assistano | essi abbiano assistito | |

| indicativo imperfetto | trapassato prossimo | | congiuntivo imperfetto | congiuntivo trapassato | |
|---|---|---|---|---|---|
| io assistevo | io avevo assistito | | io assistessi | io avessi assistito | |
| tu assistevi | tu avevi assistito | | tu assistessi | tu avessi assistito | |
| egli assisteva | egli aveva assistito | | egli assistesse | egli avesse assistito | |
| noi assistevamo | noi avevamo assistito | | noi assistessimo | noi avessimo assistito | |
| voi assistevate | voi avevate assistito | | voi assisteste | voi aveste assistito | |
| essi assistevano | essi avevano assistito | | essi assistessero | essi avessero assistito | |

| passato remoto | trapassato remoto | | condizionale presente | condizionale passato | |
|---|---|---|---|---|---|
| io assistei[1] | io ebbi assistito | | io assisterei | io avrei assistito | |
| tu assistesti | tu avesti assistito | | tu assisteresti | tu avresti assistito | |
| egli assisté[1] | egli ebbe assistito | | egli assisterebbe | egli avrebbe assistito | |
| noi assistemmo | noi avemmo assistito | | noi assisteremmo | noi avremmo assistito | |
| voi assisteste | voi aveste assistito | | voi assistereste | voi avreste assistito | |
| essi assisterono[1] | essi ebbero assistito | | essi assisterebbero | essi avrebbero assistito | |

| futuro semplice | futuro anteriore | | imperativo presente | gerundio presente | |
|---|---|---|---|---|---|
| io assisterò | io avrò assistito | | | assistendo | |
| tu assisterai | tu avrai assistito | | assisti (tu) | | |
| egli assisterà | egli avrà assistito | | assista (Lei) | | |
| noi assisteremo | noi avremo assistito | | assistiamo (noi) | gerundio passato | |
| voi assisterete | voi avrete assistito | | assistete (voi) | avendo assistito | |
| essi assisteranno | essi avranno assistito | | assistano (Loro) | | |

| infinito presente | infinito passato | | participio presente | participio passato | |
|---|---|---|---|---|---|
| assistere | aver assistito | | assistente, assistenti | assistito, assistiti | |
| | | | | assistita, assistite | |

1) Au passé simple, il existe une autre forme pour la 1re personne du singulier et les 3es personnes du singulier et du pluriel : *io assistetti, egli assistette, essi assistettero.*

| indicativo presente | passato prossimo | | congiuntivo presente | congiuntivo passato | |
|---|---|---|---|---|---|
| io assolvo | io ho assolto | | io assolva | io abbia assolto | |
| tu assolvi | tu hai assolto | | tu assolva | tu abbia assolto | |
| egli assolve | egli ha assolto | | egli assolva | egli abbia assolto | |
| noi assolviamo | noi abbiamo assolto | | noi assolviamo | noi abbiamo assolto | |
| voi assolvete | voi avete assolto | | voi assolviate | voi abbiate assolto | |
| essi ass<u>o</u>lvono | essi hanno assolto | | essi ass<u>o</u>lvano | essi abbiano assolto | |

| indicativo imperfetto | trapassato prossimo | | congiuntivo imperfetto | congiuntivo trapassato | |
|---|---|---|---|---|---|
| io assolvevo | io avevo assolto | | io assolvessi | io avessi assolto | |
| tu assolvevi | tu avevi assolto | | tu assolvessi | tu avessi assolto | |
| egli assolveva | egli aveva assolto | | egli assolvesse | egli avesse assolto | |
| noi assolvevamo | noi avevamo assolto | | noi assolv<u>e</u>ssimo | noi av<u>e</u>ssimo assolto | |
| voi assolvevate | voi avevate assolto | | voi assolveste | voi aveste assolto | |
| essi assolv<u>e</u>vano | essi av<u>e</u>vano assolto | | essi assolv<u>e</u>ssero | essi av<u>e</u>ssero assolto | |

| passato remoto | trapassato remoto | | condizionale presente | condizionale passato | |
|---|---|---|---|---|---|
| io assolsi | io ebbi assolto | | io assolverei | io avrei assolto | |
| tu assolvesti | tu avesti assolto | | tu assolveresti | tu avresti assolto | |
| egli assolse | egli ebbe assolto | | egli assolverebbe | egli avrebbe assolto | |
| noi assolvemmo | noi avemmo assolto | | noi assolveremmo | noi avremmo assolto | |
| voi assolveste | voi aveste assolto | | voi assolvereste | voi avreste assolto | |
| essi assolsero | essi <u>e</u>bbero assolto | | essi assolver<u>e</u>bbero | essi avr<u>e</u>bbero assolto | |

| futuro semplice | futuro anteriore | | imperativo presente | gerundio presente | |
|---|---|---|---|---|---|
| io assolverò | io avrò assolto | | | assolvendo | |
| tu assolverai | tu avrai assolto | | assolvi (tu) | | |
| egli assolverà | egli avrà assolto | | assolva (Lei) | | |
| noi assolveremo | noi avremo assolto | | assolviamo (noi) | **gerundio passato** | |
| voi assolverete | voi avrete assolto | | assolvete (voi) | avendo assolto | |
| essi assolveranno | essi avranno assolto | | ass<u>o</u>lvano (Loro) | | |

| infinito presente | infinito passato | | participio presente | participio passato | |
|---|---|---|---|---|---|
| ass<u>o</u>lvere | aver assolto | | assolvente, assolventi | assolto, assolti<br>assolta, assolte | |

Ainsi se conjuguent asci<u>o</u>lvere (forme archaïque de assolvere) et les verbes suivants avec quelques formes irrégulières au passé simple et au participe passé : devolvere *(io devolvei/devolvetti... essi devolverono/ devolvettero; devoluto)*; dissolvere *(io dissolsi/dissolvetti/dissolvei, ... essi diss<u>o</u>lsero/dissolverono/dissolvettero; dissolto/dissoluto;* evolvere *(io evolvetti/evolvei/evolsi, ... essi evolv<u>e</u>ttero/evolv<u>e</u>rono/ev<u>o</u>lsero; evoluto);* risolvere *(io risolvei/risolvetti/risolsi, ..., essi risolv<u>e</u>rono/risolv<u>e</u>ttero/ris<u>o</u>lsero; risolto,* rare *ris<u>o</u>luto);* involvere *(n'a pas de passé simple; participe passé : inv<u>o</u>luto).*

| indicativo presente | | passato prossimo | | |
|---|---|---|---|---|
| io | assumo | io | ho | assunto |
| tu | assumi | tu | hai | assunto |
| egli | assume | egli | ha | assunto |
| noi | assumiamo | noi | abbiamo | assunto |
| voi | assumete | voi | avete | assunto |
| essi | assumono | essi | hanno | assunto |

| indicativo imperfetto | | trapassato prossimo | | |
|---|---|---|---|---|
| io | assumevo | io | avevo | assunto |
| tu | assumevi | tu | avevi | assunto |
| egli | assumeva | egli | aveva | assunto |
| noi | assumevamo | noi | avevamo | assunto |
| voi | assumevate | voi | avevate | assunto |
| essi | assumevano | essi | avevano | assunto |

| passato remoto | | trapassato remoto | | |
|---|---|---|---|---|
| io | assunsi | io | ebbi | assunto |
| tu | assumesti | tu | avesti | assunto |
| egli | assunse | egli | ebbe | assunto |
| noi | assumemmo | noi | avemmo | assunto |
| voi | assumeste | voi | aveste | assunto |
| essi | assunsero | essi | ebbero | assunto |

| futuro semplice | | futuro anteriore | | |
|---|---|---|---|---|
| io | assumerò | io | avrò | assunto |
| tu | assumerai | tu | avrai | assunto |
| egli | assumerà | egli | avrà | assunto |
| noi | assumeremo | noi | avremo | assunto |
| voi | assumerete | voi | avrete | assunto |
| essi | assumeranno | essi | avranno | assunto |

| infinito presente | infinito passato |
|---|---|
| assumere | aver assunto |

| congiuntivo presente | | congiuntivo passato | | |
|---|---|---|---|---|
| io | assuma | io | abbia | assunto |
| tu | assuma | tu | abbia | assunto |
| egli | assuma | egli | abbia | assunto |
| noi | assumiamo | noi | abbiamo | assunto |
| voi | assumiate | voi | abbiate | assunto |
| essi | assumano | essi | abbiano | assunto |

| congiuntivo imperfetto | | congiuntivo trapassato | | |
|---|---|---|---|---|
| io | assumessi | io | avessi | assunto |
| tu | assumessi | tu | avessi | assunto |
| egli | assumesse | egli | avesse | assunto |
| noi | assumessimo | noi | avessimo | assunto |
| voi | assumeste | voi | aveste | assunto |
| essi | assumessero | essi | avessero | assunto |

| condizionale presente | | condizionale passato | | |
|---|---|---|---|---|
| io | assumerei | io | avrei | assunto |
| tu | assumeresti | tu | avresti | assunto |
| egli | assumerebbe | egli | avrebbe | assunto |
| noi | assumeremmo | noi | avremmo | assunto |
| voi | assumereste | voi | avreste | assunto |
| essi | assumerebbero | essi | avrebbero | assunto |

| imperativo presente | |
|---|---|
| assumi | (tu) |
| assuma | (Lei) |
| assumiamo | (noi) |
| assumete | (voi) |
| assumano | (Loro) |

| gerundio presente |
|---|
| assumendo |

| gerundio passato |
|---|
| avendo assunto |

| participio presente | participio passato |
|---|---|
| assumente, assumenti | assunto, assunti |
| | assunta, assunte |

■ Ainsi se conjuguent consumere, desumere, presumere, riassumere.

# BERE/BOIRE 27

**bevvi, bevuto**

| indicativo presente | passato prossimo | | congiuntivo presente | congiuntivo passato | |
|---|---|---|---|---|---|
| io bevo | io ho | bevuto | io beva | io abbia | bevuto |
| tu bevi | tu hai | bevuto | tu beva | tu abbia | bevuto |
| egli beve | egli ha | bevuto | egli beva | egli abbia | bevuto |
| noi beviamo | noi abbiamo | bevuto | noi beviamo | noi abbiamo | bevuto |
| voi bevete | voi avete | bevuto | voi beviate | voi abbiate | bevuto |
| essi bevono | essi hanno | bevuto | essi bevano | essi abbiano | bevuto |

| indicativo imperfetto | trapassato prossimo | | congiuntivo imperfetto | congiuntivo trapassato | |
|---|---|---|---|---|---|
| io bevevo | io avevo | bevuto | io bevessi | io avessi | bevuto |
| tu bevevi | tu avevi | bevuto | tu bevessi | tu avessi | bevuto |
| egli beveva | egli aveva | bevuto | egli bevesse | egli avesse | bevuto |
| noi bevevamo | noi avevamo | bevuto | noi bevessimo | noi avessimo | bevuto |
| voi bevevate | voi avevate | bevuto | voi beveste | voi aveste | bevuto |
| essi bevevano | essi avevano | bevuto | essi bevessero | essi avessero | bevuto |

| passato remoto | trapassato remoto | | condizionale presente | condizionale passato | |
|---|---|---|---|---|---|
| io bevvi | io ebbi | bevuto | io berrei | io avrei | bevuto |
| tu bevesti | tu avesti | bevuto | tu berresti | tu avresti | bevuto |
| egli bevve | egli ebbe | bevuto | egli berrebbe | egli avrebbe | bevuto |
| noi bevemmo | noi avemmo | bevuto | noi berremmo | noi avremmo | bevuto |
| voi beveste | voi aveste | bevuto | voi berreste | voi avreste | bevuto |
| essi bevvero | essi ebbero | bevuto | essi berrebbero | essi avrebbero | bevuto |

| futuro semplice | futuro anteriore | | imperativo presente | gerundio presente |
|---|---|---|---|---|
| io berrò | io avrò | bevuto | | bevendo |
| tu berrai | tu avrai | bevuto | bevi (tu) | |
| egli berrà | egli avrà | bevuto | beva (Lei) | gerundio passato |
| noi berremo | noi avremo | bevuto | beviamo (noi) | avendo bevuto |
| voi berrete | voi avrete | bevuto | bevete (voi) | |
| essi berranno | essi avranno | bevuto | bevano (Loro) | |

| infinito presente | infinito passato | participio presente | participio passato |
|---|---|---|---|
| bere | aver bevuto | bevente, beventi | bevuto, bevuti bevuta, bevute |

Ce verbe se conjugue sur le radical de la forme achaïque **bevere**.
Au passé simple, aux 1re et 3e personnes du singulier et à la 3e du pluriel on rencontre deux autres formes : *io bevei/bevetti, egli bevé/bevette, essi beverono/bevettero.*
Ainsi se conjugue imbevere.

| indicativo presente | passato prossimo | | congiuntivo presente | congiuntivo passato | |
|---|---|---|---|---|---|
| io cado | io sono caduto | | io cada | io sia caduto | |
| tu cadi | tu sei caduto | | tu cada | tu sia caduto | |
| egli cade | egli è caduto | | egli cada | egli sia caduto | |
| noi cadiamo | noi siamo caduti | | noi cadiamo | noi siamo caduti | |
| voi cadete | voi siete caduti | | voi cadiate | voi siate caduti | |
| essi cadono | essi sono caduti | | essi cadano | essi siano caduti | |

| indicativo imperfetto | trapassato prossimo | | congiuntivo imperfetto | congiuntivo trapassato | |
|---|---|---|---|---|---|
| io cadevo | io ero caduto | | io cadessi | io fossi caduto | |
| tu cadevi | tu eri caduto | | tu cadessi | tu fossi caduto | |
| egli cadeva | egli era caduto | | egli cadesse | egli fosse caduto | |
| noi cadevamo | noi eravamo caduti | | noi cadessimo | noi fossimo caduti | |
| voi cadevate | voi eravate caduti | | voi cadeste | voi foste caduti | |
| essi cadevano | essi erano caduti | | essi cadessero | essi fossero caduti | |

| passato remoto | trapassato remoto | | condizionale presente | condizionale passato | |
|---|---|---|---|---|---|
| io caddi | io fui caduto | | io cadrei | io sarei caduto | |
| tu cadesti | tu fosti caduto | | tu cadresti | tu saresti caduto | |
| egli cadde | egli fu caduto | | egli cadrebbe | egli sarebbe caduto | |
| noi cademmo | noi fummo caduti | | noi cadremmo | noi saremmo caduti | |
| voi cadeste | voi foste caduti | | voi cadreste | voi sareste caduti | |
| essi caddero | essi furono caduti | | essi cadrebbero | essi sarebbero caduti | |

| futuro semplice | futuro anteriore | | imperativo presente | gerundio presente | |
|---|---|---|---|---|---|
| io cadrò | io sarò caduto | | | cadendo | |
| tu cadrai | tu sarai caduto | | cadi (tu) | | |
| egli cadrà | egli sarà caduto | | cada (Lei) | | |
| noi cadremo | noi saremo caduti | | cadiamo (noi) | gerundio passato | |
| voi cadrete | voi sarete caduti | | cadiate (voi) | essendo caduto | |
| essi cadranno | essi saranno caduti | | cadano (Loro) | | |

| infinito presente | infinito passato | | participio presente | participio passato | |
|---|---|---|---|---|---|
| cadere | essere caduto | | cadente, cadenti | caduto, caduti | |
| | | | | caduta, cadute | |

**CHIEDERE**/DEMANDER **29**

| indicativo presente | passato prossimo | | congiuntivo presente | congiuntivo passato | |
|---|---|---|---|---|---|
| io chiedo | io ho | chiesto | io chieda | io abbia | chiesto |
| tu chiedi | tu hai | chiesto | tu chieda | tu abbia | chiesto |
| egli chiede | egli ha | chiesto | egli chieda | egli abbia | chiesto |
| noi chiediamo | noi abbiamo | chiesto | noi chiediamo | noi abbiamo | chiesto |
| voi chiedete | voi avete | chiesto | voi chiediate | voi abbiate | chiesto |
| essi chiedono | essi hanno | chiesto | essi chiedano | essi abbiano | chiesto |

| indicativo imperfetto | trapassato prossimo | | congiuntivo imperfetto | congiuntivo trapassato | |
|---|---|---|---|---|---|
| io chiedevo | io avevo | chiesto | io chiedessi | io avessi | chiesto |
| tu chiedevi | tu avevi | chiesto | tu chiedessi | tu avessi | chiesto |
| egli chiedeva | egli aveva | chiesto | egli chiedesse | egli avesse | chiesto |
| noi chiedevamo | noi avevamo | chiesto | noi chiedessimo | noi avessimo | chiesto |
| voi chiedevate | voi avevate | chiesto | voi chiedeste | voi aveste | chiesto |
| essi chiedevano | essi avevano | chiesto | essi chiedessero | essi avessero | chiesto |

| passato remoto | trapassato remoto | | condizionale presente | condizionale passato | |
|---|---|---|---|---|---|
| io chiesi | io ebbi | chiesto | io chiederei | io avrei | chiesto |
| tu chiedesti | tu avesti | chiesto | tu chiederesti | tu avresti | chiesto |
| egli chiese | egli ebbe | chiesto | egli chiederebbe | egli avrebbe | chiesto |
| noi chiedemmo | noi avemmo | chiesto | noi chiederemmo | noi avremmo | chiesto |
| voi chiedeste | voi aveste | chiesto | voi chiedereste | voi avreste | chiesto |
| essi chiesero | essi ebbero | chiesto | essi chiederebbero | essi avrebbero | chiesto |

| futuro semplice | futuro anteriore | | imperativo presente | gerundio presente |
|---|---|---|---|---|
| io chiederò | io avrò | chiesto | | chiedendo |
| tu chiederai | tu avrai | chiesto | chiedi (tu) | |
| egli chiederà | egli avrà | chiesto | chieda (Lei) | |
| noi chiederemo | noi avremo | chiesto | chiediamo (noi) | gerundio passato |
| voi chiederete | voi avrete | chiesto | chiedete (voi) | avendo chiesto |
| essi chiederanno | essi avranno | chiesto | chiedano (Loro) | |

| infinito presente | infinito passato | participio presente | participio passato |
|---|---|---|---|
| chiedere | aver chiesto | chiedente, chiedenti | chiesto, chiesti |
| | | | chiesta, chieste |

■ Ainsi se conjuguent inchiedere, richiedere, recherere.

| indicativo presente | passato prossimo | | congiuntivo presente | congiuntivo passato | |
|---|---|---|---|---|---|
| io chiudo | io ho | chiuso | io chiuda | io abbia | chiuso |
| tu chiudi | tu hai | chiuso | tu chiuda | tu abbia | chiuso |
| egli chiude | egli ha | chiuso | egli chiuda | egli abbia | chiuso |
| noi chiudiamo | noi abbiamo | chiuso | noi chiudiamo | noi abbiamo | chiuso |
| voi chiudete | voi avete | chiuso | voi chiudiate | voi abbiate | chiuso |
| essi chiudono | essi hanno | chiuso | essi chiudano | essi abbiano | chiuso |

| indicativo imperfetto | trapassato prossimo | | congiuntivo imperfetto | congiuntivo trapassato | |
|---|---|---|---|---|---|
| io chiudevo | io avevo | chiuso | io chiudessi | io avessi | chiuso |
| tu chiudevi | tu avevi | chiuso | tu chiudessi | tu avessi | chiuso |
| egli chiudeva | egli aveva | chiuso | egli chiudesse | egli avesse | chiuso |
| noi chiudevamo | noi avevamo | chiuso | noi chiudessimo | noi avessimo | chiuso |
| voi chiudevate | voi avevate | chiuso | voi chiudeste | voi aveste | chiuso |
| essi chiudevano | essi avevano | chiuso | essi chiudessero | essi avessero | chiuso |

| passato remoto | trapassato remoto | | condizionale presente | condizionale passato | |
|---|---|---|---|---|---|
| io chiusi | io ebbi | chiuso | io chiuderei | io avrei | chiuso |
| tu chiudesti | tu avesti | chiuso | tu chiuderesti | tu avresti | chiuso |
| egli chiuse | egli ebbe | chiuso | egli chiuderebbe | egli avrebbe | chiuso |
| noi chiudemmo | noi avemmo | chiuso | noi chiuderemmo | noi avremmo | chiuso |
| voi chiudeste | voi aveste | chiuso | voi chiudereste | voi avreste | chiuso |
| essi chiusero | essi ebbero | chiuso | essi chiuderebbero | essi avrebbero | chiuso |

| futuro semplice | futuro anteriore | | imperativo presente | gerundio presente |
|---|---|---|---|---|
| io chiuderò | io avrò | chiuso | | chiudendo |
| tu chiuderai | tu avrai | chiuso | chiudi (tu) | |
| egli chiuderà | egli avrà | chiuso | chiuda (Lei) | **gerundio passato** |
| noi chiuderemo | noi avremo | chiuso | chiudiamo (noi) | |
| voi chiuderete | voi avrete | chiuso | chiudete (voi) | avendo chiuso |
| essi chiuderanno | essi avranno | chiuso | chiudano (Loro) | |

| infinito presente | infinito passato | participio presente | participio passato |
|---|---|---|---|
| chiudere | aver chiuso | chiudente, chiudenti | chiuso, chiusi |
| | | | chiusa, chiuse |

Ainsi se conjuguent accludere, alludere, deludere, disilludere, concludere, colludere, detrudere, escludere, eludere, estrudere, illudere, includere, intrudere, intercludere, occludere, preludere, precludere, proludere, recludere, sconcludere.

| indicativo presente | passato prossimo |
|---|---|
| io cingo | io ho cinto |
| tu cingi | tu hai cinto |
| egli cinge | egli ha cinto |
| noi cingiamo | noi abbiamo cinto |
| voi cingete | voi avete cinto |
| essi cingono | essi hanno cinto |

| indicativo imperfetto | trapassato prossimo |
|---|---|
| io cingevo | io avevo cinto |
| tu cingevi | tu avevi cinto |
| egli cingeva | egli aveva cinto |
| noi cingevamo | noi avevamo cinto |
| voi cingevate | voi avevate cinto |
| essi cingevano | essi avevano cinto |

| passato remoto | trapassato remoto |
|---|---|
| io cinsi | io ebbi cinto |
| tu cingesti | tu avesti cinto |
| egli cinse | egli ebbe cinto |
| noi cingemmo | noi avemmo cinto |
| voi cingeste | voi aveste cinto |
| essi cinsero | essi ebbero cinto |

| futuro semplice | futuro anteriore |
|---|---|
| io cingerò | io avrò cinto |
| tu cingerai | tu avrai cinto |
| egli cingerà | egli avrà cinto |
| noi cingeremo | noi avremo cinto |
| voi cingerete | voi avrete cinto |
| essi cingeranno | essi avranno cinto |

| infinito presente | infinito passato |
|---|---|
| cingere | aver cinto |

| congiuntivo presente | congiuntivo passato |
|---|---|
| io cinga | io abbia cinto |
| tu cinga | tu abbia cinto |
| egli cinga | egli abbia cinto |
| noi cingiamo | noi abbiamo cinto |
| voi cingiate | voi abbiate cinto |
| essi cingano | essi abbiano cinto |

| congiuntivo imperfetto | congiuntivo trapassato |
|---|---|
| io cingessi | io avessi cinto |
| tu cingessi | tu avessi cinto |
| egli cingesse | egli avesse cinto |
| noi cingessimo | noi avessimo cinto |
| voi cingeste | voi aveste cinto |
| essi cingessero | essi avessero cinto |

| condizionale presente | condizionale passato |
|---|---|
| io cingerei | io avrei cinto |
| tu cingeresti | tu avresti cinto |
| egli cingerebbe | egli avrebbe cinto |
| noi cingeremmo | noi avremmo cinto |
| voi cingereste | voi avreste cinto |
| essi cingerebbero | essi avrebbero cinto |

| imperativo presente | gerundio presente |
|---|---|
| | cingendo |
| cingi (tu) | |
| cinga (Lei) | |
| cingiamo (noi) | gerundio passato |
| cingete (voi) | avendo cinto |
| cingano (Loro) | |

| participio presente | participio passato |
|---|---|
| cingente, cingenti | cinto, cinti |
| | cinta, cinte |

Ainsi se conjuguent dipingere, fingere, intingere, mingere, respingere, ridipingere, ritingere, sospingere, spingere et sa forme archaïque spignere, stingere, tingere.

| indicativo presente | | passato prossimo | | |
|---|---|---|---|---|
| io | colgo | io | ho | colto |
| tu | cogli | tu | hai | colto |
| egli | coglie | egli | ha | colto |
| noi | cogliamo | noi | abbiamo | colto |
| voi | cogliete | voi | avete | colto |
| essi | colgono | essi | hanno | colto |

| indicativo imperfetto | | trapassato prossimo | | |
|---|---|---|---|---|
| io | coglievo | io | avevo | colto |
| tu | coglievi | tu | avevi | colto |
| egli | coglieva | egli | aveva | colto |
| noi | coglievamo | noi | avevamo | colto |
| voi | coglievate | voi | avevate | colto |
| essi | coglievano | essi | avevano | colto |

| passato remoto | | trapassato remoto | | |
|---|---|---|---|---|
| io | colsi | io | ebbi | colto |
| tu | cogliesti | tu | avesti | colto |
| egli | colse | egli | ebbe | colto |
| noi | cogliemmo | noi | avemmo | colto |
| voi | coglieste | voi | aveste | colto |
| essi | colsero | essi | ebbero | colto |

| futuro semplice | | futuro anteriore | | |
|---|---|---|---|---|
| io | coglierò | io | avrò | colto |
| tu | coglierai | tu | avrai | colto |
| egli | coglierà | egli | avrà | colto |
| noi | coglieremo | noi | avremo | colto |
| voi | coglierete | voi | avrete | colto |
| essi | coglieranno | essi | avranno | colto |

| infinito presente | infinito passato |
|---|---|
| cogliere | aver colto |

| congiuntivo presente | | congiuntivo passato | | |
|---|---|---|---|---|
| io | colga | io | abbia | colto |
| tu | colga | tu | abbia | colto |
| egli | colga | egli | abbia | colto |
| noi | cogliamo | noi | abbiamo | colto |
| voi | cogliate | voi | abbiate | colto |
| essi | colgano | essi | abbiano | colto |

| congiuntivo imperfetto | | congiuntivo trapassato | | |
|---|---|---|---|---|
| io | cogliessi | io | avessi | colto |
| tu | cogliessi | tu | avessi | colto |
| egli | cogliesse | egli | avesse | colto |
| noi | cogliessimo | noi | avessimo | colto |
| voi | coglieste | voi | aveste | colto |
| essi | cogliessero | essi | avessero | colto |

| condizionale presente | | condizionale passato | | |
|---|---|---|---|---|
| io | coglierei | io | avrei | colto |
| tu | coglieresti | tu | avresti | colto |
| egli | coglierebbe | egli | avrebbe | colto |
| noi | coglieremmo | noi | avremmo | colto |
| voi | cogliereste | voi | avreste | colto |
| essi | coglierebbero | essi | avrebbero | colto |

| imperativo presente | | gerundio presente |
|---|---|---|
| | | cogliendo |
| cogli | (tu) | |
| colga | (Lei) | |
| cogliamo | (noi) | **gerundio passato** |
| cogliete | (voi) | avendo colto |
| colgano | (Loro) | |

| participio presente | participio passato |
|---|---|
| cogliente, coglienti | colto, colti |
| | colta, colte |

Ainsi se conjuguent accogliere, incogliere, raccogliere, riaccogliere, ricogliere, discogliere, prosciogliere, sciogliere, ridisciogliere, distogliere, togliere, et les formes archaïques : corre (cogliere), distorre (distogliere), incorre (incogliere), prosciorre (prosciogliere), raccorre (raccogliere), sciorre (sciogliere), torre (togliere).

| indicativo presente | | passato prossimo | | |
|---|---|---|---|---|
| io | compio, compisco | io | sono | compiuto, compito |
| tu | compi, compisci | tu | sei | compiuto, compito |
| egli | compie, compisce | egli | è | compiuto, compito |
| noi | compiamo | noi | siamo | compiuti, compiti |
| voi | compite | voi | siete | compiuti, compiti |
| essi | compiono, compiscono | essi | sono | compiuti, compiti |

| indicativo imperfetto | | trapassato prossimo | | |
|---|---|---|---|---|
| io | compievo, compivo | io | ero | compiuto, compito |
| tu | compievi, compivi | tu | eri | compiuto, compito |
| egli | compieva, compiva | egli | era | compiuto, compito |
| noi | compievamo, compivamo | noi | eravamo | compiuti, compiti |
| voi | compievate, compivate | voi | eravate | compiuti, compiti |
| essi | compievano, compivano | essi | erano | compiuti, compiti |

| passato remoto | | trapassato remoto | | |
|---|---|---|---|---|
| io | compiei, compii | io | fui | compiuto, compito |
| tu | compiesti, compisti | tu | fosti | compiuto, compito |
| egli | compié, compì | egli | fu | compiuto, compito |
| noi | compiemmo, compimmo | noi | fummo | compiuti, compiti |
| voi | compieste, compiste | voi | foste | compiuti, compiti |
| essi | compierono, compirono | essi | furono | compiuti, compiti |

| futuro semplice | | futuro anteriore | | |
|---|---|---|---|---|
| io | compirò | io | sarò | compiuto, compito |
| tu | compirai | tu | sarai | compiuto, compito |
| egli | compirà | egli | sarà | compiuto, compito |
| noi | compiremo | noi | saremo | compiuti, compiti |
| voi | compirete | voi | sarete | compiuti, compiti |
| essi | compiranno | essi | saranno | compiuti, compiti |

| infinito presente | infinito passato |
|---|---|
| compiere, compire | essere compiuto, compito |

| congiuntivo presente | | congiuntivo imperfetto | |
|---|---|---|---|
| io compia, | compisca | io compiessi, | compissi |
| tu compia, | compisca | tu compiessi, | compissi |
| egli compia, | compisca | egli compiesse, | compisse |
| noi compiamo | | noi compiessimo, | compissimo |
| voi compiate | | voi compieste, | compiste |
| essi compiano, | compiscano | essi compiessero, | compissero |

| congiuntivo passato | | | congiuntivo trapassato | | |
|---|---|---|---|---|---|
| io sia | compiuto, | compito | io fossi | compiuto, | compito |
| tu sia | compiuto, | compito | tu fossi | compiuto, | compito |
| egli sia | compiuto, | compito | egli fosse | compiuto, | compito |
| noi siamo | compiuti, | compiti | noi fossimo | compiuti, | compiti |
| voi siate | compiuti, | compiti | voi foste | compiuti, | compiti |
| essi siano | compiuti, | compiti | essi fossero | compiuti, | compiti |

| imperativo presente | | |
|---|---|---|
| compi, | compisci | (tu) |
| compia, | compisca | (Lei) |
| compiamo | | (noi) |
| compiete, | compite | (voi) |
| compiano, | compiscano | (Loro) |

**gerundio presente**

compiendo

**gerundio passato**

essendo compiuto, compito

| condizionale presente | | condizionale passato | | |
|---|---|---|---|---|
| io compirei | | io sarei | compiuto, | compito |
| tu compiresti | | tu saresti | compiuto, | compito |
| egli compirebbe | | egli sarebbe | compiuto, | compito |
| noi compiremmo | | noi saremmo | compiuti, | compiti |
| voi compireste | | voi sareste | compiuti, | compiti |
| essi compirebbero | | essi sarebbero | compiuti, | compiti |

| participio presente | participio passato |
|---|---|
| compiente, compienti | compiuto, compiuti, compito, compiti |
| | compiuta, compiute, compita, compite |

Verbe **sovrabbondante** qui utilise les formes des conjugaisons des 2e et 3e groupes : **compiere** (compio) ; **compire** (compisco).
Adempiere, empiere et riempiere se conjuguent comme **compiere** ; adempire, empire, riempire comme **compire**.

| indicativo presente | passato prossimo | | congiuntivo presente | congiuntivo passato | |
|---|---|---|---|---|---|
| io comprimo | io ho | compresso | io comprima | io abbia | compresso |
| tu comprimi | tu hai | compresso | tu comprima | tu abbia | compresso |
| egli comprime | egli ha | compresso | egli comprima | egli abbia | compresso |
| noi comprimiamo | noi abbiamo | compresso | noi comprimiamo | noi abbiamo | compresso |
| voi comprimete | voi avete | compresso | voi comprimiate | voi abbiate | compresso |
| essi comprimono | essi hanno | compresso | essi comprimano | essi abbiano | compresso |

| indicativo imperfetto | trapassato prossimo | | congiuntivo imperfetto | congiuntivo trapassato | |
|---|---|---|---|---|---|
| io comprimevo | io avevo | compresso | io comprimessi | io avessi | compresso |
| tu comprimevi | tu avevi | compresso | tu comprimessi | tu avessi | compresso |
| egli comprimeva | egli aveva | compresso | egli comprimesse | egli avesse | compresso |
| noi comprimevamo | noi avevamo | compresso | noi comprimessimo | noi avessimo | compresso |
| voi comprimevate | voi avevate | compresso | voi comprimeste | voi aveste | compresso |
| essi comprimevano | essi avevano | compresso | essi comprimessero | essi avessero | compresso |

| passato remoto | trapassato remoto | | condizionale presente | condizionale passato | |
|---|---|---|---|---|---|
| io compressi | io ebbi | compresso | io comprimerei | io avrei | compresso |
| tu comprimesti | tu avesti | compresso | tu comprimeresti | tu avresti | compresso |
| egli compresse | egli ebbe | compresso | egli comprimerebbe | egli avrebbe | compresso |
| noi comprimemmo | noi avemmo | compresso | noi comprimeremmo | noi avremmo | compresso |
| voi comprimeste | voi aveste | compresso | voi comprimereste | voi avreste | compresso |
| essi compressero | essi ebbero | compresso | essi comprimerebbero | essi avrebbero | compresso |

| futuro semplice | futuro anteriore | | imperativo presente | gerundio presente |
|---|---|---|---|---|
| io comprimerò | io avrò | compresso | | comprimendo |
| tu comprimerai | tu avrai | compresso | comprimi (tu) | |
| egli comprimerà | egli avrà | compresso | comprima (Lei) | |
| noi comprimeremo | noi avremo | compresso | comprimiamo (noi) | **gerundio passato** |
| voi comprimerete | voi avrete | compresso | comprimete (voi) | avendo compresso |
| essi comprimeranno | essi avranno | compresso | comprimano (Loro) | |

| infinito presente | infinito passato | participio presente | participio passato |
|---|---|---|---|
| comprimere | aver compresso | comprimente, comprimenti | compresso, compressi compressa, compresse |

Ainsi se conjuguent deprimere, esprimere, imprimere, opprimere, precomprimere, reprimere, sopprimere.

**CONC<u>E</u>DERE**/CONCÉDER

| indicativo presente | | passato prossimo | | |
|---|---|---|---|---|
| io | concedo | io | ho | concesso |
| tu | concedi | tu | hai | concesso |
| egli | concede | egli | ha | concesso |
| noi | concediamo | noi | abbiamo | concesso |
| voi | concedete | voi | avete | concesso |
| essi | conc<u>e</u>dono | essi | hanno | concesso |

| indicativo imperfetto | | trapassato prossimo | | |
|---|---|---|---|---|
| io | concedevo | io | avevo | concesso |
| tu | concedevi | tu | avevi | concesso |
| egli | concedeva | egli | aveva | concesso |
| noi | concedevamo | noi | avevamo | concesso |
| voi | concedevate | voi | avevate | concesso |
| essi | conced<u>e</u>vano | essi | av<u>e</u>vano | concesso |

| passato remoto | | trapassato remoto | | |
|---|---|---|---|---|
| io | concessi [1] | io | ebbi | concesso |
| tu | concedesti | tu | avesti | concesso |
| egli | concesse | egli | ebbe | concesso |
| noi | concedemmo | noi | avemmo | concesso |
| voi | concedeste | voi | aveste | concesso |
| essi | conc<u>e</u>ssero | essi | <u>e</u>bbero | concesso |

| futuro semplice | | futuro anteriore | | |
|---|---|---|---|---|
| io | concederò | io | avrò | concesso |
| tu | concederai | tu | avrai | concesso |
| egli | concederà | egli | avrà | concesso |
| noi | concederemo | noi | avremo | concesso |
| voi | concederete | voi | avrete | concesso |
| essi | concederanno | essi | avranno | concesso |

| infinito presente | infinito passato |
|---|---|
| conc<u>e</u>dere | aver concesso |

| congiuntivo presente | | congiuntivo passato | | |
|---|---|---|---|---|
| io | conceda | io | abbia | concesso |
| tu | conceda | tu | <u>a</u>bbia | concesso |
| egli | conceda | egli | <u>a</u>bbia | concesso |
| noi | concediamo | noi | abbiamo | concesso |
| voi | concediate | voi | abbiate | concesso |
| essi | conc<u>e</u>dano | essi | <u>a</u>bbiano | concesso |

| congiuntivo imperfetto | | congiuntivo trapassato | | |
|---|---|---|---|---|
| io | concedessi | io | avessi | concesso |
| tu | concedessi | tu | avessi | concesso |
| egli | concedesse | egli | avesse | concesso |
| noi | concedessimo | noi | av<u>e</u>ssimo | concesso |
| voi | concedeste | voi | aveste | concesso |
| essi | conced<u>e</u>ssero | essi | av<u>e</u>ssero | concesso |

| condizionale presente | | condizionale passato | | |
|---|---|---|---|---|
| io | concederei | io | avrei | concesso |
| tu | concederesti | tu | avresti | concesso |
| egli | concederebbe | egli | avrebbe | concesso |
| noi | concederemmo | noi | avremmo | concesso |
| voi | concedereste | voi | avreste | concesso |
| essi | conceder<u>e</u>bbero | essi | avr<u>e</u>bbero | concesso |

| imperativo presente | | gerundio presente |
|---|---|---|
| | | concedendo |
| concedi | (tu) | |
| conceda | (Lei) | |
| concediamo | (noi) | **gerundio passato** |
| concedete | (voi) | avendo concesso |
| concedano | (Loro) | |

| participio presente | participio passato |
|---|---|
| concedente, | concesso, concessi |
| concedenti | concessa, concesse |
| | conceduto, conceduti [2] |
| | conceduta, concedute |

■ Ainsi se conjuguent retroc<u>e</u>dere, riconc<u>e</u>dere, succ<u>e</u>dere.

▌1) Le passé simple a deux autres formes : *io concedei/concedetti, egli concedé/concedette, essi concede-rono/concedettero*.
2) Formes rares du participe passé.

| indicativo presente | passato prossimo |
|---|---|
| io conduco | io ho condotto |
| tu conduci | tu hai condotto |
| egli conduce | egli ha condotto |
| noi conduciamo | noi abbiamo condotto |
| voi conducete | voi avete condotto |
| essi conducono | essi hanno condotto |

| indicativo imperfetto | trapassato prossimo |
|---|---|
| io conducevo | io avevo condotto |
| tu conducevi | tu avevi condotto |
| egli conduceva | egli aveva condotto |
| noi conducevamo | noi avevamo condotto |
| voi conducevate | voi avevate condotto |
| essi conducevano | essi avevano condotto |

| passato remoto | trapassato remoto |
|---|---|
| io condussi | io ebbi condotto |
| tu conducesti | tu avesti condotto |
| egli condusse | egli ebbe condotto |
| noi conducemmo | noi avemmo condotto |
| voi conduceste | voi aveste condotto |
| essi condussero | essi ebbero condotto |

| futuro semplice | futuro anteriore |
|---|---|
| io condurrò | io avrò condotto |
| tu condurrai | tu avrai condotto |
| egli condurrà | egli avrà condotto |
| noi condurremo | noi avremo condotto |
| voi condurrete | voi avrete condotto |
| essi condurranno | essi avranno condotto |

| infinito presente | infinito passato |
|---|---|
| condurre | aver condotto |

| congiuntivo presente | congiuntivo passato |
|---|---|
| io conduca | io abbia condotto |
| tu conduca | tu abbia condotto |
| egli conduca | egli abbia condotto |
| noi conduciamo | noi abbiamo condotto |
| voi conduciate | voi abbiate condotto |
| essi conducano | essi abbiano condotto |

| congiuntivo imperfetto | congiuntivo trapassato |
|---|---|
| io conducessi | io avessi condotto |
| tu conducessi | tu avessi condotto |
| egli conducesse | egli avesse condotto |
| noi conducessimo | noi avessimo condotto |
| voi conduceste | voi aveste condotto |
| essi conducessero | essi avessero condotto |

| condizionale presente | condizionale passato |
|---|---|
| io condurrei | io avrei condotto |
| tu condurresti | tu avresti condotto |
| egli condurrebbe | egli avrebbe condotto |
| noi condurremmo | noi avremmo condotto |
| voi condurreste | voi avreste condotto |
| essi condurrebbero | essi avrebbero condotto |

| imperativo presente | gerundio presente |
|---|---|
| | conducendo |
| conduci (tu) | |
| conduca (Lei) | **gerundio passato** |
| conduciamo (noi) | |
| conducete (voi) | avendo condotto |
| conducano (Loro) | |

| participio presente | participio passato |
|---|---|
| conducente, conducenti | condotto, condotti condotta, condotte |

**Ainsi se conjuguent** abdurre, addurre, autoridurre, circondurre, dedurre, indurre, introdurre, produrre, raddurre, ricondurre, ridurre, riprodurre, sedurre, tradurre.

| indicativo presente | passato prossimo | | congiuntivo presente | congiuntivo passato | |
|---|---|---|---|---|---|
| io conosco | io ho | conosciuto | io conosca | io abbia | conosciuto |
| tu conosci | tu hai | conosciuto | tu conosca | tu abbia | conosciuto |
| egli conosce | egli ha | conosciuto | egli conosca | egli abbia | conosciuto |
| noi conosciamo | noi abbiamo | conosciuto | noi conosciamo | noi abbiamo | conosciuto |
| voi conoscete | voi avete | conosciuto | voi conosciate | voi abbiate | conosciuto |
| essi conoscono | essi hanno | conosciuto | essi conoscano | essi abbiano | conosciuto |

| indicativo imperfetto | trapassato prossimo | | congiuntivo imperfetto | congiuntivo trapassato | |
|---|---|---|---|---|---|
| io conoscevo | io avevo | conosciuto | io conoscessi | io avessi | conosciuto |
| tu conoscevi | tu avevi | conosciuto | tu conoscessi | tu avessi | conosciuto |
| egli conosceva | egli aveva | conosciuto | egli conoscesse | egli avesse | conosciuto |
| noi conoscevamo | noi avevamo | conosciuto | noi conoscessimo | noi avessimo | conosciuto |
| voi conoscevate | voi avevate | conosciuto | voi conosceste | voi aveste | conosciuto |
| essi conoscevano | essi avevano | conosciuto | essi conoscessero | essi avessero | conosciuto |

| passato remoto | trapassato remoto | | condizionale presente | condizionale passato | |
|---|---|---|---|---|---|
| io conobbi | io ebbi | conosciuto | io conoscerei | io avrei | conosciuto |
| tu conoscesti | tu avesti | conosciuto | tu conosceresti | tu avresti | conosciuto |
| egli conobbe | egli ebbe | conosciuto | egli conoscerebbe | egli avrebbe | conosciuto |
| noi conoscemmo | noi avemmo | conosciuto | noi conosceremmo | noi avremmo | conosciuto |
| voi conosceste | voi aveste | conosciuto | voi conoscereste | voi avreste | conosciuto |
| essi conobbero | essi ebbero | conosciuto | essi conoscerebbero | essi avrebbero | conosciuto |

| futuro semplice | futuro anteriore | | imperativo presente | gerundio presente |
|---|---|---|---|---|
| io conoscerò | io avrò | conosciuto | | conoscendo |
| tu conoscerai | tu avrai | conosciuto | conosci (tu) | |
| egli conoscerà | egli avrà | conosciuto | conosca (Lei) | |
| noi conosceremo | noi avremo | conosciuto | conosciamo (noi) | gerundio passato |
| voi conoscerete | voi avrete | conosciuto | conoscete (voi) | avendo conosciuto |
| essi conosceranno | essi avranno | conosciuto | conoscano (Loro) | |

| infinito presente | infinito passato | particio presente | participio passato |
|---|---|---|---|
| conoscere | aver conosciuto | conoscente, | conosciuto, conosciuti |
| | | conoscenti | conosciuta, conosciute |

■ Ainsi se conjuguent disconoscere, misconoscere, riconoscere, sconoscere.

| indicativo presente | passato prossimo | | congiuntivo presente | congiuntivo passato | |
|---|---|---|---|---|---|
| io corro | io ho | corso | io corra | io abbia | corso |
| tu corri | tu hai | corso | tu corra | tu abbia | corso |
| egli corre | egli ha | corso | egli corra | egli abbia | corso |
| noi corriamo | noi abbiamo | corso | noi corriamo | noi abbiamo | corso |
| voi correte | voi avete | corso | voi corriate | voi abbiate | corso |
| essi corrono | essi hanno | corso | essi corrano | essi abbiano | corso |

| indicativo imperfetto | trapassato prossimo | | congiuntivo imperfetto | congiuntivo trapassato | |
|---|---|---|---|---|---|
| io correvo | io avevo | corso | io corressi | io avessi | corso |
| tu correvi | tu avevi | corso | tu corressi | tu avessi | corso |
| egli correva | egli aveva | corso | egli corresse | egli avesse | corso |
| noi correvamo | noi avevamo | corso | noi corressimo | noi avessimo | corso |
| voi correvate | voi avevate | corso | voi correste | voi aveste | corso |
| essi correvano | essi avevano | corso | essi corressero | essi avessero | corso |

| passato remoto | trapassato remoto | | condizionale presente | condizionale passato | |
|---|---|---|---|---|---|
| io corsi | io ebbi | corso | io correrei | io avrei | corso |
| tu corresti | tu avesti | corso | tu correresti | tu avresti | corso |
| egli corse | egli ebbe | corso | egli correrebbe | egli avrebbe | corso |
| noi corremmo | noi avemmo | corso | noi correremmo | noi avremmo | corso |
| voi correste | voi aveste | corso | voi correreste | voi avreste | corso |
| essi corsero | essi ebbero | corso | essi correrebbero | essi avrebbero | corso |

| futuro semplice | futuro anteriore | | imperativo presente | gerundio presente |
|---|---|---|---|---|
| io correrò | io avrò | corso | | correndo |
| tu correrai | tu avrai | corso | corri (tu) | |
| egli correrà | egli avrà | corso | corra (Lei) | |
| noi correremo | noi avremo | corso | corriamo (noi) | gerundio passato |
| voi correrete | voi avrete | corso | correte (voi) | avendo corso |
| essi correranno | essi avranno | corso | corrano (Loro) | |

| infinito presente | infinito passato | congiuntivo presente | participio passato |
|---|---|---|---|
| correre | aver corso | corrente, correnti | corso, corsi |
| | | | corsa, corse |

*Ainsi se conjuguent* accorrere, concorrere, decorrere, discorrere, incorrere, intercorrere, percorrere, occorrere, precorrere, ricorrere, rincorrere, ripercorrere, riscorrere, scorrere, soccorrere, trascorrere, ridiscorrere.

| indicativo presente | | passato prossimo | | |
|---|---|---|---|---|
| io | cresco | io | sono | cresciuto |
| tu | cresci | tu | sei | cresciuto |
| egli | cresce | egli | è | cresciuto |
| noi | cresciamo | noi | siamo | cresciuti |
| voi | crescete | voi | siete | cresciuti |
| essi | crescono | essi | sono | cresciuti |

| indicativo imperfetto | | trapassato prossimo | | |
|---|---|---|---|---|
| io | crescevo | io | ero | cresciuto |
| tu | crescevi | tu | eri | cresciuto |
| egli | cresceva | egli | era | cresciuto |
| noi | crescevamo | noi | eravamo | cresciuti |
| voi | crescevate | voi | eravate | cresciuti |
| essi | crescevano | essi | erano | cresciuti |

| passato remoto | | trapassato remoto | | |
|---|---|---|---|---|
| io | crebbi | io | fui | cresciuto |
| tu | crescesti | tu | fosti | cresciuto |
| egli | crebbe | egli | fu | cresciuto |
| noi | crescemmo | noi | fummo | cresciuti |
| voi | cresceste | voi | foste | cresciuti |
| essi | crebbero | essi | furono | cresciuti |

| futuro semplice | | futuro anteriore | | |
|---|---|---|---|---|
| io | crescerò | io | sarò | cresciuto |
| tu | crescerai | tu | sarai | cresciuto |
| egli | crescerà | egli | sarà | cresciuto |
| noi | cresceremo | noi | saremo | cresciuti |
| voi | crescerete | voi | sarete | cresciuti |
| essi | cresceranno | essi | saranno | cresciuti |

| infinito presente | infinito passato |
|---|---|
| crescere | esser cresciuto |

| congiuntivo presente | | congiuntivo passato | | |
|---|---|---|---|---|
| io | cresca | io | sia | cresciuto |
| tu | cresca | tu | sia | cresciuto |
| egli | cresca | egli | sia | cresciuto |
| noi | cresciamo | noi | siamo | cresciuti |
| voi | cresciate | voi | siate | cresciuti |
| essi | crescano | essi | siano | cresciuti |

| congiuntivo imperfetto | | congiuntivo trapassato | | |
|---|---|---|---|---|
| io | crescessi | io | fossi | cresciuto |
| tu | crescessi | tu | fossi | cresciuto |
| egli | crescesse | egli | fosse | cresciuto |
| noi | crescessimo | noi | fossimo | cresciuti |
| voi | cresceste | voi | foste | cresciuti |
| essi | crescessero | essi | fossero | cresciuti |

| condizionale presente | | condizionale passato | | |
|---|---|---|---|---|
| io | crescerei | io | sarei | cresciuto |
| tu | cresceresti | tu | saresti | cresciuto |
| egli | crescerebbe | egli | sarebbe | cresciuto |
| noi | cresceremmo | noi | saremmo | cresciuti |
| voi | crescereste | voi | sareste | cresciuti |
| essi | crescerebbero | essi | sarebbero | cresciuti |

| imperativo presente | | gerundio presente |
|---|---|---|
| | | crescendo |
| cresci | (tu) | |
| cresca | (Lei) | |
| cresciamo | (noi) | gerundio passato |
| crescete | (voi) | essendo cresciuto |
| crescano | (Loro) | |

| participio presente | participio passato |
|---|---|
| crescente, crescenti | cresciuto, cresciuti |
| | cresciuta, cresciute |

Mescere se conjugue sur le même modèle sauf aux formes suivantes du passé simple : *io mescei/mescetti, egli mescé/mescette, essi mescerono/mescettero;* participe passé *mesciuto,* auxiliaire **avere.**

| indicativo presente | passato prossimo |
|---|---|
| io cuocio | io ho cotto |
| tu cuoci | tu hai cotto |
| egli cuoce | egli ha cotto |
| noi c[u]ociamo | noi abbiamo cotto |
| voi c[u]ocete | voi avete cotto |
| essi cuociono | essi hanno cotto |

| indicativo imperfetto | trapassato prossimo |
|---|---|
| io c[u]ocevo | io avevo cotto |
| tu c[u]ocevi | tu avevi cotto |
| egli c[u]oceva | egli aveva cotto |
| noi c[u]ocevamo | noi avevamo cotto |
| voi c[u]ocevate | voi avevate cotto |
| essi c[u]ocevano | essi avevano cotto |

| passato remoto | trapassato remoto |
|---|---|
| io cossi | io ebbi cotto |
| tu c[u]ocesti | tu avesti cotto |
| egli cosse | egli ebbe cotto |
| noi c[u]ocemmo | noi avemmo cotto |
| voi c[u]oceste | voi aveste cotto |
| essi cossero | essi ebbero cotto |

| futuro semplice | futuro anteriore |
|---|---|
| io c[u]ocerò | io avrò cotto |
| tu c[u]ocerai | tu avrai cotto |
| egli c[u]ocerà | egli avrà cotto |
| noi c[u]oceremo | noi avremo cotto |
| voi c[u]ocerete | voi avrete cotto |
| essi c[u]oceranno | essi avranno cotto |

| infinito presente | infinito passato |
|---|---|
| cuocere | aver cotto |

| congiuntivo presente | congiuntivo passato |
|---|---|
| io cuocia | io abbia cotto |
| tu cuocia | tu abbia cotto |
| egli cuocia | egli abbia cotto |
| noi c[u]ociamo | noi abbiamo cotto |
| voi c[u]ociate | voi abbiate cotto |
| essi cuociano | essi abbiano cotto |

| congiuntivo imperfetto | congiuntivo trapassato |
|---|---|
| io c[u]ocessi | io avessi cotto |
| tu c[u]ocessi | tu avessi cotto |
| egli c[u]ocesse | egli avesse cotto |
| noi c[u]ocessimo | noi avessimo cotto |
| voi c[u]oceste | voi aveste cotto |
| essi c[u]ocessero | essi avessero cotto |

| condizionale presente | condizionale passato |
|---|---|
| io c[u]ocerei | io avrei cotto |
| tu c[u]oceresti | tu avresti cotto |
| egli c[u]ocerebbe | egli avrebbe cotto |
| noi c[u]oceremmo | noi avremmo cotto |
| voi c[u]ocereste | voi avreste cotto |
| essi c[u]ocerebbero | essi avrebbero cotto |

| imperativo presente | gerundio presente |
|---|---|
| | c[u]ocendo |
| cuoci (tu) | |
| cuocia (Lei) | |
| c[u]ociamo (noi) | gerundio passato |
| c[u]ocete (voi) | avendo cotto |
| cuociano (Loro) | |

| participio presente | participio passato |
|---|---|
| c[u]ocente, | cotto, cotti |
| c[u]ocenti | cotta, cotte |

Les formes avec [u] se sont imposées dans l'usage contemporain; *cociamo, cocevo...* sont ressenties comme des formes archaïques ou dialectales. Par contre, on trouve couramment *cocente* au participe présent. (Voir Grammaire pages 29-30).

| indicativo presente | | passato prossimo | | |
|---|---|---|---|---|
| io | dico | io | ho | detto |
| tu | dici | tu | hai | detto |
| egli | dice | egli | ha | detto |
| noi | diciamo | noi | abbiamo | detto |
| voi | dite | voi | avete | detto |
| essi | dicono | essi | hanno | detto |

| indicativo imperfetto | | trapassato prossimo | | |
|---|---|---|---|---|
| io | dicevo | io | avevo | detto |
| tu | dicevi | tu | avevi | detto |
| egli | diceva | egli | aveva | detto |
| noi | dicevamo | noi | avevamo | detto |
| voi | dicevate | voi | avevate | detto |
| essi | dicevano | essi | avevano | detto |

| passato remoto | | trapassato remoto | | |
|---|---|---|---|---|
| io | dissi | io | ebbi | detto |
| tu | dicesti | tu | avesti | detto |
| egli | disse | egli | ebbe | detto |
| noi | dicemmo | noi | avemmo | detto |
| voi | diceste | voi | aveste | detto |
| essi | dissero | essi | ebbero | detto |

| futuro semplice | | futuro anteriore | | |
|---|---|---|---|---|
| io | dirò | io | avrò | detto |
| tu | dirai | tu | avrai | detto |
| egli | dirà | egli | avrà | detto |
| noi | diremo | noi | avremo | detto |
| voi | direte | voi | avrete | detto |
| essi | diranno | essi | avranno | detto |

| infinito presente | infinito passato |
|---|---|
| dire | aver detto |

| congiuntivo presente | | congiuntivo passato | | |
|---|---|---|---|---|
| io | dica | io | abbia | detto |
| tu | dica | tu | abbia | detto |
| egli | dica | egli | abbia | detto |
| noi | diciamo | noi | abbiamo | detto |
| voi | diciate | voi | abbiate | detto |
| essi | dicano | essi | abbiano | detto |

| congiuntivo imperfetto | | congiuntivo trapassato | | |
|---|---|---|---|---|
| io | dicessi | io | avessi | detto |
| tu | dicessi | tu | avessi | detto |
| egli | dicesse | egli | avesse | detto |
| noi | dicessimo | noi | avessimo | detto |
| voi | diceste | voi | aveste | detto |
| essi | dicessero | essi | avessero | detto |

| condizionale presente | | condizionale passato | | |
|---|---|---|---|---|
| io | direi | io | avrei | detto |
| tu | diresti | tu | avresti | detto |
| egli | direbbe | egli | avrebbe | detto |
| noi | diremmo | noi | avremmo | detto |
| voi | direste | voi | avreste | detto |
| essi | direbbero | essi | avrebbero | detto |

| imperativo presente | | gerundio presente |
|---|---|---|
| | | dicendo |
| di, di' | (tu) | |
| dica | (Lei) | |
| diciamo | (noi) | gerundio passato |
| dite | (voi) | avendo detto |
| dicano | (Loro) | |

| participio presente | participio passato |
|---|---|
| dicente, dicenti | detto, detti |
| | detta, dette |

Ainsi se conjuguent dicere (forme archaïque de dire), addirsi, addire, contraddire, contradire, disdire, indire, interdire, predire, ridire.
Benedire et strabenedire, maledire et stramaledire à l'imparfait et au passé simple ont une 2e forme employée surtout dans le langage populaire : imparfait : *io benedivo...* à la place de *io benedicevo*; passé simple : *io benedii, tu benedisti, egli benedì; noi benedimmo, voi benediste, essi benedirono* à la place de *io benedissi*.

| indicativo presente | | passato prossimo | |
|---|---|---|---|
| io dirigo | | io ho | diretto |
| tu dirigi | | tu hai | diretto |
| egli dirige | | egli ha | diretto |
| noi dirigiamo | | noi abbiamo | diretto |
| voi dirigete | | voi avete | diretto |
| essi dirigono | | essi hanno | diretto |

| indicativo imperfetto | | trapassato prossimo | |
|---|---|---|---|
| io dirigevo | | io avevo | diretto |
| tu dirigevi | | tu avevi | diretto |
| egli dirigeva | | egli aveva | diretto |
| noi dirigevamo | | noi avevamo | diretto |
| voi dirigevate | | voi avevate | diretto |
| essi dirigevano | | essi avevano | diretto |

| passato remoto | | trapassato remoto | |
|---|---|---|---|
| io diressi | | io ebbi | diretto |
| tu dirigesti | | tu avesti | diretto |
| egli diresse | | egli ebbe | diretto |
| noi dirigemmo | | noi avemmo | diretto |
| voi dirigeste | | voi aveste | diretto |
| essi diressero | | essi ebbero | diretto |

| futuro semplice | | futuro anteriore | |
|---|---|---|---|
| io dirigerò | | io avrò | diretto |
| tu dirigerai | | tu avrai | diretto |
| egli dirigerà | | egli avrà | diretto |
| noi dirigeremo | | noi avremo | diretto |
| voi dirigerete | | voi avrete | diretto |
| essi dirigeranno | | essi avranno | diretto |

| infinito presente | infinito passato |
|---|---|
| dirigere | aver diretto |

| congiuntivo presente | | congiuntivo passato | |
|---|---|---|---|
| io diriga | | io abbia | diretto |
| tu diriga | | tu abbia | diretto |
| egli diriga | | egli abbia | diretto |
| noi dirigiamo | | noi abbiamo | diretto |
| voi dirigiate | | voi abbiate | diretto |
| essi dirigano | | essi abbiano | diretto |

| congiuntivo imperfetto | | congiuntivo trapassato | |
|---|---|---|---|
| io dirigessi | | io avessi | diretto |
| tu dirigessi | | tu avessi | diretto |
| egli dirigesse | | egli avesse | diretto |
| noi dirigessimo | | noi avessimo | diretto |
| voi dirigeste | | voi aveste | diretto |
| essi dirigessero | | essi avessero | diretto |

| condizionale presente | | condizionale passato | |
|---|---|---|---|
| io dirigerei | | io avrei | diretto |
| tu dirigeresti | | tu avresti | diretto |
| egli dirigerebbe | | egli avrebbe | diretto |
| noi dirigeremmo | | noi avremmo | diretto |
| voi dirigereste | | voi avreste | diretto |
| essi dirigerebbero | | essi avrebbero | diretto |

| imperativo presente | | gerundio presente |
|---|---|---|
| | | dirigendo |
| dirigi | (tu) | |
| diriga | (Lei) | |
| dirigiamo | (noi) | **gerundio passato** |
| dirigete | (voi) | avendo diretto |
| dirigano | (Loro) | |

| participio presente | participio passato |
|---|---|
| dirigente, dirigenti | diretto, diretti |
| | diretta, dirette |

■ Ainsi se conjuguent diligere, erigere, negligere, prediligere.

| indicativo presente | passato prossimo | | congiuntivo presente | congiuntivo passato | |
|---|---|---|---|---|---|
| io discuto | io ho | discusso | io discuta | io abbia | discusso |
| tu discuti | tu hai | discusso | tu discuta | tu abbia | discusso |
| egli discute | egli ha | discusso | egli discuta | egli abbia | discusso |
| noi discutiamo | noi abbiamo | discusso | noi discutiamo | noi abbiamo | discusso |
| voi discutete | voi avete | discusso | voi discutiate | voi abbiate | discusso |
| essi discutono | essi hanno | discusso | essi discutano | essi abbiano | discusso |

| indicativo imperfetto | trapassato prossimo | | congiuntivo imperfetto | congiuntivo trapassato | |
|---|---|---|---|---|---|
| io discutevo | io avevo | discusso | io discutessi | io avessi | discusso |
| tu discutevi | tu avevi | discusso | tu discutessi | tu avessi | discusso |
| egli discuteva | egli aveva | discusso | egli discutesse | egli avesse | discusso |
| noi discutevamo | noi avevamo | discusso | noi discutessimo | noi avessimo | discusso |
| voi discutevate | voi avevate | discusso | voi discuteste | voi aveste | discusso |
| essi discutevano | essi avevano | discusso | essi discutessero | essi avessero | discusso |

| passato remoto | trapassato remoto | | condizionale presente | condizionale passato | |
|---|---|---|---|---|---|
| io discussi | io ebbi | discusso | io discuterei | io avrei | discusso |
| tu discutesti | tu avesti | discusso | tu discuteresti | tu avresti | discusso |
| egli discusse | egli ebbe | discusso | egli discuterebbe | egli avrebbe | discusso |
| noi discutemmo | noi avemmo | discusso | noi discuteremmo | noi avremmo | discusso |
| voi discuteste | voi aveste | discusso | voi discutereste | voi avreste | discusso |
| essi discussero | essi ebbero | discusso | essi discuterebbero | essi avrebbero | discusso |

| futuro semplice | futuro anteriore | | imperativo presente | gerundio presente |
|---|---|---|---|---|
| io discuterò | io avrò | discusso | | discutendo |
| tu discuterai | tu avrai | discusso | discuti (tu) | |
| egli discuterà | egli avrà | discusso | discuta (Lei) | |
| noi discuteremo | noi avremo | discusso | discutiamo (noi) | gerundio passato |
| voi discuterete | voi avrete | discusso | discutete (voi) | avendo discusso |
| essi discuteranno | essi avranno | discusso | discutano (Loro) | |

| infinito presente | infinito passato | participio presente | participio passato |
|---|---|---|---|
| discutere | aver discusso | discutente, discutenti | discusso, discussi |
| | | | discussa, discusse |

■ Ainsi se conjuguent escutere, incutere.

# DISTINGUERE/DISTINGUER

| indicativo presente | passato prossimo |
|---|---|
| io distinguo | io ho distinto |
| tu distingui | tu hai distinto |
| egli distingue | egli ha distinto |
| noi distinguiamo | noi abbiamo distinto |
| voi distinguete | voi avete distinto |
| essi distinguono | essi hanno distinto |

| indicativo imperfetto | trapassato prossimo |
|---|---|
| io distinguevo | io avevo distinto |
| tu distinguevi | tu avevi distinto |
| egli distingueva | egli aveva distinto |
| noi distinguevamo | noi avevamo distinto |
| voi distinguevate | voi avevate distinto |
| essi distinguevano | essi avevano distinto |

| passato remoto | trapassato remoto |
|---|---|
| io distinsi | io ebbi distinto |
| tu distinguesti | tu avesti distinto |
| egli distinse | egli ebbe distinto |
| noi distinguemmo | noi avemmo distinto |
| voi distingueste | voi aveste distinto |
| essi distinsero | essi ebbero distinto |

| futuro semplice | futuro anteriore |
|---|---|
| io distinguerò | io avrò distinto |
| tu distinguerai | tu avrai distinto |
| egli distinguerà | egli avrà distinto |
| noi distingueremo | noi avremo distinto |
| voi distinguerete | voi avrete distinto |
| essi distingueranno | essi avranno distinto |

| infinito presente | infinito passato |
|---|---|
| distinguere | aver distinto |

| congiuntivo presente | congiuntivo passato |
|---|---|
| io distingua | io abbia distinto |
| tu distingua | tu abbia distinto |
| egli distingua | egli abbia distinto |
| noi distinguiamo | noi abbiamo distinto |
| voi distinguiate | voi abbiate distinto |
| essi distinguano | essi abbiano distinto |

| congiuntivo imperfetto | congiuntivo trapassato |
|---|---|
| io distinguessi | io avessi distinto |
| tu distinguessi | tu avessi distinto |
| egli distinguesse | egli avesse distinto |
| noi distinguessimo | noi avessimo distinto |
| voi distingueste | voi aveste distinto |
| essi distinguessero | essi avessero distinto |

| condizionale presente | condizionale passato |
|---|---|
| io distinguerei | io avrei distinto |
| tu distingueresti | tu avresti distinto |
| egli distinguerebbe | egli avrebbe distinto |
| noi distingueremmo | noi avremmo distinto |
| voi distinguereste | voi avreste distinto |
| essi distinguerebbero | essi avrebbero distinto |

| imperativo presente | gerundio presente |
|---|---|
| | distinguendo |
| distingui (tu) | |
| distingua (Lei) | |
| distinguiamo (noi) | gerundio passato |
| distinguete (voi) | |
| distinguano (Loro) | avendo distinto |

| participio presente | participio passato |
|---|---|
| distinguente, | distinto, distinti |
| distinguenti | distinta, distinte |

| indicativo presente | passato prossimo | | congiuntivo presente | congiuntivo passato | |
|---|---|---|---|---|---|
| io distruggo | io ho | distrutto | io distrugga | io abbia | distrutto |
| tu distruggi | tu hai | distrutto | tu distrugga | tu abbia | distrutto |
| egli distrugge | egli ha | distrutto | egli distrugga | egli abbia | distrutto |
| noi distruggiamo | noi abbiamo | distrutto | noi distruggiamo | noi abbiamo | distrutto |
| voi distruggete | voi avete | distrutto | voi distruggiate | voi abbiate | distrutto |
| essi distruggono | essi hanno | distrutto | essi distruggano | essi abbiano | distrutto |

| indicativo imperfetto | trapassato prossimo | | congiuntivo imperfetto | congiuntivo trapassato | |
|---|---|---|---|---|---|
| io distruggevo | io avevo | distrutto | io distruggessi | io avessi | distrutto |
| tu distruggevi | tu avevi | distrutto | tu distruggessi | tu avessi | distrutto |
| egli distruggeva | egli aveva | distrutto | egli distruggesse | egli avesse | distrutto |
| noi distruggevamo | noi avevamo | distrutto | noi distruggessimo | noi avessimo | distrutto |
| voi distruggevate | voi avevate | distrutto | voi distruggeste | voi aveste | distrutto |
| essi distruggevano | essi avevano | distrutto | essi distruggessero | essi avessero | distrutto |

| passato remoto | trapassato remoto | | condizionale presente | condizionale passato | |
|---|---|---|---|---|---|
| io distrussi | io ebbi | distrutto | io distruggerei | io avrei | distrutto |
| tu distruggesti | tu avesti | distrutto | tu distruggeresti | tu avresti | distrutto |
| egli distrusse | egli ebbe | distrutto | egli distruggerebbe | egli avrebbe | distrutto |
| noi distruggemmo | noi avemmo | distrutto | noi distruggeremmo | noi avremmo | distrutto |
| voi distruggeste | voi aveste | distrutto | voi distruggereste | voi avreste | distrutto |
| essi distrussero | essi ebbero | distrutto | essi distruggerebbero | essi avrebbero | distrutto |

| futuro semplice | futuro anteriore | | imperativo presente | gerundio presente |
|---|---|---|---|---|
| io distruggerò | io avrò | distrutto | | distruggendo |
| tu distruggerai | tu avrai | distrutto | distruggi (tu) | |
| egli distruggerà | egli avrà | distrutto | distrugga (Lei) | |
| noi distruggeremo | noi avremo | distrutto | distruggiamo (noi) | gerundio passato |
| voi distruggerete | voi avrete | distrutto | distruggete (voi) | avendo distrutto |
| essi distruggeranno | essi avranno | distrutto | distruggano (Loro) | |

| infinito presente | infinito passato | participio presente | participio passato |
|---|---|---|---|
| distruggere | aver distrutto | distruggente, distruggenti | distrutto, distrutti distrutta, distrutte |

■ Ainsi se conjuguent ridistruggere, struggere.

| indicativo presente | passato prossimo | | congiuntivo presente | congiuntivo passato | |
|---|---|---|---|---|---|
| io mi dolgo | io mi sono doluto | | io mi dolga, doglia | io mi sia doluto | |
| tu ti duoli | tu ti sei doluto | | tu ti dolga, doglia | tu ti sia doluto | |
| egli si duole | egli si è doluto | | egli si dolga, doglia | egli si sia doluto | |
| noi ci doliamo, dogliamo | noi ci siamo doluti | | noi ci doliamo, dogliamo | noi ci siamo doluti | |
| voi vi dolete | voi vi siete doluti | | voi vi doliate, dogliate | voi vi siate doluti | |
| essi si dolgono | essi si sono doluti | | essi si dolgano | essi si siano doluti | |

| indicativo imperfetto | trapassato prossimo | | congiuntivo imperfetto | congiuntivo trapassato | |
|---|---|---|---|---|---|
| io mi dolevo | io mi ero doluto | | io mi dolessi | io mi fossi doluto | |
| tu ti dolevi | tu ti eri doluto | | tu ti dolessi | tu ti fossi doluto | |
| egli si doleva | egli si era doluto | | egli si dolesse | egli si fosse doluto | |
| noi ci dolevamo | noi ci eravamo doluti | | noi ci dolessimo | noi ci fossimo doluti | |
| voi vi dolevate | voi vi eravate doluti | | voi vi doleste | voi vi foste doluti | |
| essi si dolevano | essi si erano doluti | | essi si dolessero | essi si fossero doluti | |

| passato remoto | trapassato remoto | | condizionale presente | condizionale passato | |
|---|---|---|---|---|---|
| io mi dolsi | io mi fui doluto | | io mi dorrei | io mi sarei doluto | |
| tu ti dolesti | tu ti fosti doluto | | tu ti dorresti | tu ti saresti doluto | |
| egli si dolse | egli si fu doluto | | egli si dorrebbe | egli si sarebbe doluto | |
| noi ci dolemmo | noi ci fummo doluti | | noi ci dorremmo | noi ci saremmo doluti | |
| voi vi doleste | voi vi foste doluti | | voi vi dorreste | voi vi sareste doluti | |
| essi si dolsero | essi si furono doluti | | essi si dorrebbero | essi si sarebbero doluti | |

| futuro semplice | futuro anteriore | | imperativo presente | gerundio presente | |
|---|---|---|---|---|---|
| io mi dorrò | io mi sarò doluto | | | dolendosi | |
| tu ti dorrai | tu ti sarai doluto | | duoliti (tu) | | |
| egli si dorrà | egli si sarà doluto | | si dolga (Lei) | | |
| noi ci dorremo | noi ci saremo doluti | | doliamoci (noi) | gerundio passato | |
| voi vi dorrete | voi vi sarete doluti | | doletevi (voi) | essendosi doluto | |
| essi si dorranno | essi si saranno doluti | | si dolgano (Loro) | | |

| infinito presente | infinito passato | | participio presente | participio passato | |
|---|---|---|---|---|---|
| dolersi | essersi doluto | | dolentesi, dolentisi | dolutosi, dolutisi dolutasi, dolutesi | |

Dolersi peut s'employer à la forme intransitive non pronominale : *il dente duole.*
Ainsi se conjuguent condolersi, ridolere.

**DOVERE**/DEVOIR

| indicativo presente | | passato prossimo | |
|---|---|---|---|
| io | devo, debbo | io | ho dovuto |
| tu | devi | tu | hai dovuto |
| egli | deve | egli | ha dovuto |
| noi | dobbiamo | noi | abbiamo dovuto |
| voi | dovete | voi | avete dovuto |
| essi | devono, debbono | essi | hanno dovuto |

| congiuntivo presente | | congiuntivo passato | |
|---|---|---|---|
| io | deva, debba | io | abbia dovuto |
| tu | deva, debba | tu | abbia dovuto |
| egli | deva, debba | egli | abbia dovuto |
| noi | dobbiamo | noi | abbiamo dovuto |
| voi | dobbiate | voi | abbiate dovuto |
| essi | devano, debbano | essi | abbiano dovuto |

| indicativo imperfetto | | trapassato prossimo | |
|---|---|---|---|
| io | dovevo | io | avevo dovuto |
| tu | dovevi | tu | avevi dovuto |
| egli | doveva | egli | aveva dovuto |
| noi | dovevamo | noi | avevamo dovuto |
| voi | dovevate | voi | avevate dovuto |
| essi | dovevano | essi | avevano dovuto |

| congiuntivo imperfetto | | congiuntivo trapassato | |
|---|---|---|---|
| io | dovessi | io | avessi dovuto |
| tu | dovessi | tu | avessi dovuto |
| egli | dovesse | egli | avesse dovuto |
| noi | dovessimo | noi | avessimo dovuto |
| voi | doveste | voi | aveste dovuto |
| essi | dovessero | essi | avessero dovuto |

| passato remoto | | trapassato remoto | |
|---|---|---|---|
| io | dovei, dovetti | io | ebbi dovuto |
| tu | dovesti | tu | avesti dovuto |
| egli | dové, dovette | egli | ebbe dovuto |
| noi | dovemmo | noi | avemmo dovuto |
| voi | doveste | voi | aveste dovuto |
| essi | doverono, dovettero | essi | ebbero dovuto |

| condizionale presente | | condizionale passato | |
|---|---|---|---|
| io | dovrei | io | avrei dovuto |
| tu | dovresti | tu | avresti dovuto |
| egli | dovrebbe | egli | avrebbe dovuto |
| noi | dovremmo | noi | avremmo dovuto |
| voi | dovreste | voi | avreste dovuto |
| essi | dovrebbero | essi | avrebbero dovuto |

| futuro semplice | | futuro anteriore | |
|---|---|---|---|
| io | dovrò | io | avrò dovuto |
| tu | dovrai | tu | avrai dovuto |
| egli | dovrà | egli | avrà dovuto |
| noi | dovremo | noi | avremo dovuto |
| voi | dovrete | voi | avrete dovuto |
| essi | dovranno | essi | avranno dovuto |

| imperativo presente | gerundio presente |
|---|---|
| | dovendo |
| —— | |

| | gerundio passato |
|---|---|
| | avendo dovuto |

| infinito presente | infinito passato |
|---|---|
| dovere | aver dovuto |

| participio presente | participio passato |
|---|---|
| —— | dovuto, dovuti |
| | dovuta, dovute |

Employé seul le verbe dovere se conjugue avec l'auxiliaire **avere** aux temps composés.
Suivi d'un autre verbe il prend l'auxiliaire qui convient à ce verbe.
*Sono dovuto partire improvvisamente (sono partito).*
*Ho dovuto studiare la lezione (ho studiato).*
Toutefois dans l'italien contemporain on a tendance à utiliser avere dans tous les cas.
Quand l'infinitif est un verbe réfléchi ou pronominal on emploie :
– l'auxiliaire **essere** si le pronom personnel complément précède le verbe : *Mi sono dovuto lavare.*
– l'auxiliaire **avere** si le pronom personnel complément suit le verbe : *Ho dovuto lavarmi.*

| indicativo presente | | passato prossimo | | | congiuntivo presente | | congiuntivo passato | | |
|---|---|---|---|---|---|---|---|---|---|
| io | emergo | io | sono | emerso | io | emerga | io | sia | emerso |
| tu | emergi | tu | sei | emerso | tu | emerga | tu | sia | emerso |
| egli | emerge | egli | è | emerso | egli | emerga | egli | sia | emerso |
| noi | emergiamo | noi | siamo | emersi | noi | emergiamo | noi | siamo | emersi |
| voi | emergete | voi | siete | emersi | voi | emergiate | voi | siate | emersi |
| essi | emergono | essi | sono | emersi | essi | emergano | essi | siano | emersi |

| indicativo imperfetto | | trapassato prossimo | | | congiuntivo imperfetto | | congiuntivo trapassato | | |
|---|---|---|---|---|---|---|---|---|---|
| io | emergevo | io | ero | emerso | io | emergessi | io | fossi | emerso |
| tu | emergevi | tu | eri | emerso | tu | emergessi | tu | fossi | emerso |
| egli | emergeva | egli | era | emerso | egli | emergesse | egli | fosse | emerso |
| noi | emergevamo | noi | eravamo | emersi | noi | emergessimo | noi | fossimo | emersi |
| voi | emergevate | voi | eravate | emersi | voi | emergeste | voi | foste | emersi |
| essi | emergevano | essi | erano | emersi | essi | emergessero | essi | fossero | emersi |

| passato remoto | | trapassato remoto | | | condizionale presente | | condizionale passato | | |
|---|---|---|---|---|---|---|---|---|---|
| io | emersi | io | fui | emerso | io | emergerei | io | sarei | emerso |
| tu | emergesti | tu | fosti | emerso | tu | emergeresti | tu | saresti | emerso |
| egli | emerse | egli | fu | emerso | egli | emergerebbe | egli | sarebbe | emerso |
| noi | emergemmo | noi | fummo | emersi | noi | emergeremmo | noi | saremmo | emersi |
| voi | emergeste | voi | foste | emersi | voi | emergereste | voi | sareste | emersi |
| essi | emersero | essi | furono | emersi | essi | emergerebbero | essi | sarebbero | emersi |

| futuro semplice | | futuro anteriore | | | imperativo presente | | gerundio presente | |
|---|---|---|---|---|---|---|---|---|
| io | emergerò | io | sarò | emerso | | | emergendo | |
| tu | emergerai | tu | sarai | emerso | emergi | (tu) | | |
| egli | emergerà | egli | sarà | emerso | emerga | (Lei) | | |
| noi | emergeremo | noi | saremo | emersi | emergiamo | (noi) | gerundio passato | |
| voi | emergerete | voi | sarete | emersi | emergete | (voi) | essendo emerso | |
| essi | emergeranno | essi | saranno | emersi | emergano | (Loro) | | |

| infinito presente | infinito passato | | participio presente | participio passato |
|---|---|---|---|---|
| emergere | essere emerso | | emergente, emergenti | emerso, emersi |
| | | | | emersa, emerse |

■ Ainsi se conjuguent adergere, ergere, riergere mais leur participe passé est en **-to** : *aderto, erto, rierto.*

# 49 ESPANDERE/ÉTENDRE, RÉPANDRE

espansi, espanso

| indicativo presente | passato prossimo | | congiuntivo presente | congiuntivo passato | |
|---|---|---|---|---|---|
| io espando | io ho espanso | | io espanda | io abbia espanso | |
| tu espandi | tu hai espanso | | tu espanda | tu abbia espanso | |
| egli espande | egli ha espanso | | egli espanda | egli abbia espanso | |
| noi espandiamo | noi abbiamo espanso | | noi espandiamo | noi abbiamo espanso | |
| voi espandete | voi avete espanso | | voi espandiate | voi abbiate espanso | |
| essi espandono | essi hanno espanso | | essi espandano | essi abbiano espanso | |

| indicativo imperfetto | trapassato prossimo | | congiuntivo imperfetto | congiuntivo trapassato | |
|---|---|---|---|---|---|
| io espandevo | io avevo espanso | | io espandessi | io avessi espanso | |
| tu espandevi | tu avevi espanso | | tu espandessi | tu avessi espanso | |
| egli espandeva | egli aveva espanso | | egli espandesse | egli avesse espanso | |
| noi espandevamo | noi avevamo espanso | | noi espandessimo | noi avessimo espanso | |
| voi espandevate | voi avevate espanso | | voi espandeste | voi aveste espanso | |
| essi espandevano | essi avevano espanso | | essi espandessero | essi avessero espanso | |

| passato remoto | trapassato remoto | | condizionale presente | condizionale passato | |
|---|---|---|---|---|---|
| io espansi[1] | io ebbi espanso | | io espanderei | io avrei espanso | |
| tu espandesti | tu avesti espanso | | tu espanderesti | tu avresti espanso | |
| egli espanse[1] | egli ebbe espanso | | egli espanderebbe | egli avrebbe espanso | |
| noi espandemmo | noi avemmo espanso | | noi espanderemmo | noi avremmo espanso | |
| voi espandeste | voi aveste espanso | | voi espandereste | voi avreste espanso | |
| essi espansero[1] | essi ebbero espanso | | essi espanderebbero | essi avrebbero espanso | |

| futuro semplice | futuro anteriore | | imperativo presente | gerundio presente |
|---|---|---|---|---|
| io espanderò | io avrò espanso | | | espandendo |
| tu espanderai | tu avrai espanso | | espandi (tu) | |
| egli espanderà | egli avrà espanso | | espanda (Lei) | |
| noi espanderemo | noi avremo espanso | | espandiamo (noi) | gerundio passato |
| voi espanderete | voi avrete espanso | | espandete (voi) | |
| essi espanderanno | essi avranno espanso | | espandano (Loro) | avendo espanso |

| infinito presente | infinito passato | | participio presente | participio passato |
|---|---|---|---|---|
| espandere | aver espanso | | espandente, espandenti | espanso, espansi[2] espansa, espanse |

Ainsi se conjuguent : spandere, passé simple : *io spandei, egli spandette, essi spandettero ;* participe passé : *spanto* (rare : *spanduto*) et scandere qui n'a pas de participe passé, passé simple : *io scandei/scandetti, egli scandé/scandette, essi scanderono/scandettero.*

1) Autres formes du passé simple (rares) : *io espandetti/espandei, egli espandette/espandé, essi espandettero/espanderono.*
2) Autre forme du participe passé (rare) : *espanto.*

98

| indicativo presente | passato prossimo | | congiuntivo presente | congiuntivo passato | |
|---|---|---|---|---|---|
| io espello | io ho | espulso | io espella | io abbia | espulso |
| tu espelli | tu hai | espulso | tu espella | tu abbia | espulso |
| egli espelle | egli ha | espulso | egli espella | egli abbia | espulso |
| noi espelliamo | noi abbiamo | espulso | noi espelliamo | noi abbiamo | espulso |
| voi espellete | voi avete | espulso | voi espelliate | voi abbiate | espulso |
| essi espellono | essi hanno | espulso | essi espellano | essi abbiano | espulso |

| indicativo imperfetto | trapassato prossimo | | congiuntivo imperfetto | congiuntivo trapassato | |
|---|---|---|---|---|---|
| io espellevo | io avevo | espulso | io espellessi | io avessi | espulso |
| tu espellevi | tu avevi | espulso | tu espellessi | tu avessi | espulso |
| egli espelleva | egli aveva | espulso | egli espellesse | egli avesse | espulso |
| noi espellevamo | noi avevamo | espulso | noi espellessimo | noi avessimo | espulso |
| voi espellevate | voi avevate | espulso | voi espelleste | voi aveste | espulso |
| essi espellevano | essi avevano | espulso | essi espellessero | essi avessero | espulso |

| passato remoto | trapassato remoto | | condizionale presente | condizionale passato | |
|---|---|---|---|---|---|
| io espulsi | io ebbi | espulso | io espellerei | io avrei | espulso |
| tu espellesti | tu avesti | espulso | tu espelleresti | tu avresti | espulso |
| egli espulse | egli ebbe | espulso | egli espellerebbe | egli avrebbe | espulso |
| noi espellemmo | noi avemmo | espulso | noi espelleremmo | noi avremmo | espulso |
| voi espelleste | voi aveste | espulso | voi espellereste | voi avreste | espulso |
| essi espulsero | essi ebbero | espulso | essi espellerebbero | essi avrebbero | espulso |

| futuro semplice | futuro anteriore | | imperativo presente | gerundio presente |
|---|---|---|---|---|
| io espellerò | io avrò | espulso | | espellendo |
| tu espellerai | tu avrai | espulso | espelli (tu) | |
| egli espellerà | egli avrà | espulso | espella (Lei) | |
| noi espelleremo | noi avremo | espulso | espelliamo (noi) | **gerundio passato** |
| voi espellerete | voi avrete | espulso | espellete (voi) | avendo espulso |
| essi espelleranno | essi avranno | espulso | espellano (Loro) | |

| infinito presente | infinito passato | participio presente | participio passato |
|---|---|---|---|
| espellere | aver espulso | espellente, espellenti | espulso, espulsi |
| | | | espulsa, espulse |

■ Ainsi se conjuguent impellere, propellere, repellere, riespellere.

| indicativo presente | passato prossimo | congiuntivo presente | congiuntivo passato |
|---|---|---|---|
| io esplodo | io ho esploso | io esploda | io abbia esploso |
| tu esplodi | tu hai esploso | tu esploda | tu abbia esploso |
| egli esplode | egli ha esploso | egli esploda | egli abbia esploso |
| noi esplodiamo | noi abbiamo esploso | noi esplodiamo | noi abbiamo esploso |
| voi esplodete | voi avete esploso | voi esplodiate | voi abbiate esploso |
| essi espl**o**dono | essi hanno esploso | essi espl**o**dano | essi abbiano esploso |

| indicativo imperfetto | trapassato prossimo | congiuntivo imperfetto | congiuntivo trapassato |
|---|---|---|---|
| io esplodevo | io avevo esploso | io esplodessi | io avessi esploso |
| tu esplodevi | tu avevi esploso | tu esplodessi | tu avessi esploso |
| egli esplodeva | egli aveva esploso | egli esplodesse | egli avesse esploso |
| noi esplodevamo | noi avevamo esploso | noi esplodessimo | noi av**e**ssimo esploso |
| voi esplodevate | voi avevate esploso | voi esplodeste | voi aveste esploso |
| essi esplod**e**vano | essi av**e**vano esploso | essi esplod**e**ssero | essi av**e**ssero esploso |

| passato remoto | trapassato remoto | condizionale presente | condizionale passato |
|---|---|---|---|
| io esplosi | io ebbi esploso | io esploderei | io avrei esploso |
| tu esplodesti | tu avesti esploso | tu esploderesti | tu avresti esploso |
| egli esplose | egli ebbe esploso | egli esploderebbe | egli avrebbe esploso |
| noi esplodemmo | noi avemmo esploso | noi esploderemmo | noi avremmo esploso |
| voi esplodeste | voi aveste esploso | voi esplodereste | voi avreste esploso |
| essi espl**o**sero | essi **e**bbero esploso | essi esploder**e**bbero | essi avr**e**bbero esploso |

| futuro semplice | futuro anteriore | imperativo presente | gerundio presente |
|---|---|---|---|
| io esploderò | io avrò esploso | | esplodendo |
| tu esploderai | tu avrai esploso | esplodi (tu) | |
| egli esploderà | egli avrà esploso | esploda (Lei) | |
| noi esploderemo | noi avremo esploso | esplodiamo (noi) | gerundio passato |
| voi esploderete | voi avrete esploso | esplodete (voi) | avendo esploso |
| essi esploderanno | essi avranno esploso | espl**o**dano (Loro) | |

| infinito presente | infinito passato | participio presente | participio passato |
|---|---|---|---|
| espl**o**dere | aver esploso | esplodente, esplodenti | esploso, esplosi esplosa, esplose |

Espl**o**dere peut avoir comme auxiliaire :
– **essere** s'il se rapporte à des matières explosives : *La dinamite è esplosa;* au sens figuré : *L'estate è esplosa;*
– **avere** s'il se rapporte à une arme : *Ha esploso un colpo di rivoltella.*

| indicativo presente | | passato prossimo | | |
|---|---|---|---|---|
| io | faccio, fo | io | ho | fatto |
| tu | fai | tu | hai | fatto |
| egli | fa | egli | ha | fatto |
| noi | facciamo | noi | abbiamo | fatto |
| voi | fate | voi | avete | fatto |
| essi | fanno | essi | hanno | fatto |

| indicativo imperfetto | | trapassato prossimo | | |
|---|---|---|---|---|
| io | facevo | io | avevo | fatto |
| tu | facevi | tu | avevi | fatto |
| egli | faceva | egli | aveva | fatto |
| noi | facevamo | noi | avevamo | fatto |
| voi | facevate | voi | avevate | fatto |
| essi | facevano | essi | avevano | fatto |

| passato remoto | | trapassato remoto | | |
|---|---|---|---|---|
| io | feci | io | ebbi | fatto |
| tu | facesti | tu | avesti | fatto |
| egli | fece | egli | ebbe | fatto |
| noi | facemmo | noi | avemmo | fatto |
| voi | faceste | voi | aveste | fatto |
| essi | fecero | essi | ebbero | fatto |

| futuro semplice | | futuro anteriore | | |
|---|---|---|---|---|
| io | farò | io | avrò | fatto |
| tu | farai | tu | avrai | fatto |
| egli | farà | egli | avrà | fatto |
| noi | faremo | noi | avremo | fatto |
| voi | farete | voi | avrete | fatto |
| essi | faranno | essi | avranno | fatto |

| infinito presente | infinito passato |
|---|---|
| fare | aver fatto |

| congiuntivo presente | | congiuntivo passato | | |
|---|---|---|---|---|
| io | faccia | io | abbia | fatto |
| tu | faccia | tu | abbia | fatto |
| egli | faccia | egli | abbia | fatto |
| noi | facciamo | noi | abbiamo | fatto |
| voi | facciate | voi | abbiate | fatto |
| essi | facciano | essi | abbiano | fatto |

| congiuntivo imperfetto | | congiuntivo trapassato | | |
|---|---|---|---|---|
| io | facessi | io | avessi | fatto |
| tu | facessi | tu | avessi | fatto |
| egli | facesse | egli | avesse | fatto |
| noi | facessimo | noi | avessimo | fatto |
| voi | faceste | voi | aveste | fatto |
| essi | facessero | essi | avessero | fatto |

| condizionale presente | | condizionale passato | | |
|---|---|---|---|---|
| io | farei | io | avrei | fatto |
| tu | faresti | tu | avresti | fatto |
| egli | farebbe | egli | avrebbe | fatto |
| noi | faremmo | noi | avremmo | fatto |
| voi | fareste | voi | avreste | fatto |
| essi | farebbero | essi | avrebbero | fatto |

| imperativo presente | gerundio presente |
|---|---|
| | facendo |
| fa, fai, fa'[1] (tu) | |
| faccia (Lei) | |
| facciamo (noi) | gerundio passato |
| fate (voi) | avendo fatto |
| facciano (Loro) | |

| participio presente | participio passato |
|---|---|
| facente, facenti | fatto, fatti |
| | fatta, fatte |

Le verbe fare employé à la forme impersonnelle se conjugue avec l'auxiliaire **avere** : *Ha fatto bel tempo.*
Ainsi se conjuguent artefare, assuefare, confarsi, disassuefare, disfare, dissuefare, liquefare, mansuefare, putrefare, rarefare, rifare, soddisfare, sodisfare, sopraffare, strafare, stupefare.
Cependant ces verbes ont un accent graphique aux 1[re] et 3[e] personnes du singulier du présent de l'indicatif : *io artefaccio/artefò, egli artefà.*

■ 1) Abréviation de **fai.**

| indicativo presente | | passato prossimo | | |
|---|---|---|---|---|
| io | fletto | io | ho | flesso |
| tu | fletti | tu | hai | flesso |
| egli | flette | egli | ha | flesso |
| noi | flettiamo | noi | abbiamo | flesso |
| voi | flettete | voi | avete | flesso |
| essi | flettono | essi | hanno | flesso |

| indicativo imperfetto | | trapassato prossimo | | |
|---|---|---|---|---|
| io | flettevo | io | avevo | flesso |
| tu | flettevi | tu | avevi | flesso |
| egli | fletteva | egli | aveva | flesso |
| noi | flettevamo | noi | avevamo | flesso |
| voi | flettevate | voi | avevate | flesso |
| essi | flettevano | essi | avevano | flesso |

| passato remoto | | trapassato remoto | | |
|---|---|---|---|---|
| io | flessi, flettei | io | ebbi | flesso |
| tu | flettesti | tu | avesti | flesso |
| egli | flesse, fletté | egli | ebbe | flesso |
| noi | flettemmo | noi | avemmo | flesso |
| voi | fletteste | voi | aveste | flesso |
| essi | flessero, fletterono | essi | ebbero | flesso |

| futuro semplice | | futuro anteriore | | |
|---|---|---|---|---|
| io | fletterò | io | avrò | flesso |
| tu | fletterai | tu | avrai | flesso |
| egli | fletterà | egli | avrà | flesso |
| noi | fletteremo | noi | avremo | flesso |
| voi | fletterete | voi | avrete | flesso |
| essi | fletteranno | essi | avranno | flesso |

| infinito presente | infinito passato |
|---|---|
| flettere | aver flesso |

| congiuntivo presente | | congiuntivo passato | | |
|---|---|---|---|---|
| io | fletta | io | abbia | flesso |
| tu | fletta | tu | abbia | flesso |
| egli | fletta | egli | abbia | flesso |
| noi | flettiamo | noi | abbiamo | flesso |
| voi | flettiate | voi | abbiate | flesso |
| essi | flettano | essi | abbiano | flesso |

| congiuntivo imperfetto | | congiuntivo trapassato | | |
|---|---|---|---|---|
| io | flettessi | io | avessi | flesso |
| tu | flettessi | tu | avessi | flesso |
| egli | flettesse | egli | avesse | flesso |
| noi | flettessimo | noi | avessimo | flesso |
| voi | fletteste | voi | aveste | flesso |
| essi | flettessero | essi | avessero | flesso |

| condizionale presente | | condizionale passato | | |
|---|---|---|---|---|
| io | fletterei | io | avrei | flesso |
| tu | fletteresti | tu | avresti | flesso |
| egli | fletterebbe | egli | avrebbe | flesso |
| noi | fletteremmo | noi | avremmo | flesso |
| voi | flettereste | voi | avreste | flesso |
| essi | fletterebbero | essi | avrebbero | flesso |

| imperativo presente | | gerundio presente |
|---|---|---|
| | | flettendo |
| fletti | (tu) | |
| fletta | (Lei) | |
| flettiamo | (noi) | gerundio passato |
| flettete | (voi) | avendo flesso |
| flettano | (Loro) | |

| participio presente | participio passato |
|---|---|
| flettente, flettenti | flesso, flessi |
| | flessa, flesse |

Ainsi se conjuguent annettere, disconnettere, riannettere, riconnettere, sconnettere, connettere, deflettere, inflettere, mais au passé simple uniquement la 1<sup>re</sup> forme : *io connessi*.
Genuflettersi peut utiliser les deux formes du passé simple.
Riflettere lorsqu'il signifie **réfléchir/méditer** se conjuge au passé simple sur la 2<sup>e</sup> forme : *io riflettei;* participe passé : *riflettuto*.
Quand il a le sens de **réfléchir/refléter/renvoyer,** passé simple : *io riflessi;* participe passé : *riflesso*.

| indicativo presente | | passato prossimo | | |
|---|---|---|---|---|
| io | fondo | io | ho | fuso |
| tu | fondi | tu | hai | fuso |
| egli | fonde | egli | ha | fuso |
| noi | fondiamo | noi | abbiamo | fuso |
| voi | fondete | voi | avete | fuso |
| essi | fondono | essi | hanno | fuso |

| indicativo imperfetto | | trapassato prossimo | | |
|---|---|---|---|---|
| io | fondevo | io | avevo | fuso |
| tu | fondevi | tu | avevi | fuso |
| egli | fondeva | egli | aveva | fuso |
| noi | fondevamo | noi | avevamo | fuso |
| voi | fondevate | voi | avevate | fuso |
| essi | fondevano | essi | avevano | fuso |

| passato remoto | | trapassato remoto | | |
|---|---|---|---|---|
| io | fusi | io | ebbi | fuso |
| tu | fondesti | tu | avesti | fuso |
| egli | fuse | egli | ebbe | fuso |
| noi | fondemmo | noi | avemmo | fuso |
| voi | fondeste | voi | aveste | fuso |
| essi | fusero | essi | ebbero | fuso |

| futuro semplice | | futuro anteriore | | |
|---|---|---|---|---|
| io | fonderò | io | avrò | fuso |
| tu | fonderai | tu | avrai | fuso |
| egli | fonderà | egli | avrà | fuso |
| noi | fonderemo | noi | avremo | fuso |
| voi | fonderete | voi | avrete | fuso |
| essi | fonderanno | essi | avranno | fuso |

| infinito presente | infinito passato |
|---|---|
| fondere | aver fuso |

| congiuntivo presente | | congiuntivo passato | | |
|---|---|---|---|---|
| io | fonda | io | abbia | fuso |
| tu | fonda | tu | abbia | fuso |
| egli | fonda | egli | abbia | fuso |
| noi | fondiamo | noi | abbiamo | fuso |
| voi | fondiate | voi | abbiate | fuso |
| essi | fondano | essi | abbiano | fuso |

| congiuntivo imperfetto | | congiuntivo trapassato | | |
|---|---|---|---|---|
| io | fondessi | io | avessi | fuso |
| tu | fondessi | tu | avessi | fuso |
| egli | fondesse | egli | avesse | fuso |
| noi | fondessimo | noi | avessimo | fuso |
| voi | fondeste | voi | aveste | fuso |
| essi | fondessero | essi | avessero | fuso |

| condizionale presente | | condizionale passato | | |
|---|---|---|---|---|
| io | fonderei | io | avrei | fuso |
| tu | fonderesti | tu | avresti | fuso |
| egli | fonderebbe | egli | avrebbe | fuso |
| noi | fonderemmo | noi | avremmo | fuso |
| voi | fondereste | voi | avreste | fuso |
| essi | fonderebbero | essi | avrebbero | fuso |

| imperativo presente | | gerundio presente |
|---|---|---|
| | | fondendo |
| fondi | (tu) | |
| fonda | (Lei) | |
| fondiamo | (noi) | gerundio passato |
| fondete | (voi) | avendo fuso |
| fondano | (Loro) | |

| participio presente | participio passato |
|---|---|
| fondente, fondenti | fuso, fusi |
| | fusa, fuse |

Ainsi se conjuguent confondere, diffondere, circonfondere, effondere, infondere, profondere, rifondere, soffondere, trasfondere, contundere, ottundere (avec un **-u-** dans le radical à la place du **-o-**).
Tondere, sauf au passé simple (régulier) : *io tondei, tu tondesti, egli tondé, noi tondemmo, voi tondeste, essi tonderono;* participe passé (régulier) : *tonduto.*

**103**

| indicativo presente | | passato prossimo | |
|---|---|---|---|
| io | giungo | io | sono giunto |
| tu | giungi | tu | sei giunto |
| egli | giunge | egli | è giunto |
| noi | giungiamo | noi | siamo giunti |
| voi | giungete | voi | siete giunti |
| essi | giungono | essi | sono giunti |

| indicativo imperfetto | | trapassato prossimo | |
|---|---|---|---|
| io | giungevo | io | ero giunto |
| tu | giungevi | tu | eri giunto |
| egli | giungeva | egli | era giunto |
| noi | giungevamo | noi | eravamo giunti |
| voi | giungevate | voi | eravate giunti |
| essi | giungevano | essi | erano giunti |

| passato remoto | | trapassato remoto | |
|---|---|---|---|
| io | giunsi | io | fui giunto |
| tu | giungesti | tu | fosti giunto |
| egli | giunse | egli | fu giunto |
| noi | giungemmo | noi | fummo giunti |
| voi | giungeste | voi | foste giunti |
| essi | giunsero | essi | furono giunti |

| futuro semplice | | futuro anteriore | |
|---|---|---|---|
| io | giungerò | io | sarò giunto |
| tu | giungerai | tu | sarai giunto |
| egli | giungerà | egli | sarà giunto |
| noi | giungeremo | noi | saremo giunti |
| voi | giungerete | voi | sarete giunti |
| essi | giungeranno | essi | saranno giunti |

| infinito presente | infinito passato |
|---|---|
| giungere | essere giunto |

| congiuntivo presente | | congiuntivo passato | |
|---|---|---|---|
| io | giunga | io | sia giunto |
| tu | giunga | tu | sia giunto |
| egli | giunga | egli | sia giunto |
| noi | giungiamo | noi | siamo giunti |
| voi | giungiate | voi | siate giunti |
| essi | giungano | essi | siano giunti |

| congiuntivo imperfetto | | congiuntivo trapassato | |
|---|---|---|---|
| io | giungessi | io | fossi giunto |
| tu | giungessi | tu | fossi giunto |
| egli | giungesse | egli | fosse giunto |
| noi | giungessimo | noi | fossimo giunti |
| voi | giungeste | voi | foste giunti |
| essi | giungessero | essi | fossero giunti |

| condizionale presente | | condizionale passato | |
|---|---|---|---|
| io | giungerei | io | sarei giunto |
| tu | giungeresti | tu | saresti giunto |
| egli | giungerebbe | egli | sarebbe giunto |
| noi | giungeremmo | noi | saremmo giunti |
| voi | giungereste | voi | sareste giunti |
| essi | giungerebbero | essi | sarebbero giunti |

| imperativo presente | | gerundio presente |
|---|---|---|
| | | giungendo |
| giungi | (tu) | |
| giunga | (Lei) | |
| giungiamo | (noi) | gerundio passato |
| giungete | (voi) | essendo giunto |
| giungano | (Loro) | |

| participio presente | participio passato |
|---|---|
| giungente, giungenti | giunto, giunti |
| | giunta, giunte |

| indicativo presente | | passato prossimo | | |
|---|---|---|---|---|
| io | leggo | io | ho | letto |
| tu | leggi | tu | hai | letto |
| egli | legge | egli | ha | letto |
| noi | leggiamo | noi | abbiamo | letto |
| voi | leggete | voi | avete | letto |
| essi | leggono | essi | hanno | letto |

| indicativo imperfetto | | trapassato prossimo | | |
|---|---|---|---|---|
| io | leggevo | io | avevo | letto |
| tu | leggevi | tu | avevi | letto |
| egli | leggeva | egli | aveva | letto |
| noi | leggevamo | noi | avevamo | letto |
| voi | leggevate | voi | avevate | letto |
| essi | leggevano | essi | avevano | letto |

| passato remoto | | trapassato remoto | | |
|---|---|---|---|---|
| io | lessi | io | ebbi | letto |
| tu | leggesti | tu | avesti | letto |
| egli | lesse | egli | ebbe | letto |
| noi | leggemmo | noi | avemmo | letto |
| voi | leggeste | voi | aveste | letto |
| essi | lessero | essi | ebbero | letto |

| futuro semplice | | futuro anteriore | | |
|---|---|---|---|---|
| io | leggerò | io | avrò | letto |
| tu | leggerai | tu | avrai | letto |
| egli | leggerà | egli | avrà | letto |
| noi | leggeremo | noi | avremo | letto |
| voi | leggerete | voi | avrete | letto |
| essi | leggeranno | essi | avranno | letto |

| infinito presente | infinito passato |
|---|---|
| leggere | aver letto |

| congiuntivo presente | | congiuntivo passato | | |
|---|---|---|---|---|
| io | legga | io | abbia | letto |
| tu | legga | tu | abbia | letto |
| egli | legga | egli | abbia | letto |
| noi | leggiamo | noi | abbiamo | letto |
| voi | leggiate | voi | abbiate | letto |
| essi | leggano | essi | abbiano | letto |

| congiuntivo imperfetto | | congiuntivo trapassato | | |
|---|---|---|---|---|
| io | leggessi | io | avessi | letto |
| tu | leggessi | tu | avessi | letto |
| egli | leggesse | egli | avesse | letto |
| noi | leggessimo | noi | avessimo | letto |
| voi | leggeste | voi | aveste | letto |
| essi | leggessero | essi | avessero | letto |

| condizionale presente | | condizionale passato | | |
|---|---|---|---|---|
| io | leggerei | io | avrei | letto |
| tu | leggeresti | tu | avresti | letto |
| egli | leggerebbe | egli | avrebbe | letto |
| noi | leggeremmo | noi | avremmo | letto |
| voi | leggereste | voi | avreste | letto |
| essi | leggerebbero | essi | avrebbero | letto |

| imperativo presente | | gerundio presente |
|---|---|---|
| | | leggendo |
| leggi | (tu) | |
| legga | (Lei) | |
| leggiamo | (noi) | **gerundio passato** |
| leggete | (voi) | avendo letto |
| leggano | (Loro) | |

| participio presente | participio passato |
|---|---|
| leggente, leggenti | letto, letti |
| | letta, lette |

| indicativo presente | | | | passato prossimo | | |
|---|---|---|---|---|---|---|
| io | metto | | io | ho | messo |
| tu | metti | | tu | hai | messo |
| egli | mette | | egli | ha | messo |
| noi | mettiamo | | noi | abbiamo | messo |
| voi | mettete | | voi | avete | messo |
| essi | mettono | | essi | hanno | messo |

| indicativo imperfetto | | | | trapassato prossimo | | |
|---|---|---|---|---|---|---|
| io | mettevo | | io | avevo | messo |
| tu | mettevi | | tu | avevi | messo |
| egli | metteva | | egli | aveva | messo |
| noi | mettevamo | | noi | avevamo | messo |
| voi | mettevate | | voi | avevate | messo |
| essi | mettevano | | essi | avevano | messo |

| passato remoto | | | | trapassato remoto | | |
|---|---|---|---|---|---|---|
| io | misi[1] | | io | ebbi | messo |
| tu | mettesti | | tu | avesti | messo |
| egli | mise[1] | | egli | ebbe | messo |
| noi | mettemmo | | noi | avemmo | messo |
| voi | metteste | | voi | aveste | messo |
| essi | misero[1] | | essi | ebbero | messo |

| futuro semplice | | | | futuro anteriore | | |
|---|---|---|---|---|---|---|
| io | metterò | | io | avrò | messo |
| tu | metterai | | tu | avrai | messo |
| egli | metterà | | egli | avrà | messo |
| noi | metteremo | | noi | avremo | messo |
| voi | metterete | | voi | avrete | messo |
| essi | metteranno | | essi | avranno | messo |

| infinito presente | infinito passato |
|---|---|
| mettere | aver messo |

| congiuntivo presente | | | | congiuntivo passato | | |
|---|---|---|---|---|---|---|
| io | metta | | io | abbia | messo |
| tu | metta | | tu | abbia | messo |
| egli | metta | | egli | abbia | messo |
| noi | mettiamo | | noi | abbiamo | messo |
| voi | mettiate | | voi | abbiate | messo |
| essi | mettano | | essi | abbiano | messo |

| congiuntivo imperfetto | | | | congiuntivo trapassato | | |
|---|---|---|---|---|---|---|
| io | mettessi | | io | avessi | messo |
| tu | mettessi | | tu | avessi | messo |
| egli | mettesse | | egli | avesse | messo |
| noi | mettessimo | | noi | avessimo | messo |
| voi | metteste | | voi | aveste | messo |
| essi | mettessero | | essi | avessero | messo |

| condizionale presente | | | | condizionale passato | | |
|---|---|---|---|---|---|---|
| io | metterei | | io | avrei | messo |
| tu | metteresti | | tu | avresti | messo |
| egli | metterebbe | | egli | avrebbe | messo |
| noi | metteremmo | | noi | avremmo | messo |
| voi | mettereste | | voi | avreste | messo |
| essi | metterebbero | | essi | avrebbero | messo |

| imperativo presente | | gerundio presente |
|---|---|---|
| | | mettendo |
| metti | (tu) | |
| metta | (Lei) | |
| mettiamo | (noi) | gerundio passato |
| mettete | (voi) | avendo messo |
| mettano | (Loro) | |

| participio presente | participio passato |
|---|---|
| mettente, mettenti | messo, messi |
| mittente, mittenti[2] | messa, messe |

Scommettere se conjugue sur ce modèle mais au passé simple il a deux formes : *io scommessi/scommisi, egli scommesse/scommise, essi scommessero/scommisero*.

1) Dans le toscan populaire : *io messi, egli messe, essi messero*.
2) Cette forme s'utilise uniquement comme adjectif ou comme nom : expéditeur.

| indicativo presente | passato prossimo | | congiuntivo presente | congiuntivo passato | |
|---|---|---|---|---|---|
| io muovo | io ho | mosso | io muova | io abbia | mosso |
| tu muovi | tu hai | mosso | tu muova | tu abbia | mosso |
| egli muove | egli ha | mosso | egli muova | egli abbia | mosso |
| noi m[u]oviamo | noi abbiamo | mosso | noi m[u]oviamo | noi abbiamo | mosso |
| voi m[u]ovete | voi avete | mosso | voi m[u]oviate | voi abbiate | mosso |
| essi muovono | essi hanno | mosso | essi muovano | essi abbiano | mosso |

| indicativo imperfetto | trapassato prossimo | | congiuntivo imperfetto | congiuntivo trapassato | |
|---|---|---|---|---|---|
| io m[u]ovevo | io avevo | mosso | io m[u]ovessi | io avessi | mosso |
| tu m[u]ovevi | tu avevi | mosso | tu m[u]ovessi | tu avessi | mosso |
| egli m[u]oveva | egli aveva | mosso | egli m[u]ovesse | egli avesse | mosso |
| noi m[u]ovevamo | noi avevamo | mosso | noi m[u]ovessimo | noi avessimo | mosso |
| voi m[u]ovevate | voi avevate | mosso | voi m[u]oveste | voi aveste | mosso |
| essi m[u]ovevano | essi avevano | mosso | essi m[u]ovessero | essi avessero | mosso |

| passato remoto | trapassato remoto | | condizionale presente | condizionale passato | |
|---|---|---|---|---|---|
| io mossi | io ebbi | mosso | io m[u]overei | io avrei | mosso |
| tu m[u]ovesti | tu avesti | mosso | tu m[u]overesti | tu avresti | mosso |
| egli mosse | egli ebbe | mosso | egli m[u]overebbe | egli avrebbe | mosso |
| noi m[u]ovemmo | noi avemmo | mosso | noi m[u]overemmo | noi avremmo | mosso |
| voi m[u]oveste | voi aveste | mosso | voi m[u]overeste | voi avreste | mosso |
| essi mossero | essi ebbero | mosso | essi m[u]overebbero | essi avrebbero | mosso |

| futuro semplice | futuro anteriore | | imperativo presente | gerundio presente |
|---|---|---|---|---|
| io m[u]overò | io avrò | mosso | | m[u]ovendo |
| tu m[u]overai | tu avrai | mosso | muovi (tu) | |
| egli m[u]overà | egli avrà | mosso | muova (Lei) | |
| noi m[u]overemo | noi avremo | mosso | m[u]oviamo (noi) | gerundio passato |
| voi m[u]overete | voi avrete | mosso | m[u]ovete (voi) | avendo mosso |
| essi m[u]overanno | essi avranno | mosso | muovano (Loro) | |

| infinito presente | infinito passato | participio presente | participio passato |
|---|---|---|---|
| muovere | aver mosso | m[u]ovente, | mosso, mossi |
| | | m[u]oventi | mossa, mosse |

Les formes en [u] se sont imposées dans l'italien contemporain : *noi muoviamo* au lieu de *noi moviamo*.
Ainsi se conjuguent promuovere, rimuovere, smuovere, sommuovere, scommuovere.
Participe présent de commuovere : *commovente*. (Voir Grammaire page 29).

# 59 N̠ASCERE/NAÎTRE

| indicativo presente | passato prossimo | | congiuntivo presente | congiuntivo passato | |
|---|---|---|---|---|---|
| io nasco | io sono | nato | io nasca | io sia | nato |
| tu nasci | tu sei | nato | tu nasca | tu sia | nato |
| egli nasce | egli è | nato | egli nasca | egli sia | nato |
| noi nasciamo | noi siamo | nati | noi nasciamo | noi siamo | nati |
| voi nascete | voi siete | nati | voi nasciate | voi siate | nati |
| essi n̠ascono | essi sono | nati | essi n̠ascano | essi siano | nati |

| indicativo imperfetto | trapassato prossimo | | congiuntivo imperfetto | congiuntivo trapassato | |
|---|---|---|---|---|---|
| io nascevo | io ero | nato | io nascessi | io fossi | nato |
| tu nascevi | tu eri | nato | tu nascessi | tu fossi | nato |
| egli nasceva | egli era | nato | egli nascesse | egli fosse | nato |
| noi nascevamo | noi eravamo | nati | noi nasc̠essimo | noi f̠ossimo | nati |
| voi nascevate | voi eravate | nati | voi nasceste | voi foste | nati |
| essi nasc̠evano | essi ̠erano | nati | essi nasc̠essero | essi f̠ossero | nati |

| passato remoto | trapassato remoto | | condizionale presente | condizionale passato | |
|---|---|---|---|---|---|
| io nacqui | io fui | nato | io nascerei | io sarei | nato |
| tu nascesti | tu fosti | nato | tu nasceresti | tu saresti | nato |
| egli nacque | egli fu | nato | egli nascerebbe | egli sarebbe | nato |
| noi nascemmo | noi fummo | nati | noi nasceremmo | noi saremmo | nati |
| voi nasceste | voi foste | nati | voi nascereste | voi sareste | nati |
| essi nacquero | essi f̠urono | nati | essi nascerebbero | essi sarebbero | nati |

| futuro semplice | futuro anteriore | | imperativo presente | gerundio presente |
|---|---|---|---|---|
| io nascerò | io sarò | nato | | nascendo |
| tu nascerai | tu sarai | nato | nasci (tu) | |
| egli nascerà | egli sarà | nato | nasca (Lei) | |
| noi nasceremo | noi saremo | nati | nasciamo (noi) | gerundio passato |
| voi nascerete | voi sarete | nati | nascete (voi) | essendo nato |
| essi nasceranno | essi saranno | nati | n̠ascano (Loro) | |

| infinito presente | infinito passato | participio presente | participio passato |
|---|---|---|---|
| n̠ascere | ̠essere nato | nascente, nascenti | nato, nati / nata, nate |

Pascere se conjugue sur le même modèle, sauf au passé simple : *io pascei, tu pascesti, egli pascé, noi pascemmo, voi pasceste, essi pasc̠erono;* participe passé : *pasciuto.*

| indicativo presente | passato prossimo | | congiuntivo presente | congiuntivo passato | |
|---|---|---|---|---|---|
| io n[u]occio | io ho | n[u]ociuto | io nuoccia | io abbia | n[u]ociuto |
| tu nuoci | tu hai | n[u]ociuto | tu nuoccia | tu abbia | n[u]ociuto |
| egli nuoce | egli ha | n[u]ociuto | egli nuoccia | egli abbia | n[u]ociuto |
| noi n[u]ociamo | noi abbiamo | n[u]ociuto | noi n[u]ociamo | noi abbiamo | n[u]ociuto |
| voi n[u]ocete | voi avete | n[u]ociuto | voi n[u]ociate | voi abbiate | n[u]ociuto |
| essi n[u]occiono | essi hanno | n[u]ociuto | essi nuocciano | essi abbiano | n[u]ociuto |

| indicativo imperfetto | trapassato prossimo | | congiuntivo imperfetto | congiuntivo trapassato | |
|---|---|---|---|---|---|
| io n[u]ocevo | io avevo | n[u]ociuto | io n[u]ocessi | io avessi | n[u]ociuto |
| tu n[u]ocevi | tu avevi | n[u]ociuto | tu n[u]ocessi | tu avessi | n[u]ociuto |
| egli n[u]oceva | egli aveva | n[u]ociuto | egli n[u]ocesse | egli avesse | n[u]ociuto |
| noi n[u]ocevamo | noi avevamo | n[u]ociuto | noi n[u]ocessimo | noi avessimo | n[u]ociuto |
| voi n[u]ocevate | voi avevate | n[u]ociuto | voi n[u]oceste | voi aveste | n[u]ociuto |
| essi n[u]ocevano | essi avevano | n[u]ociuto | essi n[u]ocessero | essi avessero | n[u]ociuto |

| passato remoto | trapassato remoto | | condizionale presente | condizionale passato | |
|---|---|---|---|---|---|
| io nocqui | io ebbi | n[u]ociuto | io n[u]ocerei | io avrei | n[u]ociuto |
| tu n[u]ocesti | tu avesti | n[u]ociuto | tu n[u]oceresti | tu avresti | n[u]ociuto |
| egli nocque | egli ebbe | n[u]ociuto | egli n[u]ocerebbe | egli avrebbe | n[u]ociuto |
| noi n[u]ocemmo | noi avemmo | n[u]ociuto | noi n[u]oceremmo | noi avremmo | n[u]ociuto |
| voi n[u]oceste | voi aveste | n[u]ociuto | voi n[u]ocereste | voi avreste | n[u]ociuto |
| essi nocquero | essi ebbero | n[u]ociuto | essi n[u]ocerebbero | essi avrebbero | n[u]ociuto |

| futuro semplice | futuro anteriore | | imperativo presente | gerundio presente |
|---|---|---|---|---|
| io n[u]ocerò | io avrò | n[u]ociuto | | n[u]ocendo |
| tu n[u]ocerai | tu avrai | n[u]ociuto | nuoci (tu) | |
| egli n[u]ocerà | egli avrà | n[u]ociuto | nuoccia (Lei) | |
| noi n[u]oceremo | noi avremo | n[u]ociuto | n[u]ociamo (noi) | gerundio passato |
| voi n[u]ocerete | voi avrete | n[u]ociuto | n[u]ocete (voi) | avendo n[u]ociuto |
| essi n[u]oceranno | essi avranno | n[u]ociuto | nuocciano (Loro) | |

| infinito presente | infinito passato | participio presente | participio passato |
|---|---|---|---|
| nuocere | aver n[u]ociuto | n[u]ocente, n[u]ocenti | n[u]ociuto, n[u]ociuti n[u]ociuta, n[u]ociute |

■ Dans l'usage courant la forme avec [u] est la plus employée. (Voir Grammaire page 29).

parvi, parso

| indicativo presente | | passato prossimo | | |
|---|---|---|---|---|
| io | paio | io | sono | parso |
| tu | pari | tu | sei | parso |
| egli | pare | egli | è | parso |
| noi | paiamo[1] | noi | siamo | parsi |
| voi | parete | voi | siete | parsi |
| essi | paiono | essi | sono | parsi |

| indicativo imperfetto | | trapassato prossimo | | |
|---|---|---|---|---|
| io | parevo | io | ero | parso |
| tu | parevi | tu | eri | parso |
| egli | pareva | egli | era | parso |
| noi | parevamo | noi | eravamo | parsi |
| voi | parevate | voi | eravate | parsi |
| essi | parevano | essi | erano | parsi |

| passato remoto | | trapassato remoto | | |
|---|---|---|---|---|
| io | parvi | io | fui | parso |
| tu | paresti | tu | fosti | parso |
| egli | parve | egli | fu | parso |
| noi | paremmo | noi | fummo | parsi |
| voi | pareste | voi | foste | parsi |
| essi | parvero | essi | furono | parsi |

| futuro semplice | | futuro anteriore | | |
|---|---|---|---|---|
| io | parrò | io | sarò | parso |
| tu | parrai | tu | sarai | parso |
| egli | parrà | egli | sarà | parso |
| noi | parremo | noi | saremo | parsi |
| voi | parrete | voi | sarete | parsi |
| essi | parranno | essi | saranno | parsi |

| infinito presente | infinito passato |
|---|---|
| parere | essere parso |

| congiuntivo presente | | congiuntivo passato | | |
|---|---|---|---|---|
| io | paia | io | sia | parso |
| tu | paia | tu | sia | parso |
| egli | paia | egli | sia | parso |
| noi | paiamo[1] | noi | siamo | parsi |
| voi | paiate | voi | siate | parsi |
| essi | paiano | essi | siano | parsi |

| congiuntivo imperfetto | | congiuntivo trapassato | | |
|---|---|---|---|---|
| io | paressi | io | fossi | parso |
| tu | paressi | tu | fossi | parso |
| egli | paresse | egli | fosse | parso |
| noi | paressimo | noi | fossimo | parsi |
| voi | pareste | voi | foste | parsi |
| essi | paressero | essi | fossero | parsi |

| condizionale presente | | condizionale passato | | |
|---|---|---|---|---|
| io | parrei | io | sarei | parso |
| tu | parresti | tu | saresti | parso |
| egli | parrebbe | egli | sarebbe | parso |
| noi | parremmo | noi | saremmo | parsi |
| voi | parreste | voi | sareste | parsi |
| essi | parrebbero | essi | sarebbero | parsi |

| imperativo presente | gerundio presente |
|---|---|
| | parendo |
| ——— | |
| | gerundio passato |
| | essendo parso |

| participio presente | participio passato |
|---|---|
| parvente, parventi | parso, parsi |
| | parsa, parse |

■ 1) Pariamo est rare.

| indicativo presente | passato prossimo |
|---|---|
| io perdo | io ho perso |
| tu perdi | tu hai perso |
| egli perde | egli ha perso |
| noi perdiamo | noi abbiamo perso |
| voi perdete | voi avete perso |
| essi perdono | essi hanno perso |

| indicativo imperfetto | trapassato prossimo |
|---|---|
| io perdevo | io avevo perso |
| tu perdevi | tu avevi perso |
| egli perdeva | egli aveva perso |
| noi perdevamo | noi avevamo perso |
| voi perdevate | voi avevate perso |
| essi perdevano | essi avevano perso |

| passato remoto | trapassato remoto |
|---|---|
| io persi[1] | io ebbi perso |
| tu perdesti | tu avesti perso |
| egli perse[1] | egli ebbe perso |
| noi perdemmo | noi avemmo perso |
| voi perdeste | voi aveste perso |
| essi persero[1] | essi ebbero perso |

| futuro semplice | futuro anteriore |
|---|---|
| io perderò | io avrò perso |
| tu perderai | tu avrai perso |
| egli perderà | egli avrà perso |
| noi perderemo | noi avremo perso |
| voi perderete | voi avrete perso |
| essi perderanno | essi avranno perso |

| infinito presente | infinito passato |
|---|---|
| perdere | aver perso |

| congiuntivo presente | congiuntivo passato |
|---|---|
| io perda | io abbia perso |
| tu perda | tu abbia perso |
| egli perda | egli abbia perso |
| noi perdiamo | noi abbiamo perso |
| voi perdiate | voi abbiate perso |
| essi perdano | essi abbiano perso |

| congiuntivo imperfetto | congiuntivo trapassato |
|---|---|
| io perdessi | io avessi perso |
| tu perdessi | tu avessi perso |
| egli perdesse | egli avesse perso |
| noi perdessimo | noi avessimo perso |
| voi perdeste | voi aveste perso |
| essi perdessero | essi avessero perso |

| condizionale presente | condizionale passato |
|---|---|
| io perderei | io avrei perso |
| tu perderesti | tu avresti perso |
| egli perderebbe | egli avrebbe perso |
| noi perderemmo | noi avremmo perso |
| voi perdereste | voi avreste perso |
| essi perderebbero | essi avrebbero perso |

| imperativo presente | gerundio presente |
|---|---|
| | perdendo |
| perdi (tu) | |
| perda (Lei) | |
| perdiamo (noi) | gerundio passato |
| perdete (voi) | avendo perso |
| perdano (Loro) | |

| participio presente | participio passato |
|---|---|
| perdente, perdenti | perduto, perduti |
| | perduta, perdute |
| | perso, persi |
| | persa, perse |

■ 1) Autres formes du passé simple : *io perdei/perdetti, egli perdé/perdette, essi perderono/perdettero.*

| indicativo presente | | passato prossimo | | |
|---|---|---|---|---|
| io | persuado | io | ho | persuaso |
| tu | persuadi | tu | hai | persuaso |
| egli | persuade | egli | ha | persuaso |
| noi | persuadiamo | noi | abbiamo | persuaso |
| voi | persuadete | voi | avete | persuaso |
| essi | persuadono | essi | hanno | persuaso |

| indicativo imperfetto | | trapassato prossimo | | |
|---|---|---|---|---|
| io | persuadevo | io | avevo | persuaso |
| tu | persuadevi | tu | avevi | persuaso |
| egli | persuadeva | egli | aveva | persuaso |
| noi | persuadevamo | noi | avevamo | persuaso |
| voi | persuadevate | voi | avevate | persuaso |
| essi | persuadevano | essi | avevano | persuaso |

| passato remoto | | trapassato remoto | | |
|---|---|---|---|---|
| io | persuasi | io | ebbi | persuaso |
| tu | persuadesti | tu | avesti | persuaso |
| egli | persuase | egli | ebbe | persuaso |
| noi | persuademmo | noi | avemmo | persuaso |
| voi | persuadeste | voi | aveste | persuaso |
| essi | persuasero | essi | ebbero | persuaso |

| futuro semplice | | futuro anteriore | | |
|---|---|---|---|---|
| io | persuaderò | io | avrò | persuaso |
| tu | persuaderai | tu | avrai | persuaso |
| egli | persuaderà | egli | avrà | persuaso |
| noi | persuaderemo | noi | avremo | persuaso |
| voi | persuaderete | voi | avrete | persuaso |
| essi | persuaderanno | essi | avranno | persuaso |

| infinito presente | infinito passato |
|---|---|
| persuadere | aver persuaso |

| congiuntivo presente | | congiuntivo passato | | |
|---|---|---|---|---|
| io | persuada | io | abbia | persuaso |
| tu | persuada | tu | abbia | persuaso |
| egli | persuada | egli | abbia | persuaso |
| noi | persuadiamo | noi | abbiamo | persuaso |
| voi | persuadiate | voi | abbiate | persuaso |
| essi | persuadano | essi | abbiano | persuaso |

| congiuntivo imperfetto | | congiuntivo trapassato | | |
|---|---|---|---|---|
| io | persuadessi | io | avessi | persuaso |
| tu | persuadessi | tu | avessi | persuaso |
| egli | persuadesse | egli | avesse | persuaso |
| noi | persuadessimo | noi | avessimo | persuaso |
| voi | persuadeste | voi | aveste | persuaso |
| essi | persuadessero | essi | avessero | persuaso |

| condizionale presente | | condizionale passato | | |
|---|---|---|---|---|
| io | persuaderei | io | avrei | persuaso |
| tu | persuaderesti | tu | avresti | persuaso |
| egli | persuaderebbe | egli | avrebbe | persuaso |
| noi | persuaderemmo | noi | avremmo | persuaso |
| voi | persuadereste | voi | avreste | persuaso |
| essi | persuaderebbero | essi | avrebbero | persuaso |

| imperativo presente | | gerundio presente |
|---|---|---|
| | | persuadendo |
| persuadi | (tu) | |
| persuada | (Lei) | gerundio passato |
| persuadiamo | (noi) | |
| persuadete | (voi) | avendo persuaso |
| persuadano | (Loro) | |

| participio presente | participio passato |
|---|---|
| persuadente, | persuaso, persuasi |
| persuadenti | persuasa, persuase |

■ Ainsi se conjuguent dissuadere, suadere.

| indicativo presente | passato prossimo | congiuntivo presente | congiuntivo passato |
|---|---|---|---|
| io piaccio | io sono piaciuto | io piaccia | io sia piaciuto |
| tu piaci | tu sei piaciuto | tu piaccia | tu sia piaciuto |
| egli piace | egli è piaciuto | egli piaccia | egli sia piaciuto |
| noi piacciamo [1] | noi siamo piaciuti | noi piacciamo [1] | noi siamo piaciuti |
| voi piacete | voi siete piaciuti | voi piacciate [1] | voi siate piaciuti |
| essi piacciono | essi sono piaciuti | essi piacciano | essi siano piaciuti |

| indicativo imperfetto | trapassato prossimo | congiuntivo imperfetto | congiuntivo trapassato |
|---|---|---|---|
| io piacevo | io ero piaciuto | io piacessi | io fossi piaciuto |
| tu piacevi | tu eri piaciuto | tu piacessi | tu fossi piaciuto |
| egli piaceva | egli era piaciuto | egli piacesse | egli fosse piaciuto |
| noi piacevamo | noi eravamo piaciuti | noi piacessimo | noi fossimo piaciuti |
| voi piacevate | voi eravate piaciuti | voi piaceste | voi foste piaciuti |
| essi piacevano | essi erano piaciuti | essi piacessero | essi fossero piaciuti |

| passato remoto | trapassato remoto | condizionale presente | condizionale passato |
|---|---|---|---|
| io piacqui | io fui piaciuto | io piacerei | io sarei piaciuto |
| tu piacesti | tu fosti piaciuto | tu piaceresti | tu saresti piaciuto |
| egli piacque | egli fu piaciuto | egli piacerebbe | egli sarebbe piaciuto |
| noi piacemmo | noi fummo piaciuti | noi piaceremmo | noi saremmo piaciuti |
| voi piaceste | voi foste piaciuti | voi piacereste | voi sareste piaciuti |
| essi piacquero | essi furono piaciuti | essi piacerebbero | essi sarebbero piaciuti |

| futuro semplice | futuro anteriore | imperativo presente | gerundio presente |
|---|---|---|---|
| io piacerò | io sarò piaciuto | | piacendo |
| tu piacerai | tu sarai piaciuto | piaci (tu) | |
| egli piacerà | egli sarà piaciuto | piaccia (Lei) | |
| noi piaceremo | noi saremo piaciuti | piacciamo [1] (noi) | gerundio passato |
| voi piacerete | voi sarete piaciuti | piacete (voi) | essendo piaciuto |
| essi piaceranno | essi saranno piaciuti | piacciano (Loro) | |

| infinito presente | infinito passato | participio presente | participio passato |
|---|---|---|---|
| piacere | essere piaciuto | piacente, piacenti | piaciuto, piaciuti |
| | | | piaciuta, piaciute |

Ainsi se conjuguent compiacere, dispiacere, giacere, rigiacere, soggiacere, sottacere, spiacere, scompiacere, tacere.

1) Autres formes possibles au présent de l'indicatif : *noi piacciamo ;* au subjonctif présent : *noi piacciamo/voi piacciate ;* à l'impératif : *piacciamo (noi).*

| indicativo presente | passato prossimo | | congiuntivo presente | congiuntivo passato | |
|---|---|---|---|---|---|
| io piango | io ho pianto | | io pianga | io abbia pianto | |
| tu piangi | tu hai pianto | | tu pianga | tu abbia pianto | |
| egli piange | egli ha pianto | | egli pianga | egli abbia pianto | |
| noi piangiamo | noi abbiamo pianto | | noi piangiamo | noi abbiamo pianto | |
| voi piangete | voi avete pianto | | voi piangiate | voi abbiate pianto | |
| essi piangono | essi hanno pianto | | essi piangano | essi abbiano pianto | |

| indicativo imperfetto | trapassato prossimo | | congiuntivo imperfetto | congiuntivo trapassato | |
|---|---|---|---|---|---|
| io piangevo | io avevo pianto | | io piangessi | io avessi pianto | |
| tu piangevi | tu avevi pianto | | tu piangessi | tu avessi pianto | |
| egli piangeva | egli aveva pianto | | egli piangesse | egli avesse pianto | |
| noi piangevamo | noi avevamo pianto | | noi piangessimo | noi avessimo pianto | |
| voi piangevate | voi avevate pianto | | voi piangeste | voi aveste pianto | |
| essi piangevano | essi avevano pianto | | essi piangessero | essi avessero pianto | |

| passato remoto | trapassato remoto | | condizionale presente | condizionale passato | |
|---|---|---|---|---|---|
| io piansi | io ebbi pianto | | io piangerei | io avrei pianto | |
| tu piangesti | tu avesti pianto | | tu piangeresti | tu avresti pianto | |
| egli pianse | egli ebbe pianto | | egli piangerebbe | egli avrebbe pianto | |
| noi piangemmo | noi avemmo pianto | | noi piangeremmo | noi avremmo pianto | |
| voi piangeste | voi aveste pianto | | voi piangereste | voi avreste pianto | |
| essi piansero | essi ebbero pianto | | essi piangerebbero | essi avrebbero pianto | |

| futuro semplice | futuro anteriore | | imperativo presente | gerundio presente | |
|---|---|---|---|---|---|
| io piangerò | io avrò pianto | | | piangendo | |
| tu piangerai | tu avrai pianto | | piangi (tu) | | |
| egli piangerà | egli avrà pianto | | pianga (Lei) | | |
| noi piangeremo | noi avremo pianto | | piangiamo (noi) | gerundio passato | |
| voi piangerete | voi avrete pianto | | piangete (voi) | avendo pianto | |
| essi piangeranno | essi avranno pianto | | piangano (Loro) | | |

| infinito presente | infinito passato | | participio presente | participio passato | |
|---|---|---|---|---|---|
| piangere | aver pianto | | piangente, piangenti | pianto, pianti | |
| | | | | pianta, piante | |

Ainsi se conjuguent affrangere, compiangere, diffrangersi, frangere, infrangere, rifrangere, rimpiangere et les formes archaïques fragnere (frangere) et rimpiagnere (rimpiangere).

| indicativo presente | | passato prossimo | | | congiuntivo presente | | congiuntivo passato | | |
|---|---|---|---|---|---|---|---|---|---|
| io | piovo | io | sono | piovuto | io | piova | io | sia | piovuto |
| tu | piovi | tu | sei | piovuto | tu | piova | tu | sia | piovuto |
| egli | piove | egli | è | piovuto | egli | piova | egli | sia | piovuto |
| noi | pioviamo | noi | siamo | piovuti | noi | pioviamo | noi | siamo | piovuti |
| voi | piovete | voi | siete | piovuti | voi | pioviate | voi | siate | piovuti |
| essi | piovono | essi | sono | piovuti | essi | piovano | essi | siano | piovuti |

| indicativo imperfetto | | trapassato prossimo | | | congiuntivo imperfetto | | congiuntivo trapassato | | |
|---|---|---|---|---|---|---|---|---|---|
| io | piovevo | io | ero | piovuto | io | piovessi | io | fossi | piovuto |
| tu | piovevi | tu | eri | piovuto | tu | piovessi | tu | fossi | piovuto |
| egli | pioveva | egli | era | piovuto | egli | piovesse | egli | fosse | piovuto |
| noi | piovevamo | noi | eravamo | piovuti | noi | piovessimo | noi | fossimo | piovuti |
| voi | piovevate | voi | eravate | piovuti | voi | pioveste | voi | foste | piovuti |
| essi | piovevano | essi | erano | piovuti | essi | piovessero | essi | fossero | piovuti |

| passato remoto | | trapassato remoto | | | condizionale presente | | condizionale passato | | |
|---|---|---|---|---|---|---|---|---|---|
| io | piovvi | io | fui | piovuto | io | pioverei | io | sarei | piovuto |
| tu | piovesti | tu | fosti | piovuto | tu | pioveresti | tu | saresti | piovuto |
| egli | piovve | egli | fu | piovuto | egli | pioverebbe | egli | sarebbe | piovuto |
| noi | piovemmo | noi | fummo | piovuti | noi | pioveremmo | noi | saremmo | piovuti |
| voi | pioveste | voi | foste | piovuti | voi | piovereste | voi | sareste | piovuti |
| essi | piovvero | essi | furono | piovuti | essi | pioverebbero | essi | sarebbero | piovuti |

| futuro semplice | | futuro anteriore | | | imperativo presente | | gerundio presente | |
|---|---|---|---|---|---|---|---|---|
| io | pioverò | io | sarò | piovuto | | | piovendo | |
| tu | pioverai | tu | sarai | piovuto | piovi | (tu) | | |
| egli | pioverà | egli | sarà | piovuto | piova | (Lei) | | |
| noi | pioveremo | noi | saremo | piovuti | pioviamo | (noi) | gerundio passato | |
| voi | pioverete | voi | sarete | piovuti | piovete | (voi) | essendo piovuto | |
| essi | pioveranno | essi | saranno | piovuti | piovano | (Loro) | | |

| infinito presente | infinito passato | | participio presente | participio passato |
|---|---|---|---|---|
| piovere | essere piovuto | | piovente, pioventi | piovuto, piovuti |
| | | | | piovuta, piovute |

Piovere est généralement employé comme impersonnel à la 3e personne du singulier. Dans ce cas il peut avoir comme auxiliaire **essere** ou **avere**.

| indicativo presente | passato prossimo | | congiuntivo presente | congiuntivo passato | |
|---|---|---|---|---|---|
| io porgo | io ho porto | | io porga | io abbia porto |
| tu porgi | tu hai porto | | tu porga | tu abbia porto |
| egli porge | egli ha porto | | egli porga | egli abbia porto |
| noi porgiamo | noi abbiamo porto | | noi porgiamo | noi abbiamo porto |
| voi porgete | voi avete porto | | voi porgiate | voi abbiate porto |
| essi porgono | essi hanno porto | | essi porgano | essi abbiano porto |

| indicativo imperfetto | trapassato prossimo | | congiuntivo imperfetto | congiuntivo trapassato | |
|---|---|---|---|---|---|
| io porgevo | io avevo porto | | io porgessi | io avessi porto |
| tu porgevi | tu avevi porto | | tu porgessi | tu avessi porto |
| egli porgeva | egli aveva porto | | egli porgesse | egli avesse porto |
| noi porgevamo | noi avevamo porto | | noi porgessimo | noi avessimo porto |
| voi porgevate | voi avevate porto | | voi porgeste | voi aveste porto |
| essi porgevano | essi avevano porto | | essi porgessero | essi avessero porto |

| passato remoto | trapassato remoto | | condizionale presente | condizionale passato | |
|---|---|---|---|---|---|
| io porsi | io ebbi porto | | io porgerei | io avrei porto |
| tu porgesti | tu avesti porto | | tu porgeresti | tu avresti porto |
| egli porse | egli ebbe porto | | egli porgerebbe | egli avrebbe porto |
| noi porgemmo | noi avemmo porto | | noi porgeremmo | noi avremmo porto |
| voi porgeste | voi aveste porto | | voi porgereste | voi avreste porto |
| essi porsero | essi ebbero porto | | essi porgerebbero | essi avrebbero porto |

| futuro semplice | futuro anteriore | | imperativo presente | gerundio presente |
|---|---|---|---|---|
| io porgerò | io avrò porto | | | porgendo |
| tu porgerai | tu avrai porto | | porgi (tu) | |
| egli porgerà | egli avrà porto | | porga (Lei) | |
| noi porgeremo | noi avremo porto | | porgiamo (noi) | gerundio passato |
| voi porgerete | voi avrete porto | | porgete (voi) | avendo porto |
| essi porgeranno | essi avranno porto | | porgano (Loro) | |

| infinito presente | infinito passato | | participio presente | participio passato |
|---|---|---|---|---|
| porgere | aver porto | | porgente, porgenti | porto, porti |
| | | | | porta, porte |

Ainsi se conjuguent assurgere et resurgere mais avec **-u-** à la place du **-o-** dans le radical présent : *io assurgo...*; imparfait : *io assurgevo...*

Se conjuguent sur le même modèle fulgere, rifulgere, indulgere mais leur participe passé n'est guère employé : *fulso, rifulso, indulto*.

| indicativo presente | | passato prossimo | |
|---|---|---|---|
| io | pongo | io | ho | posto |
| tu | poni | tu | hai | posto |
| egli | pone | egli | ha | posto |
| noi | poniamo | noi | abbiamo | posto |
| voi | ponete | voi | avete | posto |
| essi | pongono | essi | hanno | posto |

| indicativo imperfetto | | trapassato prossimo | |
|---|---|---|---|
| io | ponevo | io | avevo | posto |
| tu | ponevi | tu | avevi | posto |
| egli | poneva | egli | aveva | posto |
| noi | ponevamo | noi | avevamo | posto |
| voi | ponevate | voi | avevate | posto |
| essi | ponevano | essi | avevano | posto |

| passato remoto | | trapassato remoto | |
|---|---|---|---|
| io | posi | io | ebbi | posto |
| tu | ponesti | tu | avesti | posto |
| egli | pose | egli | ebbe | posto |
| noi | ponemmo | noi | avemmo | posto |
| voi | poneste | voi | aveste | posto |
| essi | posero | essi | ebbero | posto |

| futuro semplice | | futuro anteriore | |
|---|---|---|---|
| io | porrò | io | avrò | posto |
| tu | porrai | tu | avrai | posto |
| egli | porrà | egli | avrà | posto |
| noi | porremo | noi | avremo | posto |
| voi | porrete | voi | avrete | posto |
| essi | porranno | essi | avranno | posto |

| infinito presente | infinito passato |
|---|---|
| porre | aver posto |

| congiuntivo presente | | congiuntivo passato | |
|---|---|---|---|
| io | ponga | io | abbia | posto |
| tu | ponga | tu | abbia | posto |
| egli | ponga | egli | abbia | posto |
| noi | poniamo | noi | abbiamo | posto |
| voi | poniate | voi | abbiate | posto |
| essi | pongano | essi | abbiano | posto |

| congiuntivo imperfetto | | congiuntivo trapassato | |
|---|---|---|---|
| io | ponessi | io | avessi | posto |
| tu | ponessi | tu | avessi | posto |
| egli | ponesse | egli | avesse | posto |
| noi | ponessimo | noi | avessimo | posto |
| voi | poneste | voi | aveste | posto |
| essi | ponessero | essi | avessero | posto |

| condizionale presente | | condizionale passato | |
|---|---|---|---|
| io | porrei | io | avrei | posto |
| tu | porresti | tu | avresti | posto |
| egli | porrebbe | egli | avrebbe | posto |
| noi | porremmo | noi | avremmo | posto |
| voi | porreste | voi | avreste | posto |
| essi | porrebbero | essi | avrebbero | posto |

| imperativo presente | gerundio presente |
|---|---|
| | ponendo |
| poni (tu) | |
| ponga (Lei) | gerundio passato |
| poniamo (noi) | |
| ponete (voi) | avendo posto |
| pongano (Loro) | |

| participio presente | participio passato |
|---|---|
| ponente, ponenti | posto, posti |
| | posta, poste |

| indicativo presente | passato prossimo | | congiuntivo presente | congiuntivo passato | |
|---|---|---|---|---|---|
| io posso | io ho | potuto | io possa | io abbia | potuto |
| tu puoi | tu hai | potuto | tu possa | tu abbia | potuto |
| egli può | egli ha | potuto | egli possa | egli abbia | potuto |
| noi possiamo | noi abbiamo | potuto | noi possiamo | noi abbiamo | potuto |
| voi potete | voi avete | potuto | voi possiate | voi abbiate | potuto |
| essi possono | essi hanno | potuto | essi possano | essi abbiano | potuto |

| indicativo imperfetto | trapassato prossimo | | congiuntivo imperfetto | congiuntivo trapassato | |
|---|---|---|---|---|---|
| io potevo | io avevo | potuto | io potessi | io avessi | potuto |
| tu potevi | tu avevi | potuto | tu potessi | tu avessi | potuto |
| egli poteva | egli aveva | potuto | egli potesse | egli avesse | potuto |
| noi potevamo | noi avevamo | potuto | noi potessimo | noi avessimo | potuto |
| voi potevate | voi avevate | potuto | voi poteste | voi aveste | potuto |
| essi potevano | essi avevano | potuto | essi potessero | essi avessero | potuto |

| passato remoto | trapassato remoto | | condizionale presente | condizionale passato | |
|---|---|---|---|---|---|
| io potei, potetti | io ebbi | potuto | io potrei | io avrei | potuto |
| tu potesti | tu avesti | potuto | tu potresti | tu avresti | potuto |
| egli poté, potette | egli ebbe | potuto | egli potrebbe | egli avrebbe | potuto |
| noi potemmo | noi avemmo | potuto | noi potremmo | noi avremmo | potuto |
| voi poteste | voi aveste | potuto | voi potreste | voi avreste | potuto |
| essi poterono, potettero | essi ebbero | potuto | essi potrebbero | essi avrebbero | potuto |

| futuro semplice | futuro anteriore | | imperativo presente | gerundio presente | |
|---|---|---|---|---|---|
| io potrò | io avrò | potuto | | potendo | |
| tu potrai | tu avrai | potuto | | | |
| egli potrà | egli avrà | potuto | —— | | |
| noi potremo | noi avremo | potuto | | gerundio passato | |
| voi potrete | voi avrete | potuto | | | |
| essi potranno | essi avranno | potuto | | avendo potuto | |

| infinito presente | infinito passato | particicio presente | participio passato |
|---|---|---|---|
| potere | aver potuto | potente, potenti | potuto, potuti |
| | | | potuta, potute |

Employé seul, potere se conjugue avec l'auxiliaire **avere** aux temps composés.
Suivi d'un autre verbe, il prend l'auxiliaire qui convient à ce verbe.
*Ho potuto lavorare tranquillamente (ho lavorato).*
*Sono potuto partire subito (sono partito).*
Toutefois dans l'italien contemporain on emploie couramment **avere** dans tous les cas.
Quand l'infinitif est un verbe réfléchi ou pronominal on a :
– l'auxiliaire **essere** si le pronom personnel complément **précède** le verbe : *Mi sono potuto lavare.*
– l'auxiliaire **avere** si le pronom personnel complément **suit** le verbe : *Ho potuto lavarmi.*

| indicativo presente | | passato prossimo | | |
|---|---|---|---|---|
| io | prendo | io | ho | preso |
| tu | prendi | tu | hai | preso |
| egli | prende | egli | ha | preso |
| noi | prendiamo | noi | abbiamo | preso |
| voi | prendete | voi | avete | preso |
| essi | prendono | essi | hanno | preso |

| indicativo imperfetto | | trapassato prossimo | | |
|---|---|---|---|---|
| io | prendevo | io | avevo | preso |
| tu | prendevi | tu | avevi | preso |
| egli | prendeva | egli | aveva | preso |
| noi | prendevamo | noi | avevamo | preso |
| voi | prendevate | voi | avevate | preso |
| essi | prendevano | essi | avevano | preso |

| passato remoto | | trapassato remoto | | |
|---|---|---|---|---|
| io | presi | io | ebbi | preso |
| tu | prendesti | tu | avesti | preso |
| egli | prese | egli | ebbe | preso |
| noi | prendemmo | noi | avemmo | preso |
| voi | prendeste | voi | aveste | preso |
| essi | presero | essi | ebbero | preso |

| futuro semplice | | futuro anteriore | | |
|---|---|---|---|---|
| io | prenderò | io | avrò | preso |
| tu | prenderai | tu | avrai | preso |
| egli | prenderà | egli | avrà | preso |
| noi | prenderemo | noi | avremo | preso |
| voi | prenderete | voi | avrete | preso |
| essi | prenderanno | essi | avranno | preso |

| infinito presente | infinito passato |
|---|---|
| prendere | aver preso |

| congiuntivo presente | | congiuntivo passato | | |
|---|---|---|---|---|
| io | prenda | io | abbia | preso |
| tu | prenda | tu | abbia | preso |
| egli | prenda | egli | abbia | preso |
| noi | prendiamo | noi | abbiamo | preso |
| voi | prendiate | voi | abbiate | preso |
| essi | prendano | essi | abbiano | preso |

| congiuntivo imperfetto | | congiuntivo trapassato | | |
|---|---|---|---|---|
| io | prendessi | io | avessi | preso |
| tu | prendessi | tu | avessi | preso |
| egli | prendesse | egli | avesse | preso |
| noi | prendessimo | noi | avessimo | preso |
| voi | prendeste | voi | aveste | preso |
| essi | prendessero | essi | avessero | preso |

| condizionale presente | | condizionale passato | | |
|---|---|---|---|---|
| io | prenderei | io | avrei | preso |
| tu | prenderesti | tu | avresti | preso |
| egli | prenderebbe | egli | avrebbe | preso |
| noi | prenderemmo | noi | avremmo | preso |
| voi | prendereste | voi | avreste | preso |
| essi | prenderebbero | essi | avrebbero | preso |

| imperativo presente | | gerundio presente |
|---|---|---|
| | | prendendo |
| prendi | (tu) | |
| prenda | (Lei) | |
| prendiamo | (noi) | gerundio passato |
| prendete | (voi) | avendo preso |
| prendano | (Loro) | |

| participio presente | participio passato |
|---|---|
| prendente, prendenti | preso, presi |
| | presa, prese |

Ainsi se conjugue propendere. Au passé simple ce verbe a deux formes : *io propendei/propesi, egli propendé/propese, essi propenderono/propesero.*

# 71 RADERE/RASER

| indicativo presente | passato prossimo | |
|---|---|---|
| io rado | io ho | raso |
| tu radi | tu hai | raso |
| egli rade | egli ha | raso |
| noi radiamo | noi abbiamo | raso |
| voi radete | voi avete | raso |
| essi radono | essi hanno | raso |

| indicativo imperfetto | trapassato prossimo | |
|---|---|---|
| io radevo | io avevo | raso |
| tu radevi | tu avevi | raso |
| egli radeva | egli aveva | raso |
| noi radevamo | noi avevamo | raso |
| voi radevate | voi avevate | raso |
| essi radevano | essi avevano | raso |

| passato remoto | trapassato remoto | |
|---|---|---|
| io rasi | io ebbi | raso |
| tu radesti | tu avesti | raso |
| egli rase | egli ebbe | raso |
| noi rademmo | noi avemmo | raso |
| voi radeste | voi aveste | raso |
| essi rasero | essi ebbero | raso |

| futuro semplice | futuro anteriore | |
|---|---|---|
| io raderò | io avrò | raso |
| tu raderai | tu avrai | raso |
| egli raderà | egli avrà | raso |
| noi raderemo | noi avremo | raso |
| voi raderete | voi avrete | raso |
| essi raderanno | essi avranno | raso |

| infinito presente | infinito passato |
|---|---|
| radere | aver raso |

| congiuntivo presente | congiuntivo passato | |
|---|---|---|
| io rada | io abbia | raso |
| tu rada | tu abbia | raso |
| egli rada | egli abbia | raso |
| noi radiamo | noi abbiamo | raso |
| voi radiate | voi abbiate | raso |
| essi radano | essi abbiano | raso |

| congiuntivo imperfetto | congiuntivo trapassato | |
|---|---|---|
| io radessi | io avessi | raso |
| tu radessi | tu avessi | raso |
| egli radesse | egli avesse | raso |
| noi radessimo | noi avessimo | raso |
| voi radeste | voi aveste | raso |
| essi radessero | essi avessero | raso |

| condizionale presente | condizionale passato | |
|---|---|---|
| io raderei | io avrei | raso |
| tu raderesti | tu avresti | raso |
| egli raderebbe | egli avrebbe | raso |
| noi raderemmo | noi avremmo | raso |
| voi radereste | voi avreste | raso |
| essi raderebbero | essi avrebbero | raso |

| imperativo presente | gerundio presente |
|---|---|
| | radendo |
| radi (tu) | |
| rada (Lei) | |
| radiamo (noi) | gerundio passato |
| radete (voi) | avendo raso |
| radano (Loro) | |

| participio presente | participio passato |
|---|---|
| radente, radenti | raso, rasi |
| | rasa, rase |

■ Ainsi se conjuguent evadere, invadere, pervadere.

# REDIGERE/RÉDIGER 72

| indicativo presente | passato prossimo | | congiuntivo presente | congiuntivo passato | |
|---|---|---|---|---|---|
| io redigo | io ho | redatto | io rediga | io abbia | redatto |
| tu redigi | tu hai | redatto | tu rediga | tu abbia | redatto |
| egli redige | egli ha | redatto | egli rediga | egli abbia | redatto |
| noi redigiamo | noi abbiamo | redatto | noi redigiamo | noi abbiamo | redatto |
| voi redigete | voi avete | redatto | voi redigiate | voi abbiate | redatto |
| essi redigono | essi hanno | redatto | essi redigano | essi abbiano | redatto |

| indicativo imperfetto | trapassato prossimo | | congiuntivo imperfetto | congiuntivo trapassato | |
|---|---|---|---|---|---|
| io redigevo | io avevo | redatto | io redigessi | io avessi | redatto |
| tu redigevi | tu avevi | redatto | tu redigessi | tu avessi | redatto |
| egli redigeva | egli aveva | redatto | egli redigesse | egli avesse | redatto |
| noi redigevamo | noi avevamo | redatto | noi redigessimo | noi avessimo | redatto |
| voi redigevate | voi avevate | redatto | voi redigeste | voi aveste | redatto |
| essi redigevano | essi avevano | redatto | essi redigessero | essi avessero | redatto |

| passato remoto | trapassato remoto | | condizionale presente | condizionale passato | |
|---|---|---|---|---|---|
| io redassi | io ebbi | redatto | io redigerei | io avrei | redatto |
| tu redigesti | tu avesti | redatto | tu redigeresti | tu avresti | redatto |
| egli redasse | egli ebbe | redatto | egli redigerebbe | egli avrebbe | redatto |
| noi redigemmo | noi avemmo | redatto | noi redigeremmo | noi avremmo | redatto |
| voi redigeste | voi aveste | redatto | voi redigereste | voi avreste | redatto |
| essi redassero | essi ebbero | redatto | essi redigerebbero | essi avrebbero | redatto |

| futuro semplice | futuro anteriore | | imperativo presente | gerundio presente |
|---|---|---|---|---|
| io redigerò | io avrò | redatto | | redigendo |
| tu redigerai | tu avrai | redatto | redigi (tu) | |
| egli redigerà | egli avrà | redatto | rediga (Lei) | |
| noi redigeremo | noi avremo | redatto | redigiamo (noi) | gerundio passato |
| voi redigerete | voi avrete | redatto | redigete (voi) | avendo redatto |
| essi redigeranno | essi avranno | redatto | redigano (Loro) | |

| infinito presente | infinito passato | participio presente | participio passato |
|---|---|---|---|
| redigere | aver redatto | redigente, redigenti | redatto, redatti |
| | | | redatta, redatte |

Ainsi se conjuguent sauf au passé simple : esigere : *io esigei, egli esigé, essi esigerono;* participe passé *esatto; transigere* et ses formes archaïques transare et transarre : *io transigei, egli transigé, essi transigerono;* participe passé : *transatto.*

redensi, redento

| indicativo presente | | passato prossimo | | |
|---|---|---|---|---|
| io | redimo | io | ho | redento |
| tu | redimi | tu | hai | redento |
| egli | redime | egli | ha | redento |
| noi | redimiamo | noi | abbiamo | redento |
| voi | redimete | voi | avete | redento |
| essi | redimono | essi | hanno | redento |

| indicativo imperfetto | | trapassato prossimo | | |
|---|---|---|---|---|
| io | redimevo | io | avevo | redento |
| tu | redimevi | tu | avevi | redento |
| egli | redimeva | egli | aveva | redento |
| noi | redimevamo | noi | avevamo | redento |
| voi | redimevate | voi | avevate | redento |
| essi | redimevano | essi | avevano | redento |

| passato remoto | | trapassato remoto | | |
|---|---|---|---|---|
| io | redensi | io | ebbi | redento |
| tu | redimesti | tu | avesti | redento |
| egli | redense | egli | ebbe | redento |
| noi | redimemmo | noi | avemmo | redento |
| voi | redimeste | voi | aveste | redento |
| essi | redensero | essi | ebbero | redento |

| futuro semplice | | futuro anteriore | | |
|---|---|---|---|---|
| io | redimerò | io | avrò | redento |
| tu | redimerai | tu | avrai | redento |
| egli | redimerà | egli | avrà | redento |
| noi | redimeremo | noi | avremo | redento |
| voi | redimerete | voi | avrete | redento |
| essi | redimeranno | essi | avranno | redento |

| infinito presente | infinito passato |
|---|---|
| redimere | aver redento |

| congiuntivo presente | | congiuntivo passato | | |
|---|---|---|---|---|
| io | redima | io | abbia | redento |
| tu | redima | tu | abbia | redento |
| egli | redima | egli | abbia | redento |
| noi | redimiamo | noi | abbiamo | redento |
| voi | redimiate | voi | abbiate | redento |
| essi | redimano | essi | abbiano | redento |

| congiuntivo imperfetto | | congiuntivo trapassato | | |
|---|---|---|---|---|
| io | redimessi | io | avessi | redento |
| tu | redimessi | tu | avessi | redento |
| egli | redimesse | egli | avesse | redento |
| noi | redimessimo | noi | avessimo | redento |
| voi | redimeste | voi | aveste | redento |
| essi | redimessero | essi | avessero | redento |

| condizionale presente | | condizionale passato | | |
|---|---|---|---|---|
| io | redimerei | io | avrei | redento |
| tu | redimeresti | tu | avresti | redento |
| egli | redimerebbe | egli | avrebbe | redento |
| noi | redimeremmo | noi | avremmo | redento |
| voi | redimereste | voi | avreste | redento |
| essi | redimerebbero | essi | avrebbero | redento |

| imperativo presente | gerundio presente |
|---|---|
| | redimendo |
| redimi (tu) | |
| redima (Lei) | |
| redimiamo (noi) | gerundio passato |
| redimete (voi) | avendo redento |
| redimano (Loro) | |

| participio presente | participio passato |
|---|---|
| redimente, redimenti | redento, redenti |
| | redenta, redente |

Ainsi se conjuguent dirimere sauf au passé simple : *io dirimei/dirimetti, egli dirimé/dirimette, essi dirimerono/dirimettero;* pas de participe passé ; esimere sauf au passé simple : *io esimei/esimetti, egli esimé/esimette, essi esimerono/esimettero...;* pas de participe passé.

| indicativo presente | passato prossimo | | congiuntivo presente | congiuntivo passato | |
|---|---|---|---|---|---|
| io rido | io ho | riso | io rida | io abbia | riso |
| tu ridi | tu hai | riso | tu rida | tu abbia | riso |
| egli ride | egli ha | riso | egli rida | egli abbia | riso |
| noi ridiamo | noi abbiamo | riso | noi ridiamo | noi abbiamo | riso |
| voi ridete | voi avete | riso | voi ridiate | voi abbiate | riso |
| essi ridono | essi hanno | riso | essi ridano | essi abbiano | riso |

| indicativo imperfetto | trapassato prossimo | | congiuntivo imperfetto | congiuntivo trapassato | |
|---|---|---|---|---|---|
| io ridevo | io avevo | riso | io ridessi | io avessi | riso |
| tu ridevi | tu avevi | riso | tu ridessi | tu avessi | riso |
| egli rideva | egli aveva | riso | egli ridesse | egli avesse | riso |
| noi ridevamo | noi avevamo | riso | noi ridessimo | noi avessimo | riso |
| voi ridevate | voi avevate | riso | voi rideste | voi aveste | riso |
| essi ridevano | essi avevano | riso | essi ridessero | essi avessero | riso |

| passato remoto | trapassato remoto | | condizionale presente | condizionale passato | |
|---|---|---|---|---|---|
| io risi | io ebbi | riso | io riderei | io avrei | riso |
| tu ridesti | tu avesti | riso | tu rideresti | tu avresti | riso |
| egli rise | egli ebbe | riso | egli riderebbe | egli avrebbe | riso |
| noi ridemmo | noi avemmo | riso | noi rideremmo | noi avremmo | riso |
| voi rideste | voi aveste | riso | voi ridereste | voi avreste | riso |
| essi risero | essi ebbero | riso | essi riderebbero | essi avrebbero | riso |

| futuro semplice | futuro anteriore | | imperativo presente | gerundio presente | |
|---|---|---|---|---|---|
| io riderò | io avrò | riso | | ridendo | |
| tu riderai | tu avrai | riso | ridi (tu) | | |
| egli riderà | egli avrà | riso | rida (Lei) | | |
| noi rideremo | noi avremo | riso | ridiamo (noi) | gerundio passato | |
| voi riderete | voi avrete | riso | ridete (voi) | avendo riso | |
| essi rideranno | essi avranno | riso | ridano (Loro) | | |

| infinito presente | infinito passato | particìpio presente | particìpio passato |
|---|---|---|---|
| ridere | aver riso | ridente, ridenti | riso, risi |
| | | | risa, rise |

Ainsi se conjuguent stridere sauf au passé simple : *io stridei/stridetti, egli stridé/stridette, essi stridereno/stridettero;* pas de participe passé; elidere qui au passé simple a trois formes : *io elisi/elidei/elidetti, egli elise/elidé/elidette, essi elisero/elidérono/elidettero.*

| indicativo presente | | passato prossimo | | |
|---|---|---|---|---|
| io | rimango | io | sono | rimasto |
| tu | rimani | tu | sei | rimasto |
| egli | rimane | egli | è | rimasto |
| noi | rimaniamo | noi | siamo | rimasti |
| voi | rimanete | voi | siete | rimasti |
| essi | rimangono | essi | sono | rimasti |

| indicativo imperfetto | | trapassato prossimo | | |
|---|---|---|---|---|
| io | rimanevo | io | ero | rimasto |
| tu | rimanevi | tu | eri | rimasto |
| egli | rimaneva | egli | era | rimasto |
| noi | rimanevamo | noi | eravamo | rimasti |
| voi | rimanevate | voi | eravate | rimasti |
| essi | rimanevano | essi | erano | rimasti |

| passato remoto | | trapassato remoto | | |
|---|---|---|---|---|
| io | rimasi | io | fui | rimasto |
| tu | rimanesti | tu | fosti | rimasto |
| egli | rimase | egli | fu | rimasto |
| noi | rimanemmo | noi | fummo | rimasti |
| voi | rimaneste | voi | foste | rimasti |
| essi | rimasero | essi | furono | rimasti |

| futuro semplice | | futuro anteriore | | |
|---|---|---|---|---|
| io | rimarrò | io | sarò | rimasto |
| tu | rimarrai | tu | sarai | rimasto |
| egli | rimarrà | egli | sarà | rimasto |
| noi | rimarremo | noi | saremo | rimasti |
| voi | rimarrete | voi | sarete | rimasti |
| essi | rimarranno | essi | saranno | rimasti |

| infinito presente | infinito passato |
|---|---|
| rimanere | essere rimasto |

| congiuntivo presente | | congiuntivo passato | | |
|---|---|---|---|---|
| io | rimanga | io | sia | rimasto |
| tu | rimanga | tu | sia | rimasto |
| egli | rimanga | egli | sia | rimasto |
| noi | rimaniamo | noi | siamo | rimasti |
| voi | rimaniate | voi | siate | rimasti |
| essi | rimangano | essi | siano | rimasti |

| congiuntivo imperfetto | | congiuntivo trapassato | | |
|---|---|---|---|---|
| io | rimanessi | io | fossi | rimasto |
| tu | rimanessi | tu | fossi | rimasto |
| egli | rimanesse | egli | fosse | rimasto |
| noi | rimanessimo | noi | fossimo | rimasti |
| voi | rimaneste | voi | foste | rimasti |
| essi | rimanessero | essi | fossero | rimasti |

| condizionale presente | | condizionale passato | | |
|---|---|---|---|---|
| io | rimarrei | io | sarei | rimasto |
| tu | rimarresti | tu | saresti | rimasto |
| egli | rimarrebbe | egli | sarebbe | rimasto |
| noi | rimarremmo | noi | saremmo | rimasti |
| voi | rimarreste | voi | sareste | rimasti |
| essi | rimarrebbero | essi | sarebbero | rimasti |

| imperativo presente | | gerundio presente |
|---|---|---|
| | | rimanendo |
| rimani | (tu) | |
| rimanga | (Lei) | |
| rimaniamo | (noi) | gerundio passato |
| rimanete | (voi) | essendo rimasto |
| rimangano | (Loro) | |

| participio presente | participio passato |
|---|---|
| rimanente, rimanenti | rimasto, rimasti |
| | rimasta, rimaste |

■ Ainsi se conjugue permanere sauf au participe passé : *permaso*.

| indicativo presente | passato prossimo | |
|---|---|---|
| io rispondo | io ho | risposto |
| tu rispondi | tu hai | risposto |
| egli risponde | egli ha | risposto |
| noi rispondiamo | noi abbiamo | risposto |
| voi rispondete | voi avete | risposto |
| essi rispondono | essi hanno | risposto |

| indicativo imperfetto | trapassato prossimo | |
|---|---|---|
| io rispondevo | io avevo | risposto |
| tu rispondevi | tu avevi | risposto |
| egli rispondeva | egli aveva | risposto |
| noi rispondevamo | noi avevamo | risposto |
| voi rispondevate | voi avevate | risposto |
| essi rispondevano | essi avevano | risposto |

| passato remoto | trapassato remoto | |
|---|---|---|
| io risposi | io ebbi | risposto |
| tu rispondesti | tu avesti | risposto |
| egli rispose | egli ebbe | risposto |
| noi rispondemmo | noi avemmo | risposto |
| voi rispondeste | voi aveste | risposto |
| essi risposero | essi ebbero | risposto |

| futuro semplice | futuro anteriore | |
|---|---|---|
| io risponderò | io avrò | risposto |
| tu risponderai | tu avrai | risposto |
| egli risponderà | egli avrà | risposto |
| noi risponderemo | noi avremo | risposto |
| voi risponderete | voi avrete | risposto |
| essi risponderanno | essi avranno | risposto |

| infinito presente | infinito passato |
|---|---|
| rispondere | aver risposto |

| congiuntivo presente | congiuntivo passato | |
|---|---|---|
| io risponda | io abbia | risposto |
| tu risponda | tu abbia | risposto |
| egli risponda | egli abbia | risposto |
| noi rispondiamo | noi abbiamo | risposto |
| voi rispondiate | voi abbiate | risposto |
| essi rispondano | essi abbiano | risposto |

| congiuntivo imperfetto | congiuntivo trapassato | |
|---|---|---|
| io rispondessi | io avessi | risposto |
| tu rispondessi | tu avessi | risposto |
| egli rispondesse | egli avesse | risposto |
| noi rispondessimo | noi avessimo | risposto |
| voi rispondeste | voi aveste | risposto |
| essi rispondessero | essi avessero | risposto |

| condizionale presente | condizionale passato | |
|---|---|---|
| io risponderei | io avrei | risposto |
| tu risponderesti | tu avresti | risposto |
| egli risponderebbe | egli avrebbe | risposto |
| noi risponderemmo | noi avremmo | risposto |
| voi rispondereste | voi avreste | risposto |
| essi risponderebbero | essi avrebbero | risposto |

| imperativo presente | gerundio presente |
|---|---|
| | rispondendo |
| rispondi (tu) | |
| risponda (Lei) | **gerundio passato** |
| rispondiamo (noi) | |
| rispondete (voi) | avendo risposto |
| rispondano (Loro) | |

| participio presente | participio passato |
|---|---|
| rispondente, | risposto, risposti |
| rispondenti | risposta, risposte |

■ Ainsi se conjugue ascondere; participe passé : *ascoso*.

| indicativo presente | passato prossimo | | |
|---|---|---|---|
| io rompo | io | ho | rotto |
| tu rompi | tu | hai | rotto |
| egli rompe | egli | ha | rotto |
| noi rompiamo | noi | abbiamo | rotto |
| voi rompete | voi | avete | rotto |
| essi rompono | essi | hanno | rotto |

| indicativo imperfetto | trapassato prossimo | | |
|---|---|---|---|
| io rompevo | io | avevo | rotto |
| tu rompevi | tu | avevi | rotto |
| egli rompeva | egli | aveva | rotto |
| noi rompevamo | noi | avevamo | rotto |
| voi rompevate | voi | avevate | rotto |
| essi rompevano | essi | avevano | rotto |

| passato remoto | trapassato remoto | | |
|---|---|---|---|
| io ruppi | io | ebbi | rotto |
| tu rompesti | tu | avesti | rotto |
| egli ruppe | egli | ebbe | rotto |
| noi rompemmo | noi | avemmo | rotto |
| voi rompeste | voi | aveste | rotto |
| essi ruppero | essi | ebbero | rotto |

| futuro semplice | futuro anteriore | | |
|---|---|---|---|
| io romperò | io | avrò | rotto |
| tu romperai | tu | avrai | rotto |
| egli romperà | egli | avrà | rotto |
| noi romperemo | noi | avremo | rotto |
| voi romperete | voi | avrete | rotto |
| essi romperanno | essi | avranno | rotto |

| infinito presente | infinito passato |
|---|---|
| rompere | aver rotto |

| congiuntivo presente | congiuntivo passato | | |
|---|---|---|---|
| io rompa | io | abbia | rotto |
| tu rompa | tu | abbia | rotto |
| egli rompa | egli | abbia | rotto |
| noi rompiamo | noi | abbiamo | rotto |
| voi rompiate | voi | abbiate | rotto |
| essi rompano | essi | abbiano | rotto |

| congiuntivo imperfetto | congiuntivo trapassato | | |
|---|---|---|---|
| io rompessi | io | avessi | rotto |
| tu rompessi | tu | avessi | rotto |
| egli rompesse | egli | avesse | rotto |
| noi rompessimo | noi | avessimo | rotto |
| voi rompeste | voi | aveste | rotto |
| essi rompessero | essi | avessero | rotto |

| condizionale presente | condizionale passato | | |
|---|---|---|---|
| io romperei | io | avrei | rotto |
| tu romperesti | tu | avresti | rotto |
| egli romperebbe | egli | avrebbe | rotto |
| noi romperemmo | noi | avremmo | rotto |
| voi rompereste | voi | avreste | rotto |
| essi romperebbero | essi | avrebbero | rotto |

| imperativo presente | gerundio presente |
|---|---|
| | rompendo |

| rompi | (tu) |
| rompa | (Lei) |
| rompiamo | (noi) |
| rompete | (voi) |
| rompano | (Loro) |

| gerundio passato |
|---|
| avendo rotto |

| participio presente | participio passato |
|---|---|
| rompente, rompenti | rotto, rotti |
| | rotta, rotte |

— 8U185

| indicativo presente | | passato prossimo | | |
|---|---|---|---|---|
| io | so | io | ho | saputo |
| tu | sai | tu | hai | saputo |
| egli | sa | egli | ha | saputo |
| noi | sappiamo | noi | abbiamo | saputo |
| voi | sapete | voi | avete | saputo |
| essi | sanno | essi | hanno | saputo |

| indicativo imperfetto | | trapassato prossimo | | |
|---|---|---|---|---|
| io | sapevo | io | avevo | saputo |
| tu | sapevi | tu | avevi | saputo |
| egli | sapeva | egli | aveva | saputo |
| noi | sapevamo | noi | avevamo | saputo |
| voi | sapevate | voi | avevate | saputo |
| essi | sapevano | essi | avevano | saputo |

| passato remoto | | trapassato remoto | | |
|---|---|---|---|---|
| io | seppi | io | ebbi | saputo |
| tu | sapesti | tu | avesti | saputo |
| egli | seppe | egli | ebbe | saputo |
| noi | sapemmo | noi | avemmo | saputo |
| voi | sapeste | voi | aveste | saputo |
| essi | seppero | essi | ebbero | saputo |

| futuro semplice | | futuro anteriore | | |
|---|---|---|---|---|
| io | saprò | io | avrò | saputo |
| tu | saprai | tu | avrai | saputo |
| egli | saprà | egli | avrà | saputo |
| noi | sapremo | noi | avremo | saputo |
| voi | saprete | voi | avrete | saputo |
| essi | sapranno | essi | avranno | saputo |

| infinito presente | infinito passato |
|---|---|
| sapere | aver saputo |

| congiuntivo presente | | congiuntivo passato | | |
|---|---|---|---|---|
| io | sappia | io | abbia | saputo |
| tu | sappia | tu | abbia | saputo |
| egli | sappia | egli | abbia | saputo |
| noi | sappiamo | noi | abbiamo | saputo |
| voi | sappiate | voi | abbiate | saputo |
| essi | sappiano | essi | abbiano | saputo |

| congiuntivo imperfetto | | congiuntivo trapassato | | |
|---|---|---|---|---|
| io | sapessi | io | avessi | saputo |
| tu | sapessi | tu | avessi | saputo |
| egli | sapesse | egli | avesse | saputo |
| noi | sapessimo | noi | avessimo | saputo |
| voi | sapeste | voi | aveste | saputo |
| essi | sapessero | essi | avessero | saputo |

| condizionale presente | | condizionale passato | | |
|---|---|---|---|---|
| io | saprei | io | avrei | saputo |
| tu | sapresti | tu | avresti | saputo |
| egli | saprebbe | egli | avrebbe | saputo |
| noi | sapremmo | noi | avremmo | saputo |
| voi | sapreste | voi | avreste | saputo |
| essi | saprebbero | essi | avrebbero | saputo |

| imperativo presente | gerundio presente |
|---|---|
| | sapendo |
| sappi (tu) | |
| sappia (Lei) | |
| sappiamo (noi) | **gerundio passato** |
| sappiate (voi) | avendo saputo |
| sappiano (Loro) | |

| participio presente | participio passato |
|---|---|
| | saputo, saputi |
| —— | saputa, sapute |

Sapere n'a pas de participe présent. La forme *sapiente* (sage, savant) est un adjectif.
Risapere se conjugue comme sapere sauf à certaines formes de l'indicatif présent où il porte un accent aux 1<sup>re</sup> et 3<sup>e</sup> personnes du singulier : *io risò, egli risà*.

scelsi, scelto

| indicativo presente | passato prossimo |
|---|---|
| io scelgo | io ho scelto |
| tu scegli | tu hai scelto |
| egli sceglie | egli ha scelto |
| noi scegliamo | noi abbiamo scelto |
| voi scegliete | voi avete scelto |
| essi scelgono | essi hanno scelto |

| indicativo imperfetto | trapassato prossimo |
|---|---|
| io sceglievo | io avevo scelto |
| tu sceglievi | tu avevi scelto |
| egli sceglieva | egli aveva scelto |
| noi sceglievamo | noi avevamo scelto |
| voi sceglievate | voi avevate scelto |
| essi sceglievano | essi avevano scelto |

| passato remoto | trapassato remoto |
|---|---|
| io scelsi | io ebbi scelto |
| tu scegliesti | tu avesti scelto |
| egli scelse | egli ebbe scelto |
| noi scegliemmo | noi avemmo scelto |
| voi sceglieste | voi aveste scelto |
| essi scelsero | essi ebbero scelto |

| futuro semplice | futuro anteriore |
|---|---|
| io sceglierò | io avrò scelto |
| tu sceglierai | tu avrai scelto |
| egli sceglierà | egli avrà scelto |
| noi sceglieremo | noi avremo scelto |
| voi sceglierete | voi avrete scelto |
| essi sceglieranno | essi avranno scelto |

| infinito presente | infinito passato |
|---|---|
| scegliere | aver scelto |

| congiuntivo presente | congiuntivo passato |
|---|---|
| io scelga | io abbia scelto |
| tu scelga | tu abbia scelto |
| egli scelga | egli abbia scelto |
| noi scegliamo | noi abbiamo scelto |
| voi scegliate | voi abbiate scelto |
| essi scelgano | essi abbiano scelto |

| congiuntivo imperfetto | congiuntivo trapassato |
|---|---|
| io scegliessi | io avessi scelto |
| tu scegliessi | tu avessi scelto |
| egli scegliesse | egli avesse scelto |
| noi scegliessimo | noi avessimo scelto |
| voi sceglieste | voi aveste scelto |
| essi scegliessero | essi avessero scelto |

| condizionale presente | condizionale passato |
|---|---|
| io sceglierei | io avrei scelto |
| tu sceglieresti | tu avresti scelto |
| egli sceglierebbe | egli avrebbe scelto |
| noi sceglieremmo | noi avremmo scelto |
| voi scegliereste | voi avreste scelto |
| essi sceglierebbero | essi avrebbero scelto |

| imperativo presente | gerundio presente |
|---|---|
| | scegliendo |
| scegli (tu) | |
| scelga (Lei) | |
| scegliamo (noi) | gerundio passato |
| scegliete (voi) | avendo scelto |
| scelgano (Loro) | |

| participio presente | participio passato |
|---|---|
| scegliente, sceglienti | scelto, scelti |
| | scelta, scelte |

| indicativo presente | passato prossimo | | congiuntivo presente | congiuntivo passato | |
|---|---|---|---|---|---|
| io scendo | io sono | sceso | io scenda | io sia | sceso |
| tu scendi | tu sei | sceso | tu scenda | tu sia | sceso |
| egli scende | egli è | sceso | egli scenda | egli sia | sceso |
| noi scendiamo | noi siamo | scesi | noi scendiamo | noi siamo | scesi |
| voi scendete | voi siete | scesi | voi scendiate | voi siate | scesi |
| essi scendono | essi sono | scesi | essi scendano | essi siano | scesi |

| indicativo imperfetto | trapassato prossimo | | congiuntivo imperfetto | congiuntivo trapassato | |
|---|---|---|---|---|---|
| io scendevo | io ero | sceso | io scendessi | io fossi | sceso |
| tu scendevi | tu eri | sceso | tu scendessi | tu fossi | sceso |
| egli scendeva | egli era | sceso | egli scendesse | egli fosse | sceso |
| noi scendevamo | noi eravamo | scesi | noi scendessimo | noi fossimo | scesi |
| voi scendevate | voi eravate | scesi | voi scendeste | voi foste | scesi |
| essi scendevano | essi erano | scesi | essi scendessero | essi fossero | scesi |

| passato remoto | trapassato remoto | | condizionale presente | condizionale passato | |
|---|---|---|---|---|---|
| io scesi | io fui | sceso | io scenderei | io sarei | sceso |
| tu scendesti | tu fosti | sceso | tu scenderesti | tu saresti | sceso |
| egli scese | egli fu | sceso | egli scenderebbe | egli sarebbe | sceso |
| noi scendemmo | noi fummo | scesi | noi scenderemmo | noi saremmo | scesi |
| voi scendeste | voi foste | scesi | voi scendereste | voi sareste | scesi |
| essi scesero | essi furono | scesi | essi scenderebbero | essi sarebbero | scesi |

| futuro semplice | futuro anteriore | | imperativo presente | gerundio presente |
|---|---|---|---|---|
| io scenderò | io sarò | sceso | | scendendo |
| tu scenderai | tu sarai | sceso | scendi (tu) | |
| egli scenderà | egli sarà | sceso | scenda (Lei) | |
| noi scenderemo | noi saremo | scesi | scendiamo (noi) | gerundio passato |
| voi scenderete | voi sarete | scesi | scendete (voi) | essendo sceso |
| essi scenderanno | essi saranno | scesi | scendano (Loro) | |

| infinito presente | infinito passato | particìpio presente | particìpio passato |
|---|---|---|---|
| scendere | essere sceso | scendente, scendenti | sceso, scesi |
| | | | scesa, scese |

Ainsi se conjuguent *vendere* et *svendere* sauf au passé simple : *io vendei/svendei, tu vendesti/svendesti, egli vendé/svendé, essi venderono/svenderono;* participe passé : *venduto/svenduto.*

# 81 SCINDERE/SÉPARER, DIVISER

| indicativo presente | | passato prossimo | | |
|---|---|---|---|---|
| io | scindo | io | ho | scisso |
| tu | scindi | tu | hai | scisso |
| egli | scinde | egli | ha | scisso |
| noi | scindiamo | noi | abbiamo | scisso |
| voi | scindete | voi | avete | scisso |
| essi | scindono | essi | hanno | scisso |

| indicativo imperfetto | | trapassato prossimo | | |
|---|---|---|---|---|
| io | scindevo | io | avevo | scisso |
| tu | scindevi | tu | avevi | scisso |
| egli | scindeva | egli | aveva | scisso |
| noi | scindevamo | noi | avevamo | scisso |
| voi | scindevate | voi | avevate | scisso |
| essi | scindevano | essi | avevano | scisso |

| passato remoto | | trapassato remoto | | |
|---|---|---|---|---|
| io | scissi | io | ebbi | scisso |
| tu | scindesti | tu | avesti | scisso |
| egli | scisse | egli | ebbe | scisso |
| noi | scindemmo | noi | avemmo | scisso |
| voi | scindeste | voi | aveste | scisso |
| essi | scissero | essi | ebbero | scisso |

| futuro semplice | | futuro anteriore | | |
|---|---|---|---|---|
| io | scinderò | io | avrò | scisso |
| tu | scinderai | tu | avrai | scisso |
| egli | scinderà | egli | avrà | scisso |
| noi | scinderemo | noi | avremo | scisso |
| voi | scinderete | voi | avrete | scisso |
| essi | scinderanno | essi | avranno | scisso |

| infinito presente | infinito passato |
|---|---|
| scindere | aver scisso |

| congiuntivo presente | | congiuntivo passato | | |
|---|---|---|---|---|
| io | scinda | io | abbia | scisso |
| tu | scinda | tu | abbia | scisso |
| egli | scinda | egli | abbia | scisso |
| noi | scindiamo | noi | abbiamo | scisso |
| voi | scindiate | voi | abbiate | scisso |
| essi | scindano | essi | abbiano | scisso |

| congiuntivo imperfetto | | congiuntivo trapassato | | |
|---|---|---|---|---|
| io | scindessi | io | avessi | scisso |
| tu | scindessi | tu | avessi | scisso |
| egli | scindesse | egli | avesse | scisso |
| noi | scindessimo | noi | avessimo | scisso |
| voi | scindeste | voi | aveste | scisso |
| essi | scindessero | essi | avessero | scisso |

| condizionale presente | | condizionale passato | | |
|---|---|---|---|---|
| io | scinderei | io | avrei | scisso |
| tu | scinderesti | tu | avresti | scisso |
| egli | scinderebbe | egli | avrebbe | scisso |
| noi | scinderemmo | noi | avremmo | scisso |
| voi | scindereste | voi | avreste | scisso |
| essi | scinderebbero | essi | avrebbero | scisso |

| imperativo presente | | gerundio presente |
|---|---|---|
| | | scindendo |
| scindi | (tu) | |
| scinda | (Lei) | |
| scindiamo | (noi) | gerundio passato |
| scindete | (voi) | avendo scisso |
| scindano | (Loro) | |

| participio presente | participio passato |
|---|---|
| scindente, scindenti | scisso, scissi |
| | scissa, scisse |

Ainsi se conjuguent discindere; prescindere sauf au passé simple : *io prescindei, egli prescindé, essi prescinderono;* rescindere, passé simple : *io rescissi, egli rescisse, essi rescissero.*

| indicativo presente | passato prossimo |
|---|---|
| io scrivo | io ho scritto |
| tu scrivi | tu hai scritto |
| egli scrive | egli ha scritto |
| noi scriviamo | noi abbiamo scritto |
| voi scrivete | voi avete scritto |
| essi scrivono | essi hanno scritto |

| indicativo imperfetto | trapassato prossimo |
|---|---|
| io scrivevo | io avevo scritto |
| tu scrivevi | tu avevi scritto |
| egli scriveva | egli aveva scritto |
| noi scrivevamo | noi avevamo scritto |
| voi scrivevate | voi avevate scritto |
| essi scrivevano | essi avevano scritto |

| passato remoto | trapassato remoto |
|---|---|
| io scrissi | io ebbi scritto |
| tu scrivesti | tu avesti scritto |
| egli scrisse | egli ebbe scritto |
| noi scrivemmo | noi avemmo scritto |
| voi scriveste | voi aveste scritto |
| essi scrissero | essi ebbero scritto |

| futuro semplice | futuro anteriore |
|---|---|
| io scriverò | io avrò scritto |
| tu scriverai | tu avrai scritto |
| egli scriverà | egli avrà scritto |
| noi scriveremo | noi avremo scritto |
| voi scriverete | voi avrete scritto |
| essi scriveranno | essi avranno scritto |

| infinito presente | infinito passato |
|---|---|
| scrivere | aver scritto |

| congiuntivo presente | congiuntivo passato |
|---|---|
| io scriva | io abbia scritto |
| tu scriva | tu abbia scritto |
| egli scriva | egli abbia scritto |
| noi scriviamo | noi abbiamo scritto |
| voi scriviate | voi abbiate scritto |
| essi scrivano | essi abbiano scritto |

| congiuntivo imperfetto | congiuntivo trapassato |
|---|---|
| io scrivessi | io avessi scritto |
| tu scrivessi | tu avessi scritto |
| egli scrivesse | egli avesse scritto |
| noi scrivessimo | noi avessimo scritto |
| voi scriveste | voi aveste scritto |
| essi scrivessero | essi avessero scritto |

| condizionale presente | condizionale passato |
|---|---|
| io scriverei | io avrei scritto |
| tu scriveresti | tu avresti scritto |
| egli scriverebbe | egli avrebbe scritto |
| noi scriveremmo | noi avremmo scritto |
| voi scrivereste | voi avreste scritto |
| essi scriverebbero | essi avrebbero scritto |

| imperativo presente | gerundio presente |
|---|---|
| | scrivendo |
| scrivi (tu) | |
| scriva (Lei) | |
| scriviamo (noi) | gerundio passato |
| scrivete (voi) | avendo scritto |
| scrivano (Loro) | |

| participio presente | participio passato |
|---|---|
| scrivente, scriventi | scritto, scritti |
| | scritta, scritte |

| indicativo presente | | passato prossimo | | |
|---|---|---|---|---|
| io | scuoto | io | ho | scosso |
| tu | scuoti | tu | hai | scosso |
| egli | scuote | egli | ha | scosso |
| noi | sc[u]otiamo | noi | abbiamo | scosso |
| voi | sc[u]otete | voi | avete | scosso |
| essi | scuotono | essi | hanno | scosso |

| indicativo imperfetto | | trapassato prossimo | | |
|---|---|---|---|---|
| io | sc[u]otevo | io | avevo | scosso |
| tu | sc[u]otevi | tu | avevi | scosso |
| egli | sc[u]oteva | egli | aveva | scosso |
| noi | sc[u]otevamo | noi | avevamo | scosso |
| voi | sc[u]otevate | voi | avevate | scosso |
| essi | sc[u]otevano | essi | avevano | scosso |

| passato remoto | | trapassato remoto | | |
|---|---|---|---|---|
| io | scossi | io | ebbi | scosso |
| tu | sc[u]otesti | tu | avesti | scosso |
| egli | scosse | egli | ebbe | scosso |
| noi | sc[u]otemmo | noi | avemmo | scosso |
| voi | sc[u]oteste | voi | aveste | scosso |
| essi | scossero | essi | ebbero | scosso |

| futuro semplice | | futuro anteriore | | |
|---|---|---|---|---|
| io | sc[u]oterò | io | avrò | scosso |
| tu | sc[u]oterai | tu | avrai | scosso |
| egli | sc[u]oterà | egli | avrà | scosso |
| noi | sc[u]oteremo | noi | avremo | scosso |
| voi | sc[u]oterete | voi | avrete | scosso |
| essi | sc[u]oteranno | essi | avranno | scosso |

| infinito presente | infinito passato |
|---|---|
| scuotere | aver scosso |

| congiuntivo presente | | congiuntivo passato | | |
|---|---|---|---|---|
| io | scuota | io | abbia | scosso |
| tu | scuota | tu | abbia | scosso |
| egli | scuota | egli | abbia | scosso |
| noi | sc[u]otiamo | noi | abbiamo | scosso |
| voi | sc[u]otiate | voi | abbiate | scosso |
| essi | scuotano | essi | abbiano | scosso |

| congiuntivo imperfetto | | congiuntivo trapassato | | |
|---|---|---|---|---|
| io | sc[u]otessi | io | avessi | scosso |
| tu | sc[u]otessi | tu | avessi | scosso |
| egli | sc[u]otesse | egli | avesse | scosso |
| noi | sc[u]otessimo | noi | avessimo | scosso |
| voi | sc[u]oteste | voi | aveste | scosso |
| essi | sc[u]otessero | essi | avessero | scosso |

| condizionale presente | | condizionale passato | | |
|---|---|---|---|---|
| io | sc[u]oterei | io | avrei | scosso |
| tu | sc[u]oteresti | tu | avresti | scosso |
| egli | sc[u]oterebbe | egli | avrebbe | scosso |
| noi | sc[u]oteremmo | noi | avremmo | scosso |
| voi | sc[u]otereste | voi | avreste | scosso |
| essi | sc[u]oterebbero | essi | avrebbero | scosso |

| imperativo presente | | gerundio presente |
|---|---|---|
| | | sc[u]otendo |
| scuoti | (tu) | |
| scuota | (Lei) | |
| sc[u]otiamo | (noi) | **gerundio passato** |
| sc[u]otete | (voi) | avendo scosso |
| scuotano | (Loro) | |

| participio presente | participio passato |
|---|---|
| sc[u]otente, | scosso, scossi |
| | scossa, scosse |

Dans l'usage courant la forme avec **[u]** s'est imposée : *noi scuotiamo* au lieu de *scotiamo*.
(Voir Grammaire pages 29-30).

| indicativo presente | | passato prossimo | | |
|---|---|---|---|---|
| io | siedo, seggo[1] | io | sono | seduto |
| tu | siedi | tu | sei | seduto |
| egli | siede | egli | è | seduto |
| noi | sediamo | noi | siamo | seduti |
| voi | sedete | voi | siete | seduti |
| essi | siedono, seggono[1] | essi | sono | seduti |

| congiuntivo presente | | congiuntivo passato | | |
|---|---|---|---|---|
| io | sieda, segga[1] | io | sia | seduto |
| tu | sieda, segga | tu | sia | seduto |
| egli | sieda, segga | egli | sia | seduto |
| noi | sediamo | noi | siamo | seduti |
| voi | sediate | voi | siate | seduti |
| essi | siedano, seggano[1] | essi | siano | seduti |

| indicativo imperfetto | | trapassato prossimo | | |
|---|---|---|---|---|
| io | sedevo | io | ero | seduto |
| tu | sedevi | tu | eri | seduto |
| egli | sedeva | egli | era | seduto |
| noi | sedevamo | noi | eravamo | seduti |
| voi | sedevate | voi | eravate | seduti |
| essi | sedevano | essi | erano | seduti |

| congiuntivo imperfetto | | congiuntivo trapassato | | |
|---|---|---|---|---|
| io | sedessi | io | fossi | seduto |
| tu | sedessi | tu | fossi | seduto |
| egli | sedesse | egli | fosse | seduto |
| noi | sedessimo | noi | fossimo | seduti |
| voi | sedeste | voi | foste | seduti |
| essi | sedessero | essi | fossero | seduti |

| passato remoto | | trapassato remoto | | |
|---|---|---|---|---|
| io | sedei, sedetti | io | fui | seduto |
| tu | sedesti | tu | fosti | seduto |
| egli | sedé, sedette | egli | fu | seduto |
| noi | sedemmo | noi | fummo | seduti |
| voi | sedeste | voi | foste | seduti |
| essi | sederono, sedettero | essi | furono | seduti |

| condizionale presente | | condizionale passato | | |
|---|---|---|---|---|
| io | sederei | io | sarei | seduto |
| tu | sederesti | tu | saresti | seduto |
| egli | sederebbe | egli | sarebbe | seduto |
| noi | sederemmo | noi | saremmo | seduti |
| voi | sedereste | voi | sareste | seduti |
| essi | sederebbero | essi | sarebbero | seduti |

| futuro semplice | | futuro anteriore | | |
|---|---|---|---|---|
| io | sederò | io | sarò | seduto |
| tu | sederai | tu | sarai | seduto |
| egli | sederà | egli | sarà | seduto |
| noi | sederemo | noi | saremo | seduti |
| voi | sederete | voi | sarete | seduti |
| essi | sederanno | essi | saranno | seduti |

| imperativo presente | gerundio presente |
|---|---|
| | sedendo |
| siedi (tu) | |
| sieda, segga[1] (Lei) | |
| sediamo (noi) | **gerundio passato** |
| sedete (voi) | essendo seduto |
| siedano, seggano[1] (Loro) | |

| infinito presente | infinito passato |
|---|---|
| sedere | essere seduto |

| participio presente | participio passato |
|---|---|
| sedente, sedenti | seduto, seduti |
| | seduta, sedute |

Ainsi se conjuguent possedere et risedere mais ils gardent la diphtongue -ie- au futur : *io possiederò/risiederò* et au conditionnel présent : *io possiederei/risiederei*.
Risiedere et presiedere ont la diphtongue -ie- à toutes les formes : *risiedo..., risiedevo..., risiedei..., risiederò...* (Voir Grammaire pages 29-30).

■ 1) Formes littéraires.

| indicativo presente | passato prossimo | | congiuntivo presente | congiuntivo passato |
|---|---|---|---|---|
| io spargo | io ho sparso | | io sparga | io abbia sparso |
| tu spargi | tu hai sparso | | tu sparga | tu abbia sparso |
| egli sparge | egli ha sparso | | egli sparga | egli abbia sparso |
| noi spargiamo | noi abbiamo sparso | | noi spargiamo | noi abbiamo sparso |
| voi spargete | voi avete sparso | | voi spargiate | voi abbiate sparso |
| essi spargono | essi hanno sparso | | essi spargano | essi abbiano sparso |

| indicativo imperfetto | trapassato prossimo | | congiuntivo imperfetto | congiuntivo trapassato |
|---|---|---|---|---|
| io spargevo | io avevo sparso | | io spargessi | io avessi sparso |
| tu spargevi | tu avevi sparso | | tu spargessi | tu avessi sparso |
| egli spargeva | egli aveva sparso | | egli spargesse | egli avesse sparso |
| noi spargevamo | noi avevamo sparso | | noi spargessimo | noi avessimo sparso |
| voi spargevate | voi avevate sparso | | voi spargeste | voi aveste sparso |
| essi spargevano | essi avevano sparso | | essi spargessero | essi avessero sparso |

| passato remoto | trapassato remoto | | condizionale presente | condizionale passato |
|---|---|---|---|---|
| io sparsi | io ebbi sparso | | io spargerei | io avrei sparso |
| tu spargesti | tu avesti sparso | | tu spargeresti | tu avresti sparso |
| egli sparse | egli ebbe sparso | | egli spargerebbe | egli avrebbe sparso |
| noi spargemmo | noi avemmo sparso | | noi spargeremmo | noi avremmo sparso |
| voi spargeste | voi aveste sparso | | voi spargereste | voi avreste sparso |
| essi sparsero | essi ebbero sparso | | essi spargerebbero | essi avrebbero sparso |

| futuro semplice | futuro anteriore | | imperativo presente | gerundio presente |
|---|---|---|---|---|
| io spargerò | io avrò sparso | | | spargendo |
| tu spargerai | tu avrai sparso | | spargi (tu) | |
| egli spargerà | egli avrà sparso | | sparga (Lei) | gerundio passato |
| noi spargeremo | noi avremo sparso | | spargiamo (noi) | avendo sparso |
| voi spargerete | voi avrete sparso | | spargete (voi) | |
| essi spargeranno | essi avranno sparso | | spargano (Loro) | |

| infinito presente | infinito passato | | participio presente | participio passato |
|---|---|---|---|---|
| spargere | aver sparso | | spargente, spargenti | sparso, sparsi sparsa, sparse |

| indicativo presente | | passato prossimo | | |
|---|---|---|---|---|
| io | spengo | io | ho | spento |
| tu | spegni | tu | hai | spento |
| egli | spegne | egli | ha | spento |
| noi | spegniamo | noi | abbiamo | spento |
| voi | spegnete | voi | avete | spento |
| essi | spengono | essi | hanno | spento |

| indicativo imperfetto | | trapassato prossimo | | |
|---|---|---|---|---|
| io | spegnevo | io | avevo | spento |
| tu | spegnevi | tu | avevi | spento |
| egli | spegneva | egli | aveva | spento |
| noi | spegnevamo | noi | avevamo | spento |
| voi | spegnevate | voi | avevate | spento |
| essi | spegnevano | essi | avevano | spento |

| passato remoto | | trapassato remoto | | |
|---|---|---|---|---|
| io | spensi | io | ebbi | spento |
| tu | spegnesti | tu | avesti | spento |
| egli | spense | egli | ebbe | spento |
| noi | spegnemmo | noi | avemmo | spento |
| voi | spegneste | voi | aveste | spento |
| essi | spensero | essi | ebbero | spento |

| futuro semplice | | futuro anteriore | | |
|---|---|---|---|---|
| io | spegnerò | io | avrò | spento |
| tu | spegnerai | tu | avrai | spento |
| egli | spegnerà | egli | avrà | spento |
| noi | spegneremo | noi | avremo | spento |
| voi | spegnerete | voi | avrete | spento |
| essi | spegneranno | essi | avranno | spento |

| infinito presente | infinito passato |
|---|---|
| spegnere | aver spento |

| congiuntivo presente | | congiuntivo passato | | |
|---|---|---|---|---|
| io | spenga | io | abbia | spento |
| tu | spenga | tu | abbia | spento |
| egli | spenga | egli | abbia | spento |
| noi | spegniamo | noi | abbiamo | spento |
| voi | spegniate | voi | abbiate | spento |
| essi | spengano | essi | abbiano | spento |

| congiuntivo imperfetto | | congiuntivo trapassato | | |
|---|---|---|---|---|
| io | spegnessi | io | avessi | spento |
| tu | spegnessi | tu | avessi | spento |
| egli | spegnesse | egli | avesse | spento |
| noi | spegnessimo | noi | avessimo | spento |
| voi | spegneste | voi | aveste | spento |
| essi | spegnessero | essi | avessero | spento |

| condizionale presente | | condizionale passato | | |
|---|---|---|---|---|
| io | spegnerei | io | avrei | spento |
| tu | spegneresti | tu | avresti | spento |
| egli | spegnerebbe | egli | avrebbe | spento |
| noi | spegneremmo | noi | avremmo | spento |
| voi | spegnereste | voi | avreste | spento |
| essi | spegnerebbero | essi | avrebbero | spento |

| imperativo presente | | gerundio presente |
|---|---|---|
| | | spengendo |
| spegni | (tu) | |
| spenga | (Lei) | |
| spegniamo | (noi) | gerundio passato |
| spegnete | (voi) | avendo spento |
| spengano | (Loro) | |

| participio presente | participio passato |
|---|---|
| spegnente, spegnenti | spento, spenti |
| | spenta, spente |

■ Ainsi se conjugue spengere (tosc. ou litt.) qui a la même signification que spegnere.

**STRINGERE**/SERRER, ÉTREINDRE

| indicativo presente | passato prossimo | |
|---|---|---|
| io stringo | io ho | stretto |
| tu stringi | tu hai | stretto |
| egli stringe | egli ha | stretto |
| noi stringiamo | noi abbiamo | stretto |
| voi stringete | voi avete | stretto |
| essi stringono | essi hanno | stretto |

| indicativo imperfetto | trapassato prossimo | |
|---|---|---|
| io stringevo | io avevo | stretto |
| tu stringevi | tu avevi | stretto |
| egli stringeva | egli aveva | stretto |
| noi stringevamo | noi avevamo | stretto |
| voi stringevate | voi avevate | stretto |
| essi stringevano | essi avevano | stretto |

| passato remoto | trapassato remoto | |
|---|---|---|
| io strinsi | io ebbi | stretto |
| tu stringesti | tu avesti | stretto |
| egli strinse | egli ebbe | stretto |
| noi stringemmo | noi avemmo | stretto |
| voi stringeste | voi aveste | stretto |
| essi strinsero | essi ebbero | stretto |

| futuro semplice | futuro anteriore | |
|---|---|---|
| io stringerò | io avrò | stretto |
| tu stringerai | tu avrai | stretto |
| egli stringerà | egli avrà | stretto |
| noi stringeremo | noi avremo | stretto |
| voi stringerete | voi avrete | stretto |
| essi stringeranno | essi avranno | stretto |

| infinito presente | infinito passato |
|---|---|
| stringere | aver stretto |

| congiuntivo presente | congiuntivo passato | |
|---|---|---|
| io stringa | io abbia | stretto |
| tu stringa | tu abbia | stretto |
| egli stringa | egli abbia | stretto |
| noi stringiamo | noi abbiamo | stretto |
| voi stringiate | voi abbiate | stretto |
| essi stringano | essi abbiano | stretto |

| congiuntivo imperfetto | congiuntivo trapassato | |
|---|---|---|
| io stringessi | io avessi | stretto |
| tu stringessi | tu avessi | stretto |
| egli stringesse | egli avesse | stretto |
| noi stringessimo | noi avessimo | stretto |
| voi stringeste | voi aveste | stretto |
| essi stringessero | essi avessero | stretto |

| condizionale presente | condizionale passato | |
|---|---|---|
| io stringerei | io avrei | stretto |
| tu stringeresti | tu avresti | stretto |
| egli stringerebbe | egli avrebbe | stretto |
| noi stringeremmo | noi avremmo | stretto |
| voi stringereste | voi avreste | stretto |
| essi stringerebbero | essi avrebbero | stretto |

| imperativo presente | gerundio presente |
|---|---|
| | stringendo |

| | gerundio passato |
|---|---|
| stringi (tu) | |
| stringa (Lei) | |
| stringiamo (noi) | avendo stretto |
| stringete (voi) | |
| stringano (Loro) | |

| participio presente | participio passato |
|---|---|
| stringente, stringenti | stretto, stretti |
| | stretta, strette |

| indicativo presente | passato prossimo | | congiuntivo presente | congiuntivo passato | |
|---|---|---|---|---|---|
| io svello | io ho svelto | | io svella | io abbia svelto | |
| tu svelli | tu hai svelto | | tu svella | tu abbia svelto | |
| egli svelle | egli ha svelto | | egli svella | egli abbia svelto | |
| noi svelliamo | noi abbiamo svelto | | noi svelliamo | noi abbiamo svelto | |
| voi svellete | voi avete svelto | | voi svelliate | voi abbiate svelto | |
| essi svellono | essi hanno svelto | | essi svellano | essi abbiano svelto | |

| indicativo imperfetto | trapassato prossimo | | congiuntivo imperfetto | congiuntivo trapassato | |
|---|---|---|---|---|---|
| io svellevo | io avevo svelto | | io svellessi | io avessi svelto | |
| tu svellevi | tu avevi svelto | | tu svellessi | tu avessi svelto | |
| egli svelleva | egli aveva svelto | | egli svellesse | egli avesse svelto | |
| noi svellevamo | noi avevamo svelto | | noi svellessimo | noi avessimo svelto | |
| voi svellevate | voi avevate svelto | | voi svelleste | voi aveste svelto | |
| essi svellevano | essi avevano svelto | | essi svellessero | essi avessero svelto | |

| passato remoto | trapassato remoto | | condizionale presente | condizionale passato | |
|---|---|---|---|---|---|
| io svelsi | io ebbi svelto | | io svellerei | io avrei svelto | |
| tu svellesti | tu avesti svelto | | tu svelleresti | tu avresti svelto | |
| egli svelse | egli ebbe svelto | | egli svellerebbe | egli avrebbe svelto | |
| noi svellemmo | noi avemmo svelto | | noi svelleremmo | noi avremmo svelto | |
| voi svelleste | voi aveste svelto | | voi svellereste | voi avreste svelto | |
| essi svelsero | essi ebbero svelto | | essi svellerebbero | essi avrebbero svelto | |

| futuro semplice | futuro anteriore | | imperativo presente | gerundio presente |
|---|---|---|---|---|
| io svellerò | io avrò svelto | | | svellendo |
| tu svellerai | tu avrai svelto | | svelli (tu) | |
| egli svellerà | egli avrà svelto | | svella (Lei) | |
| noi svelleremo | noi avremo svelto | | svelliamo (noi) | gerundio passato |
| voi svellerete | voi avrete svelto | | svellete (voi) | |
| essi svelleranno | essi avranno svelto | | svellano (Loro) | avendo svelto |

| infinito presente | infinito passato | | participio presente | participio passato |
|---|---|---|---|---|
| svellere | aver svelto | | svellente, svellenti | svelto, svelti svelta, svelte |

Ainsi se conjuguent revellere sauf au passé simple : *io revulsi, tu revellesti, egli revulse, noi revellemmo, voi revelleste, essi revulsero* et au participe passé *revulso;* eccellere participe passé rare : *eccelso.*

| indicativo presente | passato prossimo |
|---|---|
| io tengo | io ho tenuto |
| tu tieni | tu hai tenuto |
| egli tiene | egli ha tenuto |
| noi teniamo | noi abbiamo tenuto |
| voi tenete | voi avete tenuto |
| essi tengono | essi hanno tenuto |

| indicativo imperfetto | trapassato prossimo |
|---|---|
| io tenevo | io avevo tenuto |
| tu tenevi | tu avevi tenuto |
| egli teneva | egli aveva tenuto |
| noi tenevamo | noi avevamo tenuto |
| voi tenevate | voi avevate tenuto |
| essi tenevano | essi avevano tenuto |

| passato remoto | trapassato remoto |
|---|---|
| io tenni, tenei | io ebbi tenuto |
| tu tenesti | tu avesti tenuto |
| egli tenne, tené | egli ebbe tenuto |
| noi tenemmo | noi avemmo tenuto |
| voi teneste | voi aveste tenuto |
| essi tennero, tenerono | essi ebbero tenuto |

| futuro semplice | futuro anteriore |
|---|---|
| io terrò | io avrò tenuto |
| tu terrai | tu avrai tenuto |
| egli terrà | egli avrà tenuto |
| noi terremo | noi avremo tenuto |
| voi terrete | voi avrete tenuto |
| essi terranno | essi avranno tenuto |

| infinito presente | infinito passato |
|---|---|
| tenere | aver tenuto |

| congiuntivo presente | congiuntivo passato |
|---|---|
| io tenga | io abbia tenuto |
| tu tenga | tu abbia tenuto |
| egli tenga | egli abbia tenuto |
| noi teniamo | noi abbiamo tenuto |
| voi teniate | voi abbiate tenuto |
| essi tengano | essi abbiano tenuto |

| congiuntivo imperfetto | congiuntivo trapassato |
|---|---|
| io tenessi | io avessi tenuto |
| tu tenessi | tu avessi tenuto |
| egli tenesse | egli avesse tenuto |
| noi tenessimo | noi avessimo tenuto |
| voi teneste | voi aveste tenuto |
| essi tenessero | essi avessero tenuto |

| condizionale presente | condizionale passato |
|---|---|
| io terrei | io avrei tenuto |
| tu terresti | tu avresti tenuto |
| egli terrebbe | egli avrebbe tenuto |
| noi terremmo | noi avremmo tenuto |
| voi terreste | voi avreste tenuto |
| essi terrebbero | essi avrebbero tenuto |

| imperativo presente | gerundio presente |
|---|---|
| | tenendo |
| tieni (tu) | |
| tenga (Lei) | |
| teniamo (noi) | gerundio passato |
| tenete (voi) | avendo tenuto |
| tengano (Loro) | |

| participio presente | participio passato |
|---|---|
| tenente, tenenti | tenuto, tenuti |
| | tenuta, tenute |

■ Autres formes moins employées du passé simple : *io tenetti/egli tenette/essi tenettero.*

| indicativo presente | passato prossimo | | congiuntivo presente | congiuntivo passato | |
|---|---|---|---|---|---|
| io torco | io ho torto | | io torca | io abbia torto | |
| tu torci | tu hai torto | | tu torca | tu abbia torto | |
| egli torce | egli ha torto | | egli torca | egli abbia torto | |
| noi torciamo | noi abbiamo torto | | noi torciamo | noi abbiamo torto | |
| voi torcete | voi avete torto | | voi torciate | voi abbiate torto | |
| essi torcono | essi hanno torto | | essi torcano | essi abbiano torto | |

| indicativo imperfetto | trapassato prossimo | | congiuntivo imperfetto | congiuntivo trapassato | |
|---|---|---|---|---|---|
| io torcevo | io avevo torto | | io torcessi | io avessi torto | |
| tu torcevi | tu avevi torto | | tu torcessi | tu avessi torto | |
| egli torceva | egli aveva torto | | egli torcesse | egli avesse torto | |
| noi torcevamo | noi avevamo torto | | noi torcessimo | noi avessimo torto | |
| voi torcevate | voi avevate torto | | voi torceste | voi aveste torto | |
| essi torcevano | essi avevano torto | | essi torcessero | essi avessero torto | |

| passato remoto | trapassato remoto | | condizionale presente | condizionale passato | |
|---|---|---|---|---|---|
| io torsi | io ebbi torto | | io torcerei | io avrei torto | |
| tu torcesti | tu avesti torto | | tu torceresti | tu avresti torto | |
| egli torse | egli ebbe torto | | egli torcerebbe | egli avrebbe torto | |
| noi torcemmo | noi avemmo torto | | noi torceremmo | noi avremmo torto | |
| voi torceste | voi aveste torto | | voi torcereste | voi avreste torto | |
| essi torsero | essi ebbero torto | | essi torcerebbero | essi avrebbero torto | |

| futuro semplice | futuro anteriore | | imperativo presente | gerundio presente |
|---|---|---|---|---|
| io torcerò | io avrò torto | | | torcendo |
| tu torcerai | tu avrai torto | | torci (tu) | |
| egli torcerà | egli avrà torto | | torca (Lei) | |
| noi torceremo | noi avremo torto | | torciamo (noi) | gerundio passato |
| voi torcerete | voi avrete torto | | torcete (voi) | |
| essi torceranno | essi avranno torto | | torcano (Loro) | avendo torto |

| infinito presente | infinito passato | | participio presente | participio passato |
|---|---|---|---|---|
| torcere | aver torto | | torcente, torcenti | torto, torti |
| | | | | torta, torte |

| indicativo presente | | passato prossimo | | |
|---|---|---|---|---|
| io | traggo | io | ho | tratto |
| tu | trai | tu | hai | tratto |
| egli | trae | egli | ha | tratto |
| noi | traiamo | noi | abbiamo | tratto |
| voi | traete | voi | avete | tratto |
| essi | traggono | essi | hanno | tratto |

| indicativo imperfetto | | trapassato prossimo | | |
|---|---|---|---|---|
| io | traevo | io | avevo | tratto |
| tu | traevi | tu | avevi | tratto |
| egli | traeva | egli | aveva | tratto |
| noi | traevamo | noi | avevamo | tratto |
| voi | traevate | voi | avevate | tratto |
| essi | traevano | essi | avevano | tratto |

| passato remoto | | trapassato remoto | | |
|---|---|---|---|---|
| io | trassi | io | ebbi | tratto |
| tu | traesti | tu | avesti | tratto |
| egli | trasse | egli | ebbe | tratto |
| noi | traemmo | noi | avemmo | tratto |
| voi | traeste | voi | aveste | tratto |
| essi | trassero | essi | ebbero | tratto |

| futuro semplice | | futuro anteriore | | |
|---|---|---|---|---|
| io | trarrò | io | avrò | tratto |
| tu | trarrai | tu | avrai | tratto |
| egli | trarrà | egli | avrà | tratto |
| noi | trarremo | noi | avremo | tratto |
| voi | trarrete | voi | avrete | tratto |
| essi | trarranno | essi | avranno | tratto |

| infinito presente | infinito passato |
|---|---|
| trarre | aver tratto |

| congiuntivo presente | | congiuntivo passato | | |
|---|---|---|---|---|
| io | tragga | io | abbia | tratto |
| tu | tragga | tu | abbia | tratto |
| egli | tragga | egli | abbia | tratto |
| noi | traiamo | noi | abbiamo | tratto |
| voi | traiate | voi | abbiate | tratto |
| essi | traggano | essi | abbiano | tratto |

| congiuntivo imperfetto | | congiuntivo trapassato | | |
|---|---|---|---|---|
| io | traessi | io | avessi | tratto |
| tu | traessi | tu | avessi | tratto |
| egli | traesse | egli | avesse | tratto |
| noi | traessimo | noi | avessimo | tratto |
| voi | traeste | voi | aveste | tratto |
| essi | traessero | essi | avessero | tratto |

| condizionale presente | | condizionale passato | | |
|---|---|---|---|---|
| io | trarrei | io | avrei | tratto |
| tu | trarresti | tu | avresti | tratto |
| egli | trarrebbe | egli | avrebbe | tratto |
| noi | trarremmo | noi | avremmo | tratto |
| voi | trarreste | voi | avreste | tratto |
| essi | trarrebbero | essi | avrebbero | tratto |

| imperativo presente | | gerundio presente |
|---|---|---|
| | | traendo |
| trai | (tu) | |
| tragga | (Lei) | |
| traiamo | (noi) | gerundio passato |
| traete | (voi) | avendo tratto |
| traggano | (Loro) | |

| participio presente | participio passato |
|---|---|
| traente, traenti | tratto, tratti |
| | tratta, tratte |

Ainsi se conjuguent attrarre, astrarre, contrarre, detrarre, distrarre, estrarre, protrarre, rattrarre, ritrarre, sottrarre, traggere (forme archaïque de trarre).

| indicativo presente | passato prossimo | | congiuntivo presente | congiuntivo passato | |
|---|---|---|---|---|---|
| io valgo | io ho | valso | io valga | io abbia | valso |
| tu vali | tu hai | valso | tu valga | tu abbia | valso |
| egli vale | egli ha | valso | egli valga | egli abbia | valso |
| noi valiamo | noi abbiamo | valso | noi valiamo | noi abbiamo | valso |
| voi valete | voi avete | valso | voi valiate | voi abbiate | valso |
| essi valgono | essi hanno | valso | essi valgano | essi abbiano | valso |

| indicativo imperfetto | trapassato prossimo | | congiuntivo imperfetto | congiuntivo trapassato | |
|---|---|---|---|---|---|
| io valevo | io avevo | valso | io valessi | io avessi | valso |
| tu valevi | tu avevi | valso | tu valessi | tu avessi | valso |
| egli valeva | egli aveva | valso | egli valesse | egli avesse | valso |
| noi valevamo | noi avevamo | valso | noi valessimo | noi avessimo | valso |
| voi valevate | voi avevate | valso | voi valeste | voi aveste | valso |
| essi valevano | essi avevano | valso | essi valessero | essi avessero | valso |

| passato remoto | trapassato remoto | | condizionale presente | condizionale passato | |
|---|---|---|---|---|---|
| io valsi | io ebbi | valso | io varrei | io avrei | valso |
| tu valesti | tu avesti | valso | tu varresti | tu avresti | valso |
| egli valse | egli ebbe | valso | egli varrebbe | egli avrebbe | valso |
| noi valemmo | noi avemmo | valso | noi varremmo | noi avremmo | valso |
| voi valeste | voi aveste | valso | voi varreste | voi avreste | valso |
| essi valsero | essi ebbero | valso | essi varrebbero | essi avrebbero | valso |

| futuro semplice | futuro anteriore | | imperativo presente | gerundio presente | |
|---|---|---|---|---|---|
| io varrò | io avrò | valso | | valendo | |
| tu varrai | tu avrai | valso | vali (tu) | | |
| egli varrà | egli avrà | valso | valga (Lei) | | |
| noi varremo | noi avremo | valso | valiamo (noi) | gerundio passato | |
| voi varrete | voi avrete | valso | valete (voi) | avendo valso | |
| essi varranno | essi avranno | valso | valgano (Loro) | | |

| infinito presente | infinito passato | congiuntivo presente | participio presente | participio passato |
|---|---|---|---|---|
| valere | aver valso | | valente, valenti | valso, valsi |
| | | | | valsa, valse |

Ainsi se conjugue calere (avoir à cœur) à la 3e personne du singulier : *cale, caleva, calse, caglia, calesse, carrebbe, calendo, caluto.* Il est employé uniquement à la forme négative : *non mi cale.*

| indicativo presente | | passato prossimo | | |
|---|---|---|---|---|
| io | vedo[1] | io | ho | visto |
| tu | vedi | tu | hai | visto |
| egli | vede | egli | ha | visto |
| noi | vediamo | noi | abbiamo | visto |
| voi | vedete | voi | avete | visto |
| essi | vedono[1] | essi | hanno | visto |

| congiuntivo presente | | congiuntivo passato | | |
|---|---|---|---|---|
| io | veda[1] | io | abbia | visto |
| tu | veda | tu | abbia | visto |
| egli | veda | egli | abbia | visto |
| noi | vediamo | noi | abbiamo | visto |
| voi | vediate | voi | abbiate | visto |
| essi | vedano[1] | essi | abbiano | visto |

| indicativo imperfetto | | trapassato prossimo | | |
|---|---|---|---|---|
| io | vedevo | io | avevo | visto |
| tu | vedevi | tu | avevi | visto |
| egli | vedeva | egli | aveva | visto |
| noi | vedevamo | noi | avevamo | visto |
| voi | vedevate | voi | avevate | visto |
| essi | vedevano | essi | avevano | visto |

| congiuntivo imperfetto | | congiuntivo trapassato | | |
|---|---|---|---|---|
| io | vedessi | io | avessi | visto |
| tu | vedessi | tu | avessi | visto |
| egli | vedesse | egli | avesse | visto |
| noi | vedessimo | noi | avessimo | visto |
| voi | vedeste | voi | aveste | visto |
| essi | vedessero | essi | avessero | visto |

| passato remoto | | trapassato remoto | | |
|---|---|---|---|---|
| io | vidi | io | ebbi | visto |
| tu | vedesti | tu | avesti | visto |
| egli | vide | egli | ebbe | visto |
| noi | vedemmo | noi | avemmo | visto |
| voi | vedeste | voi | aveste | visto |
| essi | videro | essi | ebbero | visto |

| condizionale presente | | condizionale passato | | |
|---|---|---|---|---|
| io | vedrei | io | avrei | visto |
| tu | vedresti | tu | avresti | visto |
| egli | vedrebbe | egli | avrebbe | visto |
| noi | vedremmo | noi | avremmo | visto |
| voi | vedreste | voi | avreste | visto |
| essi | vedrebbero | essi | avrebbero | visto |

| futuro semplice | | futuro anteriore | | |
|---|---|---|---|---|
| io | vedrò | io | avrò | visto |
| tu | vedrai | tu | avrai | visto |
| egli | vedrà | egli | avrà | visto |
| noi | vedremo | noi | avremo | visto |
| voi | vedrete | voi | avrete | visto |
| essi | vedranno | essi | avranno | visto |

| imperativo presente | | gerundio presente |
|---|---|---|
| | | vedendo |
| vedi | (tu) | |
| veda | (Lei) | |
| vediamo | (noi) | gerundio passato |
| vedete | (voi) | avendo visto |
| vedano | (Loro) | |

| infinito presente | infinito passato |
|---|---|
| vedere | aver visto |

| participio presente | participio passato |
|---|---|
| vedente, vedenti | visto, visti |
| veggente, veggenti[2] | vista, viste |
| | veduto, veduti |
| | veduta, vedute |

Se conjuguent sur le même modèle prevedere, provvedere, ravvedersi sauf au futur : *io prevederò...* et au conditionnel présent : *io prevederei...;* godere sauf aux formes suivantes du passé simple : *io godei, egli godé, essi goderono;* participe passé : *goduto;* participe présent : *gaudente.*

1) Autres formes plus littéraires et poétiques : *veggo/veggono; vegga/veggano.*
2) Autre forme rare du participe présent employée comme adjectif et nom : devin, voyant.

| indicativo presente | passato prossimo | | congiuntivo presente | congiuntivo passato | |
|---|---|---|---|---|---|
| io vinco | io sono | vinto | io vinca | io sia | vinto |
| tu vinci | tu sei | vinto | tu vinca | tu sia | vinto |
| egli vince | egli è | vinto | egli vinca | egli sia | vinto |
| noi vinciamo | noi siamo | vinti | noi vinciamo | noi siamo | vinti |
| voi vincete | voi siete | vinti | voi vinciate | voi siate | vinti |
| essi vincono | essi sono | vinti | essi vincano | essi siano | vinti |

| indicativo imperfetto | trapassato prossimo | | congiuntivo imperfetto | congiuntivo trapassato | |
|---|---|---|---|---|---|
| io vincevo | io ero | vinto | io vincessi | io fossi | vinto |
| tu vincevi | tu eri | vinto | tu vincessi | tu fossi | vinto |
| egli vinceva | egli era | vinto | egli vincesse | egli fosse | vinto |
| noi vincevamo | noi eravamo | vinti | noi vincessimo | noi fossimo | vinti |
| voi vincevate | voi eravate | vinti | voi vinceste | voi foste | vinti |
| essi vincevano | essi erano | vinti | essi vincessero | essi fossero | vinti |

| passato remoto | trapassato remoto | | condizionale presente | condizionale passato | |
|---|---|---|---|---|---|
| io vinsi | io fui | vinto | io vincerei | io sarei | vinto |
| tu vincesti | tu fosti | vinto | tu vinceresti | tu saresti | vinto |
| egli vinse | egli fu | vinto | egli vincerebbe | egli sarebbe | vinto |
| noi vincemmo | noi fummo | vinti | noi vinceremmo | noi saremmo | vinti |
| voi vinceste | voi foste | vinti | voi vincereste | voi sareste | vinti |
| essi vinsero | essi furono | vinti | essi vincerebbero | essi sarebbero | vinti |

| futuro semplice | futuro anteriore | | imperativo presente | gerundio presente |
|---|---|---|---|---|
| io vincerò | io sarò | vinto | | vincendo |
| tu vincerai | tu sarai | vinto | vinci (tu) | |
| egli vincerà | egli sarà | vinto | vinca (Lei) | |
| noi vinceremo | noi saremo | vinti | vinciamo (noi) | gerundio passato |
| voi vincerete | voi sarete | vinti | vincete (voi) | essendo vinto |
| essi vinceranno | essi saranno | vinti | vincano (Loro) | |

| infinito presente | infinito passato | participio presente | participio passato |
|---|---|---|---|
| vincere | essere vinto | vincente, vincenti | vinto, vinti |
| | | | vinta, vinte |

| indicativo presente | passato prossimo | | congiuntivo presente | congiuntivo passato | |
|---|---|---|---|---|---|
| io vivo | io ho | vissuto | io viva | io abbia | vissuto |
| tu vivi | tu hai | vissuto | tu viva | tu abbia | vissuto |
| egli vive | egli ha | vissuto | egli viva | egli abbia | vissuto |
| noi viviamo | noi abbiamo | vissuto | noi viviamo | noi abbiamo | vissuto |
| voi vivete | voi avete | vissuto | voi viviate | voi abbiate | vissuto |
| essi vivono | essi hanno | vissuto | essi vivano | essi abbiano | vissuto |

| indicativo imperfetto | trapassato prossimo | | congiuntivo imperfetto | congiuntivo trapassato | |
|---|---|---|---|---|---|
| io vivevo | io avevo | vissuto | io vivessi | io avessi | vissuto |
| tu vivevi | tu avevi | vissuto | tu vivessi | tu avessi | vissuto |
| egli viveva | egli aveva | vissuto | egli vivesse | egli avesse | vissuto |
| noi vivevamo | noi avevamo | vissuto | noi vivessimo | noi avessimo | vissuto |
| voi vivevate | voi avevate | vissuto | voi viveste | voi aveste | vissuto |
| essi vivevano | essi avevano | vissuto | essi vivessero | essi avessero | vissuto |

| passato remoto | trapassato remoto | | condizionale presente | condizionale passato | |
|---|---|---|---|---|---|
| io vissi | io ebbi | vissuto | io vivrei | io avrei | vissuto |
| tu vivesti | tu avesti | vissuto | tu vivresti | tu avresti | vissuto |
| egli visse | egli ebbe | vissuto | egli vivrebbe | egli avrebbe | vissuto |
| noi vivemmo | noi avemmo | vissuto | noi vivremmo | noi avremmo | vissuto |
| voi viveste | voi aveste | vissuto | voi vivreste | voi avreste | vissuto |
| essi vissero | essi ebbero | vissuto | essi vivrebbero | essi avrebbero | vissuto |

| futuro semplice | futuro anteriore | | imperativo presente | gerundio presente | |
|---|---|---|---|---|---|
| io vivrò | io avrò | vissuto | | vivendo | |
| tu vivrai | tu avrai | vissuto | vivi (tu) | | |
| egli vivrà | egli avrà | vissuto | viva (Lei) | | |
| noi vivremo | noi avremo | vissuto | viviamo (noi) | gerundio passato | |
| voi vivrete | voi avrete | vissuto | vivete (voi) | | |
| essi vivranno | essi avranno | vissuto | vivano (Loro) | avendo vissuto | |

| infinito presente | infinito passato | congiuntivo presente | participio presente | participio passato |
|---|---|---|---|---|
| vivere | aver vissuto | | vivente, viventi | vissuto, vissuti |
| | | | | vissuta, vissute |

Ainsi se conjuguent conviere, rivivere, sopravvivere qui peuvent avoir une deuxième forme non contractée au futur : *io conviverò...* et au conditionnel présent : *io conviverei...*

| indicativo presente | | | passato prossimo | | | congiuntivo presente | | | congiuntivo passato | | |
|---|---|---|---|---|---|---|---|---|---|---|---|
| io | voglio | | io | ho | voluto | io | voglia | | io | abbia | voluto |
| tu | vuoi | | tu | hai | voluto | tu | voglia | | tu | abbia | voluto |
| egli | vuole | | egli | ha | voluto | egli | voglia | | egli | abbia | voluto |
| noi | vogliamo | | noi | abbiamo | voluto | noi | vogliamo | | noi | abbiamo | voluto |
| voi | volete | | voi | avete | voluto | voi | vogliate | | voi | abbiate | voluto |
| essi | vogliono | | essi | hanno | voluto | essi | vogliano | | essi | abbiano | voluto |

| indicativo imperfetto | | | trapassato prossimo | | | congiuntivo imperfetto | | | congiuntivo trapassato | | |
|---|---|---|---|---|---|---|---|---|---|---|---|
| io | volevo | | io | avevo | voluto | io | volessi | | io | avessi | voluto |
| tu | volevi | | tu | avevi | voluto | tu | volessi | | tu | avessi | voluto |
| egli | voleva | | egli | aveva | voluto | egli | volesse | | egli | avesse | voluto |
| noi | volevamo | | noi | avevamo | voluto | noi | volessimo | | noi | avessimo | voluto |
| voi | volevate | | voi | avevate | voluto | voi | voleste | | voi | aveste | voluto |
| essi | volevano | | essi | avevano | voluto | essi | volessero | | essi | avessero | voluto |

| passato remoto | | | trapassato remoto | | | condizionale presente | | | condizionale passato | | |
|---|---|---|---|---|---|---|---|---|---|---|---|
| io | volli | | io | ebbi | voluto | io | vorrei | | io | avrei | voluto |
| tu | volesti | | tu | avesti | voluto | tu | vorresti | | tu | avresti | voluto |
| egli | volle | | egli | ebbe | voluto | egli | vorrebbe | | egli | avrebbe | voluto |
| noi | volemmo | | noi | avemmo | voluto | noi | vorremmo | | noi | avremmo | voluto |
| voi | voleste | | voi | aveste | voluto | voi | vorreste | | voi | avreste | voluto |
| essi | vollero | | essi | ebbero | voluto | essi | vorrebbero | | essi | avrebbero | voluto |

| futuro semplice | | | futuro anteriore | | | imperativo presente | | | gerundio presente | |
|---|---|---|---|---|---|---|---|---|---|---|
| io | vorrò | | io | avrò | voluto | | | | volendo | |
| tu | vorrai | | tu | avrai | voluto | vuoi | (tu) | | | |
| egli | vorrà | | egli | avrà | voluto | voglia | (Lei) | | | |
| noi | vorremo | | noi | avremo | voluto | vogliamo | (noi) | | gerundio passato | |
| voi | vorrete | | voi | avrete | voluto | volete | (voi) | | avendo voluto | |
| essi | vorranno | | essi | avranno | voluto | vogliano | (Loro) | | | |

| infinito presente | infinito passato | | participio presente | participio passato |
|---|---|---|---|---|
| volere | aver voluto | | volente, volenti | voluto, voluti |
| | | | | voluta, volute |

Employé seul, volere se conjugue avec l'auxiliaire **avere** aux temps composés. Suivi d'un autre verbe il prend l'auxiliaire qui convient à ce verbe.
*Ho voluto studiare tranquillamente (ho studiato).*
*Sono voluto partire subito (sono partito).*
Toutefois dans l'italien contemporain on a tendance à utiliser **avere** dans tous les cas.
Quand l'infinitif est un verbe réfléchi ou pronominal on a :
– l'auxiliaire **essere** si le pronom personnel complément précède le verbe : *Mi sono voluto lavare.*
– l'auxiliaire **avere** si le pronom personnel complément suit le verbe : *Ho voluto lavarmi.*

| indicativo presente | passato prossimo | | congiuntivo presente | congiuntivo passato | |
|---|---|---|---|---|---|
| io volgo | io ho | volto | io volga | io abbia | volto |
| tu volgi | tu hai | volto | tu volga | tu abbia | volto |
| egli volge | egli ha | volto | egli volga | egli abbia | volto |
| noi volgiamo | noi abbiamo | volto | noi volgiamo | noi abbiamo | volto |
| voi volgete | voi avete | volto | voi volgiate | voi abbiate | volto |
| essi volgono | essi hanno | volto | essi volgano | essi abbiano | volto |

| indicativo imperfetto | trapassato prossimo | | congiuntivo imperfetto | congiuntivo trapassato | |
|---|---|---|---|---|---|
| io volgevo | io avevo | volto | io volgessi | io avessi | volto |
| tu volgevi | tu avevi | volto | tu volgessi | tu avessi | volto |
| egli volgeva | egli aveva | volto | egli volgesse | egli avesse | volto |
| noi volgevamo | noi avevamo | volto | noi volgessimo | noi avessimo | volto |
| voi volgevate | voi avevate | volto | voi volgeste | voi aveste | volto |
| essi volgevano | essi avevano | volto | essi volgessero | essi avessero | volto |

| passato remoto | trapassato remoto | | condizionale presente | condizionale passato | |
|---|---|---|---|---|---|
| io volsi | io ebbi | volto | io volgerei | io avrei | volto |
| tu volgesti | tu avesti | volto | tu volgeresti | tu avresti | volto |
| egli volse | egli ebbe | volto | egli volgerebbe | egli avrebbe | volto |
| noi volgemmo | noi avemmo | volto | noi volgeremmo | noi avremmo | volto |
| voi volgeste | voi aveste | volto | voi volgereste | voi avreste | volto |
| essi volsero | essi ebbero | volto | essi volgerebbero | essi avrebbero | volto |

| futuro semplice | futuro anteriore | | imperativo presente | gerundio presente |
|---|---|---|---|---|
| io volgerò | io avrò | volto | | volgendo |
| tu volgerai | tu avrai | volto | volgi (tu) | |
| egli volgerà | egli avrà | volto | volga (Lei) | |
| noi volgeremo | noi avremo | volto | volgiamo (noi) | gerundio passato |
| voi volgerete | voi avrete | volto | volgete (voi) | avendo volto |
| essi volgeranno | essi avranno | volto | volgano (Loro) | |

| infinito presente | infinito passato | participio presente | participio passato |
|---|---|---|---|
| volgere | aver volto | volgente, volgenti | volto, volti |
| | | | volta, volte |

| indicativo presente | indicativo imperfetto | | passato remoto |
|---|---|---|---|
| io soglio | io solevo | | io solei[1] |
| tu suoli | tu solevi | | tu solesti |
| egli suole | egli soleva | | egli solé |
| noi sogliamo | noi solevamo | | noi solemmo |
| voi solete | voi solevate | | voi soleste |
| essi sogliono | essi solevano | | essi solerono |

| congiuntivo presente | congiuntivo imperfetto | | gerundio presente | particípio passato |
|---|---|---|---|---|
| io soglia | io solessi | | solendo | solito[2] |
| tu soglia | tu solessi | | | |
| egli soglia | egli solesse | | | |
| noi sogliamo | noi solessimo | | | |
| voi sogliate | voi soleste | | | |
| essi sogliano | essi solessero | | | |

1) Formes rares remplacées par la locution : *essere solito (io fui solito...)*
2) Seulement avec valeur d'adjectif : habituel.

| indicativo presente | indicativo imperfetto | | passato remoto | futuro semplice |
|---|---|---|---|---|
| io suggo | io suggevo | | io suggei, suggetti | io suggerò |
| tu suggi | tu suggevi | | tu suggesti | tu suggerai |
| egli sugge | egli suggeva | | egli suggé, suggette | egli suggerà |
| noi suggiamo | noi suggevamo | | noi suggemmo | noi suggeremo |
| voi suggete | voi suggevate | | voi suggeste | voi suggerete |
| essi suggono | essi suggevano | | essi suggerono, suggettero | essi suggeranno |

| congiuntivo presente | congiuntivo imperfetto | | condizionale presente | imperativo presente |
|---|---|---|---|---|
| io sugga | io suggessi | | io suggerei | |
| tu sugga | tu suggessi | | tu suggeresti | suggi tu |
| egli sugga | egli suggesse | | egli suggerebbe | sugga egli |
| noi suggiamo | noi suggessimo | | noi suggeremmo | suggiamo noi |
| voi suggiate | voi suggeste | | voi suggereste | suggete voi |
| essi suggano | essi suggessero | | essi suggerebbero | suggano essi |

| gerundio presente | particípio presente |
|---|---|
| suggendo | suggente |

| indicativo presente | | passato prossimo | | |
|---|---|---|---|---|
| io | sento | io | ho | sentito |
| tu | senti | tu | hai | sentito |
| egli | sente | egli | ha | sentito |
| noi | sentiamo | noi | abbiamo | sentito |
| voi | sentite | voi | avete | sentito |
| essi | sentono | essi | hanno | sentito |

| indicativo imperfetto | | trapassato prossimo | | |
|---|---|---|---|---|
| io | sentivo | io | avevo | sentito |
| tu | sentivi | tu | avevi | sentito |
| egli | sentiva | egli | aveva | sentito |
| noi | sentivamo | noi | avevamo | sentito |
| voi | sentivate | voi | avevate | sentito |
| essi | sentivano | essi | avevano | sentito |

| passato remoto | | trapassato remoto | | |
|---|---|---|---|---|
| io | sentii | io | ebbi | sentito |
| tu | sentisti | tu | avesti | sentito |
| egli | sentì | egli | ebbe | sentito |
| noi | sentimmo | noi | avemmo | sentito |
| voi | sentiste | voi | aveste | sentito |
| essi | sentìrono | essi | ebbero | sentito |

| futuro semplice | | futuro anteriore | | |
|---|---|---|---|---|
| io | sentirò | io | avrò | sentito |
| tu | sentirai | tu | avrai | sentito |
| egli | sentirà | egli | avrà | sentito |
| noi | sentiremo | noi | avremo | sentito |
| voi | sentirete | voi | avrete | sentito |
| essi | sentiranno | essi | avranno | sentito |

| infinito presente | infinito passato |
|---|---|
| sentire | aver sentito |

| congiuntivo presente | | congiuntivo passato | | |
|---|---|---|---|---|
| io | senta | io | abbia | sentito |
| tu | senta | tu | abbia | sentito |
| egli | senta | egli | abbia | sentito |
| noi | sentiamo | noi | abbiamo | sentito |
| voi | sentiate | voi | abbiate | sentito |
| essi | sentano | essi | abbiano | sentito |

| congiuntivo imperfetto | | congiuntivo trapassato | | |
|---|---|---|---|---|
| io | sentissi | io | avessi | sentito |
| tu | sentissi | tu | avessi | sentito |
| egli | sentisse | egli | avesse | sentito |
| noi | sentissimo | noi | avessimo | sentito |
| voi | sentiste | voi | aveste | sentito |
| essi | sentissero | essi | avessero | sentito |

| condizionale presente | | condizionale passato | | |
|---|---|---|---|---|
| io | sentirei | io | avrei | sentito |
| tu | sentiresti | tu | avresti | sentito |
| egli | sentirebbe | egli | avrebbe | sentito |
| noi | sentiremmo | noi | avremmo | sentito |
| voi | sentireste | voi | avreste | sentito |
| essi | sentirebbero | essi | avrebbero | sentito |

| imperativo presente | | gerundio presente |
|---|---|---|
| | | sentendo |
| senti | (tu) | |
| senta | (Lei) | |
| sentiamo | (noi) | gerundio passato |
| sentite | (voi) | avendo sentito |
| sentano | (Loro) | |

| participio presente | participio passato |
|---|---|
| senziente, senzienti[1] | sentito, sentiti |
| | sentita, sentite |

Ainsi se conjuguent dormire, servire sauf au participe présent où ils ont deux formes : *dormiente/i* (substantif), *dormente/i* (adjectif) ; *servente* (participe passé), *serviente* (substantif).
Les verbes applaudire, languire, mentire, nutrire et riassorbire se conjuguent sur ce modèle mais peuvent aussi se conjuguer sur **finire** (100).

■ 1) Employé uniquement comme adjectif.

| indicativo presente | passato prossimo | congiuntivo presente | congiuntivo passato |
|---|---|---|---|
| io finisco | io ho finito | io finisca | io abbia finito |
| tu finisci | tu hai finito | tu finisca | tu abbia finito |
| egli finisce | egli ha finito | egli finisca | egli abbia finito |
| noi finiamo | noi abbiamo finito | noi finiamo | noi abbiamo finito |
| voi finite | voi avete finito | voi finiate | voi abbiate finito |
| essi finiscono | essi hanno finito | essi finiscano | essi abbiano finito |

| indicativo imperfetto | trapassato prossimo | congiuntivo imperfetto | congiuntivo trapassato |
|---|---|---|---|
| io finivo | io avevo finito | io finissi | io avessi finito |
| tu finivi | tu avevi finito | tu finissi | tu avessi finito |
| egli finiva | egli aveva finito | egli finisse | egli avesse finito |
| noi finivamo | noi avevamo finito | noi finissimo | noi avessimo finito |
| voi finivate | voi avevate finito | voi finiste | voi aveste finito |
| essi finivano | essi avevano finito | essi finissero | essi avessero finito |

| passato remoto | trapassato remoto | condizionale presente | condizionale passato |
|---|---|---|---|
| io finii | io ebbi finito | io finirei | io avrei finito |
| tu finisti | tu avesti finito | tu finiresti | tu avresti finito |
| egli finì | egli ebbe finito | egli finirebbe | egli avrebbe finito |
| noi finimmo | noi avemmo finito | noi finiremmo | noi avremmo finito |
| voi finiste | voi aveste finito | voi finireste | voi avreste finito |
| essi finirono | essi ebbero finito | essi finirebbero | essi avrebbero finito |

| futuro semplice | futuro anteriore | imperativo presente | gerundio presente |
|---|---|---|---|
| io finirò | io avrò finito | | finendo |
| tu finirai | tu avrai finito | finisci (tu) | |
| egli finirà | egli avrà finito | finisca (Lei) | gerundio passato |
| noi finiremo | noi avremo finito | finiamo (noi) | |
| voi finirete | voi avrete finito | finite (voi) | avendo finito |
| essi finiranno | essi avranno finito | finiscano (Loro) | |

| infinito presente | infinito passato | participio presente | participio passato |
|---|---|---|---|
| finire | aver finito | finente, finenti | finito, finiti |
| | | | finita, finite |

Ainsi se conjuguent profferire (part. pass. *profferito/profferto*), seppellire (part. pass. *seppellito/sepolto*). Les verbes aborrire, assorbire, compartire, eseguire, inghiottire, scompartire, tossire, se conjuguent sur ce modèle mais peuvent aussi se conjuguer sur **sentire** (99).

| indicativo presente | passato prossimo | | congiuntivo presente | congiuntivo passato | |
|---|---|---|---|---|---|
| io appaio[1] | io sono apparso | | io appaia[1] | io sia apparso | |
| tu appari | tu sei apparso | | tu appaia | tu sia apparso | |
| egli appare | egli è apparso | | egli appaia | egli sia apparso | |
| noi appariamo | noi siamo apparsi | | noi appariamo | noi siamo apparsi | |
| voi apparite | voi siete apparsi | | voi appariate | voi siate apparsi | |
| essi appaiono | essi sono apparsi | | essi appaiano | essi siano apparsi | |

| indicativo imperfetto | trapassato prossimo | | congiuntivo imperfetto | congiuntivo trapassato | |
|---|---|---|---|---|---|
| io apparivo | io ero apparso | | io apparissi | io fossi apparso | |
| tu apparivi | tu eri apparso | | tu apparissi | tu fossi apparso | |
| egli appariva | egli era apparso | | egli apparisse | egli fosse apparso | |
| noi apparivamo | noi eravamo apparsi | | noi apparissimo | noi fossimo apparsi | |
| voi apparivate | voi eravate apparsi | | voi appariste | voi foste apparsi | |
| essi apparivano | essi erano apparsi | | essi apparissero | essi fossero apparsi | |

| passato remoto | trapassato remoto | | condizionale presente | condizionale passato | |
|---|---|---|---|---|---|
| io apparvi[2] | io fui apparso | | io apparirei | io sarei apparso | |
| tu apparisti | tu fosti apparso | | tu appariresti | tu saresti apparso | |
| egli apparve[2] | egli fu apparso | | egli apparirebbe | egli sarebbe apparso | |
| noi apparimmo | noi fummo apparsi | | noi appariremmo | noi saremmo apparsi | |
| voi appariste | voi foste apparsi | | voi apparireste | voi sareste apparsi | |
| essi apparvero[2] | essi furono apparsi | | essi apparirebbero | essi sarebbero apparsi | |

| futuro semplice | futuro anteriore | | imperativo presente | gerundio presente | |
|---|---|---|---|---|---|
| io apparirò | io sarò apparso | | | apparendo | |
| tu apparirai | tu sarai apparso | | appari[1] (tu) | | |
| egli apparirà | egli sarà apparso | | appaia (Lei) | | |
| noi appariremo | noi saremo apparsi | | appariamo (noi) | gerundio passato | |
| voi apparirete | voi sarete apparsi | | apparite (voi) | essendo apparso | |
| essi appariranno | essi saranno apparsi | | appaiano (Loro) | | |

| infinito presente | infinito passato | | participio presente | participio passato | |
|---|---|---|---|---|---|
| apparire | essere apparso | | apparente, apparenti | apparso, apparsi apparsa, apparse | |

Se conjuguent sur le même modèle disparire : passé simple : *io disparvi/disparii...* participe passé : *disparito*, rare : *disparso;* scomparire dans le sens de **disparaître**; mais dans le sens de **faire piètre figure,** présent : *io scomparisco...* passé simple : *io scomparii...* participe passé : *scomparito;* trasparire : présent : *io trasparisco/traspaio...,* subjonctif présent : *io/tu/egli trasparisca/traspaia...,* participe passé : *trasparito,* rare : *trasparso.*

1) Apparire se conjugue aussi sur **finire** (100, formes en **-isc-**) à l'indicatif présent : *io apparisco...,* au subjonctif présent : *apparisco...,* à l'impératif : *apparisci...*
2) Autres formes du passé simple : *io apparsi/apparii, egli apparse/apparé, essi apparsero/apparirono.*

| indicativo presente | | passato prossimo | |
|---|---|---|---|
| io | apro | io | ho aperto |
| tu | apri | tu | hai aperto |
| egli | apre | egli | ha aperto |
| noi | apriamo | noi | abbiamo aperto |
| voi | aprite | voi | avete aperto |
| essi | aprono | essi | hanno aperto |

| congiuntivo presente | | congiuntivo passato | |
|---|---|---|---|
| io | apra | io | abbia aperto |
| tu | apra | tu | abbia aperto |
| egli | apra | egli | abbia aperto |
| noi | apriamo | noi | abbiamo aperto |
| voi | apriate | voi | abbiate aperto |
| essi | aprano | essi | abbiano aperto |

| indicativo imperfetto | | trapassato prossimo | |
|---|---|---|---|
| io | aprivo | io | avevo aperto |
| tu | aprivi | tu | avevi aperto |
| egli | apriva | egli | aveva aperto |
| noi | aprivamo | noi | avevamo aperto |
| voi | aprivate | voi | avevate aperto |
| essi | aprivano | essi | avevano aperto |

| congiuntivo imperfetto | | congiuntivo trapassato | |
|---|---|---|---|
| io | aprissi | io | avessi aperto |
| tu | aprissi | tu | avessi aperto |
| egli | aprisse | egli | avesse aperto |
| noi | aprissimo | noi | avessimo aperto |
| voi | apriste | voi | aveste aperto |
| essi | aprissero | essi | avessero aperto |

| passato remoto | | trapassato remoto | |
|---|---|---|---|
| io | aprii, apersi | io | ebbi aperto |
| tu | apristi | tu | avesti aperto |
| egli | aprì, aperse | egli | ebbe aperto |
| noi | aprimmo | noi | avemmo aperto |
| voi | apriste | voi | aveste aperto |
| essi | aprirono, apersero | essi | ebbero aperto |

| condizionale presente | | condizionale passato | |
|---|---|---|---|
| io | aprirei | io | avrei aperto |
| tu | apriresti | tu | avresti aperto |
| egli | aprirebbe | egli | avrebbe aperto |
| noi | apriremmo | noi | avremmo aperto |
| voi | aprireste | voi | avreste aperto |
| essi | aprirebbero | essi | avrebbero aperto |

| futuro semplice | | futuro anteriore | |
|---|---|---|---|
| io | aprirò | io | avrò aperto |
| tu | aprirai | tu | avrai aperto |
| egli | aprirà | egli | avrà aperto |
| noi | apriremo | noi | avremo aperto |
| voi | aprirete | voi | avrete aperto |
| essi | apriranno | essi | avranno aperto |

**imperativo presente**

| apri | (tu) |
| apra | (Lei) |
| apriamo | (noi) |
| aprite | (voi) |
| aprano | (Loro) |

**gerundio presente**

aprendo

**gerundio passato**

avendo aperto

| infinito presente | infinito passato |
|---|---|
| aprire | aver aperto |

**participio presente**

aprente, aprenti

**participio passato**

aperto, aperti
aperta, aperte

Ainsi se conjuguent coprire, discoprire, offrire, riaprire, ricoprire et sa forme archaïque ricovrire, riscoprire scoprire et sa forme archaïque scovrire, soffrire et sa forme archaïque sofferire.

| indicativo presente | passato prossimo | congiuntivo presente | congiuntivo passato |
|---|---|---|---|
| io cucio | io ho cucito | io cucia | io abbia cucito |
| tu cuci | tu hai cucito | tu cucia | tu abbia cucito |
| egli cuce | egli ha cucito | egli cucia | egli abbia cucito |
| noi cuciamo | noi abbiamo cucito | noi cuciamo | noi abbiamo cucito |
| voi cucite | voi avete cucito | voi cuciate | voi abbiate cucito |
| essi cuciono | essi hanno cucito | essi cuciano | essi abbiano cucito |

| indicativo imperfetto | trapassato prossimo | congiuntivo imperfetto | congiuntivo trapassato |
|---|---|---|---|
| io cucivo | io avevo cucito | io cucissi | io avessi cucito |
| tu cucivi | tu avevi cucito | tu cucissi | tu avessi cucito |
| egli cuciva | egli aveva cucito | egli cucisse | egli avesse cucito |
| noi cucivamo | noi avevamo cucito | noi cucissimo | noi avessimo cucito |
| voi cucivate | voi avevate cucito | voi cuciste | voi aveste cucito |
| essi cucivano | essi avevano cucito | essi cucissero | essi avessero cucito |

| passato remoto | trapassato remoto | condizionale presente | condizionale passato |
|---|---|---|---|
| io cucii | io ebbi cucito | io cucirei | io avrei cucito |
| tu cucisti | tu avesti cucito | tu cuciresti | tu avresti cucito |
| egli cucì | egli ebbe cucito | egli cucirebbe | egli avrebbe cucito |
| noi cucimmo | noi avemmo cucito | noi cuciremmo | noi avremmo cucito |
| voi cuciste | voi aveste cucito | voi cucireste | voi avreste cucito |
| essi cucirono | essi ebbero cucito | essi cucirebbero | essi avrebbero cucito |

| futuro semplice | futuro anteriore | imperativo presente | gerundio presente |
|---|---|---|---|
| io cucirò | io avrò cucito | | cucendo |
| tu cucirai | tu avrai cucito | cuci (tu) | |
| egli cucirà | egli avrà cucito | cucia (Lei) | gerundio passato |
| noi cuciremo | noi avremo cucito | cuciamo (noi) | |
| voi cucirete | voi avrete cucito | cucite (voi) | avendo cucito |
| essi cuciranno | essi avranno cucito | cuciano (Loro) | |

| infinito presente | infinito passato | participio presente | participio passato |
|---|---|---|---|
| cucire | aver cucito | cucente, cucenti | cucito, cuciti |
| | | | cucita, cucite |

■ Au présent de l'indicatif, du subjonctif et de l'impératif sdrucire se conjugue sur **finire** (100).

| indicativo presente | passato prossimo | | congiuntivo presente | congiuntivo passato | |
|---|---|---|---|---|---|
| io fuggo | io sono fuggito | | io fugga | io sia fuggito | |
| tu fuggi | tu sei fuggito | | tu fugga | tu sia fuggito | |
| egli fugge | egli è fuggito | | egli fugga | egli sia fuggito | |
| noi fuggiamo | noi siamo fuggiti | | noi fuggiamo | noi siamo fuggiti | |
| voi fuggite | voi siete fuggiti | | voi fuggiate | voi siate fuggiti | |
| essi fuggono | essi sono fuggiti | | essi fuggano | essi siano fuggiti | |

| indicativo imperfetto | trapassato prossimo | | congiuntivo imperfetto | congiuntivo trapassato | |
|---|---|---|---|---|---|
| io fuggivo | io ero fuggito | | io fuggissi | io fossi fuggito | |
| tu fuggivi | tu eri fuggito | | tu fuggissi | tu fossi fuggito | |
| egli fuggiva | egli era fuggito | | egli fuggisse | egli fosse fuggito | |
| noi fuggivamo | noi eravamo fuggiti | | noi fuggissimo | noi fossimo fuggiti | |
| voi fuggivate | voi eravate fuggiti | | voi fuggiste | voi foste fuggiti | |
| essi fuggivano | essi erano fuggiti | | essi fuggissero | essi fossero fuggiti | |

| passato remoto | trapassato remoto | | condizionale presente | condizionale passato | |
|---|---|---|---|---|---|
| io fuggii | io fui fuggito | | io fuggirei | io sarei fuggito | |
| tu fuggisti | tu fosti fuggito | | tu fuggiresti | tu saresti fuggito | |
| egli fuggì | egli fu fuggito | | egli fuggirebbe | egli sarebbe fuggito | |
| noi fuggimmo | noi fummo fuggiti | | noi fuggiremmo | noi saremmo fuggiti | |
| voi fuggiste | voi foste fuggiti | | voi fuggireste | voi sareste fuggiti | |
| essi fuggirono | essi furono fuggiti | | essi fuggirebbero | essi sarebbero fuggiti | |

| futuro semplice | futuro anteriore | | imperativo presente | gerundio presente |
|---|---|---|---|---|
| io fuggirò | io sarò fuggito | | | fuggendo |
| tu fuggirai | tu sarai fuggito | | fuggi (tu) | |
| egli fuggirà | egli sarà fuggito | | fugga (Lei) | |
| noi fuggiremo | noi saremo fuggiti | | fuggiamo (noi) | gerundio passato |
| voi fuggirete | voi sarete fuggiti | | fuggite (voi) | |
| essi fuggiranno | essi saranno fuggiti | | fuggano (Loro) | essendo fuggito |

| infinito presente | infinito passato | | participio presente | participio passato |
|---|---|---|---|---|
| fuggire | essere fuggito | | fuggente, fuggenti | fuggito, fuggiti |
| | | | | fuggita, fuggite |

| indicativo presente | | passato prossimo | | |
|---|---|---|---|---|
| io | muoio | io | sono | morto |
| tu | muori | tu | sei | morto |
| egli | muore | egli | è | morto |
| noi | moriamo | noi | siamo | morti |
| voi | morite | voi | siete | morti |
| essi | muoiono | essi | sono | morti |

| indicativo imperfetto | | trapassato prossimo | | |
|---|---|---|---|---|
| io | morivo | io | ero | morto |
| tu | morivi | tu | eri | morto |
| egli | moriva | egli | era | morto |
| noi | morivamo | noi | eravamo | morti |
| voi | morivate | voi | eravate | morti |
| essi | morivano | essi | erano | morti |

| passato remoto | | trapassato remoto | | |
|---|---|---|---|---|
| io | morii | io | fui | morto |
| tu | moristi | tu | fosti | morto |
| egli | morì | egli | fu | morto |
| noi | morimmo | noi | fummo | morti |
| voi | moriste | voi | foste | morti |
| essi | morirono | essi | furono | morti |

| futuro semplice | | futuro anteriore | | |
|---|---|---|---|---|
| io | morirò, morrò | io | sarò | morto |
| tu | morirai, morrai | tu | sarai | morto |
| egli | morirà, morrà | egli | sarà | morto |
| noi | moriremo, morremo | noi | saremo | morti |
| voi | morirete, morrete | voi | sarete | morti |
| essi | moriranno, morranno | essi | saranno | morti |

| infinito presente | infinito passato |
|---|---|
| morire | essere morto |

| congiuntivo presente | | congiuntivo passato | | |
|---|---|---|---|---|
| io | muoia | io | sia | morto |
| tu | muoia | tu | sia | morto |
| egli | muoia | egli | sia | morto |
| noi | moriamo | noi | siamo | morti |
| voi | moriate | voi | siate | morti |
| essi | muoiano | essi | siano | morti |

| congiuntivo imperfetto | | congiuntivo trapassato | | |
|---|---|---|---|---|
| io | morissi | io | fossi | morto |
| tu | morissi | tu | fossi | morto |
| egli | morisse | egli | fosse | morto |
| noi | morissimo | noi | fossimo | morti |
| voi | moriste | voi | foste | morti |
| essi | morissero | essi | fossero | morti |

| condizionale presente | | condizionale passato | | |
|---|---|---|---|---|
| io | morirei, morrei | io | sarei | morto |
| tu | moriresti, morresti | tu | saresti | morto |
| egli | morirebbe, morrebbe | egli | sarebbe | morto |
| noi | moriremmo, morremmo | noi | saremmo | morti |
| voi | morireste, morreste | voi | sareste | morti |
| essi | morirebbero, morrebbero | essi | sarebbero | morti |

| imperativo presente | gerundio presente |
|---|---|
| | morendo |
| muori (tu) | |
| muoia (Lei) | |
| moriamo (noi) | gerundio passato |
| morite (voi) | essendo morto |
| muoiano (Loro) | |

| participio presente | participio passato |
|---|---|
| morente, morenti | morto, morti |
| | morta, morte |

| indicativo presente | | passato prossimo | |
|---|---|---|---|
| io | salgo | io | sono salito |
| tu | sali | tu | sei salito |
| egli | sale | egli | è salito |
| noi | saliamo | noi | siamo saliti |
| voi | salite | voi | siete saliti |
| essi | salgono | essi | sono saliti |

| indicativo imperfetto | | trapassato prossimo | |
|---|---|---|---|
| io | salivo | io | ero salito |
| tu | salivi | tu | eri salito |
| egli | saliva | egli | era salito |
| noi | salivamo | noi | eravamo saliti |
| voi | salivate | voi | eravate saliti |
| essi | salivano | essi | erano saliti |

| passato remoto | | trapassato remoto | |
|---|---|---|---|
| io | salii | io | fui salito |
| tu | salisti | tu | fosti salito |
| egli | salì | egli | fu salito |
| noi | salimmo | noi | fummo saliti |
| voi | saliste | voi | foste saliti |
| essi | salirono | essi | furono saliti |

| futuro semplice | | futuro anteriore | |
|---|---|---|---|
| io | salirò | io | sarò salito |
| tu | salirai | tu | sarai salito |
| egli | salirà | egli | sarà salito |
| noi | saliremo | noi | saremo saliti |
| voi | salirete | voi | sarete saliti |
| essi | saliranno | essi | saranno saliti |

| infinito presente | infinito passato |
|---|---|
| salire | essere salito |

| congiuntivo presente | | congiuntivo passato | |
|---|---|---|---|
| io | salga | io | sia salito |
| tu | salga | tu | sia salito |
| egli | salga | egli | sia salito |
| noi | saliamo | noi | siamo saliti |
| voi | saliate | voi | siate saliti |
| essi | salgano | essi | siano saliti |

| congiuntivo imperfetto | | congiuntivo trapassato | |
|---|---|---|---|
| io | salissi | io | fossi salito |
| tu | salissi | tu | fossi salito |
| egli | salisse | egli | fosse salito |
| noi | salissimo | noi | fossimo saliti |
| voi | saliste | voi | foste saliti |
| essi | salissero | essi | fossero saliti |

| condizionale presente | | condizionale passato | |
|---|---|---|---|
| io | salirei | io | sarei salito |
| tu | saliresti | tu | saresti salito |
| egli | salirebbe | egli | sarebbe salito |
| noi | saliremmo | noi | saremmo saliti |
| voi | salireste | voi | sareste saliti |
| essi | salirebbero | essi | sarebbero saliti |

| imperativo presente | gerundio presente |
|---|---|
| | salendo |
| sali (tu) | |
| salga (Lei) | |
| saliamo (noi) | gerundio passato |
| salite (voi) | essendo salito |
| salgano (Loro) | |

| participio presente | participio passato |
|---|---|
| saliente, salienti | salito, saliti |
| | salita, salite |

■ Ainsi se conjugue risalire; participe présent : *risalente*.

| indicativo presente | passato prossimo | congiuntivo presente | congiuntivo passato |
|---|---|---|---|
| io seguo | io ho seguito | io segua | io abbia seguito |
| tu segui | tu hai seguito | tu segua | tu abbia seguito |
| egli segue | egli ha seguito | egli segua | egli abbia seguito |
| noi seguiamo | noi abbiamo seguito | noi seguiamo | noi abbiamo seguito |
| voi seguite | voi avete seguito | voi seguiate | voi abbiate seguito |
| essi seguono | essi hanno seguito | essi seguano | essi abbiano seguito |

| indicativo imperfetto | trapassato prossimo | congiuntivo imperfetto | congiuntivo trapassato |
|---|---|---|---|
| io seguivo | io avevo seguito | io seguissi | io avessi seguito |
| tu seguivi | tu avevi seguito | tu seguissi | tu avessi seguito |
| egli seguiva | egli aveva seguito | egli seguisse | egli avesse seguito |
| noi seguivamo | noi avevamo seguito | noi seguissimo | noi avessimo seguito |
| voi seguivate | voi avevate seguito | voi seguiste | voi aveste seguito |
| essi seguivano | essi avevano seguito | essi seguissero | essi avessero seguito |

| passato remoto | trapassato remoto | condizionale presente | condizionale passato |
|---|---|---|---|
| io seguii | io ebbi seguito | io seguirei | io avrei seguito |
| tu seguisti | tu avesti seguito | tu seguiresti | tu avresti seguito |
| egli seguì | egli ebbe seguito | egli seguirebbe | egli avrebbe seguito |
| noi seguimmo | noi avemmo seguito | noi seguiremmo | noi avremmo seguito |
| voi seguiste | voi aveste seguito | voi seguireste | voi avreste seguito |
| essi seguirono | essi ebbero seguito | essi seguirebbero | essi avrebbero seguito |

| futuro semplice | futuro anteriore | imperativo presente | gerundio presente |
|---|---|---|---|
| io seguirò | io avrò seguito | | seguendo |
| tu seguirai | tu avrai seguito | segui (tu) | |
| egli seguirà | egli avrà seguito | segua (Lei) | gerundio passato |
| noi seguiremo | noi avremo seguito | seguiamo (noi) | |
| voi seguirete | voi avrete seguito | seguite (voi) | avendo seguito |
| essi seguiranno | essi avranno seguito | seguano (Loro) | |

| infinito presente | infinito passato | participio presente | participio passato |
|---|---|---|---|
| seguire | aver seguito | seguente, seguenti | seguito, seguiti |
| | | | seguita, seguite |

■ Ainsi se conjuguent conseguire, inseguire, perseguire, proseguire, susseguire.

| indicativo presente | passato prossimo | |
|---|---|---|
| io odo | io ho | udito |
| tu odi | tu hai | udito |
| egli ode | egli ha | udito |
| noi udiamo | noi abbiamo | udito |
| voi udite | voi avete | udito |
| essi odono | essi hanno | udito |

| indicativo imperfetto | trapassato prossimo | |
|---|---|---|
| io udivo | io avevo | udito |
| tu udivi | tu avevi | udito |
| egli udiva | egli aveva | udito |
| noi udivamo | noi avevamo | udito |
| voi udivate | voi avevate | udito |
| essi udivano | essi avevano | udito |

| passato remoto | trapassato remoto | |
|---|---|---|
| io udii | io ebbi | udito |
| tu udisti | tu avesti | udito |
| egli udì | egli ebbe | udito |
| noi udimmo | noi avemmo | udito |
| voi udiste | voi aveste | udito |
| essi udirono | essi ebbero | udito |

| futuro semplice | futuro anteriore | |
|---|---|---|
| io udirò | io avrò | udito |
| tu udirai | tu avrai | udito |
| egli udirà | egli avrà | udito |
| noi udiremo | noi avremo | udito |
| voi udirete | voi avrete | udito |
| essi udiranno | essi avranno | udito |

| infinito presente | infinito passato |
|---|---|
| udire | aver udito |

| congiuntivo presente | congiuntivo passato | |
|---|---|---|
| io oda | io abbia | udito |
| tu oda | tu abbia | udito |
| egli oda | egli abbia | udito |
| noi udiamo | noi abbiamo | udito |
| voi udiate | voi abbiate | udito |
| essi odano | essi abbiano | udito |

| congiuntivo imperfetto | congiuntivo trapassato | |
|---|---|---|
| io udissi | io avessi | udito |
| tu udissi | tu avessi | udito |
| egli udisse | egli avesse | udito |
| noi udissimo | noi avessimo | udito |
| voi udiste | voi aveste | udito |
| essi udissero | essi avessero | udito |

| condizionale presente | condizionale passato | |
|---|---|---|
| io udirei | io avrei | udito |
| tu udiresti | tu avresti | udito |
| egli udirebbe | egli avrebbe | udito |
| noi udiremmo | noi avremmo | udito |
| voi udireste | voi avreste | udito |
| essi udirebbero | essi avrebbero | udito |

| imperativo presente | gerundio presente |
|---|---|
| | udendo |
| odi (tu) | |
| oda (Lei) | |
| udiamo (noi) | gerundio passato |
| udite (voi) | avendo udito |
| odano (Loro) | |

| participio presente | participio passato |
|---|---|
| udente, udenti | udito, uditi |
| | udita, udite |

| indicativo presente | | passato prossimo | | |
|---|---|---|---|---|
| io | esco | io | sono | uscito |
| tu | esci | tu | sei | uscito |
| egli | esce | egli | è | uscito |
| noi | usciamo | noi | siamo | usciti |
| voi | uscite | voi | siete | usciti |
| essi | escono | essi | sono | usciti |

| indicativo imperfetto | | trapassato prossimo | | |
|---|---|---|---|---|
| io | uscivo | io | ero | uscito |
| tu | uscivi | tu | eri | uscito |
| egli | usciva | egli | era | uscito |
| noi | uscivamo | noi | eravamo | usciti |
| voi | uscivate | voi | eravate | usciti |
| essi | uscivano | essi | erano | usciti |

| passato remoto | | trapassato remoto | | |
|---|---|---|---|---|
| io | uscii | io | fui | uscito |
| tu | uscisti | tu | fosti | uscito |
| egli | uscì | egli | fu | uscito |
| noi | uscimmo | noi | fummo | usciti |
| voi | usciste | voi | foste | usciti |
| essi | uscirono | essi | furono | usciti |

| futuro semplice | | futuro anteriore | | |
|---|---|---|---|---|
| io | uscirò | io | sarò | uscito |
| tu | uscirai | tu | sarai | uscito |
| egli | uscirà | egli | sarà | uscito |
| noi | usciremo | noi | saremo | usciti |
| voi | uscirete | voi | sarete | usciti |
| essi | usciranno | essi | saranno | usciti |

| infinito presente | infinito passato |
|---|---|
| uscire | essere uscito |

| congiuntivo presente | | congiuntivo passato | | |
|---|---|---|---|---|
| io | esca | io | sia | uscito |
| tu | esca | tu | sia | uscito |
| egli | esca | egli | sia | uscito |
| noi | usciamo | noi | siamo | usciti |
| voi | usciate | voi | siate | usciti |
| essi | escano | essi | siano | usciti |

| congiuntivo imperfetto | | congiuntivo trapassato | | |
|---|---|---|---|---|
| io | uscissi | io | fossi | uscito |
| tu | uscissi | tu | fossi | uscito |
| egli | uscisse | egli | fosse | uscito |
| noi | uscissimo | noi | fossimo | usciti |
| voi | usciste | voi | foste | usciti |
| essi | uscissero | essi | fossero | usciti |

| condizionale presente | | condizionale passato | | |
|---|---|---|---|---|
| io | uscirei | io | sarei | uscito |
| tu | usciresti | tu | saresti | uscito |
| egli | uscirebbe | egli | sarebbe | uscito |
| noi | usciremmo | noi | saremmo | usciti |
| voi | uscireste | voi | sareste | usciti |
| essi | uscirebbero | essi | sarebbero | usciti |

| imperativo presente | | gerundio presente |
|---|---|---|
| | | uscendo |
| esci | (tu) | |
| esca | (Lei) | |
| usciamo | (noi) | **gerundio passato** |
| uscite | (voi) | essendo uscito |
| escano | (Loro) | |

| participio presente | participio passato |
|---|---|
| uscente, uscenti | uscito, usciti |
| | uscita, uscite |

■ Ainsi se conjuguent escire, riescire, riuscire.

| indicativo presente | passato prossimo | | congiuntivo presente | congiuntivo passato | |
|---|---|---|---|---|---|
| io vengo | io sono venuto | | io venga | io sia venuto | |
| tu vieni | tu sei venuto | | tu venga | tu sia venuto | |
| egli viene | egli è venuto | | egli venga | egli sia venuto | |
| noi veniamo | noi siamo venuti | | noi veniamo | noi siamo venuti | |
| voi venite | voi siete venuti | | voi veniate | voi siate venuti | |
| essi vengono | essi sono venuti | | essi vengano | essi siano venuti | |

| indicativo imperfetto | trapassato prossimo | | congiuntivo imperfetto | congiuntivo trapassato | |
|---|---|---|---|---|---|
| io venivo | io ero venuto | | io venissi | io fossi venuto | |
| tu venivi | tu eri venuto | | tu venissi | tu fossi venuto | |
| egli veniva | egli era venuto | | egli venisse | egli fosse venuto | |
| noi venivamo | noi eravamo venuti | | noi venissimo | noi fossimo venuti | |
| voi venivate | voi eravate venuti | | voi veniste | voi foste venuti | |
| essi venivano | essi erano venuti | | essi venissero | essi fossero venuti | |

| passato remoto | trapassato remoto | | condizionale presente | condizionale passato | |
|---|---|---|---|---|---|
| io venni | io fui venuto | | io verrei | io sarei venuto | |
| tu venisti | tu fosti venuto | | tu verresti | tu saresti venuto | |
| egli venne | egli fu venuto | | egli verrebbe | egli sarebbe venuto | |
| noi venimmo | noi fummo venuti | | noi verremmo | noi saremmo venuti | |
| voi veniste | voi foste venuti | | voi verreste | voi sareste venuti | |
| essi vennero | essi furono venuti | | essi verrebbero | essi sarebbero venuti | |

| futuro semplice | futuro anteriore | | imperativo presente | gerundio presente |
|---|---|---|---|---|
| io verrò | io sarò venuto | | | venendo |
| tu verrai | tu sarai venuto | | vieni (tu) | |
| egli verrà | egli sarà venuto | | venga (Lei) | |
| noi verremo | noi saremo venuti | | veniamo (noi) | gerundio passato |
| voi verrete | voi sarete venuti | | venite (voi) | essendo venuto |
| essi verranno | essi saranno venuti | | vengano (Loro) | |

| infinito presente | infinito passato | | participio presente | participio passato |
|---|---|---|---|---|
| venire | essere venuto | | veniente, venienti | venuto, venuti |
| | | | venente, venenti | venuta, venute |

Venire peut être employé comme auxiliaire aux temps simples de la forme passive à la place du verbe **essere** : *La lettera viene inviata* à la place de : *La lettera è inviata* (voir Grammaire page 19).
Ainsi se conjuguent rinvenire et svenire sauf au futur où ils ont une forme régulière : *io rinvenirò..., io svenirò.*

# 111 a  ARDIRE/OSER

| indicativo presente | congiuntivo presente | gerundio presente | participio presente |
|---|---|---|---|
| io ardisco | io ardisca | osando | osante |
| tu ardisci | tu ardisca | | |
| egli ardisce | egli ardisca | | |
| noi osiamo | noi osiamo | | |
| voi ardite | voi osiate | | |
| essi ardiscono | essi ardiscano | | |

▌Certaines formes de ce verbe pouvant être confondues avec des formes du verbe **ardere** (brûler) ; elles sont remplacées par des formes du verbe **osare.** Pour les autres formes voir **finire** (100).

# 111 b  ATTERRIRE/ÉPOUVANTER

| indicativo presente | congiuntivo presente | gerundio presente | participio presente |
|---|---|---|---|
| io atterrisco | io atterrisca | spaventando | spaventante |
| tu atterrisci | tu atterrisca | | |
| egli atterrisce | egli atterrisca | | |
| noi spaventiamo | noi spaventiamo | | |
| voi atterrite | voi spaventiate | | |
| essi atterriscono | essi atterriscano | | |

▌Certaines formes de ce verbe pouvant être confondues avec des formes du verbe **atterrare** (atterrir) ; elles sont remplacées par des formes du verbe **spaventare.** Pour les autres formes voir **finire** (100).

| indicativo presente | congiuntivo presente | gerundio presente | participio presente |
|---|---|---|---|
| io marcisco | io marcisca | imputridendo | imputridente |
| tu marcisci | tu marcisca | | |
| egli marcisce | egli marcisca | | |
| noi imputridiamo | noi imputridiamo | | |
| voi marcite | voi imputridiate | | |
| essi marciscono | essi marciscano | | |

Certaines formes de ce verbe pouvant être confondues avec des formes du verbe **marciare** (marcher); elles sont remplacées par des formes du verbe **imputridire.** Pour les autres formes voir **finire** (100).

| indicativo presente | passato remoto | congiuntivo presente | gerundio presente |
|---|---|---|---|
| io sparisco | io sparii | io sparisca | scomparendo |
| tu sparisci | tu sparisti | tu sparisca | |
| egli sparisce | egli sparì | egli sparisca | |
| noi scompariamo | noi sparimmo | noi scompariamo | |
| voi sparite | voi spariste | voi scompariate | participio presente |
| essi spariscono | essi sparirono | essi spariscano | scomparente |

Au passé simple *sparvi, sparve, sparvero* sont des formes littéraires.
Certaines formes de ce verbe pouvant être confondues avec des formes du verbe **sparare** (tirer avec une arme à feu); elles sont remplacées par des formes du verbe **scomparire.**
Pour les autres formes voir **finire** (100).

| **abbagliare** | verbe particulièrement fréquent |
| abboffarsi, *abbuffarsi* | La forme en italique signale l'ortho-graphe la plus courante du verbe |
| abba̲ttere | La voyelle tonique est soulignée lorsque l'accent ne tombe pas sur l'avant-der-nière syllabe |
| 6 | renvoi aux verbes modèles des tableaux |
| 18 | renvoi aux tableaux (soit à la conjugaison soit aux notes) |
| 6/18 | se conjugue sur le modèle 6 avec des particularités phonétiques du modèle 18 |
| 99/100 | se conjugue sur le modèle 99, plus rare-ment sur le modèle 100 |
| a, di, in, da | prépositions employées usuellement après le verbe |
| T | verbe transitif (auxiliaire avere) |
| I | verbe intransitif (auxiliaire essere) |
| Imp | verbe impersonnel (auxiliaire essere) |
| ♦ | verbe intransitif ou impersonnel (auxiliaire avere) |
| ◊ | verbe intransitif ou impersonnel (auxiliaire avere ou essere) |
| P | verbe pronominal |
| R | verbe réfléchi |
| D | verbe défectif |
| ≃ | ne s'emploie que sous cette forme (verbes défectifs) |
| Irr | verbe irrégulier |
| Lit | littéraire |
| Fam | familier |
| Pop | populaire |
| Vulg | vulgaire |
| Rég | régional |
| Tosc | toscanisme |

*a*

abbacchiare, T, P.................... 12
abbacinare, T ..................... 18
**abbagliare,** T, I, P .............. 12
**abbaiare,** I ♦.................... 12
abballare, T...................... 6
abballinare, T, Tosc ............... 6
abbambinare, T.................... 6
abbancare, T, Tosc ............... 7
**abbandonare,** T, R ............... 6
abbarbagliare, T, I, P............. 12
abbarbare, T, I ♦ ................ 6
abbarbicare, I ♦, P, R ........... 19
abbarcare, T ..................... 7
abbarrare, T, Vx ................. 6
abbaruffare, T, P, R.............. 6
**abbassare,** T, I, P, R........... 6
abbastare, I, Vx ................. 6
**abbattere,** T, P, R............. 20
abbellire, T, R................... 100
**abbeverare,** T, R ............... 6
abbiadare, T ..................... 6
abbicare, T ..................... 7
abbigliare, T, R.................. 12
abbinare, T ...................... 6
abbindolare, T, P ................ 6
abbiosciare, I, P, R ............. 9
abbisciare, T, I, P, Lit .......... 9
abbisognare, I ♦.................. 6
abbittare, T...................... 6
abboccare, T, I ♦, R ............. 7
abbocconare, T, Vx ............... 6
abboffarsi, R, *abbuffarsi* ........ 6
abbominare, T, Vx, *abominare*....... 6
abbonacciare, T, I, P............. 9
abbonare (1), T, P, R
  pour remettre/pardonner/valider..... 13
**abbonare** (2), T, R
  pour abonner.................... 6

**abbondare,** I ♦..................... 6
abbonire, T, R .................... 100
abbordare, T, I ♦ ................ 6
abborracciare, T.................. 9
abborrare, T, I, Vx .............. 6
abborrire, T, I ♦, *aborrire* ......... 100/99
abbottare, T, R, Fam, Rég ......... 6
abbottinare, T, R, Vx............. 6
**abbottonare,** T, P, R .......... 6
abbozzare, T, I ♦ ............... 6
abbozzolarsi, R.................. 6
**abbracciare,** T, P, R......... 9
abbraciare, T, Vx .............. 9
abbrancare, T, P, R ........... 7
**abbreviare,** T ............... 12
abbriccare, T, R, Vx........... 7
abbrigliare, T, Vx ............ 12
abbrivare, T, I ♦ ............ 6
**abbronzare,** T, P ........... 6
abbronzire, I .................. 100
abbruciacchiare, T ............ 12
abbruciare, T.................. 9
abbrumare, I .................. 6
abbrunare, T, P, R ............ 6
abbrunire, T ................... 100
abbrusciare, T, Vx, *abbruciare* ......... 9
abbrustiare, T, Tosc .......... 12
abbrustolare, T, R, *abbrustolire* ........ 18
abbrustolire, T, R ............. 100
abbrutire, T, I, P............. 100
abbruttire, T, I, P............ 100
abbuffarsi, R.................. 6
abbuiare, T, I, P, Imp ........ 12
abbuonare, T, *abbonare* (1).......... 6
abburattare, T................ 6
abbuzzire, I, P............... 100
abdicare, I ♦, T............. 19
abdurre, T, Irr.............. 36
aberrare, I ♦ ............... 6
abiettare, T, R, Vx ......... 6
abilitare, T, R ............. 6
**abitare,** T, I ♦, a, da, in ............. 17
**abituare,** T, R, a ................. 18

abiurare, T. . . . . . . . . . . . . . . . . . . . . . . . . 6
ablasmare, T, Vx. . . . . . . . . . . . . . . . . . . . 6
abnegare, T. . . . . . . . . . . . . . . . . . . . . . . . 8
**abolire,** T. . . . . . . . . . . . . . . . . . . . . . . . 100
abominare, T. . . . . . . . . . . . . . . . . . . . . . 18
abondare, I♦, Vx, *abbondare* . . . . . . . . . 6
aborrire, T. . . . . . . . . . . . . . . . . . . . . . 100/99
**abortire,** I ◊ . . . . . . . . . . . . . . . . . . . . . . 100
abradere, T, Lit, Irr. . . . . . . . . . . . . . . . . 71
abrogare, T . . . . . . . . . . . . . . . . . . . . . . . 8/17
**abusare,** I ♦, di. . . . . . . . . . . . . . . . . . . . 6
**accadere,** I, Imp, Irr, a . . . . . . . . . . . . . 28
accaffare, T, Vx . . . . . . . . . . . . . . . . . . . . 6
accagionare, T, Vx. . . . . . . . . . . . . . . . . . 6
accagliare, T, I, P. . . . . . . . . . . . . . . . . . 12
accalappiare, T. . . . . . . . . . . . . . . . . . . . 12
accalcare, T, P . . . . . . . . . . . . . . . . . . . . . 7
accaldarsi, P . . . . . . . . . . . . . . . . . . . . . . 6
accallare, T . . . . . . . . . . . . . . . . . . . . . . . 6
accalorare, T, R . . . . . . . . . . . . . . . . . . . . 6
accalorire, T, *accalorare* . . . . . . . . . . . . . 100
accambiare, T, Vx . . . . . . . . . . . . . . . . . . 12
accamiciare, T, Vx . . . . . . . . . . . . . . . . . . 9
accampare, T, R. . . . . . . . . . . . . . . . . . . . 6
accampionare, T. . . . . . . . . . . . . . . . . . . 6
accanare, T . . . . . . . . . . . . . . . . . . . . . . . 6
**accanirsi,** P, T . . . . . . . . . . . . . . . . . . . 100
accannellare, T. . . . . . . . . . . . . . . . . . . . 6
accantonare, T, R. . . . . . . . . . . . . . . . . . 6
accaparrare, T. . . . . . . . . . . . . . . . . . . . . 6
accapezzare, T . . . . . . . . . . . . . . . . . . . . 6
accapigliarsi, R. . . . . . . . . . . . . . . . . . . . 12
accappiare, T . . . . . . . . . . . . . . . . . . . . . 12
accappiettare, T . . . . . . . . . . . . . . . . . . . 6
accapponare, T, P . . . . . . . . . . . . . . . . . . 6
accapricciare, I, P, Vx . . . . . . . . . . . . . . . 9
accareggiare, T, R, Vx. . . . . . . . . . . . . . . 10
**accarezzare,** T, R . . . . . . . . . . . . . . . . . . 6
accarnare, T, P, Vx . . . . . . . . . . . . . . . . . 6
accarpionare, I, Lit. . . . . . . . . . . . . . . . . . 6
accartocciare, T, P . . . . . . . . . . . . . . . . . 9
accasare, T, I, R. . . . . . . . . . . . . . . . . . . . 6
accasciare, T, P . . . . . . . . . . . . . . . . . . . 9

accasellare, T . . . . . . . . . . . . . . . . . . . . . 6
accasermare, T . . . . . . . . . . . . . . . . . . . . 6
accastellare, T. . . . . . . . . . . . . . . . . . . . . 6
accatastare, T . . . . . . . . . . . . . . . . . . . . . 6
accattare, T. . . . . . . . . . . . . . . . . . . . . . . 6
accattivare, T, *cattivare* . . . . . . . . . . . . . 6
accavalcare, T. . . . . . . . . . . . . . . . . . . . . 7
**accavallare,** T, P . . . . . . . . . . . . . . . . . . 6
**accecare,** T, I ♦ . . . . . . . . . . . . . . . . . . . 7
accedere, I ◊, Irr . . . . . . . . . . . . . . . . . . 20
acceffare, T, Vx . . . . . . . . . . . . . . . . . . . . 6
**accelerare,** T, I ♦,P. . . . . . . . . . . . . . . . 18
accellerare, T, I ♦, P, *accelerare* . . . . . . 18
accenciare, T. . . . . . . . . . . . . . . . . . . . . . 9
**accendere,** T, P, Irr. . . . . . . . . . . . . . . . 21
**accennare,** T, I ♦, a, di. . . . . . . . . . . . . . 6
accensare, T, Vx. . . . . . . . . . . . . . . . . . . . 6
**accentare,** T. . . . . . . . . . . . . . . . . . . . . . 6
accentrare, T, P . . . . . . . . . . . . . . . . . . . 6
accentuare, T, P. . . . . . . . . . . . . . . . . . . 18
acceppare, T. . . . . . . . . . . . . . . . . . . . . . 6
accerchiare, T, R . . . . . . . . . . . . . . . . . . 12
accertare, T, R . . . . . . . . . . . . . . . . . . . . 6
accestire, I ♦. . . . . . . . . . . . . . . . . . . . . 100
**accettare,** T, di . . . . . . . . . . . . . . . . . . . 6
accettilare, T. . . . . . . . . . . . . . . . . . . . . . 6
acchetare, T, R, Lit . . . . . . . . . . . . . . . . . 6
**acchiappare,** T. . . . . . . . . . . . . . . . . . . . 6
acchinare, T, Vx . . . . . . . . . . . . . . . . . . . 6
acchiocciolare, T, R . . . . . . . . . . . . . . . . 6
acchitare, T. . . . . . . . . . . . . . . . . . . . . . . 6
acchittare, T, P. . . . . . . . . . . . . . . . . . . . 6
acciabattare, I ♦, T. . . . . . . . . . . . . . . . . 6
acciaccare, T. . . . . . . . . . . . . . . . . . . . . . 7
acciaiare, T . . . . . . . . . . . . . . . . . . . . . . 12
acciambellare, T, R . . . . . . . . . . . . . . . . . 6
acciarpare, T. . . . . . . . . . . . . . . . . . . . . . 6
accidere, T, *uccidere* . . . . . . . . . . . . . . 74
accidiare, I, Vx. . . . . . . . . . . . . . . . . . . . 12
acciecare, T, *accecare* . . . . . . . . . . . . . . 7
accigliarsi, P, T. . . . . . . . . . . . . . . . . . . . 12
acciglionare, T . . . . . . . . . . . . . . . . . . . . 6
accingere, T, R, Irr, Lit . . . . . . . . . . . . . . 31

| | |
|---|---|
| accintolare, T | 6 |
| acciottolare, T | 6 |
| acciuffare, T, R | 6 |
| accivettare, T | 6 |
| acclamare, T, I ♦ | 6 |
| acclarare, T | 6 |
| acclimare, T, R | 6 |
| acclimatare, T, R | 18 |
| accludere, T, Irr | 30 |
| accoccare, T | 7 |
| accoccolarsi, R | 6 |
| accodare, T, R | 6 |
| **accogliere**, T, R, Irr | 31 |
| accollare, T, I ♦, P | 6 |
| **accoltellare**, T, R | 6 |
| accomiatare, T, R | 6 |
| **accomodare**, T, I ♦, R | 18 |
| **accompagnare**, T, R | 6 |
| accomunare, T, R | 6 |
| acconciare, T, R | 9 |
| accondiscendere, I ♦, Irr, a | 80 |
| acconsentire, I ♦, T, Irr, Lit, a | 99 |
| **accontentare**, T, R, di (R) | 6 |
| accoppare, T, R | 6 |
| **accoppiare**, T, R | 12 |
| accorare, T, P | 6 |
| **accorciare**, T, I, P | 9 |
| **accordare**, T, P, R | 6 |
| **accorgersi**, P, Irr, di | 67 |
| accorpare, T | 6 |
| **accorrere**, I, Irr | 38 |
| accosciarsi, R | 9 |
| **accostare**, T, I ♦, R | 6 |
| accostumare, T, R | 6 |
| accovacciarsi, R | 9 |
| accovarsi, R | 6 |
| accovonare, T | 6 |
| accozzare, T, R | 6 |
| accreditare, T, R | 18 |
| **accrescere**, T, I, P, Irr | 39 |
| **accucciarsi**, R | 9 |
| accucciolarsi, R | 6 |
| accudire, I ♦, T | 100 |
| accumulare, T, P | 18 |
| **accusare**, T, R, di | 6 |
| acerbare, T, P, Vx | 6 |
| acidificare, T, I | 19 |
| acidulare, T | 6 |
| acquarellare, T, *acquerellare* | 6 |
| acquartierare, T, R | 6 |
| acquattare, T, R | 6 |
| acquerellare, T | 6 |
| acquetare, T, P | 6 |
| acquiescere, I, D, Lit | 20 |
| ≃ pas de participe passé | |
| acquietare, T, P | 6 |
| acquisire, T | 100 |
| **acquistare**, T, I ♦ | 6 |
| acuire, T, P | 100 |
| acuminare, T | 6 |
| acutizzare, T, P | 6 |
| **adagiare**, T, R | 10 |
| **adattare**, T, P, R | 6 |
| addarsi, P, D, Irr, Lit, Tosc | 15 |
| addebitare, T | 18 |
| addensare, T, P, R | 6 |
| addentare, T, R | 6 |
| addentellare, T | 6 |
| addentrare, T, P | 6 |
| **addestrare**, T, R | 6 |
| addipanare, T, Lit | 6 |
| addire, T, Irr | 41 |
| **addirizzare**, T, P | 6 |
| addirsi, P, Irr | 41 |
| ≃ seulement 3e personne du singulier et du pluriel | |
| additare, T | 6 |
| addivenire, I, Irr | 110 |
| addizionare, T | 6 |
| addobbare, T, R | 6 |
| addogare, T | 8 |
| addolcare, I, Vx | 7 |
| **addolcire**, T, P | 100 |
| **addolorare**, T, P | 6 |
| **addomesticare**, T, P | 19 |
| **addormentare**, T, P | 6 |

addormire, T, P, R, Fam, Rég ......... 99
addossare, T, R ..................... 6
addottorare, T, P .................... 6
addottrinare, T, R. .................. 6
addrizzare, T, P, *addirizzare* .......... 6
addurre, T, R, Irr .................. 36
**adeguare,** T, R..................... 6
adempiere, T, I ♦, P, Irr, a .......... 33
adempire, T, I, P, Irr, a .............. 33
adergere, T, I, P, Irr, Lit ............ 48
**aderire,** I ♦, a .................... 100
aderizzare, T ....................... 6
adescare, T ........................ 7
adibire, T .......................... 100
adimare, T, P, Vx ................... 6
adirarsi, P, T ....................... 6
adire, T ............................ 100
adocchiare, T ....................... 12
adombrare, T, I, P ................... 6
adontarsi, P, T, I ................... 6
**adoperare,** T, I, R .................. 18
adoprare, T, I, R, *adoperare*........... 18
**adorare,** T, I ♦ .................... 6
adornare, T, R. ..................... 6
**adottare,** T ........................ 6
aduggiare, T, P, Lit ................. 10
adugnare, T, Vx ..................... 6
adulare, T, R. ...................... 17
adulterare, T, I ♦ ................... 6
adunare, T, P ....................... 6
adunghiare, T, Lit. .................. 12
adusare, T, R, Lit ................... 6
aerare, T ........................... 6
affaccendare, T, R ................... 6
affacciare, T, R. .................... 9
affagottare, T, R. ................... 6
**affamare,** T, I..................... 6
**affannare,** T, I, R. ................. 6
affardellare, T ...................... 6
affarsi, P, D, Vx .................... 52
  ≃ seulement 3ᵉ personne du sing.
**affascinare** (1), T
  pour fasciner, envoûter, séduire ..... 18

affascinare (2), T
  pour mettre en gerbes ............ 6
affastellare, T ...................... 6
**affaticare,** T, R .................... 7
affatturare, T. ...................... 6
affazzonare, T. ..................... 6
**affermare,** T, R .................... 6
**afferrare,** T, R .................... 6
affettare (1), T
  pour affecter .................... 6
**affettare** (2), T, P
  pour mettre en tranches. .......... 6
**affezionare,** T, P. .................. 6
**affiancare,** T, P, R ................. 7
**affiatare,** T, R .................... 6
affibbiare, T. ....................... 12
**affidare,** T, R .................... 6
affievolire, T, I, P. .................. 100
affiggere, T, R, Irr ................. 22
affigliare, T, R, *affiliare* ........... 12
affilare, T, P ....................... 6
affiliare, T, R. ...................... 12
affinare, T, P. ...................... 6
affiocare, T, P. ..................... 7
affiochire, T, I, P ................... 100
affiorare, I ......................... 6
**affittare,** T, R. .................... 6
affittire, T, I, P ..................... 100
**affliggere,** T, P, Irr ............... 22
afflosciare, T, I, P. ................. 9
afflosciре, T, P ..................... 100
affluire, I .......................... 100
affocare, T, P ...................... 7
**affogare,** T, I, P. .................. 8
**affollare,** T, I, P. .................. 6
**affondare,** T, I, P. ................. 6
afforcare, T ........................ 7
afforzare, T, Vx .................... 6
affossare, T, P. ..................... 6
affrancare, T, R. .................... 7
affrangere, T, Irr, Lit ............... 65
affratellare, T, R ................... 6
affrescare, T ....................... 7

| | | |
|---|---|---|
| **affrettare**, T, I, R, a | 6 | |
| affrittellare, T | 6 | |
| **affrontare**, T, P, R | 6 | |
| **affumicare**, T | 19 | |
| affusolare, T | 18 | |
| agevolare, T | 18 | |
| aggallare, I | 6 | |
| **agganciare**, T | 9 | |
| aggarbare, T, I | 6 | |
| aggeggiare, T, I ♦, Fam, Tosc | 10 | |
| aggelare, T, I, P, Vx | 6 | |
| aggettare, I | 6 | |
| aggettivare, T | 6 | |
| agghiacciare, T, I, P | 9 | |
| agghiaiare, T | 12 | |
| agghindare, T, R | 6 | |
| aggiaccare, T | 7 | |
| aggiogare, T | 8 | |
| **aggiornare**, T, I, P | 6 | |
| **aggirare**, T, I, P | 6 | |
| aggiudicare, T | 19 | |
| **aggiungere**, T, I, P, R, Irr | 55 | |
| aggiuntare, T | 6 | |
| aggiustare, T, R | 6 | |
| agglomerare, T, P | 18 | |
| agglutinare, T, P | 18 | |
| aggobbire, T, I | 100 | |
| aggomitolare, T, R | 6 | |
| aggottare, T | 6 | |
| aggradare, I, D, Lit | 6 | |
| ≃ egli aggrada | | |
| aggradire, T, I, Lit | 100 | |
| aggraffare, T | 6 | |
| aggraffiare, T | 12 | |
| aggraffignare, T | 6 | |
| aggranchiare, I, P | 12 | |
| aggranchire, T, I | 100 | |
| aggrandire, T, I, P | 100 | |
| aggranfiare, T | 12 | |
| **aggrappare**, R, T | 6 | |
| aggraticciare, T, P, R | 9 | |
| **aggravare**, T, I, P | 6 | |
| aggraziare, T | 12 | |
| **aggredire**, T | 100 | |
| aggregare, P, R | 8 | |
| aggrevare, T, Lit | 6 | |
| aggricciare, T, P | 9 | |
| aggrinzare, T, I, P | 6 | |
| aggrinzire, T, I, P | 100 | |
| aggrommare, I, P | 6 | |
| aggrondare, I, P | 6 | |
| aggrottare, T | 6 | |
| aggrovigliare, T, P | 12 | |
| aggrovigliolare, T, Tosc | 6 | |
| aggrumare, T, I, P | 6 | |
| aggruppare, T, R | 6 | |
| agguagliare, T, R | 12 | |
| agguantare, T, P | 6 | |
| agguerrire, T, R | 100 | |
| **agire**, I ♦ | 100 | |
| **agitare**, T, R | 17 | |
| agognare, T, I ♦, a | 6 | |
| agonizzare, I ♦ | 6 | |
| agroppare, T, P | 6 | |
| agucchiare, T, I ♦ | 12 | |
| **aguzzare**, T, P | 6 | |
| **aiutare**, T, R, a | 6 | |
| aizzare, T, P | 6 | |
| alare, T | 6 | |
| albeggiare, Imp, I | 10 | |
| alberare, T | 6 | |
| albergare, T, I ♦ | 8 | |
| albicare, I | 19 | |
| alcolizzare, T, P | 6 | |
| aleggiare, I ♦ | 10 | |
| alenare, I ♦, Vx, *anelare* | 6 | |
| alfabetizzare, T | 6 | |
| algere, I, D | D | |
| ≃ io alsi, egli alse, algente | | |
| aliare, I, Lit | 12 | |
| alienare, T, I | 6 | |
| **alimentare**, T, R | 6 | |
| alitare, I ♦ | 6 | |
| **allacciare**, T, R | 9 | |
| **allagare**, T, I, P | 8 | |
| allampanare, I, Vx | 6 | |

allappare, T ........................ 6
**allargare,** T, I, P, R ............... 8
**allarmare,** T, P ................... 6
allascare, T ....................... 7
**allattare,** T, I ◆ ................. 6
**alleare,** R, T .................... 6
allegare, T, I, R ................... 8
**alleggerire,** T, R ................ 100
allegorizzare, T, I ◆ ............... 6
allegrare, T, R, Lit ................ 6
**allenare,** T, R ................... 6
**allentare,** T, P .................. 6
allessare, T ....................... 6
allestire, T, R .................... 100
allettare, T, P, R ................. 6
**allevare,** T ..................... 6
alleviare, T, P .................... 11
allibare, T ........................ 6
allibire, I ....................... 100
allibrare, T ....................... 6
allicciare, T ...................... 9
allietare, T, P .................... 6
allignare, I ◆ ..................... 6
**allineare,** T, R ................. 18
allivellare, T ..................... 6
allividire, I ..................... 100
allocare, T, R, Vx, *allogare* ..... 7
alloccare, T, Vx ................... 7
allogare, T, R ..................... 8
**alloggiare,** T, I ◆, a, da, in .... 10
**allontanare,** T, P, R ............ 6
alloppiare, T, P ................... 12
allucinare, T, P ................... 18
alludere, I ◆, Irr ................. 30
allumacare, T ...................... 7
allumare, T, Lit ................... 6
alluminare, T, P, Vx ............... 6
allunare, T, I ..................... 6
**allungare,** T, I ◆, P, R .......... 8
almanaccare, T, I ◆ ................ 7
alpeggiare, T, I ◆ ................. 12
altalenare, I ◆ .................... 6
**alterare,** T, P .................. 17

altercare, I ◆ ..................... 7
alternare, T, R .................... 6
**alzare,** T, P, R ................. 6
amalgamare, T, R ................... 18
**amare,** T, R ..................... 6
amareggiare, T, I, R ............... 10
amarrare, I, *ammarrare* ........... 6
ambientare, T, R ................... 6
ambire, T, I ◆ .................... 100
ambulare, I ◆, Vx .................. 6
americanizzare, T, I, P ............ 6
amicare, T, R ...................... 17
**ammaccare,** T, P ................. 7
ammaestrare, T ..................... 6
ammagliare, T ...................... 12
ammaiare, T, Vx .................... 12
ammainare, T ....................... 6
**ammalare,** R, I, T, di ........... 6
ammaliare, T ....................... 12
ammalinconire, T, P ............... 100
ammalizziare, T, P ................. 12
ammalizzire, T, I ................. 100
ammammolarsi, P .................... 6
**ammanettare,** T .................. 6
ammanierare, T ..................... 6
ammanigliare, T .................... 12
ammannare, T ....................... 6
ammannire, T ...................... 100
ammansare, T, P .................... 6
ammansire, T, I, P ................ 100
ammantare, T, P, R ................. 6
ammantellare, T .................... 6
ammarare, I ◆ ..................... 6
ammarrare, T ....................... 6
ammascarsi, P ...................... 7
**ammassare,** T, I ................ 6
ammassellare, T .................... 6
ammassicciare, T, P ................ 9
ammatassare, T ..................... 6
ammattare, T, I, Vx ................ 6
ammattire, I ...................... 100
ammattonare, T ..................... 6
**ammazzare,** I, P, R .............. 6

| | | | |
|---|---|---|---|
| ammelmare, I | 6 | ammutolire, I, T | 100 |
| ammenare, T | 6 | amnistiare, T | 11 |
| ammencire, T, I | 100 | amoreggiare, I ♦ | 10 |
| ammennicolare, T, I ♦ | 6 | ampliare, T, P | 12 |
| ammestare, T | 6 | amplificare, T | 19 |
| ammetare, T | 6 | amputare, T | 17 |
| **ammettere**, T, Irr, a, di | 57 | analizzare, T | 6 |
| ammezzare, T | 6 | anastomizzare, T | 6 |
| ammezzire, I, P | 100 | anatematizzare, T | 6 |
| **ammiccare**, I ♦,T | 7 | anatemizzare, T, Lit, *anatematizzare* | 6 |
| amminicolare, T, I ♦, *ammennicolare* | 6 | anatomizzare, T | 6 |
| **amministrare**, T | 6 | ancheggiare, I ♦ | 10 |
| amminutare, T | 6 | ancorare, T, R | 6 |
| **ammirare**, T, I, P | 6 | **andare**, I, Irr, a, in, da | 14 |
| ammiserire, T | 100 | andicappare, T, *handicappare* | 6 |
| **ammobiliare**, T | 11 | anelare, I ♦, T, Lit | 6 |
| ammodernare, T | 6 | anellare, T, Vx, *inanellare* | 6 |
| ammogliare, T, R | 12 | anestetizzare, T | 6 |
| ammollare, T, I, P | 6 | anfanare, I ♦ | 6 |
| ammollire, T, P | 100 | anfaneggiare, I ♦, Vx | 10 |
| **ammonire**, T | 100 | angariare, T | 12 |
| ammontare, T, I, R | 6 | angarieggiare, T | 10 |
| ammonticchiare, T, R | 12 | angere, T, D, Lit | D |
| ammorbare, T, I | 6 | ≃ egli ange | |
| ammorbidare, T, I, P, Vx | 6 | anglicizzare, T, R | 6 |
| ammorbidire, T, P | 100 | angolare, T | 6 |
| ammorsare, T | 6 | angosciare, T, P | 9 |
| ammortare, T | 6 | angustiare, T, P | 12 |
| ammortire, T, I, P | 100 | **animare**, T, P | 17 |
| ammortizzare, T | 6 | **annacquare**, T | 6 |
| ammorzare, T, Lit | 6 | **annaffiare**, T | 12 |
| ammoscarsi, P, *ammascarsi* | 7 | annaspare, T, I ♦ | 6 |
| ammosciare, T, I, P | 9 | **annebbiare**, T, I, Imp, P | 12 |
| ammoscire, T, I, P | 100 | **annegare**, T, I, P, R | 8 |
| ammostare, T, I ♦ | 6 | anneghittire, T, I, P, Vx | 100 |
| **ammucchiare**, T, P | 12 | annerare, T, I, P | 6 |
| ammucidire, I, P | 100 | annerire, T, I, P | 100 |
| ammuffare, I, *ammuffire* | 6 | annettere, T, Irr | 53 |
| **ammuffire**, I | 100 | annichilare, T, P, R | 6 |
| ammusare, I, R, T | 6 | annichilire, T, P | 100 |
| ammusire, I | 100 | annidare, T, R | 6 |
| ammutinare, T, P | 6 | annientare, T, R | 6 |
| ammutire, I, T, Rare, Lit | 100 | annitrire, I | 100 |

| | |
|---|---|
| annobiliare, T, *annobilire* | 12 |
| annobilire, T | 100 |
| annoccare, T, P | 7 |
| annodare, T, P | 6 |
| **annoiare,** T, I, P | 12 |
| **annotare,** T | 6 |
| annottare, Imp, I, T, P | 6 |
| annoverare, T | 6 |
| annuire, I ♦ | 100 |
| **annullare,** T, P, R | 6 |
| **annunciare,** T | 9 |
| annunziare, T, *annunciare* | 12 |
| **annusare,** T | 6 |
| annuvolare, T, P | 6 |
| ansare, I ♦ | 6 |
| **ansimare,** I ♦ | 6 |
| antecedere, T, I, Irr, Lit | 20 |
| anteporre, T, Irr | 68 |
| **anticipare,** T | 6 |
| antivedere, T, Irr | 93 |
| antivenire, T, I, Irr, Vx | 110 |
| apocopare, T | 6 |
| apologizzare, T, I ♦ | 6 |
| apostatare, I ♦ | 6 |
| apostrofare, T, I ♦ | 18 |
| appaciare, T, R | 9 |
| appacificare, T, R | 19 |
| appagare, T, R | 8 |
| appaiare, T, R | 12 |
| appallottolare, T, P, R | 6 |
| appaltare, T | 6 |
| **appannare,** T, P | 6 |
| **apparecchiare,** T, R | 12 |
| apparentare, T, R | 6 |
| apparigliare, T | 12 |
| **apparire,** I, Irr | 101 |
| **appartare,** R, T | 6 |
| **appartenere,** I ◊, P, Irr, a | 89 |
| appassionare, T, P | 6 |
| appassire, I, P | 100 |
| appastellarsi, P | 6 |
| appellare, T, I, P | 6 |
| appenare, T, R, Vx | 6 |
| **appendere,** T, R, Irr | 21 |
| appennellare, T | 6 |
| **appesantire,** T, P | 100 |
| appestare, T, I, P | 6 |
| appetire, T, I ♦, Lit | 100 |
| appettare, T, I ♦ | 6 |
| appezzare, T | 6 |
| appianare, T, P | 6 |
| appiattare, T, R | 6 |
| appiattire, T, P, R | 100 |
| appiccare, T, P, R | 7 |
| appicciare, T, R | 9 |
| **appiccicare,** T, R | 19 |
| appiccinire, T | 100 |
| appicciolire, T | 100 |
| appiedare, T | 6 |
| appigionare, T | 6 |
| appigliarsi, P, R | 12 |
| appinzare, T | 6 |
| appiombare, T | 6 |
| appioppare, T | 6 |
| appisolarsi, P | 6 |
| **applaudire,** T, I ♦, Irr | 99/100 |
| **applicare,** T, R | 19 |
| appoderare, T, R | 6 |
| **appoggiare,** T, I ♦, R | 10 |
| appollaiarsi, T, R | 12 |
| apporre, T, R, Irr | 68 |
| apportare, T | 6 |
| appostare, T, R | 6 |
| appratire, T, I | 100 |
| **apprendere,** T, P, R, Irr, a | 70 |
| apprensionirsi, R, Vx | 100 |
| appressare, T, I, R | 6 |
| apprestare, T, R | 6 |
| apprettare, T | 6 |
| **apprezzare,** T | 6 |
| approdare, I ◊, a | 6 |
| **approfittare,** I ♦, P, di | 6 |
| approfondare, T, Lit | 6 |
| **approfondire,** T, P | 100 |
| approntare, T | 6 |
| appropinquare, T, I, P | 6 |

appropriare, T, P . . . . . . . . . . . . . . . . . . . 12
approssimare, T, P, R . . . . . . . . . . . . 18
**approvare**, T. . . . . . . . . . . . . . . . . . . . . . 6
approvisionare, T, R, *approvvigionare* . . 6
approvvigionare, T, R . . . . . . . . . . . . . . 6
appruare, T, I, P . . . . . . . . . . . . . . . . . . . 6
appuntare, T, P, R . . . . . . . . . . . . . . . . . 6
appuntellare, T, R . . . . . . . . . . . . . . . . 6
appurare, T . . . . . . . . . . . . . . . . . . . . . . . 6
appuzzare, T . . . . . . . . . . . . . . . . . . . . . . 6
**aprire**, T, I ♦, P, Irr . . . . . . . . . . . . . . . 102
arabescare, T. . . . . . . . . . . . . . . . . . . . . 7
**arare**, T . . . . . . . . . . . . . . . . . . . . . . . . . 6
arbitrare, T, I ♦, P . . . . . . . . . . . . . . . . . 6
arborare, T, Vx, *alberare* . . . . . . . . . . . . 6
arcaizzare, I ♦, Lit . . . . . . . . . . . . . . . . 6
arcare, T, Vx . . . . . . . . . . . . . . . . . . . . . 7
archeggiare, T, I ♦ . . . . . . . . . . . . . . . . 10
archibugiare, T, Vx. . . . . . . . . . . . . . . . 10
architettare, T . . . . . . . . . . . . . . . . . . . . 6
archiviare, T . . . . . . . . . . . . . . . . . . . . . 12
arcuare, T, R. . . . . . . . . . . . . . . . . . . . . 6
ardere, T, I, Irr . . . . . . . . . . . . . . . . . . . 23
ardire, I ♦, T, P, D, Lit . . . . . . . . . . . . 111 a
areare, T, *aerare* . . . . . . . . . . . . . . . . . 6
arenare, I, P . . . . . . . . . . . . . . . . . . . . . 6
argentare, T. . . . . . . . . . . . . . . . . . . . . . 6
arginare, T. . . . . . . . . . . . . . . . . . . . . . . 18
argomentare, T, I ♦,P . . . . . . . . . . . . . . 6
arguire, T. . . . . . . . . . . . . . . . . . . . . . . . 100
arianizzare, T. . . . . . . . . . . . . . . . . . . . . 6
arieggiare, T, I ♦ . . . . . . . . . . . . . . . . . 10
arietare, T, Lit . . . . . . . . . . . . . . . . . . . . 6
**armare**, T, R . . . . . . . . . . . . . . . . . . . . . 6
armeggiare, I ♦ . . . . . . . . . . . . . . . . . . . 10
armonizzare, T, I ♦ . . . . . . . . . . . . . . . . 6
aromatizzare, T . . . . . . . . . . . . . . . . . . . 6
arpeggiare, I ♦ . . . . . . . . . . . . . . . . . . . 10
arpionare, T. . . . . . . . . . . . . . . . . . . . . . 6
arponare, T . . . . . . . . . . . . . . . . . . . . . . 6
arrabattarsi, P . . . . . . . . . . . . . . . . . . . . 6
**arrabbiarsi**, P, con, per . . . . . . . . . . . . . 12
arraffare, T, Fam. . . . . . . . . . . . . . . . . . . 6

**arrampicare**, P, I. . . . . . . . . . . . . . . . . . 19
arrancare, I ♦ . . . . . . . . . . . . . . . . . . . . . 7
arrandellare, T. . . . . . . . . . . . . . . . . . . . 6
**arrangiare**, T, P . . . . . . . . . . . . . . . . . . . 10
arrapare, T, R, Fam . . . . . . . . . . . . . . . . 6
arrazzare, T, I, P. . . . . . . . . . . . . . . . . . . 6
arrecare, T, R . . . . . . . . . . . . . . . . . . . . . 7
**arredare**, T . . . . . . . . . . . . . . . . . . . . . . . 6
arrembare, T, I ♦, P. . . . . . . . . . . . . . . . . 6
arrenare, I, P, *arenare* . . . . . . . . . . . . . . 6
**arrendersi**, P, T, Irr . . . . . . . . . . . . . . . 70
**arrestare**, T, R . . . . . . . . . . . . . . . . . . . 6
arretrare, T, I, P, R. . . . . . . . . . . . . . . . . 6
**arricchire**, T, I, P, R . . . . . . . . . . . . . . . 100
arricciare, T, I, P. . . . . . . . . . . . . . . . . . . 9
arricciolare, T, P. . . . . . . . . . . . . . . . . . . 6
arridere, I ♦, T, Irr, Lit. . . . . . . . . . . . . . 74
arringare, T, I, Lit. . . . . . . . . . . . . . . . . . 8
arrischiare, T, R, a, in . . . . . . . . . . . . . 12
arrisicare, T, R . . . . . . . . . . . . . . . . . . . 19
**arrivare**, I, T, a, in, da. . . . . . . . . . . . . . 6
arroccare, T, R . . . . . . . . . . . . . . . . . . . . 7
arrocciarsi, P. . . . . . . . . . . . . . . . . . . . . 9
arrochire, T, I, P. . . . . . . . . . . . . . . . . . . 100
arrogare, T. . . . . . . . . . . . . . . . . . . . . . . 8
arrogere, T. . . . . . . . . . . . . . . . . . . . . . . D
  ≃ tu arrogi
  arroto
arronzare, T, P, Fam, Tosc . . . . . . . . . . . 6
arrossare, T, I, P. . . . . . . . . . . . . . . . . . . 6
**arrossire**, I, P. . . . . . . . . . . . . . . . . . . . 100
**arrostire**, T, I, P. . . . . . . . . . . . . . . . . . 100
arrotare, T, I . . . . . . . . . . . . . . . . . . . . . 6
arrotolare, T . . . . . . . . . . . . . . . . . . . . . 18
arrotondare, T, P . . . . . . . . . . . . . . . . . . 6
arrovellare, T, R . . . . . . . . . . . . . . . . . . 6
arroventare, T, P. . . . . . . . . . . . . . . . . . . 6
arrovesciare, T, R. . . . . . . . . . . . . . . . . . 9
arruffare, T, R . . . . . . . . . . . . . . . . . . . . 6
**arrugginire**, T, I, P . . . . . . . . . . . . . . . 100
arruncigliare, T, Vx, Lit . . . . . . . . . . . . 12
**arruolare**, T, R . . . . . . . . . . . . . . . . . . . 6
artefare, T, Irr . . . . . . . . . . . . . . . . . . . . 52

**articolare,** T, R ................... 18
artigliare, T ...................... 12
aruspicare, I ♦ .................... 19
arzigogolare, I, P ................. 6
ascendere, I, T, Irr, Lit. ........... 80
asciare, T. ........................ 9
asciolvere, I ♦, T ................. 25
**asciugare,** T, I, P, R ............ 8
**ascoltare,** T .................... 6
ascondere, T, Irr, Lit ............. 76
ascrivere, T, Irr, Lit. ............. 82
**asfaltare,** T. .................... 6
asfissiare, T, I ................... 12
aspergere, T, Irr .................. 48
**aspettare,** T, a, per, di ......... 6
**aspirare,** T, I ♦, a. ............. 6
asportare, T. ..................... 6
aspreggiare, T. ................... 10
assaettare, T, I, P ............... 6
assaggiare, T. .................... 10
**assalire,** T, Irr ................. 106
assaltare, T ...................... 6
**assaporare,** T. ................. 6
assaporire, T. .................... 100
**assassinare,** T ................. 6
**assecondare,** T ................ 6
**assediare,** T ................... 12
**assegnare,** T. .................. 6
assemblare, T .................... 6
assembrare, T, I, P, Lit .......... 6
assennare, T, Vx. ................ 6
assentarsi, P, I, T ............... 6
assentire, I ♦, T ................. 99
asserenare, T, I, P, Lit ........... 6
asserire, T ....................... 100
asserragliare, T, R ............... 12
asserrare, T ..................... 6
asservire, T, R. .................. 100
assestare, T, R .................. 6
assetare, T, I. ................... 6
assettare, T, R. .................. 6
asseverare, T. .................... 6
assibilare, T, P .................. 6

**assicurare,** T, R, di ............. 6
assiderare, T, I, P. ............... 18
assidere, T, P, Irr, Lit. ........... 74
assiemare, T ..................... 6
assiepare, T, P ................... 6
assillare, T, I ♦ .................. 6
assimilare, T, P. ................. 6
assiomatizzare, T ................ 6
**assistere,** I ♦, T, Irr, a ......... 24
**associare,** T, R. ................ 9
assodare, T, P. ................... 6
assoggettare, T, R ............... 6
assolcare, T. ..................... 7
assoldare, T. ..................... 6
**assolvere,** T, Irr ................ 25
**assomigliare,** T, I, P, R ......... 12
assommare, T, I, P. .............. 6
assonare, I, Lit ................... 6
assonnare, T, I ................... 6
assopire, T, P .................... 100
**assorbire,** T, Irr ............. 100/99
assordare, T, I,P ................. 6
assordire, T, I, P. ................ 100
assorgere, I, Irr. ................. 67
assortire, T ...................... 100
assottigliare, T, P, R ............. 12
assuefare, T, R, Irr .............. 52
assumere, T, Irr. ................. 26
assurgere, I, Irr, Lit ............. 67
asteggiare, I ♦ ................... 10
**astenere,** R, T, Irr, da ........... 89
astergere, T, Irr, Lit .............. 48
astrarre, T, I ♦, R, Irr. ........... 91
astrignere, T, Irr, *astringere*. ... 87
astringere, T ..................... 87
astrologare, I. ................... 8
atrofizzare, T, P .................. 6
**attaccare,** T, I ♦, P, R ......... 7
attagliarsi, P .................... 12
attalentare, I, Vx. ................ 6
attanagliare, T. .................. 12
attardare, T, P, Lit ............... 6
attastare, T, *tastare* ............ 6

attecchire, I ♦....................... 100
attediare, T, P, Lit .................. 12
**atteggiare**, T, R................... 10
attempare, I, P, Lit................. 6
attendarsi, P....................... 6
**attendere**, T, I ♦, Irr, a............. 70
attenere, T, I, R, Irr ................ 89
**attentare**, I ♦, P, a ................ 6
**attenuare**, T, P.................... 6
attergare, T, R, Lit ................. 8
**atterrare**, T, I ◊, P ................ 6
atterrire, T, P, D................... 111 b
attestare, T, R...................... 6
atticizzare, I ♦..................... 6
attingere, T, I ♦, Irr ................ 31
**attirare**, T........................ 6
attivare, T......................... 6
attivizzare, T...................... 6
attizzare, T........................ 6
attorcere, T, R, Irr ................. 90
attorcigliare, T, P, R................ 12
attorniare, T, R..................... 12
attossicare, T...................... 19
attraccare, T, I .................... 7
**attrarre**, T, Irr.................... 91
**attraversare**, T, R................. 6
**attrezzare**, T, R................... 6
**attribuire**, T..................... 100
attristare, T, P, Lit ................ 6
attruppare, T, P, Lit................ 6
attualizzare, T..................... 6
attuare, T, P ...................... 6
attutare, T, P, Vx.................. 6
attutire, T, P...................... 100
**augurare**, T, I ♦, P, di............. 18
aulire, I, D........................ D
   ≃ egli aulisce
   egli auliva, essi aulivano
   aulente
**aumentare**, T, I................... 6
aunghiare, T, Vx, Rég, Tosc, *adunghiare* 12
auscultare, T....................... 6
auspicare, T........................ 19

autenticare, T ...................... 19
autoridurre, T, Irr .................. 36
**autorizzare**, T.................... 6
avallare, T......................... 6
**avanzare**, I ◊, T, P................ 6
avariare, T, I, P.................... 12
**avere**, T, I ♦, Irr, da, a............. 2
avocare, T.......................... 7
avvalersi, P........................ 92
avvallare, I, P ..................... 6
avvalorare, T, P .................... 6
avvampare, I, T...................... 6
**avvantaggiare**, T, R................ 10
avvedersi, P........................ 93
**avvelenare**, T, R.................. 6
**avvenire**, I, P, Imp, Irr............. 110
avventare, T, I ♦, R ................. 6
avventurare, T, R ................... 6
avverare, T, P ...................... 6
avversare, T, R ..................... 6
**avvertire**, T, Irr.................. 99
avvezzare, T, R ..................... 6
**avviare**, T, P..................... 12
avvicendare, T, R.................... 6
**avvicinare**, T, P.................. 6
**avvilire**, T, P.................... 100
avviluppare, T, R ................... 6
avvinazzare, T, R ................... 6
avvincere, T, Irr .................... 94
avvinchiare, T, R, Vx, *avvinghiare*...... 12
avvincigliare, T, Vx ................. 12
avvinghiare, T, R ................... 12
**avvisare**, T, I ♦, P................ 6
avvistare, T........................ 6
**avvitare**, T...................... 6
avviticchiare, T, P, R ............... 12
avvitire, T ........................ 100
avvivare, T, P, Lit.................. 6
avvizzire, T, I...................... 100
**avvolgere**, T, P, R, Irr............. 97
avvoltolare, T, P, R ................ 18
azionare, T ........................ 6
azzannare, T ....................... 6

| | |
|---|---|
| azzardare, T, P | 6 |
| azzeccare, T | 7 |
| azzerare, T | 6 |
| azzimare, T, R | 6 |
| azzittare, I, P | 6 |
| azzittire, T, I, P | 100 |
| azzoppare, T, I, P | 6 |
| azzoppire, I, P | 100 |
| azzuffare, T, R | 6 |
| azzurreggiare, I, Lit | 10 |

*b*

| | |
|---|---|
| bacare, T, I, P | 7 |
| baccheggiare, I ♦, Lit | 10 |
| bacchettare, T, Tosc | 6 |
| bacchiare, T | 12 |
| **baciare,** T, P, R | 9 |
| **badare,** I ♦, T, a | 6 |
| **bagnare,** T, P, R | 6 |
| bagordare, I ♦ | 6 |
| **balbettare,** I ♦, T | 6 |
| balbutire, I ♦, T, Lit | 100 |
| balcanizzare, T | 6 |
| balenare, Imp, I | 6 |
| balestrare, T, I ♦ | 6 |
| **ballare,** I ♦, T | 6 |
| ballonzolare, I ♦, T | 6 |
| ballottare, T | 6 |
| baloccare, T, R | 7 |
| baluginare, I | 18 |
| balzare, I | 6 |
| balzellare, I ◊, T, Tosc | 6 |
| bambineggiare, I ♦ | 10 |
| bamboleggiare, I ♦ | 10 |
| banalizzare, T | 6 |
| banchettare, I ♦ | 6 |
| bandire, T | 100 |
| barare, I ♦ | 6 |
| barattare, T, I | 6 |
| barbareggiare, I ♦, Lit | 10 |
| barbarizzare, I ♦, Lit | 6 |
| barbicare, I ♦ | 19 |
| barbificare, I ♦ | 19 |
| barbottare, T, I ♦, Rég | 6 |
| barbugliare, T, I ♦ | 12 |
| barcamenarsi, P | 6 |
| barcollare, I ♦ | 6 |
| barellare, T, I ♦ | 6 |
| baronare, I | 6 |
| barrare, T | 6 |
| barricare, T, R | 19 |
| barrire, I ♦ | 100 |
| barullare, T, Vx | 6 |
| basare, T, R | 6 |
| basire, I | 100 |
| **bastare,** I, Imp | 6 |
| bastionare, T | 6 |
| **bastonare,** T, R | 6 |
| batacchiare, T | 12 |
| battagliare, I ♦ | 12 |
| **battere,** T, I ♦, P, R, Irr | 20 |
| **battezzare,** T, P | 6 |
| battibeccare, I | 7 |
| baulare, T | 6 |
| bazzicare, T, I ♦ | 19 |
| beare, T, P | 6 |
| beatificare, T | 19 |
| **beccare,** T, I, R | 7 |
| beccheggiare, I ♦ | 10 |
| beffare, T, P | 6 |
| beffeggiare, T | 10 |
| **belare,** I ♦ | 6 |
| bendare, T | 6 |
| **benedire,** T, Irr | 41 |
| beneficare, T | 19 |
| **beneficiare,** T, I ♦ | 9 |
| benemeritare, I ♦, Lit | 6 |
| berciare, I ♦, Tosc | 9 |
| **bere,** T, Irr | 27 |
| bersagliare, T | 12 |

| | |
|---|---|
| berteggiare, T, Lit. | 10 |
| **bestemmiare,** T | 12 |
| bevere, T, Vx, Irr, *bere*. | 27 |
| bevicchiare, T | 12 |
| bevucchiare, T | 12 |
| bezzicare, T | 19 |
| biancheggiare, I ♦, T | 10 |
| bianchire, T, I | 100 |
| biancicare, I ♦, T, Lit. | 19 |
| biasciare, T | 9 |
| biascicare, T | 19 |
| biasimare, T, P | 6 |
| biasmare, T, P, Vx | 6 |
| bidonare, T, Fam | 6 |
| biforcare, T, P. | 7 |
| bighellonare, I ♦ | 6 |
| bilanciare, T, I ♦, R | 9 |
| binare, T, I ♦ | 6 |
| biografare, T | 6 |
| biondeggiare, I ♦ | 10 |
| bipartire, T, P | 100 |
| birbanteggiare, I ♦ | 10 |
| birboneggiare, I ♦ | 10 |
| **bisbigliare,** I ♦, T | 12 |
| bisbocciare, I ♦ | 9 |
| **biscazzare,** I ♦ | 6 |
| biscottare, T | 6 |
| **bisognare,** I, D, Imp | 6 |
| ≃ seulement 3ᵉ personne du singulier et du pluriel | |
| bissare, T | 6 |
| **bisticciare,** I ♦, R | 9 |
| bistrattare, T | 6 |
| bituminare, T | 6 |
| biutare, T | 6 |
| bivaccare, I ♦ | 7 |
| bizantineggiare, I ♦ | 10 |
| blandire, T | 100 |
| blaterare, I ♦, T | 6 |
| blindare, T | 6 |
| **bloccare,** T, I ♦, P | 7 |
| bluffare, I ♦ | 6 |
| bobbare, I ♦ | 6 |
| bobinare, T | 6 |
| boccheggiare, I ♦ | 10 |
| bocciardare, T | 6 |
| **bocciare,** T, I ♦ | 9 |
| bofonchiare, I ♦ | 12 |
| boicottare, T | 6 |
| bollare, T | 6 |
| **bollire,** I ♦, T | 99 |
| **bombardare,** T | 6 |
| bombare, T | 6 |
| bombettare, I ♦ | 6 |
| bombire, I ♦ | 100 |
| bonificare, T | 19 |
| **borbogliare,** I ♦, Lit | 12 |
| borbottare, I ♦, T | 6 |
| bordare, T | 6 |
| bordeggiare, I ♦ | 10 |
| boriare, I, P | 12 |
| borseggiare, T | 10 |
| boxare, I ♦ | 6 |
| bozzolare, T | 6 |
| braccare, T | 7 |
| bramare, T, Lit | 6 |
| bramire, I ♦ | 100 |
| brancicare, I ♦, T | 19 |
| brancolare, I ♦ | 6 |
| brandeggiare, T, I ♦ | 10 |
| brandire, T, I ♦ | 100 |
| bravare, I ♦, T, Lit | 6 |
| braveggiare, I ♦ | 10 |
| brevettare, T | 6 |
| brezzare, T, I | 6 |
| brezzeggiare, I | 10 |
| briccicare, I ♦, Tosc | 19 |
| briccolare, T | 6 |
| brigare, I ♦, T | 8 |
| brillantare, T | 6 |
| **brillare,** I ♦, T | 6 |
| brinare, Imp ◊, I, T | 6 |
| brindare, I ♦ | 6 |
| brogliare, I ♦ | 12 |
| **brontolare,** I ♦, T | 17 |
| bronzare, T | 6 |

brucare, T . . . . . . . . . . . . . . . . . . . . . . . 7
bruciacchiare, T . . . . . . . . . . . . . . . 12
**bruciare**, T, I, P, R . . . . . . . . . . . . . 9
brulicare, I ♦ . . . . . . . . . . . . . . . . . . . . 19
bruneggiare, I ♦ . . . . . . . . . . . . . . . . 10
brunire, T . . . . . . . . . . . . . . . . . . . . . . 100
brutalizzare, T . . . . . . . . . . . . . . . . . . 6
bubbolare, I ♦ . . . . . . . . . . . . . . . . . . . 6
**bucare**, T, I ♦, P, R . . . . . . . . . . . . . . 7
buccinare, T, I ♦ . . . . . . . . . . . . . . . . . 6
bucherellare, T . . . . . . . . . . . . . . . . . . 6
bucinare, T, I ♦, *buccinare* . . . . . . . . . . 6
bufare, I, Imp ◊, Vx, Rég . . . . . . . . . . 6
buffare, I ♦, T . . . . . . . . . . . . . . . . . . . 6
buffoneggiare, I ♦ . . . . . . . . . . . . . . . 10
buggerare, T, fam. . . . . . . . . . . . . . . . 6
bulicare, I ♦ . . . . . . . . . . . . . . . . . . . . 19
bulinare, T . . . . . . . . . . . . . . . . . . . . . . 6
bullettare, T . . . . . . . . . . . . . . . . . . . . 6
bullonare, T . . . . . . . . . . . . . . . . . . . . . 6
burattare, T . . . . . . . . . . . . . . . . . . . . . 6
burlare, T, I ♦, P . . . . . . . . . . . . . . . . . 6
buscare, T . . . . . . . . . . . . . . . . . . . . . . 7
buscherare, T, Fam . . . . . . . . . . . . . . . 6
**bussare**, I ♦, T, R . . . . . . . . . . . . . . . . 6
**buttare**, T, I ♦, R . . . . . . . . . . . . . . . . 6
butterare, T . . . . . . . . . . . . . . . . . . . . . 6

*C*

cablare, T . . . . . . . . . . . . . . . . . . . . . . 6
cablografare, T . . . . . . . . . . . . . . . . . . 6
cabotare, I ♦ . . . . . . . . . . . . . . . . . . . . 6
cabrare, I ♦, T . . . . . . . . . . . . . . . . . . . 6
**cacciare**, T, I ♦, R, da, in . . . . . . . . . . . 9
cadenzare, T . . . . . . . . . . . . . . . . . . . . 6
**cadere**, I, Irr, da, in, su . . . . . . . . . . . . . 28
cagionare, T . . . . . . . . . . . . . . . . . . . . 6
cagliare, I, T . . . . . . . . . . . . . . . . . . . . 12

calafatare, T . . . . . . . . . . . . . . . . . . . . 6
calamitare, T . . . . . . . . . . . . . . . . . . . . 6
**calare**, T, I, R . . . . . . . . . . . . . . . . . . . 6
calcare, T, P . . . . . . . . . . . . . . . . . . . . 7
**calciare**, I ♦, T . . . . . . . . . . . . . . . . . . 9
calcinare, T . . . . . . . . . . . . . . . . . . . . . 6
**calcitrare**, I ♦ . . . . . . . . . . . . . . . . . . . 6
**calcolare**, T . . . . . . . . . . . . . . . . . . . . 17
caldeggiare, T . . . . . . . . . . . . . . . . . . 10
calere, I, D, Imp, Lit . . . . . . . . . . . . . . 92
≃ seulement 3e personne du sing.
calettare, T, I ♦ . . . . . . . . . . . . . . . . . . 6
calibrare, T . . . . . . . . . . . . . . . . . . . . . 6
**calmare**, T, P . . . . . . . . . . . . . . . . . . . 6
**calpestare**, T . . . . . . . . . . . . . . . . . . . 6
calumare, T, R . . . . . . . . . . . . . . . . . . . 6
calunniare, T . . . . . . . . . . . . . . . . . . . 12
**calzare**, T, I ♦ . . . . . . . . . . . . . . . . . . . 6
**cambiare**, T, I, P, R, di . . . . . . . . . . . . 12
**camminare**, I ♦ . . . . . . . . . . . . . . . . . . 6
camosciare, T . . . . . . . . . . . . . . . . . . . 9
**campare**, I, T . . . . . . . . . . . . . . . . . . . 6
campeggiare, I ♦, T . . . . . . . . . . . . . . 10
campicchiare, I . . . . . . . . . . . . . . . . . 12
campionare, T . . . . . . . . . . . . . . . . . . . 6
camuffare, T, R . . . . . . . . . . . . . . . . . . 6
canalizzare, T . . . . . . . . . . . . . . . . . . . 6
**cancellare**, T, P . . . . . . . . . . . . . . . . . 6
cancerizzarsi, P . . . . . . . . . . . . . . . . . 6
cancrenare, I, T, P . . . . . . . . . . . . . . . . 6
candeggiare, T . . . . . . . . . . . . . . . . . . 10
candidare, T, R . . . . . . . . . . . . . . . . . . 17
candire, T, Lit . . . . . . . . . . . . . . . . . . 100
cangiare, T, I, P, Lit . . . . . . . . . . . . . . 10
cannibalizzare, T . . . . . . . . . . . . . . . . . 6
cannoneggiare, T, I ♦ . . . . . . . . . . . . . 10
canonizzare, T . . . . . . . . . . . . . . . . . . . 6
cansare, T, Vx, Lit . . . . . . . . . . . . . . . . 6
**cantare**, I ♦, T . . . . . . . . . . . . . . . . . . . 6
cantarellare, T, I ♦ . . . . . . . . . . . . . . . . 6
canterellare, T, I ♦ . . . . . . . . . . . . . . . . 6
canticchiare, T, I ♦ . . . . . . . . . . . . . . . 12
cantilenare, T, I ♦ . . . . . . . . . . . . . . . . 6

| | |
|---|---|
| canzonare, T, I ♦ | 6 |
| capacitare, T, P | 6 |
| capeggiare, T | 10 |
| capere, T, I, D, Vx, *capire* | 20 |
| ≃ egli cape, essi capono | |
| egli capeva, essi capevano | |
| capere, T, Irr, Vx | 20 |
| capillarizzare, T, R | 6 |
| **capire**, T, I, R, di | 100 |
| capitalizzare, T | 6 |
| capitanare, T | 6 |
| capitaneggiare, T | 10 |
| **capitare**, I, T, Imp | 17 |
| capitolare, I ♦, T | 6 |
| capitombolare, I | 6 |
| capitozzare, T | 6 |
| capotare, I ♦, T, *cappottare* | 6 |
| capottare, I ♦, T, *cappottare* | 6 |
| **capovolgere**, T, P, Irr | 97 |
| cappottare, I ♦, T | 6 |
| captare, T | 6 |
| caracollare, I ♦ | 6 |
| caramellare, T | 6 |
| caratare, T | 6 |
| caratterizzare, T | 6 |
| carbonare, I | 6 |
| carbonizzare, T, P | 6 |
| carburare, T, I ♦ | 6 |
| carcare, T, R, Vx, *caricare* | 7 |
| carcerare, T | 6 |
| cardare, I | 6 |
| cardeggiare, T | 10 |
| carenare, T | 6 |
| carezzare, T | 6 |
| cariare, T, P | 12 |
| **caricare**, T, R | 19 |
| carotare, I ♦, T | 6 |
| carpionare, T | 6 |
| carpire, T | 100 |
| carreggiare, T, I ♦ | 10 |
| carrellare, I ♦ | 6 |
| carrozzare, T | 6 |
| carrucolare, T | 6 |
| carteggiare, I ♦, T | 10 |
| cartellinare, T | 6 |
| cartolare, T, Vx | 6 |
| cartolinare, T | 6 |
| cartonare, T | 6 |
| **cascare**, I | 7 |
| cassare, T | 6 |
| castigare, T, R | 8 |
| castrare, T | 6 |
| catalogare, T | 8 |
| catapultare, T | 6 |
| catechizzare, T | 6 |
| catoneggiare, I ♦ | 10 |
| catramare, T | 6 |
| cattivare, T, I ♦, Lit | 6 |
| **catturare**, T | 6 |
| **causare**, T | 6 |
| cautelare, T, R | 6 |
| cauterizzare, T | 6 |
| cauzionare, T | 6 |
| **cavalcare**, T, I ♦ | 7 |
| **cavare**, T, I ♦ | 6 |
| cavillare, I ♦, T | 6 |
| cazzare, T | 6 |
| cazzottare, T, R, Vulg | 6 |
| cecare, T, Vx, Rég | 7 |
| **cedere**, I ♦, T | 20 |
| cedrare, T | 6 |
| celare, T, R, Lit | 6 |
| **celebrare**, T | 17 |
| celiare, I ♦ | 12 |
| cementare, T | 6 |
| cempennare, I ♦, Tosc | 6 |
| **cenare**, I ♦ | 6 |
| censire, T | 100 |
| censuare, T | 6 |
| censurare, T | 6 |
| centellinare, T | 6 |
| centinare, T | 6 |
| centralizzare, T | 6 |
| centrare, T, I ♦ | 6 |
| centrifugare, T | 8 |
| centuplicare, T | 19 |

ceppare, I ♦ .......................... 6
cerare, T ............................. 6
**cercare,** T, I ♦, di.................. 7
cerchiare, T......................... 12
cerchiettare, T...................... 6
cernere, T, D, Irr, Lit ................. 20
  ≃ pas de participe passé
cernire, T, Vx, *cernere* .............. 20
certificare, T, R..................... 19
cerziorare, T, R, Vx .................. 6
cesellare, T .......................... 6
**cessare,** I ◊, T, di.......... 6
cestinare, T........................... 6
cestire, I ♦ ......................... 100
charterizzare, T..................... 6
cheratinizzare, T .................... 6
chetare, T, P ......................... 6
**chiacchierare,** I ♦ ................ 18
**chiamare,** T, P, R ................. 6
chiappare, T, Pop.................... 6
chiarificare, T ...................... 19
**chiarire,** T, I, P................. 100
chiaroscurare, T, I ♦ ................ 6
chiassare, I ♦ ....................... 6
chiavare, T........................... 6
chiazzare, T.......................... 6
chicchiriare, I ♦ .................... 12
**chiedere,** T, I ♦, Irr, di .......... 29
chilificare, T, I ♦.................. 19
**chinare,** T, R...................... 6
chioccare, T, I, Vx ................... 7
chiocciare, I ♦ ...................... 9
chioccolare, I ♦ ..................... 6
chiodare, T ........................... 6
chiosare, T, Lit ...................... 6
**chiudere,** T, P, R, Irr ............. 30
chiurlare, I ♦ ........................ 6
ciabattare, I ♦ ....................... 6
ciacciare, I ♦, Tosc ................ 9
ciambolare, I ♦, Tosc............... 6
ciampicare, I ♦ ..................... 19
cianchettare, I ♦.................... 6
cianciare, I ♦........................ 9

ciancicare, I ♦, T .................. 19
ciangolare, I ♦ ....................... 6
ciangottare, I ♦...................... 6
ciaramellare, I ♦ .................... 6
ciarlare, I ♦ ......................... 6
cibare, T, R ........................... 6
cicalare, I ♦, T ...................... 6
cicatrizzare, T, I ♦, P............... 6
ciccare, I ♦ .......................... 7
cicchettare, I ♦, T .................. 6
cicisbeare, I ♦, Lit ................. 6
ciclostilare, T....................... 6
cifrare, T ............................. 6
cigolare, I ♦ ......................... 6
cilindrare, T.......................... 6
cimare, T, I ♦ ........................ 6
cimentare, T, R........................ 6
cincischiare, T, P .................. 12
cinematografare, T................... 6
cingere, T, R, Irr.................... 31
cinghiare, T......................... 12
cinguettare, I ♦...................... 6
cinturare, T........................... 6
cioncare, T, I ♦, P, Vx............... 7
ciondolare, I ♦, T .................... 6
**circolare,** I ◊, in, per............ 17
circoncidere, T...................... 74
**circondare,** T, I, R................ 6
circondurre, T, Irr................. 36
circonfondere, T, Irr, Lit ........... 54
circonvallare, T, Vx ................. 6
circonvenire, I, Irr............... 110
circoscrivere, T, Irr................. 82
circostanziare, T, Lit .............. 12
circuire, T, Lit.................... 100
**citare,** T........................... 6
citofonare, T, I ♦ ................... 6
ciucciare, T, I ♦, Fam, Pop........... 9
ciurlare, I ♦ ......................... 6
ciurmare, T ........................... 6
civettare, I ♦ ........................ 6
civilizzare, T, I..................... 6
classare, T........................... 6

| | |
|---|---|
| classicheggiare, I ♦ | 10 |
| classificare, T, P | 19 |
| claudicare, I ♦ | 19 |
| claxonare, I ♦, T | 6 |
| climatizzare, T | 6 |
| clonare, I | 6 |
| cloroformizzare, T | 6 |
| coabitare, I ♦ | 6 |
| coadiuvare, T | 6 |
| coagulare, T, I, P | 6 |
| coalizzare, T, R | 6 |
| coartare, T, Lit | 6 |
| coccolare, T, R | 6 |
| codiare, T, Vx | 11 |
| codificare, T | 19 |
| coesistere, I, Irr | 24 |
| cogitare, T, I ♦, Lit | 6 |
| **cogliere,** T, I, Irr | 32 |
| coglionare, T, Vulg | 6 |
| coibentare, T | 6 |
| **coincidere,** I ♦, Irr | 74 |
| cointeressare, T | 6 |
| **coinvolgere,** T, Irr | 97 |
| **colare,** T, I | 6 |
| colere, T, D, Vx | D |
| ≃ io colo, egli cole. | |
| participe passé : colto | |
| **collaborare,** I | 18 |
| collassare, T, I ♦ | 6 |
| collaudare, T | 6 |
| collazionare, T | 6 |
| **collegare,** T, P, R | 8 |
| collettivizzare, T | 6 |
| collezionare, T | 6 |
| collidere, I ♦, P, Irr | 74 |
| collimare, T, I ♦ | 6 |
| **collocare,** T, R | 19 |
| collodiare, T | 12 |
| colloquiare, I ♦ | 12 |
| colludere, I ♦, Irr | 30 |
| colluttare, I ♦, Lit | 6 |
| **colmare,** T, I | 6 |
| colombeggiare, I ♦, Lit | 10 |
| colonizzare, T | 6 |
| **colorare,** T, P | 6 |
| colorire, T | 100 |
| colpevolizzare, T | 6 |
| **colpire,** T | 100 |
| **coltivare,** T | 6 |
| coltrare, T, Tosc | 6 |
| **comandare,** I ♦, T, a | 6 |
| **combaciare,** I ♦, P, R | 9 |
| **combattere,** I ♦, T, P, R, Irr | 20 |
| **combinare,** T, I ♦, P, di | 6 |
| comicizzare, T | 6 |
| **cominciare,** T, I, a | 9 |
| commemorare, T | 6 |
| commendare, T, Lit | 6 |
| commensurare, T, Lit | 6 |
| **commentare,** T | 6 |
| commercializzare, T | 6 |
| commerciare, I ♦, T | 9 |
| **commettere,** T, I ♦, R, Irr | 57 |
| comminare, T | 6 |
| commiserare, T | 6 |
| commissariare, T | 12 |
| commissionare, T | 6 |
| commisurare, T | 6 |
| **commuovere,** T, P, Irr | 58 |
| commutare, T | 6 |
| comodare, T, I | 6 |
| compaginare, T, Lit | 18 |
| comparare, T | 6 |
| **comparire,** I, Irr | 101 |
| compartecipare, I ♦ | 6 |
| compartire, T, R, Lit | 100/99 |
| compassare, T | 6 |
| compassionare, T, I ♦ | 6 |
| **compatire,** T, I ♦ | 100 |
| compendiare, T, P | 12 |
| compenetrare, T, P, R | 6 |
| **compensare,** T | 6 |
| comperare, T, comprare | 6 |
| competere, I, D, Irr | 20 |
| ≃ pas de participe passé | |
| **compiacere,** I ♦, T, P, Irr, di, in | 64 |

**compiangere,** T, P, Irr ............... 65
compicciare, T, Fam, Tosc ........... 9
compiegare, T ....................... 8
**compiere,** T, I ♦, P, Irr ............ 33
compilare, T ........................ 6
compire, T, I ♦, P, Irr, *compiere* ...... 33
compitare, T ........................ 17
complessare, T ...................... 6
**completare,** T, con ................ 6
**complicare,** T, P .................. 19
complimentare, T, P ................. 6
complottare, I ♦ .................... 6
**comporre,** T, P, R, Irr ............. 68
**comportare,** T, P .................. 6
**comprare,** T ....................... 6
**comprendere,** T, Irr .............. 70
**comprimere,** T, Irr ............... 34
**compromettere,** T, R, Irr .......... 57
comprovare, T ....................... 6
compulsare, T ....................... 6
compungere, T, I, Irr, Lit ........... 55
computare, T, I ♦ ................... 17
**comunicare,** T, I ♦, P, a .......... 19
comunistizzare, T ................... 6
concatenare, T, R ................... 6
**concedere,** T, R, Irr, di ........... 35
concelebrare, T ..................... 6
**concentrare,** T, R ................. 6
**concepire,** T ...................... 100
concernere, T, D, Irr ............... 20
  ≃ pas de participe passé
concertare, T, R .................... 6
conchiudere, T, I ♦, Irr, *concludere* .... 30
**conciare,** T, R .................... 9
**conciliare,** T, P, R ............... 12
concimare, T ........................ 6
concionare, T, I ♦, Lit ............. 6
concitare, T, Lit ................... 6
conclamare, T, Lit .................. 6
**concludere,** T, I ♦, P, Irr ........ 30
concordare, T, I ♦ .................. 6
**concorrere,** I ♦, Irr, a ........... 38
concreare, T, Lit ................... 6

concretare, T, P .................... 6
concretizzare, T, P ................. 6
conculcare, T, Lit .................. 7
concuocere, T, Irr, Vx .............. 40
concupire, T, Lit ................... 100
**condannare,** T, a .................. 6
**condensare,** T, P ................. 6
**condire,** T ....................... 100
condiscendere, I ♦, Irr ............. 80
**condividere,** T, Irr .............. 74
condizionare, T ..................... 6
condolersi, P, Irr .................. 46
condonare, T ........................ 6
**condurre,** T, I ♦, P, R, Irr ........ 36
confabulare, I ♦ .................... 6
confarsi, I, P, Irr ................. 52
confederare, T, R ................... 6
conferire, T, I ♦ ................... 100
**confermare,** T, P, R .............. 6
**confessare,** T, R, a .............. 6
confettare, T, I ♦, Vx .............. 6
**confezionare,** T .................. 6
**conficcare,** T, P ................. 7
**confidare,** I ♦, T, P ............. 6
configgere, T, P, Irr ............... 22
configurare, T, P ................... 6
**confinare,** I ♦, T, P ............. 6
confiscare, T ....................... 7
conflagrare, I, Lit ................. 6
conflare, T, Vx ..................... 6
confluire, I ◊ ...................... 100
**confondere,** T, P, Irr ............ 54
conformare, T, P, R ................. 6
**confortare,** T, P ................. 6
confricare, T, Lit .................. 19
**confrontare,** T, I, P, R, con ....... 6
confutare, T ........................ 6
**congedare,** T, R .................. 6
congegnare, T ....................... 6
**congelare,** T, P .................. 6
congestionare, T, P ................. 6
congetturare, T, I ♦ ................ 6
congiungere, T, P, Irr .............. 55

| | |
|---|---|
| congiurare, T, I ♦ | 6 |
| conglobare, T | 6 |
| conglomerare, T, P | 6 |
| conglutinare, T, R | 6 |
| **congratularsi,** P, I | 18 |
| congregare, T, P | 8 |
| conguagliare, T | 12 |
| coniare, T | 11 |
| coniugare, T, P, R | 8 |
| connaturare, T, P | 6 |
| conn<u>e</u>ttere, T, P, Irr, a | 53 |
| connotare, T | 6 |
| **con<u>o</u>scere,** T, I ♦, R, Irr | 37 |
| conquassare, T, Lit | 6 |
| conquidere, T, P, Irr, Lit | 74 |
| **conquistare,** T | 6 |
| **consacrare,** T, R | 6 |
| **consegnare,** T | 6 |
| **conseguire,** T, I ♦, Irr | 107 |
| **consentire,** I ♦, T, a, di | 99 |
| consertare, T, Lit | 6 |
| **conservare,** T, P | 6 |
| **considerare,** T, R | 18 |
| **consigliare,** T, P, a, di | 12 |
| **cons<u>i</u>stere,** I, Irr, in, di | 24 |
| consociare, T | 9 |
| **consolare,** T, P, con | 6 |
| consolidare, T, P, R | 18 |
| consonare, I ♦, Lit | 13 |
| constare, I, Imp | 6 |
| **constatare,** T | 6 |
| constellare, T, *costellare* | 6 |
| **consultare,** T, I ♦, P, R | 6 |
| **consumare,** T, P | 6 |
| cons<u>u</u>mere, T, P, D, Irr, Lit | 26 |
| ≃ passé simple : io consunsi, egli consunse, essi consunsero particie passé : consunto. Il a tous les temps composés. | |
| contabilizzare, T | 6 |
| **contagiare,** T, P | 10 |
| contaminare, T | 6 |
| **contare,** T, I ♦, R, su | 6 |
| contattare, T | 6 |
| **conteggiare,** T, I ♦ | 10 |
| contemperare, T | 6 |
| contemplare, T | 6 |
| **cont<u>e</u>ndere,** T, I ♦, R, Irr | 70 |
| **contenere,** T, P, R, Irr, in, da | 89 |
| **contentare,** T, P | 6 |
| cont<u>e</u>ssere, T, Lit, Irr | 20 |
| **contestare,** T, I ♦ | 6 |
| contestualizzare, T | 6 |
| contingentare, T | 6 |
| cont<u>i</u>ngere, I, T, Irr, Vx | 31 |
| **continuare,** T, I ◊, Imp ♦, a | 18 |
| cont<u>o</u>rcere, T, R, Irr | 90 |
| contornare, T, I | 6 |
| contrabbandare, T | 6 |
| contraccambiare, T | 12 |
| **contraddire,** T, I ♦, R, Irr | 41 |
| contraddist<u>i</u>nguere, T, Irr, Lit | 44 |
| contradire, T, I ♦, R, *contraddire* | 41 |
| contraffare, T, I, R, Irr | 52 |
| contrappesare, T, I, R | 6 |
| contrapporre, T, R, Irr | 68 |
| contrappuntare, T | 6 |
| contrare, T | 6 |
| contrariare, T, I ♦ | 12 |
| contrarre, T, P, Irr | 91 |
| contrassegnare, T | 6 |
| **contrastare,** T, I ♦, R, con | 6 |
| contrattaccare, T | 7 |
| contrattare, T | 6 |
| contravvenire, I ♦, Irr, a | 110 |
| **contribuire,** I ♦, T, a | 100 |
| contristare, T, P, Lit | 6 |
| controb<u>a</u>ttere, T, Irr | 20 |
| controbilanciare, T, R | 9 |
| controbracciare, T | 9 |
| controindicare, T | 19 |
| **controllare,** T, R | 6 |
| contrordinare, T | 6 |
| controreplicare, T, I | 19 |
| controsterzare, T | 6 |
| controventare, T | 6 |

controvertere, T, I ♦, Irr .............. 20
  ≃ seulement présent indicatif
  io controverto...
  et imparfait subjonctif
  che io controvertissi...
contundere, T, Irr.................... 54
conturbare, T, P, Lit ................ 6
convalidare, T, P .................... 18
convellere, T, P, D, Irr, Lit ............ 88
  ≃ seulement au présent indicatif
**convenire,** I ◊, P, Imp, Irr,
  a, con, da ......................... 110
convergere, I, I, D, Irr.............. 48
  ≃ pas de participe passé
conversare, I, T..................... 6
convertire, T, R..................... 99
**convincere,** T, R, a ................ 94
convitare, T, I, Lit ................. 6
**convivere,** I ◊..................... 95
convocare, T........................ 19
convogliare, T...................... 12
convolare, I, a...................... 6
coobare, T.......................... 6
coonestare, T, Lit................... 6
cooperare, I ♦...................... 18
cooptare, T......................... 6
coordinare, T ...................... 18
**copiare,** T......................... 12
**coprire,** T, I, P, Irr, di .............. 102
corazzare, T, R..................... 6
corbellare, T, I ♦, Fam.............. 6
corcare, T, P, *coricare*............. 7
**coricare,** P, T..................... 19
corniciare, T, *incorniciare*.......... 9
coronare, T, R...................... 6
corporizzare, T, Lit................. 7
corre, T, I, Irr, Lit, *cogliere*........ 32
corredare, T, R..................... 6
**correggere,** T, P, Irr .............. 56
correlare, T........................ 6
**correre,** I ◊, T, Irr, a, da, in ......... 38
**corrispondere,** T, I ♦, R, a, con, su... 76
corroborare, T, R .................. 18

corrodere, T, P, Irr.................. 51
**corrompere,** T, P, Irr .............. 77
corrucciare, T, P.................... 9
corrugare, T, P..................... 8
corruscare, I ♦, Lit................. 7
corseggiare, T, I ♦................. 10
**corteggiare,** T..................... 10
corvettare, I ♦..................... 6
coscrivere, T, Lit, Irr ............... 82
cospargere, T, Irr................... 85
cospergere, T, Irr, Lit............... 48
cospirare, I ♦...................... 6
**costare,** I, T...................... 6
costatare, T, *constatare*............ 6
costeggiare, T...................... 10
costellare, T....................... 6
costernare, T, P.................... 6
costipare, T, P..................... 6
**costituire,** T, P................... 100
costringere, T, Irr, a ............... 87
**costruire,** T, Irr.................. 100
costumare, I ...................... 6
cotonare, T........................ 6
cotonizzare, T...................... 6
**covare,** T, I ♦.................... 6
coventrizzare, T ................... 6
cozzare, I ♦, T, R.................. 6
**creare,** T......................... 6
**credere,** T, I ♦, R, Irr, a, di, in........ 20
cremare, T......................... 6
**crepare,** I, P..................... 6
crepitare, I ♦...................... 6
**crescere,** I, T, Irr ................ 39
cresimare, T, P..................... 6
crettare, I, P...................... 6
cribrare, T, Lit..................... 6
cricchiare, I ♦..................... 12
criminalizzare, T................... 6
cristallizzare, I, T, P............... 6
cristianeggiare, I ♦, Lit ............ 10
**criticare,** T...................... 19
crivellare, T, di ................... 6
crocchiare, I ♦..................... 12

crocidare, I ♦, Lit . . . . . . . . . . . . . . . . . . . 6
**crocifiggere,** T, Irr . . . . . . . . . . . . . . . 22
crogiolare, T, P . . . . . . . . . . . . . . . . . . . . . 6
**crollare,** I, P . . . . . . . . . . . . . . . . . . . . . . 6
cromare, T . . . . . . . . . . . . . . . . . . . . . . . . 6
cromatizzare, T . . . . . . . . . . . . . . . . . . . . . 6
cronometrare, T . . . . . . . . . . . . . . . . . . . . 6
crosciare, I ◊, T, Lit . . . . . . . . . . . . . . . . 9
crossare, I ♦ . . . . . . . . . . . . . . . . . . . . . . 6
crucciare, T, P, Vx . . . . . . . . . . . . . . . . . . 9
cubanizzare, T . . . . . . . . . . . . . . . . . . . . . 6
cuccare, T, Pop . . . . . . . . . . . . . . . . . . . . 7
cucciare, I, P . . . . . . . . . . . . . . . . . . . . . . 9
**cucinare,** T . . . . . . . . . . . . . . . . . . . . . . 6
**cucire,** T, Irr . . . . . . . . . . . . . . . . . . . . . 103
**cullare,** T, R . . . . . . . . . . . . . . . . . . . . . 6
culminare, I . . . . . . . . . . . . . . . . . . . . . . . 17
cumulare, T . . . . . . . . . . . . . . . . . . . . . . . 6
**cuocere,** T, I, Irr . . . . . . . . . . . . . . . . . . 40
**curare,** T, R, di . . . . . . . . . . . . . . . . . . . 6
curiosare, I ♦ . . . . . . . . . . . . . . . . . . . . . 6
curvare, T, I ♦, P, R . . . . . . . . . . . . . . . . 6
**custodire,** T, R . . . . . . . . . . . . . . . . . . . 100

*d*

**dannare,** T, R . . . . . . . . . . . . . . . . . . . . 6
**danneggiare,** T, R . . . . . . . . . . . . . . . . . 10
**danzare,** I ♦, T . . . . . . . . . . . . . . . . . . . 6
dardeggiare, T, I ♦ . . . . . . . . . . . . . . . . . 10
**dare,** T, I ♦, P, R, Imp, Irr, a, su, da . . . . . 15
datare, T, I ♦ . . . . . . . . . . . . . . . . . . . . . 6
dattilografare, T . . . . . . . . . . . . . . . . . . . 6
daziare, T . . . . . . . . . . . . . . . . . . . . . . . . 12
deambulare, I ♦, Lit . . . . . . . . . . . . . . . . . 6
debbiare, T . . . . . . . . . . . . . . . . . . . . . . . 12
debellare, T . . . . . . . . . . . . . . . . . . . . . . 6
debilitare, T, P . . . . . . . . . . . . . . . . . . . . 6

debuttare, I ♦ . . . . . . . . . . . . . . . . . . . . 6
**decadere,** I, Irr . . . . . . . . . . . . . . . . . . . 28
decantare, T, I . . . . . . . . . . . . . . . . . . . . 6
decapare, T . . . . . . . . . . . . . . . . . . . . . . 6
decapitare, T . . . . . . . . . . . . . . . . . . . . . 6
decappottare, T . . . . . . . . . . . . . . . . . . . 6
decarburare, T . . . . . . . . . . . . . . . . . . . . 6
decatizzare, T . . . . . . . . . . . . . . . . . . . . 6
decedere, I, Irr . . . . . . . . . . . . . . . . . . . . 20
decelerare, T, I ♦ . . . . . . . . . . . . . . . . . . 6
decentralizzare, T . . . . . . . . . . . . . . . . . . 6
decentrare, T . . . . . . . . . . . . . . . . . . . . . 6
decerebellare, T . . . . . . . . . . . . . . . . . . . 6
**decidere,** T, I ♦, P, Irr, a (P), di . . . . . 74
decifrare, T . . . . . . . . . . . . . . . . . . . . . . 6
decimare, T, I . . . . . . . . . . . . . . . . . . . . . 6
declamare, T, I ♦ . . . . . . . . . . . . . . . . . . 6
declassare, T . . . . . . . . . . . . . . . . . . . . . 6
declinare, I ♦, T . . . . . . . . . . . . . . . . . . . 6
decodificare, T . . . . . . . . . . . . . . . . . . . . 19
decollare, I ◊, T . . . . . . . . . . . . . . . . . . . 6
decolorare, T . . . . . . . . . . . . . . . . . . . . . 6
decomporre, T, I, Irr . . . . . . . . . . . . . . . . 68
decongestionare, T . . . . . . . . . . . . . . . . . 6
decontaminare, T . . . . . . . . . . . . . . . . . . 6
**decorare,** T . . . . . . . . . . . . . . . . . . . . . 6
decorrere, I, Irr . . . . . . . . . . . . . . . . . . . . 38
decotinizzare, T . . . . . . . . . . . . . . . . . . . 6
decrescere, I, Irr . . . . . . . . . . . . . . . . . . . 39
decretare, T . . . . . . . . . . . . . . . . . . . . . . 6
decriptare, T . . . . . . . . . . . . . . . . . . . . . 6
decrittare, T, *decriptare* . . . . . . . . . . . . . . 6
decuplicare, T . . . . . . . . . . . . . . . . . . . . 19
decurtare, T . . . . . . . . . . . . . . . . . . . . . . 6
**dedicare,** T, R, a . . . . . . . . . . . . . . . . . . 19
dedurre, T, I ♦, Irr . . . . . . . . . . . . . . . . . 36
defalcare, T . . . . . . . . . . . . . . . . . . . . . . 7
defascistizzare, T . . . . . . . . . . . . . . . . . . 6
defaticarsi, R . . . . . . . . . . . . . . . . . . . . . 7
defatigare, T . . . . . . . . . . . . . . . . . . . . . 8
defecare, I ♦, T . . . . . . . . . . . . . . . . . . . 7
defenestrare, T . . . . . . . . . . . . . . . . . . . 6
deferire, T, I ♦ . . . . . . . . . . . . . . . . . . . . 100

defezionare, I ♦ . . . . . . . . . . . . . . . . . . . . .    6
defilare, T, I, R . . . . . . . . . . . . . . . . . . . . .    6
**definire,** T . . . . . . . . . . . . . . . . . . . . . .  100
defiscalizzare, T . . . . . . . . . . . . . . . . . . .    6
deflagrare, I ♦ . . . . . . . . . . . . . . . . . . . . .    6
deflazionare, T . . . . . . . . . . . . . . . . . . . . .    6
deflettere, I ♦, Irr . . . . . . . . . . . . . . . . . .   53
deflorare, T . . . . . . . . . . . . . . . . . . . . . . .    6
defluire, I . . . . . . . . . . . . . . . . . . . . . . . .  100
defogliare, T . . . . . . . . . . . . . . . . . . . . . .   12
defoliare, T . . . . . . . . . . . . . . . . . . . . . . .   12
**deformare,** T . . . . . . . . . . . . . . . . . . . . .    6
defraudare, T . . . . . . . . . . . . . . . . . . . . . .    6
degassare, T . . . . . . . . . . . . . . . . . . . . . .    6
degassificare, T . . . . . . . . . . . . . . . . . . . .   19
degenerare, I ♦, T . . . . . . . . . . . . . . . . . .    6
deglutire, T . . . . . . . . . . . . . . . . . . . . . . .  100
**degnare,** T, I, P, di . . . . . . . . . . . . . . . .    6
degradare, T, I, P, R . . . . . . . . . . . . . . . . .    6
degustare, T . . . . . . . . . . . . . . . . . . . . . .    6
deificare, T, R . . . . . . . . . . . . . . . . . . . . .   19
**delegare,** T . . . . . . . . . . . . . . . . . . . . . . 8/17
delibare, T, Lit . . . . . . . . . . . . . . . . . . . . .    6
deliberare, T, I ♦, P . . . . . . . . . . . . . . . . .    6
delimitare, T . . . . . . . . . . . . . . . . . . . . . .    6
delineare, T, P . . . . . . . . . . . . . . . . . . . . .    6
delinquere, I ♦, D, Irr . . . . . . . . . . . . . . . .   20
   ≃ seulement : infin. prés. : delinquere
   participe présent : delinquente
   (adjectif et nom)
**delirare,** I ♦ . . . . . . . . . . . . . . . . . . . . .    6
deliziare, T, P . . . . . . . . . . . . . . . . . . . . .   12
delucidare, T . . . . . . . . . . . . . . . . . . . . . .    6
**deludere,** T, Irr . . . . . . . . . . . . . . . . . . .   30
demeritare, T, I ♦ . . . . . . . . . . . . . . . . . .    6
demistificare, T . . . . . . . . . . . . . . . . . . . .   19
democratizzare, T, I ♦, R . . . . . . . . . . . .    6
demolire, T . . . . . . . . . . . . . . . . . . . . . . .  100
**demoralizzare,** T, P . . . . . . . . . . . . . . . .    6
demotivare, T, R . . . . . . . . . . . . . . . . . . .    6
denaturare, T . . . . . . . . . . . . . . . . . . . . . .    6
denazificare, T . . . . . . . . . . . . . . . . . . . .   19
denazionalizzare, T . . . . . . . . . . . . . . . . .    6

denegare, T, P . . . . . . . . . . . . . . . . . . . . .    8
denicotinizzare, T . . . . . . . . . . . . . . . . . .    6
denigrare, T . . . . . . . . . . . . . . . . . . . . . . .    6
denominare, T, P . . . . . . . . . . . . . . . . . . .   18
denotare, T . . . . . . . . . . . . . . . . . . . . . . .    6
dentellare, T . . . . . . . . . . . . . . . . . . . . . .    6
denudare, T, R . . . . . . . . . . . . . . . . . . . . .    6
**denunciare,** T . . . . . . . . . . . . . . . . . . . .    9
denunziare, T, *denunciare* . . . . . . . . . . .   12
deodorare, T . . . . . . . . . . . . . . . . . . . . . .    6
depauperare, T, Lit . . . . . . . . . . . . . . . . .    6
depenalizzare, T . . . . . . . . . . . . . . . . . . .    6
depennare, T . . . . . . . . . . . . . . . . . . . . . .    6
deperire, I . . . . . . . . . . . . . . . . . . . . . . . .  100
depilare, T . . . . . . . . . . . . . . . . . . . . . . . .    6
deplorare, T . . . . . . . . . . . . . . . . . . . . . . .    6
depolarizzare, T . . . . . . . . . . . . . . . . . . . .    6
depoliticizzare, T . . . . . . . . . . . . . . . . . . .    6
**deporre,** T, I ♦, Irr . . . . . . . . . . . . . . . . .   68
deportare, T . . . . . . . . . . . . . . . . . . . . . . .    6
depositare, T, P . . . . . . . . . . . . . . . . . . . .   18
depotenziare, T . . . . . . . . . . . . . . . . . . . .   12
depravare, T . . . . . . . . . . . . . . . . . . . . . . .    6
deprecare, T . . . . . . . . . . . . . . . . . . . . . . .    7
depredare, T . . . . . . . . . . . . . . . . . . . . . . .    6
deprezzare, T, P . . . . . . . . . . . . . . . . . . . .    6
**deprimere,** T, P, Irr . . . . . . . . . . . . . . . .   34
deprivare, T . . . . . . . . . . . . . . . . . . . . . . .    6
depurare, T . . . . . . . . . . . . . . . . . . . . . . .    6
deputare, T . . . . . . . . . . . . . . . . . . . . . . .    6
dequalificare, T . . . . . . . . . . . . . . . . . . . .   19
derapare, I ♦ . . . . . . . . . . . . . . . . . . . . . .    6
derattizzare, T . . . . . . . . . . . . . . . . . . . . .    6
deregolamentare, T . . . . . . . . . . . . . . . . .    6
deresponsabilizzare, T . . . . . . . . . . . . . . .    6
deridere, T, I ♦, Irr . . . . . . . . . . . . . . . . . .   74
**derivare,** T, I, P, da . . . . . . . . . . . . . . . .    6
derogare, I ♦, T, a, da . . . . . . . . . . . . . . . 8/17
**derubare,** T . . . . . . . . . . . . . . . . . . . . . .    6
derubricare, T . . . . . . . . . . . . . . . . . . . . .    7
desacralizzare, T . . . . . . . . . . . . . . . . . . .    6
desalinizzare, T . . . . . . . . . . . . . . . . . . . .    6
descolarizzare, T . . . . . . . . . . . . . . . . . . .    6

**descrivere,** T, Irr .................... 82
desensibilizzare, T .................... 6
desiare, T, I ♦, Lit .................... 11
**desiderare,** T, (di) ................. 18
designare, T ......................... 6
desinare, I ♦ ........................ 6
desistere, I ♦, Irr. .................. 24
desolare, T, Lit ..................... 6
desquamare, T, P .................... 6
destabilizzare, T .................... 6
**destare,** T, P ....................... 6
**destinare,** T, I ♦, a ............... 6
destituire, T ........................ 100
destreggiare, I ♦ .................... 10
desumere, T, Irr .................... 26
detenere, T, Irr .................... 89
detergere, T, Irr. ................... 48
deteriorare, T, P .................... 6
**determinare,** T, P, a, di ........... 18
**detestare,** T, R. .................... 6
detonare, I ♦ ........................ 6
detrarre, T, Irr .................... 91
detronizzare, T ...................... 6
detrudere, T, D, Irr, Vx ............. 30
  ≃ participe passé : detruso
  et temps composés
dettagliare, T ....................... 12
**dettare,** T ......................... 6
deturpare, T ........................ 6
deumidificare, T .................... 19
devastare, T. ....................... 6
devenire, I, Irr, *divenire.* ........ 110
deviare, I, T. ....................... 11
devitalizzare, T .................... 6
devitaminizzare, T .................. 6
devolvere, T, P, Irr, Lit ............ 25
diacciare, I, T, P, Imp ◊, Tosc, *ghiacciare* 9
diagnosticare, T .................... 19
dializzare, T. ....................... 6
**dialogare,** T, I ♦ ................. 8
dialogizzare, T, I ♦ ................. 6
diamantare, T ....................... 6
dibattere, T, R, Irr ................. 20

diboscare, T ......................... 7
dibrucare, T. ........................ 7
dibruscare, T. ....................... 7
dicentrare, T, *decentrare* .......... 6
dicere, T, I, Imp, Vx, *dire* ........ 41
dicervellare, T, P ................... 6
**dichiarare,** T, I, di ............... 6
dicioccare, T ........................ 7
difalcare, T, *defalcare* ............ 7
**difendere,** T, R, Irr .............. 21
difettare, I ♦, T. ................... 6
diffalcare, T, *defalcare*. .......... 7
diffamare, T. ........................ 6
differenziare, T, P. ................. 12
differire, T, I ...................... 100
diffidare, I ♦, T, di, da, a ......... 6
**diffondere,** T, P, Irr, in ......... 54
diffrangersi, P, Irr. ................ 65
**digerire,** T. ...................... 100
digiogare, T, Vx ..................... 8
digitalizzare, T. .................... 6
digitare, T, I ♦ .................... 6
**digiunare,** I ♦ .................... 6
digradare, I ◊, T. ................... 6
digrassare, T, I ..................... 6
digredire, I ♦, Vx ................... 100
digrignare, T ........................ 6
digrossare, T, R ..................... 6
digrumare, T, Tosc. .................. 6
diguazzare, T, I ♦ .................. 6
dilacerare, T ........................ 6
**dilagare,** I, T. ................... 8
dilaniare, T, R. ..................... 12
dilapidare, T ........................ 6
**dilatare,** T, P .................... 6
dilavare, T. ......................... 6
dilazionare, T ....................... 6
dileggiare, T ........................ 10
dileguare, T, I, P ................... 6
dilettare, T, I, P ................... 6
diligere, T, Lit, Irr. ............... 42
dilombarsi, P. ....................... 6
dilucidare, T, *delucidare* .......... 6

diluire, T ........................... 100
dilungare, T, P ..................... 8
diluviare, Imp ◊, I ◊, T ............. 12
dimagrare, T, I, P .................. 6
**dimagrire,** I ...................... 100
dimembrare, T. ..................... 6
dimenare, T, R ..................... 6
dimensionare, T .................... 6
**dimenticare,** T, P, di .............. 19
dimettere, T, R, Irr ................. 57
**dimezzare,** T. ..................... 6
**diminuire,** T, I .................... 100
dimissionare, T ..................... 6
dimoiare, I, T, Tosc ................ 12
dimorare, I ♦ ....................... 6
**dimostrare,** T, R, di .............. 6
dinamizzare, T. ..................... 6
dinoccolare, T. ..................... 6
dipanare, T ......................... 6
dipartire (1), T
    pour diviser ..................... 100
dipartire (2), I, P, Lit
    pour partir/se séparer .......... 99
**dipendere,** I, Irr, da .............. 21
dipignere, T, P, Vx, *dipingere* ....... 31
**dipingere,** T, P, R, Irr ............ 31
diplomare, T, P. .................... 6
diradare, T, I, P .................... 6
diradicare, T ....................... 19
diramare, T, I, P .................... 6
diraspare, T ........................ 6
**dire,** T, I, Imp, Irr ............... 41
direnare, T, I, P, Vx ............... 6
diricciare, T. ....................... 9
**dirigere,** T, R, Irr ............... 42
dirimere, T, D, Irr, Vx ............. 73
    ≃ pas de participe passé
dirizzare, T, P, R, *drizzare*. .......... 6
diroccare, T, I. ..................... 7
dirocciare, T, P, Vx ................ 9
dirompere, T, I, P, Irr, Lit .......... 77
dirottare, T, I ♦ .................... 6
dirozzare, T, P. ..................... 6

dirugginire, T ...................... 100
dirupare, T, I, P, Lit. ............... 6
disabbellire, T, P, Lit. .............. 100
disabitare, T, I. .................... 6
disabituare, T, P. ................... 6
disaccentare, T. .................... 6
disacerbare, T, P, Lit. .............. 6
disacidire, T ....................... 100
disadattare, T ...................... 6
disadornare, T. ..................... 6
disaffezionare, T, P ................ 6
disaggradare, I, D, Lit. ............. 6
    ≃ seulement 3e personne du sing.
    pas de participe passé
disaggradire, T, I, Vx. .............. 100
disaggregare, T. .................... 8
disagguagliare, T, P, Vx ............ 12
disagiare, T, R, Lit. ................ 10
disalberare, T ...................... 6
disallineare, T ..................... 18
disaminare, T ...................... 6
disamorare, T, P. ................... 6
disancorare, T, P, R. ............... 6
disanimare, T, P. ................... 6
disapplicare, T, R. ................. 19
disapprovare, T. .................... 6
disarcionare, T ..................... 6
disarginare, T ...................... 18
**disarmare,** T, I ♦ ................ 6
disarmonizzare, T ................... 6
disarticolare, T, P. ................. 6
disassociare, T ..................... 9
disassuefare, T, P, Irr. ............. 52
disastrare, T, P .................... 6
disattivare, T ...................... 6
disavvantaggiarsi, P. ............... 10
disavvezzare, T, R .................. 6
disboscare, T. ...................... 7
disbramare, T, Vx. .................. 6
disbrigare, T, R. ................... 8
disbrogliare, T. .................... 12
discacciare, T ...................... 9
discapitare, I ♦ .................... 6

discaricare, T, R . . . . . . . . . . . . . . . . . . . . . 19
**discendere,** I, T, Irr . . . . . . . . . . . . . . . . 80
discernere, T, D, Irr . . . . . . . . . . . . . . . . . 20
 ≃ pas de participe passé
discettare, T, Lit . . . . . . . . . . . . . . . . . . . 6
disceverare, T . . . . . . . . . . . . . . . . . . . . . . 6
dischiudere, T, P, Irr . . . . . . . . . . . . . . . 30
discindere, T, Irr, Vx . . . . . . . . . . . . . . . . 81
discingere, T, R, Irr, Vx, Lit . . . . . . . . . . 31
disciogliere, T, P, R, Irr, Lit . . . . . . . . . . 32
disciplinare, T, R . . . . . . . . . . . . . . . . . . . 6
discoleggiare, I ♦ . . . . . . . . . . . . . . . . . . . 10
discolorare, T, P, Lit . . . . . . . . . . . . . . . . 6
discolpare, T, R . . . . . . . . . . . . . . . . . . . . 6
disconnettere, T, Irr, Lit . . . . . . . . . . . . . 53
disconoscere, T, Irr . . . . . . . . . . . . . . . . . 37
discontinuare, T, P, Vx . . . . . . . . . . . . . . 6
disconvenire, I, P, Irr . . . . . . . . . . . . . . . . 110
discoprire, T, R, P, Lit . . . . . . . . . . . . . . . 102
discordare, I ♦, P . . . . . . . . . . . . . . . . . . . 6
discorrere, I ♦, T, R, Irr . . . . . . . . . . . . . . 38
discostare, T, P, R . . . . . . . . . . . . . . . . . . 6
discreditare, T, P . . . . . . . . . . . . . . . . . . . 18
discrepare, T, Lit . . . . . . . . . . . . . . . . . . . 6
discriminare, T . . . . . . . . . . . . . . . . . . . . . 6
**discutere,** T, I ♦, Irr, con, di, su . . . . . . 43
disdegnare, T, P . . . . . . . . . . . . . . . . . . . . 6
disdire, T, R . . . . . . . . . . . . . . . . . . . . . . . 41
disdirsi, P, D . . . . . . . . . . . . . . . . . . . . . . . 41
 ≃ seulement 3e personne
 du singulier et du pluriel
 pas de participe passé
diseducare, T . . . . . . . . . . . . . . . . . . . . . . 7
**disegnare,** T . . . . . . . . . . . . . . . . . . . . . . 6
diserbare, T . . . . . . . . . . . . . . . . . . . . . . . 6
**diseredare,** T . . . . . . . . . . . . . . . . . . . . . 6
disertare, T, I ♦ . . . . . . . . . . . . . . . . . . . . 6
disfamare, T, Vx . . . . . . . . . . . . . . . . . . . . 6
**disfare,** T, P, R, Irr . . . . . . . . . . . . . . . . . 52
disfavorire, T, Vx . . . . . . . . . . . . . . . . . . . 100
disfidare, T, Lit . . . . . . . . . . . . . . . . . . . . 6
disfigurare, T, P . . . . . . . . . . . . . . . . . . . . 6
disfrenare, T . . . . . . . . . . . . . . . . . . . . . . 6

disgelare, T, I, P . . . . . . . . . . . . . . . . . . . 6
disgiungere, T, R, Irr, Lit . . . . . . . . . . . . 55
disgregare, T, P . . . . . . . . . . . . . . . . . . . . 8
disgrossare, T, P . . . . . . . . . . . . . . . . . . . 6
disgustare, T, P, R . . . . . . . . . . . . . . . . . . 6
disiare, T, I ♦, Vx, Lit, *desiare* . . . . . . . . 6
disidratare, T, P . . . . . . . . . . . . . . . . . . . . 6
disilludere, T, P, Irr . . . . . . . . . . . . . . . . . 30
disimballare, T . . . . . . . . . . . . . . . . . . . . . 6
disimparare, T . . . . . . . . . . . . . . . . . . . . . 6
disimpegnare, T, R . . . . . . . . . . . . . . . . . . 6
disincagliare, T, R . . . . . . . . . . . . . . . . . . 12
disincantare, T . . . . . . . . . . . . . . . . . . . . . 6
disincarnare, T . . . . . . . . . . . . . . . . . . . . . 6
disinfestare, T . . . . . . . . . . . . . . . . . . . . . 6
**disinfettare,** T . . . . . . . . . . . . . . . . . . . . . 6
disinfiammare, T . . . . . . . . . . . . . . . . . . . 6
disingannare, T, P . . . . . . . . . . . . . . . . . . 6
disinnamorare, T, P . . . . . . . . . . . . . . . . . 6
disinnescare, T . . . . . . . . . . . . . . . . . . . . . 7
disinnestare, T, P . . . . . . . . . . . . . . . . . . . 6
disinquinare, T . . . . . . . . . . . . . . . . . . . . . 6
disintegrare, T, P . . . . . . . . . . . . . . . . . . . 6
disinteressare, T, P . . . . . . . . . . . . . . . . . 6
disintossicare, T, R . . . . . . . . . . . . . . . . . 19
disinvestire, T . . . . . . . . . . . . . . . . . . . . . 99
disinvitare, T . . . . . . . . . . . . . . . . . . . . . . 6
disinvolgere, T, Irr . . . . . . . . . . . . . . . . . . 97
disistimare, T . . . . . . . . . . . . . . . . . . . . . . 6
dislocare, T . . . . . . . . . . . . . . . . . . . . . . . 7
dismembrare, T, Vx . . . . . . . . . . . . . . . . . 6
disobbedire, I ♦, T, *disubbidire* . . . . . . . 100
disobbligare, T, R . . . . . . . . . . . . . . . . . . 8/18
disoccupare, T, R . . . . . . . . . . . . . . . . . . . 6
**disonorare,** T, R . . . . . . . . . . . . . . . . . . . 6
disordinare, T, I ♦, P . . . . . . . . . . . . . . . . 6
disorganizzare, T, P . . . . . . . . . . . . . . . . . 6
disorientare, T, P . . . . . . . . . . . . . . . . . . . 6
disormeggiare, T, I . . . . . . . . . . . . . . . . . . 10
disossare, T, P . . . . . . . . . . . . . . . . . . . . . 6
disossidare, T . . . . . . . . . . . . . . . . . . . . . . 6
disparire, I, Irr, Lit . . . . . . . . . . . . . . . . . . 101
dispartire, T, I, P . . . . . . . . . . . . . . . . . . . 100

| | |
|---|---|
| dispensare, T, R | 6 |
| **disperare,** T, I ♦, P, di | 6 |
| disperdere, T, I, P, Irr | 62 |
| **dispiacere,** I, P, Imp, Irr, di | 64 |
| dispiegare, T, P | 8 |
| **disporre,** T, I ♦, R, Irr, di, a, per | 68 |
| dispregiare, T, Lit | 10 |
| **disprezzare,** T, R | 6 |
| disputare, I ♦, T, R | 17 |
| disqualificare, T | 19 |
| dissacrare, T, R | 6 |
| dissalare, T | 6 |
| dissaldare, T | 6 |
| dissanguare, T, P | 6 |
| dissanguinare, T | 18 |
| dissecare, T | 7 |
| disseccare, T, P | 7 |
| disselciare, T | 9 |
| dissellare, T, I | 6 |
| **disseminare,** T | 6 |
| dissentire, I ♦ | 99 |
| disseppellire, T | 100 |
| disserrare, T, P, Lit | 6 |
| dissertare, I, T | 6 |
| disservire, T, I ♦ | 99 |
| dissestare, T | 6 |
| dissetare, T, R | 6 |
| dissigillare, T, P | 6 |
| dissimulare, T, R | 18 |
| dissipare, T, P | 6 |
| dissociare, T, R | 9 |
| dissodare, T | 6 |
| **dissolvere,** T, P, Irr | 25 |
| dissomigliare, I, P, Lit | 12 |
| dissonare, I ♦ | 13 |
| dissotterrare, T | 6 |
| dissuadere, T, Irr, da | 63 |
| dissuefare, T, Irr, Lit | 52 |
| dissuggellare, T, Lit | 6 |
| **distaccare,** T, P | 7 |
| distanziare, T | 12 |
| **distare,** I, D, Irr | 16 |
| ≃ pas de participe passé | |
| **distendere,** T, P, R, Irr | 70 |
| distillare, T, I | 6 |
| **distinguere,** T, P, Irr | 44 |
| distogliere, T, R, Irr | 32 |
| distorcere, T, Irr | 90 |
| distorre, T, R, Irr, Lit, *distogliere* | 32 |
| **distrarre,** T, R, Irr | 91 |
| **distribuire,** T | 100 |
| districare, T, R | 7 |
| distrigare, T, R, *districare* | 8 |
| **distruggere,** T, P, R, Irr | 45 |
| **disturbare,** T, R | 6 |
| **disubbidire,** I ♦, T | 100 |
| disuguagliare, T | 12 |
| disumanare, T, P, Lit | 6 |
| disunire, T, R | 100 |
| disusare, T | 6 |
| disvelare, T, R | 6 |
| disvezzare, T, Vx, *divezzare* | 6 |
| disviare, T, I, P, Lit | 11 |
| disvolere, T, Irr, Lit | 96 |
| diteggiare, T, I ♦ | 10 |
| dittongare, T, I ♦ | 8 |
| divagare, I ♦, T, Lit | 8 |
| divampare, I, T, Lit | 6 |
| divaricare, T, P | 19 |
| divedere, T | D |
| ≃ seulement infinitif | |
| divegliere, T, R, Vx, *divellere* | 88 |
| divellere, T, R, Irr | 88 |
| **divenire,** I, Irr | 110 |
| **diventare,** I | 6 |
| divergere, I, D, Irr | 48 |
| ≃ pas de participe passé | |
| diversificare, T, I, P | 19 |
| **divertire,** T, a | 99 |
| divezzare, T, P | 6 |
| **dividere,** T, P, R, Irr, da, fra, in | 74 |
| divinare, T, Lit | 6 |
| divincolare, T, I, R | 6 |
| divinizzare, T | 6 |
| divisare, T, Lit | 6 |
| divorare, T, P | 6 |

divorziare, I, ♦ ..................... 12
divulgare, T, P ..................... 8
documentare, T, R ................. 6
dolcificare, T ...................... 19
dolere, I, P, Irr, di (P) ............. 46
dolorare, I ♦, T, Lit ............... 6
domandare, T, I ♦, P, di .......... 6
domare, T ......................... 6
domiciliare, T, I ♦, R ............. 12
dominare, I ♦, R, su .............. 6
donare, T, I ♦, R ................. 6
dondolare, T, I, R ................ 6
dopare, T, R ...................... 6
doppiare, T, I, P .................. 12
dorare, T .......................... 6
dormicchiare, I ♦ ................. 12
dormire, I ♦, T .................... 99
dosare, T .......................... 6
dotare, T .......................... 6
dottoreggiare, I ♦ ................ 10
doventare, I, Vx, *diventare* ...... 6
dovere, T, D, Irr .................. 47
≃ pas d'impératif présent
ni de participe passé
dragare, T ......................... 8
drammatizzare, T ................. 6
drappeggiare, T, R ................ 10
drenare, T ......................... 6
dribblare, I, T .................... 6
drizzare, T, P, R .................. 6
drogare, T, R ..................... 8
dubitare, I ♦, di .................. 17
duellare, I ♦ ...................... 6
duplicare, T ....................... 19
durare, I ◊, T ..................... 6

*e*

ebere, I, D, Irr, Vx ................ 20
≃ egli ebe
eccedere, T, Irr ................... 20
eccellere, I ♦, D, Irr .............. 88
≃ pas de temps composés.
eccepire, T ....................... 100
eccettuare, T ..................... 18
eccitare, T, P, a .................. 17
echeggiare, I ◊ ................... 10
eclissare, T, P .................... 6
economizzare, T, I ♦ ............. 6
edificare, T, P .................... 19
educare, T ........................ 19
edulcorare, T ..................... 6
effeminare, T, P .................. 6
effemminare, T, P, *effeminare* .... 6
effettuare, T, P .................. 6
effigiare, T ....................... 10
effondere, T, I, P, Irr ............ 54
egemonizzare, T .................. 6
eiaculare, I ♦ ..................... 6
elaborare, T ...................... 6
elargire, T ........................ 100
eleggere, T, Irr ................... 56
elemosinare, T, I ♦ ............... 6
elencare, T ....................... 7
elettrificare, T ................... 19
elettrizzare, T, P ................. 6
elevare, T, P, R .................. 6
elidere, T, R, Irr ................. 74
eliminare, T ...................... 18
elogiare, T ....................... 10
elucubrare, T ..................... 6
eludere, T, Irr .................... 30
emaciare, T, P .................... 9
emanare, T, I ..................... 6
emancipare, T, R ................. 6

| | |
|---|---|
| emarginare, T | 18 |
| emendare, T, R | 6 |
| **emergere,** I, Irr, da | 48 |
| **emettere,** T, Irr | 57 |
| **emigrare,** I ◊ | 6 |
| emozionare, T, P | 6 |
| empiere, T, P, R, Irr, *empire* | 33 |
| empire, T, P, R | 33 |
| emulare, T | 17 |
| emungere, T, Irr, Vx | 55 |
| encomiare, T | 12 |
| enfatizzare, T | 6 |
| enfiare, T, I, P, Lit | 12 |
| **entrare,** I, T, a, da, in | 6 |
| **entusiasmare,** T, P | 6 |
| enucleare, T | 6 |
| enumerare, T | 18 |
| enunciare, T | 9 |
| enunziare, T, *enunciare* | 12 |
| epicureggiare, I ♦ | 10 |
| epitomare, T, Lit | 6 |
| epurare, T | 6 |
| equalizzare, T | 6 |
| equidistare, I | 6 |
| equilibrare, T, R | 6 |
| equipaggiare, T, R | 10 |
| equiparare, T | 6 |
| equivalere, I ◊, R, Irr | 92 |
| equivocare, I ♦ | 7 |
| erborare, I ♦ | 6 |
| erborizzare, I ♦ | 6 |
| ereditare, T | 6 |
| ergere, T, P, R | 48 |
| erigere, T, R, Irr | 42 |
| erodere, T, Irr | 51 |
| erogare, T | 8/17 |
| eroicizzare, T | 6 |
| erompere, I, D, Irr | 77 |
| ≃ pas de temps composés | |
| erpicare, T | 19 |
| errare, I ♦, T, Lit | 6 |
| erudire, T, P | 100 |
| eruttare, I ♦, T | 6 |
| esacerbare, T, P, Lit | 6 |
| **esagerare,** T, I ♦, P | 6 |
| esagitare, T, Lit | 6 |
| esalare, I | 6 |
| **esaltare,** T, I, P, R | 6 |
| **esaminare,** T | 18 |
| esanimare, T, P, Lit | 6 |
| **esasperare,** T, P, a, di | 18 |
| esaudire, T | 100 |
| **esaurire,** T, P, R | 100 |
| esautorare, T | 6 |
| escire, I, Fam, Irr, *uscire* | 109 |
| **esclamare,** I ♦ | 6 |
| **escludere,** T, R, Irr, di | 30 |
| escogitare, T | 6 |
| escoriare, T | 12 |
| escutere, T, Irr | 43 |
| esecrare, T, Lit | 6 |
| **eseguire,** T | 100/99 |
| esemplare, T, Lit | 6 |
| esemplificare, T | 19 |
| esentare, T, R | 6 |
| **esercitare,** T, R, a, in | 18 |
| esibire, T, R | 100 |
| **esigere,** T, Irr, da | 72 |
| esilarare, T, P | 6 |
| esiliare, I ♦, R | 11 |
| esimere, T, R, D, Irr | 73 |
| ≃ pas de participe passé | |
| **esistere,** I, Irr | 24 |
| **esitare,** I ♦, T, a, in | 6 |
| esonerare, T, R | 6 |
| esorbitare, I ♦ | 6 |
| esorcizzare, T, I ♦ | 6 |
| esordire, I ♦ | 100 |
| esortare, T | 6 |
| espandere, T, P, Irr | 49 |
| espatriare, I ◊ | 12 |
| espedire, T, R, Vx | 100 |
| espellere, T, Irr | 50 |
| esperimentare, T, *sperimentare* | 6 |
| esperire, T, Lit | 100 |
| espettorare, T | 6 |

espiare, T............................. 11
espirare, T, I ♦ ..................... 6
espletare, T........................ 6
esplicare, T, P..................... 19
**esplodere,** I ◊, T, Irr ............... 51
esplorare, T........................ 6
**esporre,** T, R, Irr ............... 68
**esportare,** T..................... 6
**esprimere,** T, P, Irr .............. 34
espropriare, T, R.................. 12
espugnare, T...................... 6
espungere, T, Irr.................. 55
espurgare, T, Lit.................. 8
**essere,** I, Imp, Irr ................. 1
essiccare, T, P.................... 7
estasiare, T, P..................... 12
**estendere,** T, P, Irr, a, su (P) ....... 70
estenuare, T ...................... 6
esteriorizzare, T, P ................ 6
esterminare, T, *sterminare*.......... 6
esternare, T, P, R.................. 6
estimare, T, R..................... 6
estinguere, T, P, Irr .............. 44
estirpare, T ...................... 6
estollere, T, P, D, Irr .............. 20
 ≃ pas de passé simple
 ni de participe passé
estorcere, T, Irr.................... 90
estradare, T ...................... 6
estraniare, T, R................... 12
**estrarre,** T, Irr................... 91
estremizzare, T ................... 6
estrinsecare, T, P ................. 7
estromettere, T, R ................ 57
estrovertere, T, R, D .............. 20
 ≃ pas de passé simple
 ni de participe passé : estroverso
estrudere, T, Irr................... 30
estuare, I, Vx...................... 6
esulare, I ♦ ....................... 6
esulcerare, T, P................... 6
esultare, I ♦....................... 6
esumare, T......................... 6

eterificare, T, P.................... 19
eterizzare, T....................... 6
eternare, T, P, R................... 6
etimologizzare, I ♦ ................. 6
europeizzare, T, P ................. 6
evacuare, T, I ♦, R................. 6
**evadere,** I, T, Irr.................. 71
evangelizzare, T................... 6
**evaporare,** I ◊, T................ 6
evellere, T, Irr, Vx................. 88
evidenziare, T..................... 12
evincere, T, Irr, Lit................ 94
evirare, T......................... 6
**evitare,** T, di...................... 17
evocare, T......................... 19
evoluire, I ♦ ...................... 100
evolvere, T, P, Irr................. 25

$f$

**fabbricare,** T ...................... 19
faccettare, T ...................... 6
**facilitare,** T...................... 18
fagocitare, T ...................... 6
falcare, T.......................... 7
falciare, T ........................ 9
falcidiare, T....................... 12
fallare, I ♦, T, P, D, Lit............. 6
 ≃ présent : egli falla, essi fallano
 participe passé : fallato
**fallire,** I ◊, T...................... 100
falsare, T ......................... 6
falsificare, T....................... 19
familiarizzare, I ♦, P................ 6
fanatizzare, T...................... 6
fantasticare, T, I ♦ ................ 19
farcire, T ......................... 100

**fare**, T, I ♦, P, R, Imp ♦, Irr, di, da.... 52
farfugliare, T, I ♦ ..................... 12
farneticare, I ♦ ........................ 19
farraginare, T, Lit.................... 18
fasciare, T, R........................ 9
fascicolare, T......................... 6
fascinare (1), T, Lit
   pour fasciner .................... 18
fascinare (2), T
   pour mettre en gerbes ............. 6
fascistizzare, T ...................... 6
fatare, T............................ 6
**faticare**, I ♦, T, P................... 7
fattorizzare, T ....................... 6
fatturare, T ......................... 6
favellare, I ♦, T, Lit ................. 6
favoleggiare, I ♦..................... 10
favoreggiare, T....................... 10
**favorire**, T, I...................... 100
**fecondare**, T........................ 6
federare, T, P........................ 6
felicitare, T, I ♦, P................... 18
feltrare, T, P ........................ 6
fendere, T, P, Irr..................... 21
**ferire**, T, R ....................... 100
**fermare**, T, I ♦, P.................. 6
fermentare, I ♦, T..................... 6
ferrare, T ........................... 6
ferruminare, T........................ 6
fertilizzare, T........................ 6
fervere, I, D, Irr..................... D
   ≃ présent : egli ferve, essi fervono
   imparfait : egli ferveva, essi fervevano
   gérondif présent : fervendo
   participe présent : fervente (adjectif)
fessurarsi, P......................... 6
**festeggiare**, T, I................... 10
festinare, I ♦, Vx, Lit ............... 6
festonare, T.......................... 6
fiaccare, T, P........................ 7
fiammare, I ♦, Lit.................... 6
fiammeggiare, I ◊, T ................. 10
fiancheggiare, T ..................... 10

fiatare, I ♦ .......................... 6
fibrillare, I ♦ ........................ 6
**ficcare**, T, R ....................... 7
**fidanzare**, R ....................... 6
**fidare**, T, I ♦, P, di................ 6
figgere, T, Irr....................... 22
**figliare**, T ......................... 12
**figurare**, T, I ♦, P, di ............. 6
**filare**, T, I ........................ 6
fileggiare, I ♦........................ 10
filettare, T .......................... 6
filmare, T............................ 6
filosofare, I ♦, T..................... 6
filosofeggiare, I ♦.................... 10
**filtrare**, T, I....................... 6
finalizzare, T ........................ 6
finanziare, T ......................... 12
**fingere**, T, R, Irr, di.............. 31
**finire**, T, I, a, per, con, di.......... 100
finlandizzare, T....................... 6
fintare, T, I ♦ ....................... 6
fioccare, Imp ◊, I ◊, T............... 7
fiocchettare, T........................ 6
fiocinare, I ♦, T...................... 6
fiorare, I, Lit ....................... 6
fiorentineggiare, I ♦................. 10
fiorettare, T, I ♦ .................... 6
**fiorire**, I, T, R..................... 100
fiottare, I ♦ ......................... 6
**firmare**, T, R....................... 6
fiscaleggiare, I ♦ .................... 10
fiscalizzare, T ....................... 6
**fischiare**, I ♦, T................... 12
fischiettare, T, I ♦ .................. 6
**fissare**, T, P....................... 6
fistulare, I ♦ ........................ 6
**fiutare**, T.......................... 6
flagellare, R......................... 6
flagrare, I, Vx ....................... 6
flettere, T, P, R, Irr................. 53
flirtare, I ♦ ......................... 6
floccare, T........................... 7
flocculare, I ♦ ....................... 6

flottare, I ♦, T . . . . . . . . . . . . . . . . . . . . . . 6
fluidificare, T, P . . . . . . . . . . . . . . . . . . . . 19
fluire, I, Lit . . . . . . . . . . . . . . . . 100
fluttuare, I ♦ . . . . . . . . . . . . . . . . . . . . . . 6
**foderare**, T . . . . . . . . . . . . . . . . . . . . . . 6
foggiare, T . . . . . . . . . . . . . . . . . . . . . . . . 10
fogliare, I, Vx . . . . . . . . . . . . . . . . . . . . . 12
fognare, Imp, I, T, Vx, Tosc . . . . . . . . . . 6
folcere, T, D, Lit . . . . . . . . . . . . . . . . . . . D
   ≃ egli folce, egli folceva
folcire, T, D, Lit, *folcere* . . . . . . . . . . . . D
folgorare, I ♦, T . . . . . . . . . . . . . . . . . . . 6
follare, T . . . . . . . . . . . . . . . . . . . . . . . . . . 6
folleggiare, I ♦ . . . . . . . . . . . . . . . . . . . . . 10
fomentare, T . . . . . . . . . . . . . . . . . . . . . . . 6
**fondare**, T, R, su . . . . . . . . . . . . . . . . . . . 6
**fondere**, T, I ♦, P, R, Irr . . . . . . . . . . . . . . 54
foraggiare, T . . . . . . . . . . . . . . . . . . . . . . . 10
forare, T, P . . . . . . . . . . . . . . . . . . . . . . . . 6
forbire, T, R . . . . . . . . . . . . . . . . . . . . . . . 100
forgiare, T . . . . . . . . . . . . . . . . . . . . . . . . 10
formalizzare, T, P . . . . . . . . . . . . . . . . . . . 6
**formare**, T, P . . . . . . . . . . . . . . . . . . . . . . 6
formicolare, I ◊ . . . . . . . . . . . . . . . . . . . . 6
formulare, T . . . . . . . . . . . . . . . . . . . . . . . 17
fornicare, I ♦ . . . . . . . . . . . . . . . . . . . . . . 19
**fornire**, T, R . . . . . . . . . . . . . . . . . . . . . . 100
fortificare, T, P, R . . . . . . . . . . . . . . . . . . 19
forviare, I ♦, T . . . . . . . . . . . . . . . . . . . . . 11
**forzare**, T, I ♦, a . . . . . . . . . . . . . . . . . . . 6
fosforeggiare, I ♦ . . . . . . . . . . . . . . . . . . . 10
fossilizzare, T, P . . . . . . . . . . . . . . . . . . . 6
fotocopiare, T . . . . . . . . . . . . . . . . . . . . . . 12
**fotografare**, T . . . . . . . . . . . . . . . . . . . . . 18
fottere, T, Fam, Vulg . . . . . . . . . . . . . . . . 20
fracassare, T, I ♦, P . . . . . . . . . . . . . . . . . 6
fragnere, T, Vx, *frangere* . . . . . . . . . . . . 65
fraintendere, T, Irr . . . . . . . . . . . . . . . . . . 70
framescolare, T, *frammescolare* . . . . . . . . 6
frammentare, T . . . . . . . . . . . . . . . . . . . . . 6
frammescolare, T . . . . . . . . . . . . . . . . . . . 6
frammettere, T, R, Irr . . . . . . . . . . . . . . 57

frammezzare, T . . . . . . . . . . . . . . . . . . . . . 6
frammischiare, T, R . . . . . . . . . . . . . . . . . 12
franare, I . . . . . . . . . . . . . . . . . . . . . . . . . . 6
francare, T, Lit . . . . . . . . . . . . . . . . . . . . . 7
franceseggiare, I ♦ . . . . . . . . . . . . . . . . . . 10
francesizzare, T . . . . . . . . . . . . . . . . . . . . 6
frangere, T, I, P, Irr, Lit . . . . . . . . . . . . . . 65
frangiare, T . . . . . . . . . . . . . . . . . . . . . . . . 10
frantumare, T, P . . . . . . . . . . . . . . . . . . . . 6
frapporre, T, R, Irr . . . . . . . . . . . . . . . . . . 68
frascheggiare, I ♦, Lit . . . . . . . . . . . . . . . . 10
fraseggiare, I ♦ . . . . . . . . . . . . . . . . . . . . . 10
frastagliare, T . . . . . . . . . . . . . . . . . . . . . . 12
frastornare, T . . . . . . . . . . . . . . . . . . . . . . 6
fraternizzare, I ♦ . . . . . . . . . . . . . . . . . . . 6
fratturare, T . . . . . . . . . . . . . . . . . . . . . . . 6
frazionare, T, P . . . . . . . . . . . . . . . . . . . . 6
frecciare, T, I ♦ . . . . . . . . . . . . . . . . . . . . 9
freddare, T, P . . . . . . . . . . . . . . . . . . . . . . 6
**fregare**, T, P . . . . . . . . . . . . . . . . . . . . . . 8
fregiare, T, R . . . . . . . . . . . . . . . . . . . . . . 10
fremere, I ♦, T, Irr . . . . . . . . . . . . . . . . . . 20
fremire, I ♦, Vx, Lit . . . . . . . . . . . . . . . . . 99
**frenare**, T, R . . . . . . . . . . . . . . . . . . . . . . 6
**frequentare**, T, I ♦ . . . . . . . . . . . . . . . . . . 6
fresare, T . . . . . . . . . . . . . . . . . . . . . . . . . 6
frescheggiare, I ♦, Tosc . . . . . . . . . . . . . . 10
**friggere**, T, I ♦, Irr . . . . . . . . . . . . . . . . . . 22
frignare, I ♦ . . . . . . . . . . . . . . . . . . . . . . . 6
frinire, I ♦ . . . . . . . . . . . . . . . . . . . . . . . . 100
frivoleggiare, I ♦ . . . . . . . . . . . . . . . . . . . 10
frizionare, T, I ♦ . . . . . . . . . . . . . . . . . . . 6
frizzare, I ♦ . . . . . . . . . . . . . . . . . . . . . . . 6
frodare, T . . . . . . . . . . . . . . . . . . . . . . . . . 6
frollare, I, P . . . . . . . . . . . . . . . . . . . . . . . 6
frombolare, T, I ♦ . . . . . . . . . . . . . . . . . . . 6
frondeggiare, I ♦ . . . . . . . . . . . . . . . . . . . 10
**fronteggiare**, T . . . . . . . . . . . . . . . . . . . . 10
frugacchiare, I ♦ . . . . . . . . . . . . . . . . . . . 12
**frugare**, I ♦, T, R . . . . . . . . . . . . . . . . . . . 8
frugnolare, I ♦ . . . . . . . . . . . . . . . . . . . . . 6
frugolare, I ♦ . . . . . . . . . . . . . . . . . . . . . . 6
fruire, I ♦, T . . . . . . . . . . . . . . . . . . . . . . 100

frullare, T, I ♦ . . . . . . . . . . . . . . . . . . . . . . 6
frusciare, I ♦ . . . . . . . . . . . . . . . . . . . . . . 9
frustare, T . . . . . . . . . . . . . . . . . . . . . . . . 6
frustrare, T . . . . . . . . . . . . . . . . . . . . . . . 6
**fruttare,** I ♦, T . . . . . . . . . . . . . . . . . . . 6
fruttificare, I ♦ . . . . . . . . . . . . . . . . . . . . 19
**fucilare,** T . . . . . . . . . . . . . . . . . . . . . . . 6
fucinare, T . . . . . . . . . . . . . . . . . . . . . . . 6
fugare, T, I ♦, P . . . . . . . . . . . . . . . . . . . 8
**fuggire,** I, T . . . . . . . . . . . . . . . . . . . . . . 104
fulgere, I, D, Irr . . . . . . . . . . . . . . . . . . . . 67
  ≃ pas de participe passé
fulminare, T, Imp ◊, I, P . . . . . . . . . . . . . 6
**fumare,** I ♦, T . . . . . . . . . . . . . . . . . . . . . 6
fumeggiare, I ♦ . . . . . . . . . . . . . . . . . . . . 10
fumicare, I ♦, T, *fumigare* . . . . . . . . . . . . 19
fumigare, I ♦, T . . . . . . . . . . . . . . . . . . . . 8/17
funestare, T, P . . . . . . . . . . . . . . . . . . . . 6
fungere, I, Irr, da . . . . . . . . . . . . . . . . . . . 55
funghire, I ♦ . . . . . . . . . . . . . . . . . . . . . . 100
**funzionare,** I ♦ . . . . . . . . . . . . . . . . . . . . 6
fuorviare, I ♦, T, *forviare* . . . . . . . . . . . . 11
furoreggiare, I ♦ . . . . . . . . . . . . . . . . . . . 6
fustigare, T . . . . . . . . . . . . . . . . . . . . . . . 8/17

galvanizzare, T . . . . . . . . . . . . . . . . . . . . 6
gambettare, I ♦, *sgambettare* . . . . . . . . . 6
gambizzare, T . . . . . . . . . . . . . . . . . . . . . 6
gangherare, T . . . . . . . . . . . . . . . . . . . . . 6
**garantire,** T, P . . . . . . . . . . . . . . . . . . . . 100
garbare, I . . . . . . . . . . . . . . . . . . . . . . . . 6
gareggiare, I ♦ . . . . . . . . . . . . . . . . . . . . 10
garentire, T, P, *garantire* . . . . . . . . . . . . 100
gargarizzare, T . . . . . . . . . . . . . . . . . . . . 6
garofanare, T . . . . . . . . . . . . . . . . . . . . . 6
garrire, I ♦ . . . . . . . . . . . . . . . . . . . . . . . 100
garrottare, T . . . . . . . . . . . . . . . . . . . . . . 6
garzare, T . . . . . . . . . . . . . . . . . . . . . . . . 6
gasare, T, R . . . . . . . . . . . . . . . . . . . . . . 6
gassificare, T . . . . . . . . . . . . . . . . . . . . . 19
gastigare, T, R, *castigare* . . . . . . . . . . . . 8
gatteggiare, I ♦ . . . . . . . . . . . . . . . . . . . . 10
gavazzare, I ♦, Lit . . . . . . . . . . . . . . . . . . 6
**gelare,** T, I, P, Imp ◊ . . . . . . . . . . . . . . . . 6
gelatinizzare, T, P . . . . . . . . . . . . . . . . . . 6
gelificare, T, I, P . . . . . . . . . . . . . . . . . . . 19
gemellare, T, R, Lit . . . . . . . . . . . . . . . . . 6
gemere, I ♦, T, Irr . . . . . . . . . . . . . . . . . . 20
gemicare, I ◊ . . . . . . . . . . . . . . . . . . . . . 19
geminare, T . . . . . . . . . . . . . . . . . . . . . . 6
gemmare, I ♦, T, R . . . . . . . . . . . . . . . . . 6
generalizzare, T . . . . . . . . . . . . . . . . . . . 6
generare, T, P . . . . . . . . . . . . . . . . . . . . . 6
genuflettersi, P, Irr . . . . . . . . . . . . . . . . . . 53
gerarchizzare, T . . . . . . . . . . . . . . . . . . . 6
germanizzare, T, I ♦ . . . . . . . . . . . . . . . . 6
germinare, I ◊, T . . . . . . . . . . . . . . . . . . . 6
germogliare, I ◊, T . . . . . . . . . . . . . . . . . 12
gessare, T . . . . . . . . . . . . . . . . . . . . . . . 6
gesteggiare, I ♦ . . . . . . . . . . . . . . . . . . . 10
gesticolare, I ♦ . . . . . . . . . . . . . . . . . . . . 6
gestire, T, I ♦ . . . . . . . . . . . . . . . . . . . . . 100
**gettare,** T, I ♦, R . . . . . . . . . . . . . . . . . . 6
gettonare, T, Fam. . . . . . . . . . . . . . . . . . . 6
ghermire, T, R . . . . . . . . . . . . . . . . . . . . . 100
ghettizzare, T . . . . . . . . . . . . . . . . . . . . . 6
**ghiacciare,** I ◊, Imp ◊, T, P . . . . . . . . . . 9
ghigliottinare, T . . . . . . . . . . . . . . . . . . . 6

# *g*

gabbare, T, I ♦ . . . . . . . . . . . . . . . . . . . . 6
gabellare, T . . . . . . . . . . . . . . . . . . . . . . 6
gagnolare, I ♦ . . . . . . . . . . . . . . . . . . . . . 6
galanteggiare, I ♦ . . . . . . . . . . . . . . . . . . 10
gallare, T, I ♦ . . . . . . . . . . . . . . . . . . . . . 6
**galleggiare,** I ♦ . . . . . . . . . . . . . . . . . . . 10
gallicizzare, I ♦, T . . . . . . . . . . . . . . . . . . 6
gallonare, T . . . . . . . . . . . . . . . . . . . . . . 6
galloriare, I ♦ . . . . . . . . . . . . . . . . . . . . . 12
**galoppare,** I ♦ . . . . . . . . . . . . . . . . . . . . 6

ghignare, I ♦ . . . . . . . . . . . . . . . . . . . . . . . 6
ghindare, T . . . . . . . . . . . . . . . . . . . . . . . 6
ghirlandare, T, Lit, *inghirlandare* . . . . . . . 6
giacere, I, Irr . . . . . . . . . . . . . . . . . . . . 64
gialleggiare, I ♦ . . . . . . . . . . . . . . . . . . . . 10
giganteggiare, I ♦ . . . . . . . . . . . . . . . . . . 10
gigioneggiare, I ♦ . . . . . . . . . . . . . . . . . . 10
gingillare, T, I ♦, P . . . . . . . . . . . . . . . . . 6
giocacchiare, I ♦, T . . . . . . . . . . . . . . . . . 12
giocare, I ♦, T, a . . . . . . . . . . . . . . . . . . 13
giocherellare, I ♦ . . . . . . . . . . . . . . . . . . 6
giochicchiare, I ♦, T . . . . . . . . . . . . . . . . 12
gioiellare, T . . . . . . . . . . . . . . . . . . . . . . 6
gioire, I ♦, T . . . . . . . . . . . . . . . . . . . . . 100
giostrare, I ♦, T . . . . . . . . . . . . . . . . . . . 6
giovaneggiare, I ♦, Lit . . . . . . . . . . . . . . . 10
giovare, I ◊, Imp ◊, T, P . . . . . . . . . . . 6
girandolare, I ♦ . . . . . . . . . . . . . . . . . . . . 6
girare, T, I, R . . . . . . . . . . . . . . . . . . . . . 6
giravoltolare, I ♦ . . . . . . . . . . . . . . . . . . . 6
gire, I, D, Irr, Vx, *ire* . . . . . . . . . . . . . . . D
   ≃ présent : noi giamo, voi gite
   imparfait : io givo, tu givi,
   egli giva, essi givano
   passé simple : tu gisti
girellare, I ♦ . . . . . . . . . . . . . . . . . . . . . 6
girondolare, I ♦, *girandolare* . . . . . . . . . . 6
gironzare, I ♦ . . . . . . . . . . . . . . . . . . . . . 6
gironzolare, I ♦ . . . . . . . . . . . . . . . . . . . . 6
girovagare, I ♦ . . . . . . . . . . . . . . . . . . . . 8
gittare, T, I, R, Vx, *gettare* . . . . . . . . . . . 6
giubilare, I ♦, T . . . . . . . . . . . . . . . . . . . 6
giudicare, T, I ♦ . . . . . . . . . . . . . . . . . . . 19
giugnere, I, Vx, *giungere* . . . . . . . . . . . . 55
giugulare, T, *iugulare* . . . . . . . . . . . . . . 17
giulebbare, T . . . . . . . . . . . . . . . . . . . . . 6
giuncare, T . . . . . . . . . . . . . . . . . . . . . . 7
giungere, I, T, P, Irr, a, da, in . . . . . . . . 55
giuntare, T, R . . . . . . . . . . . . . . . . . . . . . 6
giurare, T, I ♦, R, di . . . . . . . . . . . . . . . 6
giustificare, T, R . . . . . . . . . . . . . . . . . . . 19
giustiziare, R . . . . . . . . . . . . . . . . . . . . . 12
glissare, I ♦ . . . . . . . . . . . . . . . . . . . . . . 6

gloglottare, I ♦ . . . . . . . . . . . . . . . . . . . . 6
gloriare, T, P . . . . . . . . . . . . . . . . . . . . . 12
glorificare, T, P, R . . . . . . . . . . . . . . . . . 19
glossare, T . . . . . . . . . . . . . . . . . . . . . . . 6
gnaulare, I ♦ . . . . . . . . . . . . . . . . . . . . . 6
gocciare, T, I ♦, *gocciolare* . . . . . . . . . . 9
gocciolare, T, I ◊ . . . . . . . . . . . . . . . . . . 6
godere, I ♦, T, P, Irr, a, di, da (P) . . . . 93
goffeggiare, I ♦ . . . . . . . . . . . . . . . . . . . 10
gommare, T . . . . . . . . . . . . . . . . . . . . . . 6
gonfiare, T, I, P . . . . . . . . . . . . . . . . . . . 12
gongolare, I ♦ . . . . . . . . . . . . . . . . . . . . 6
gorgheggiare, I ♦, T . . . . . . . . . . . . . . . . 10
gorgogliare, I ♦ . . . . . . . . . . . . . . . . . . . 12
governare, T, R . . . . . . . . . . . . . . . . . . . 6
gozzovigliare, I ♦ . . . . . . . . . . . . . . . . . . 12
gracchiare, I ♦ . . . . . . . . . . . . . . . . . . . . 12
gracidare, I ♦ . . . . . . . . . . . . . . . . . . . . . 6
gradare, T, I ♦, Vx . . . . . . . . . . . . . . . . . 6
gradinare, T . . . . . . . . . . . . . . . . . . . . . . 6
gradire, T, I . . . . . . . . . . . . . . . . . . . . . . 100
graduare, T . . . . . . . . . . . . . . . . . . . . . . 6
graffiare, T, I . . . . . . . . . . . . . . . . . . . . . 12
graffignare, T, Fam, *sgraffignare* . . . . . . . 6
graffire, T . . . . . . . . . . . . . . . . . . . . . . . 100
gramolare, T . . . . . . . . . . . . . . . . . . . . . 6
grandeggiare, I ♦ . . . . . . . . . . . . . . . . . . 10
grandinare, I ◊ Imp ◊, T . . . . . . . . . . . . . 6
granire, I, T . . . . . . . . . . . . . . . . . . . . . . 100
granulare, T . . . . . . . . . . . . . . . . . . . . . . 6
graticciare, T . . . . . . . . . . . . . . . . . . . . . 9
graticolare, T . . . . . . . . . . . . . . . . . . . . . 6
gratificare, T, I ♦ . . . . . . . . . . . . . . . . . . 19
grattare, T, I ♦, R . . . . . . . . . . . . . . . . . . 6
grattugiare, T . . . . . . . . . . . . . . . . . . . . . 10
gravare, T, I, P, R . . . . . . . . . . . . . . . . . . 6
gravitare, I ◊ . . . . . . . . . . . . . . . . . . . . . 17
graziare, T . . . . . . . . . . . . . . . . . . . . . . . 12
grecheggiare, I ♦ . . . . . . . . . . . . . . . . . . 10
grecizzare, T, I ♦ . . . . . . . . . . . . . . . . . . 6
gremire, T, P . . . . . . . . . . . . . . . . . . . . . 100
gridacchiare, I ♦ . . . . . . . . . . . . . . . . . . . 12
gridare, I ♦, T . . . . . . . . . . . . . . . . . . . . 6

grillare, I ♦ ......................... 6
grillettare, I ♦, T ..................... 6
grippare, I ♦, P ....................... 6
grommare, I, T, P .................... 6
grondare, I ◊, T ...................... 6
grufolare, I ♦, R ..................... 6
grugare, I ♦ .......................... 8
grugnare, I ♦ ......................... 6
grugnire, I ♦, T ...................... 100
**guadagnare,** T, I ♦ .................. 6
guaire, I ♦ ........................... 100
gualcare, T .......................... 7
gualcire, T, P, *sgualcire* ............. 100
guarantire, T, P, Lit, *garantire* ........ 100
**guardare,** T, I ♦, R, di, da, a ......... 6
guarentire, T, P, Lit, *garantire* ........ 100
**guarire,** T, I ...................... 100
guarnire, T .......................... 100
**guastare,** T, I ♦, P, R ............... 6
guatare, T, R, Lit .................... 6
guattire, I ♦ ......................... 100
guazzabugliare, I ♦ .................. 12
guazzare, I ♦ ........................ 6
guelfeggiare, I ♦ ..................... 10
guernire, T, *guarnire* ................ 100
guerreggiare, I ♦, R .................. 10
gufare, I ♦ ........................... 6
**guidare,** T, R ...................... 6
guiderdonare, T, Vx, Lit .............. 6
guizzare, I ◊ ......................... 6
**gustare,** T, I, P .................... 6

# h

handicappare, T ..................... 6

# i

idealizzare, T ........................ 6
**ideare,** T .......................... 6
identificare, T, P, R ................. 19
ideologizzare, T ..................... 6
idolatrare, T, I ♦ ..................... 6
idoleggiare, T, I ♦ ................... 10
idrogenare, T ........................ 6
iemalizzare, T ....................... 6
iettare, T, Pop, Rég ................. 6
ignorare, T .......................... 6
ignudare, T, R, Lit .................. 6
**illaidire,** T, Lit .................... 100
illanguidire, T, I, P ................. 100
illeggiadrire, T, I, P ................ 100
illividire, T, I, P .................... 100
**illudere,** T, R, Irr, di (R) ........... 30
**illuminare,** T, P ................... 18
**illustrare,** T, P ................... 6
imbacchettonire, I, T ................ 100
imbacuccare, T, R .................... 7
imbagasciare, T, Vx .................. 9
imbaldanzire, T, I, P ................ 100
**imballare,** T ...................... 6
imbalordire, T, P .................... 100
imbalsamare, T ....................... 18
imbandierare, T, P ................... 6
imbandire, T ......................... 100
**imbarazzare,** T, P ................. 6
imbarbarire, T, I, P ................. 100
**imbarcare,** T, P, R ................. 7
imbarilare, T ........................ 6
imbastardire, T, I, P ................ 100
imbastire, T ......................... 100
imbattersi, P ........................ 20
imbavagliare, T ...................... 12
imbeccare, T ......................... 7

| | | | | |
|---|---|---|---|---|
| imbecchire, T | 100 | imbrillantinare, T, R | 6 |
| imbecherare, T, Pop, Tosc | 6 | imbroccare, T, P | 7 |
| imbecillire, T, I | 100 | imbrodare, T, R | 6 |
| imbellettare, T, R | 6 | imbrodolare, T, R | 6 |
| imbellire, T, I, R | 100 | **imbrogliare,** T, P | 12 |
| imberrettare, T, R | 6 | imbronciare, I, P | 9 |
| imbertescare, T, Vx | 7 | imbrunare, I, P, Lit | 6 |
| imbestialire, T, I, P | 100 | imbrunire, I, P, Imp | 100 |
| imbestiare, I, T, P, Lit | 12 | imbruttire, T, I | 100 |
| imbevere, T, P, Irr | 27 | imbucare, T, R | 7 |
| imbiaccare, T, R | 7 | imbullettare, T | 6 |
| **imbiancare,** T, I, P | 7 | imbullonare, T | 6 |
| imbianchire, T, I | 100 | imburrare, T | 6 |
| imbiettare, T | 6 | imbussolare, T | 6 |
| imbiondare, T | 6 | imbustare, T | 6 |
| imbiondire, T, I, P | 100 | imbuzzare, T, P, Fam, Tosc | 6 |
| imbirbonire, I, T | 100 | imbuzzirsi, P, Fam, Rég, Tosc | 100 |
| imbiutare, T | 6 | **imitare,** T | 17 |
| imbizzarrire, I, T, P | 100 | immagazzinare, T | 6 |
| **imboccare,** T, I | 7 | **immaginare,** T, di | 18 |
| imbolsire, I | 100 | immalinconire, T, I, P | 100 |
| imbonare, T | 6 | immanicare, T | 19 |
| imbonire, T | 100 | immatricolare, T, R | 6 |
| imborghesire, T, I, P | 100 | immedesimare, T, R | 6 |
| imborsare, T, Lit | 6 | immelensire, T, I | 100 |
| imboscare, T, P, R | 7 | immelmare, T, R | 6 |
| imboschire, T, I, P | 100 | **immergere,** T, R, Irr | 48 |
| imbossolare, T, Vx, *imbussolare* | 6 | immettere, T, P, Irr | 57 |
| imbottare, T, I ♦ | 6 | immezzire, I, P | 100 |
| **imbottigliare,** T, P | 12 | immigrare, I | 6 |
| **imbottire,** T | 100 | immillare, T, P, Lit | 6 |
| imbozzacchire, I | 100 | immischiare, T, P | 12 |
| imbozzimare, T, R | 6 | immiserire, T, I, P | 100 |
| imbracare, T | 7 | immobilizzare, T | 6 |
| imbracciare, T | 9 | immolare, T, R | 6 |
| imbragare, T, *imbracare* | 8 | immollare, T, P | 6 |
| imbrancare, T, R | 7 | immorsare, T, Lit | 6 |
| imbrattare, T, R | 6 | immortalare, T, P | 6 |
| imbrecciare, T | 9 | immucidire, I | 100 |
| imbriacare, R, Pop, *ubriacare* | 7 | immunizzare, T | 6 |
| imbricare, T, P, Lit | 19 | immusonirsi, P, Fam | 100 |
| imbricconire, T, I | 100 | impaccare, T | 7 |
| imbrigliare, T, P | 12 | impacchettare, T | 6 |

impacciare, T, P . . . . . . . . . . . . . . . . . . . . 9
impaciare, T, I, P, Fam, Tosc . . . . . . . . . 9
**impadronirsi,** P, T . . . . . . . . . . . . . . . . 100
impaginare, T . . . . . . . . . . . . . . . . . . . . . 18
impagliare, T . . . . . . . . . . . . . . . . . . . . . . 12
impalare, T, P . . . . . . . . . . . . . . . . . . . . . 6
impallare, T . . . . . . . . . . . . . . . . . . . . . . . 6
**impallidire,** I, T . . . . . . . . . . . . . . . . . . 100
impallinare, T . . . . . . . . . . . . . . . . . . . . . 6
impalmare, T, P, R, Lit . . . . . . . . . . . . . 6
impaludare, T, I, P . . . . . . . . . . . . . . . . . 6
impanare, T . . . . . . . . . . . . . . . . . . . . . . . 6
impaniare, T, P . . . . . . . . . . . . . . . . . . . . 12
impannare, T . . . . . . . . . . . . . . . . . . . . . . 6
impannellare, T . . . . . . . . . . . . . . . . . . . . 6
impantanare, T, P . . . . . . . . . . . . . . . . . . 6
impaperarsi, P . . . . . . . . . . . . . . . . . . . . . 6
impapocchiare, T, Rég . . . . . . . . . . . . . 12
impappinare, P . . . . . . . . . . . . . . . . . . . . 6
imparacchiare, T . . . . . . . . . . . . . . . . . . . 12
**imparare,** T, a . . . . . . . . . . . . . . . . . . . . 6
imparentare, T, P . . . . . . . . . . . . . . . . . . 6
imparruccare, T, R . . . . . . . . . . . . . . . . . 7
impartire, T . . . . . . . . . . . . . . . . . . . . . . 100
imparucchiare, T . . . . . . . . . . . . . . . . . . 12
impastare, T . . . . . . . . . . . . . . . . . . . . . . 6
impasticcarsi, R, Fam . . . . . . . . . . . . . . 7
impasticchiare, T . . . . . . . . . . . . . . . . . . 12
impasticciare, T, R . . . . . . . . . . . . . . . . 9
impastocchiare, T . . . . . . . . . . . . . . . . . 12
impastoiare, T . . . . . . . . . . . . . . . . . . . . 12
impataccare, T, R, Fam . . . . . . . . . . . . 7
impattare, T, I ♦, Vx . . . . . . . . . . . . . . . 6
impaurare, T, I, Vx . . . . . . . . . . . . . . . . . 6
**impaurire,** T, I, P . . . . . . . . . . . . . . . . 100
impavesare, T . . . . . . . . . . . . . . . . . . . . . 6
impazientire, T, I, P . . . . . . . . . . . . . . . 100
impazzare, I ◊, T . . . . . . . . . . . . . . . . . . 6
**impazzire,** I . . . . . . . . . . . . . . . . . . . . . 100
impecettare, T, Fam, Pop . . . . . . . . . . . 6
impeciare, T . . . . . . . . . . . . . . . . . . . . . . 9
impedantire, T, I . . . . . . . . . . . . . . . . . . 100
impedicare, T, Vx . . . . . . . . . . . . . . . . . . 19

**impedire,** T, di . . . . . . . . . . . . . . . . . . . 100
**impegnare,** T, I, R, a, di . . . . . . . . . . . . 6
impegolare, T, R . . . . . . . . . . . . . . . . . . . 6
impelagarsi, R . . . . . . . . . . . . . . . . . . . . . 8
impellere, T, D, Irr, Vx . . . . . . . . . . . . . . 50
≃ passé simple : io impulsi...
participe présent : impellente/i,
participe passé : impulso/i.
impellicciare, T . . . . . . . . . . . . . . . . . . . 9
impennacchiare, T, R . . . . . . . . . . . . . 12
impennare, T, P . . . . . . . . . . . . . . . . . . . 6
impensierire, T, P . . . . . . . . . . . . . . . . 100
impepare, T . . . . . . . . . . . . . . . . . . . . . . 6
imperare, I ♦ . . . . . . . . . . . . . . . . . . . . . 6
imperlare, T, P . . . . . . . . . . . . . . . . . . . . 6
impermalire, T, P . . . . . . . . . . . . . . . . . 100
impermeabilizzare, T . . . . . . . . . . . . . . . 6
imperniare, T, P, su . . . . . . . . . . . . . . . 12
impersonare, T, P, R . . . . . . . . . . . . . . . 6
imperversare, I ♦ . . . . . . . . . . . . . . . . . . 6
impestare, T, Pop, *appestare* . . . . . . . . 6
impetrare, T, Lit . . . . . . . . . . . . . . . . . . . 6
impettirsi, P . . . . . . . . . . . . . . . . . . . . . 100
impiagare, T, P, *piagare* . . . . . . . . . . . . 8
impiallacciare, T . . . . . . . . . . . . . . . . . . . 9
impiantare, T . . . . . . . . . . . . . . . . . . . . . 6
impiastrare, T, R . . . . . . . . . . . . . . . . . . 6
impiastricciare, T . . . . . . . . . . . . . . . . . . 9
**impiccare,** T, R . . . . . . . . . . . . . . . . . . 7
**impicciare,** T, P . . . . . . . . . . . . . . . . . . 9
impiccinire, T, I, P . . . . . . . . . . . . . . . . 100
impiccolire, T, I, P . . . . . . . . . . . . . . . . 100
impidocchiare, T, P . . . . . . . . . . . . . . . 12
impidocchire, I, P . . . . . . . . . . . . . . . . 100
**impiegare,** T, P . . . . . . . . . . . . . . . . . . 8
impietosire, T, P . . . . . . . . . . . . . . . . . 100
impietrare, T, I, Lit, *impetrare* . . . . . . . . 6
impietrire, T, I, P . . . . . . . . . . . . . . . . . 100
impigliare, T, P . . . . . . . . . . . . . . . . . . . 12
impigrire, T, I, P . . . . . . . . . . . . . . . . . . 100
impillaccherare, T, R . . . . . . . . . . . . . . . 6
impinguare, T, I, P, Lit . . . . . . . . . . . . . . 6
impinzare, T, R, *rimpinzare* . . . . . . . . . . 6

impiombare, T, P . . . . . . . . . . . . . . . . . . . . 6
impiparsi, P, Pop . . . . . . . . . . . . . . . . . . 6
impiumare, T, P . . . . . . . . . . . . . . . . . . . . 6
implementare, T . . . . . . . . . . . . . . . . . . . . 6
implicare, T, P . . . . . . . . . . . . . . . . . . . . 19
implorare, T . . . . . . . . . . . . . . . . . . . . . . 6
impollinare, T . . . . . . . . . . . . . . . . . . . . 6
impolpare, T, P . . . . . . . . . . . . . . . . . . . . 6
impoltronire, T, I, P . . . . . . . . . . . . . . 100
impolverare, T, P, R . . . . . . . . . . . . . . . 6
impomatare, T, R . . . . . . . . . . . . . . . . . . 6
impomiciare, T . . . . . . . . . . . . . . . . . . . . 9
imporporare, T, P . . . . . . . . . . . . . . . . . . 6
imporrare, I . . . . . . . . . . . . . . . . . . . . . . 6
**imporre,** T, P, R, Irr, di . . . . . . . . . . . . 68
imporrire, I . . . . . . . . . . . . . . . . . . . . . . 100
**importare,** T, I, P, Imp, a, da, in . . . . . 6
importunare, T . . . . . . . . . . . . . . . . . . . . 6
impossessarsi, P . . . . . . . . . . . . . . . . . . 6
impostare, T, P . . . . . . . . . . . . . . . . . . . . 6
impoverire, T, P . . . . . . . . . . . . . . . . . . 100
impratichire, T, P . . . . . . . . . . . . . . . . . 100
imprecare, I ♦, T . . . . . . . . . . . . . . . . . . 7
impregnare, T, P . . . . . . . . . . . . . . . . . . 6
imprendere, T, Irr, Vx, Lit . . . . . . . . . . . 70
**impressionare,** T, P . . . . . . . . . . . . . . 6
**imprestare,** T, Pop, a . . . . . . . . . . . . . 6
impreziosire, T, P . . . . . . . . . . . . . . . . . 100
**imprigionare,** T . . . . . . . . . . . . . . . . . . 6
**imprimere,** T, Irr . . . . . . . . . . . . . . . . . 34
improntare, T, P . . . . . . . . . . . . . . . . . . 6
improsciuttire, I, Pop . . . . . . . . . . . . . . 100
**improvvisare,** T, R . . . . . . . . . . . . . . . 6
imprunare, T . . . . . . . . . . . . . . . . . . . . . 6
impugnare, T, I . . . . . . . . . . . . . . . . . . . . 6
impulsare, T . . . . . . . . . . . . . . . . . . . . . 6
impuntare, I ♦, P . . . . . . . . . . . . . . . . . . 6
impuntire, T . . . . . . . . . . . . . . . . . . . . . 100
imputare, T . . . . . . . . . . . . . . . . . . . . . . 6
imputridire, I, T . . . . . . . . . . . . . . . . . . 100
imputtanire, I, P, Pop, Vulg . . . . . . . . . . 100
inabilitare, T . . . . . . . . . . . . . . . . . . . . . 6
inabissare, T, P . . . . . . . . . . . . . . . . . . 6

inacciaiare, T, *acciaiare* . . . . . . . . . . . . . . 12
inacerbare, T, P . . . . . . . . . . . . . . . . . . . 6
inacerbire, T, I, P . . . . . . . . . . . . . . . . . 100
inacetire, I, T . . . . . . . . . . . . . . . . . . . . 100
inacidire, T, I, P . . . . . . . . . . . . . . . . . . 100
inacutire, T, P . . . . . . . . . . . . . . . . . . . . 100
inalare, T . . . . . . . . . . . . . . . . . . . . . . . 6
inalbare, T, I, P, Lit . . . . . . . . . . . . . . . . 6
inalberare, T, P . . . . . . . . . . . . . . . . . . . 6
inalidire, T, I, P, Tosc . . . . . . . . . . . . . . 100
inalveare, T, P . . . . . . . . . . . . . . . . . . . . 6
inalzare, T, P, R, *innalzare* . . . . . . . . . . . 6
inamidare, T . . . . . . . . . . . . . . . . . . . . . 18
inanellare, T, P . . . . . . . . . . . . . . . . . . . 6
inanimare, T, P, Lit . . . . . . . . . . . . . . . . 6
inarcare, T, P . . . . . . . . . . . . . . . . . . . . 7
inargentare, T, P . . . . . . . . . . . . . . . . . . 6
inaridire, T, I, P . . . . . . . . . . . . . . . . . . 100
inasinire, T, I, P . . . . . . . . . . . . . . . . . . 100
inasprire, T, I, P . . . . . . . . . . . . . . . . . . 100
inastare, T . . . . . . . . . . . . . . . . . . . . . . 6
inattivare, T . . . . . . . . . . . . . . . . . . . . . 6
**inaugurare,** T . . . . . . . . . . . . . . . . . . . 18
inaurare, T, P, Lit . . . . . . . . . . . . . . . . . 6
inazzurrare, T, P . . . . . . . . . . . . . . . . . . 6
incadaverire, I . . . . . . . . . . . . . . . . . . . 100
incagliare, T, I, P . . . . . . . . . . . . . . . . . 12
incalcinare, T, P . . . . . . . . . . . . . . . . . . 6
incallire, T, I, P . . . . . . . . . . . . . . . . . . 100
incalorire, T, P . . . . . . . . . . . . . . . . . . . 100
**incalzare,** T, R . . . . . . . . . . . . . . . . . . 6
incamerare, T . . . . . . . . . . . . . . . . . . . . 6
incamiciare, T . . . . . . . . . . . . . . . . . . . . 9
**incamminare,** T, P . . . . . . . . . . . . . . . 6
incanagliare, T, P . . . . . . . . . . . . . . . . . 12
incanaglire, I, T . . . . . . . . . . . . . . . . . . 100
incanalare, T, P . . . . . . . . . . . . . . . . . . . 6
incancherare, T, I, *incancherire* . . . . . . . 6
incancherire, I, T, P . . . . . . . . . . . . . . . 100
incancrenire, I, T . . . . . . . . . . . . . . . . . 100
incannare, T . . . . . . . . . . . . . . . . . . . . . 6
incannucciare, T . . . . . . . . . . . . . . . . . . 9
**incantare,** T, P . . . . . . . . . . . . . . . . . . 6

| | |
|---|---|
| incantucciare, T, P | 9 |
| incanutire, I, T | 100 |
| incaparbire, I, P | 100 |
| incapare, T, P, Vx | 6 |
| incaponirsi, P | 100 |
| incappare, T, I, R | 6 |
| incappellare, T, I, P, R | 6 |
| incappiare, T | 11 |
| incappottare, T, R | 6 |
| incappucciare, T, R | 9 |
| incaprettare, T | 6 |
| incapricciarsi, P | 9 |
| incapriccirsi, P, *incapricciarsi* | 100 |
| incapsulare, T | 6 |
| incarare, T, I, P, Vx | 6 |
| incarbonchire, T, I, P | 100 |
| incarbonire, T, I, P | 100 |
| incarcerare, T | 6 |
| incardinare, T, P | 6 |
| **incaricare,** T, P, di | 19 |
| incarnare, T, P | 6 |
| incarnierare, T, Vx | 6 |
| incarnire, T, I, P | 100 |
| incarognire, I | 100 |
| incarrozzare, T, P | 6 |
| incarrucolare, T, P | 6 |
| incartapecorire, I, T | 100 |
| **incartare,** T, P | 6 |
| incartocciare, T, P | 9 |
| incartonare, T | 6 |
| incasellare, T | 6 |
| incasinare, T, Pop | 6 |
| **incassare,** T, I ♦, P | 6 |
| incastonare, T | 6 |
| incastrare, T, I ♦, P | 6 |
| incatarrare, I | 6 |
| incatarrire, I, P | 100 |
| **incatenare,** T, R | 6 |
| incatorzolire, I, P | 100 |
| incatramare, T | 6 |
| incattivire, T, I, P | 100 |
| incavare, T | 6 |
| incavernare, T, P | 6 |
| incavezzare, T, R | 6 |
| incavicchiare, T | 12 |
| incavigliare, T, P | 12 |
| incavolarsi, P, Pop | 6 |
| incazzarsi, P, T, Pop, Vulg | 6 |
| incazzirsi, P, Vulg | 100 |
| incazzottare, T | 6 |
| incedere, I ♦, Irr | 20 |
| incendere, T, I, P, Irr, Vx | 21 |
| **incendiare,** T, P | 12 |
| incenerire, T, P | 100 |
| incensare, T, R | 6 |
| incentivare, T | 6 |
| incentrare, T, P | 6 |
| inceppare, T, P | 6 |
| inceralaccare, T | 7 |
| incerare, T | 6 |
| incerchiare, T, P, Vx | 12 |
| incerconire, I | 100 |
| incernierare, T | 6 |
| inceronare, T, R | 6 |
| incespicare, I ♦ | 19 |
| incestare, T | 6 |
| incettare, T | 6 |
| inchiavacciare, T, Tosc | 9 |
| inchiedere, T, Irr, Vx | 29 |
| **inchinare,** P, T | 6 |
| **inchiodare,** T, P | 6 |
| inchiostrare, T, R | 6 |
| inchiudere, T, P, Irr, Vx | 30 |
| inciampare, I ◊ | 6 |
| inciampicare, I ♦ | 19 |
| **incidere,** I ♦, T, Irr, su | 74 |
| incimicire, I, P | 100 |
| incimurrire, I | 100 |
| incincignare, T, Tosc | 6 |
| incinerare, T | 6 |
| incingere, T, I, P, Irr, Vx, Lit | 31 |
| incipollire, I | 100 |
| incipriare, T, R | 12 |
| inciprignire, T, I, P | 100 |
| incistarsi, R | 6 |
| **incitare,** T, a | 6 |

| | | | |
|---|---|---|---|
| incitrullire, T, I, P | 100 | **incrociare,** T, I ♦, R | 9 |
| incittadinarsi, P | 6 | incrocicchiare, T, R | 12 |
| inciuccare, T, P | 7 | incrodarsi, P | 6 |
| inciucchire, T, I, Tosc | 100 | incrostare, T, I, P | 6 |
| inciuchire, I | 100 | incrudelire, T, I, P | 100 |
| incivettire, I | 100 | incrudire, T, I, P | 100 |
| incivilire, T, P | 100 | incrunare, T | 6 |
| inclinare, T, I ♦, P | 6 | incruscare, T, P | 7 |
| **includere,** T, Irr | 30 | incubare, T | 6 |
| incoare, T, D | D | inculare, T, Vulg | 6 |
| ≃ seulement incoare, incoato/a/i/e | | inculcare, T, I ♦, P, R, Vx, Lit | 7 |
| incoccare, T | 7 | incuneare, T, P | 6 |
| incocciare, T, I, P, Fam, Tosc | 9 | incuocere, T, Irr | 40 |
| incodardire, I | 100 | incuoiare, T, I, P, *incoiare* | 12 |
| **incogliere,** T, I, Irr, Vx | 32 | incuorare, T, R, Lit, *incorare* | 6 |
| incoiare, T, I, P | 13 | incupire, T, I, P | 100 |
| **incollare,** T, P, R | 6 | incuriosire, T, P | 100 |
| incollerire, I, P | 100 | incurvare, T, P | 6 |
| incolonnare, T, P | 6 | incurvire, T, I, P | 100 |
| incolpare, T, I, R | 6 | **incutere,** T, Irr | 43 |
| incombere, I, D, Irr | 20 | **indagare,** T, I ♦ | 8 |
| ≃ seulement 3ᵉ personne | | indebitare, T, R | 6 |
| du singulier et du pluriel | | **indebolire,** T, I, P | 100 |
| pas de participe passé | | indemaniare, T | 12 |
| **incominciare,** T, I | 9 | indennizzare, T | 6 |
| incomodare, T, R | 6 | indentare, I ♦ | 6 |
| **incontrare,** T, I, R, con (R) | 6 | indettare, T, R | 6 |
| incoraggiare, T, P, a | 10 | indiademare, T, R | 6 |
| incorare, T, R, Lit | 13 | indiamantare, T, R | 6 |
| incordare, T, P | 6 | indiare, T, P | 11 |
| incornare, T | 6 | indiavolare, T, I ♦, P | 6 |
| incorniciare, T | 9 | **indicare,** T | 19 |
| **incoronare,** T | 6 | indicizzare, T | 6 |
| incorporare, T, P, R | 18 | indietreggiare, I ◊ | 10 |
| incorre, T, I, Irr, Vx, Lit, *incogliere* | 32 | **indignare,** T, P | 6 |
| incorrere, I, T, Irr, in | 38 | indire, T, Irr | 41 |
| incravattare, T | 6 | **indirizzare,** T, R | 6 |
| incrementare, T | 6 | indispettire, T, I, P | 100 |
| increscere, I, Irr, Lit | 39 | indisporre, T, Irr | 68 |
| increspare, T, P | 6 | individuare, T, P | 6 |
| incretinire, T, I, P | 100 | indiziare, T | 12 |
| incriminare, T | 6 | indocilire, T, I, P | 100 |
| **incrinare,** T, P | 6 | indolcire, T, I, P | 100 |

indolenzire, T, I, P . . . . . . . . . . . . . . . . . . 100
indorare, T . . . . . . . . . . . . . . . . . . . . . . . . 6
**indossare,** T . . . . . . . . . . . . . . . . . . . . . . 6
**indovinare,** T . . . . . . . . . . . . . . . . . . . . . 6
indugiare, T, I ♦, P . . . . . . . . . . . . . . . 10
indulgere, I ♦, D, Irr, Lit, a . . . . . . . . . . . 67
    ≃ pas de participe passé
indurare, T, I, P, Vx . . . . . . . . . . . . . . . . 6
indurire, T, I, P . . . . . . . . . . . . . . . . . . . 100
**indurre,** T, P, Irr, a . . . . . . . . . . . . . . . 36
industrializzare, T . . . . . . . . . . . . . . . . . . 6
industriarsi, P . . . . . . . . . . . . . . . . . . . . . 12
inebbriare, T, P, *inebriare* . . . . . . . . . . . . 12
inebetire, T, I, P . . . . . . . . . . . . . . . . . . . 100
inebriare, T, P . . . . . . . . . . . . . . . . . . . . 12
inerbare, T, P . . . . . . . . . . . . . . . . . . . . 6
inerire, I, D . . . . . . . . . . . . . . . . . . . . . . 100
    ≃ pas de participe passé
inerpicarsi, P . . . . . . . . . . . . . . . . . . . . . 7
inescare, T, Vx, *innescare* . . . . . . . . . . . 7
infagottare, T, R . . . . . . . . . . . . . . . . . . . 6
infamare, T, P . . . . . . . . . . . . . . . . . . . . 6
infangare, T, R . . . . . . . . . . . . . . . . . . . 8
infarcire, T, P . . . . . . . . . . . . . . . . . . . . 100
infarinare, T, R . . . . . . . . . . . . . . . . . . . 6
infasciare, T, *fasciare* . . . . . . . . . . . . . . 9
infastidire, T, P . . . . . . . . . . . . . . . . . . . 100
infatuare, T, P . . . . . . . . . . . . . . . . . . . . 6
infederare, T . . . . . . . . . . . . . . . . . . . . . 6
infellonire, I, Lit . . . . . . . . . . . . . . . . . . . 100
infeltrire, T, I, P . . . . . . . . . . . . . . . . . . . 100
infemminire, T, I, P . . . . . . . . . . . . . . . . 100
inferire (1), T, Irr
    pour porter un coup/frapper . . . . . . . . 100
    passé simple : io infersi,
    egli inferse, essi infersero
    participe passé : inferto
inferire (2), T
    pour inférer/déduire . . . . . . . . . . . . . 100
    passé simple : io inferii,
    egli inferì, essi inferirono
    participe passé : inferito
infermare, T, I, P, Lit . . . . . . . . . . . . . . . . 6

inferocire, T, I, P . . . . . . . . . . . . . . . . . . 100
infervorare, T, P . . . . . . . . . . . . . . . . . . . 6
infestare, T . . . . . . . . . . . . . . . . . . . . . . 6
infettare, T, P . . . . . . . . . . . . . . . . . . . . 6
infeudare, T, R . . . . . . . . . . . . . . . . . . . 6
infiacchire, T, I, P . . . . . . . . . . . . . . . . . . 100
infiammare, T, P . . . . . . . . . . . . . . . . . . . 6
infiascare, T . . . . . . . . . . . . . . . . . . . . . 7
inficiare, T . . . . . . . . . . . . . . . . . . . . . . 9
infierire, I ♦ . . . . . . . . . . . . . . . . . . . . . 100
infiggere, T, P, Irr, in . . . . . . . . . . . . . . . 22
infilare, R . . . . . . . . . . . . . . . . . . . . . . . 6
infiltrarsi, P . . . . . . . . . . . . . . . . . . . . . . 6
infilzare, T, P, R . . . . . . . . . . . . . . . . . . . 6
infingardire, T, I, P . . . . . . . . . . . . . . . . . 100
infingersi, P, T, Lit . . . . . . . . . . . . . . . . . 31
infinocchiare, T, Fam . . . . . . . . . . . . . . . . 12
infioccare, T . . . . . . . . . . . . . . . . . . . . . 7
infiocchettare, T . . . . . . . . . . . . . . . . . . . 6
infiochire, T, I . . . . . . . . . . . . . . . . . . . . 100
infiorare, T, P, R . . . . . . . . . . . . . . . . . . . 6
infiorentinare, T, P . . . . . . . . . . . . . . . . . 6
infiorettare, T . . . . . . . . . . . . . . . . . . . . 6
infirmare, T . . . . . . . . . . . . . . . . . . . . . . 6
infischiarsi, P . . . . . . . . . . . . . . . . . . . . . 12
infittire, T, I, P . . . . . . . . . . . . . . . . . . . . 100
inflettere, T, I . . . . . . . . . . . . . . . . . . . . 53
infliggere, T, Irr . . . . . . . . . . . . . . . . . . . 22
influenzare, T . . . . . . . . . . . . . . . . . . . . 6
**influire,** I ♦, T . . . . . . . . . . . . . . . . . . . 100
infocare, T, P . . . . . . . . . . . . . . . . . . . . 13
infognarsi, P . . . . . . . . . . . . . . . . . . . . . 6
infoibare, T . . . . . . . . . . . . . . . . . . . . . . 6
infoltire, T, I . . . . . . . . . . . . . . . . . . . . . 100
infondere, T, Irr . . . . . . . . . . . . . . . . . . . 54
inforcare, T, I . . . . . . . . . . . . . . . . . . . . 7
inforestierire, T, I, P . . . . . . . . . . . . . . . . 100
**informare,** T, P . . . . . . . . . . . . . . . . . . . 6
informatizzare, T . . . . . . . . . . . . . . . . . . 6
informicolarsi, P . . . . . . . . . . . . . . . . . . . 6
informicolirsi, P . . . . . . . . . . . . . . . . . . . 100
infornaciare, T . . . . . . . . . . . . . . . . . . . 9
infornare, T, P . . . . . . . . . . . . . . . . . . . . 6

| | | | | |
|---|---|---|---|---|
| infortire, T, I, P. | 100 | **inginocchiarsi**, P. | 12 |
| infortunarsi, P. | 6 | ingioiellare, T | 6 |
| infoscare, T, I, P. | 7 | ingiungere, T | 55 |
| infossare, T, P. | 6 | ingiuriare, T, R | 12 |
| infracidare, T, P, *infradiciare*. | 6 | inglobare, T. | 6 |
| inframettere, T, P, Irr, *inframmettere*. | 57 | ingobbire, I, P | 100 |
| inframmettere, T, P, Irr | 57 | ingoffire, T, I, P | 100 |
| inframmezzare, T | 6 | **ingoiare**, T | 12 |
| infrancesare, T, P. | 6 | ingolfare, T, P. | 6 |
| infrangere, T, P, Irr | 65 | ingollare, T | 6 |
| infrascare, T, R. | 7 | ingolosire, T, I, P. | 100 |
| infrasconare, T | 6 | **ingombrare**, T. | 6 |
| infreddare, T, I, P. | 6 | ingommare, T, R | 6 |
| infreddolire, I, P. | 100 | ingorgare, T, P. | 8 |
| infrenare, T | 6 | ingozzare, T | 6 |
| infrigidire, T, I, P | 100 | ingracilire, T, I, P. | 100 |
| infrollire, I, P. | 100 | ingranare, I ♦, T. | 6 |
| infrondare, T, I, P, Rég. | 6 | ingranchire, T, I, P. | 100 |
| infrondire, I, Lit | 100 | **ingrandire**, T, I, P. | 100 |
| infuocare, T, P, *infocare*. | 6 | **ingrassare**, T, I. | 6 |
| infurbire, I, P | 100 | ingraticciare, T. | 9 |
| **infuriare**, T, I, P. | 12 | ingraticolare, T. | 6 |
| ingabbiare, T. | 12 | ingravidare, T, I, P. | 6 |
| ingaggiare, T, P | 10 | ingraziare, T, R. | 12 |
| ingagliardire, T, I, P. | 100 | ingrinzire, T, I, P, *aggrinzire*. | 100 |
| ingaglioffare, I, Vx. | 6 | ingrommare, T, I, P. | 6 |
| ingalluzzire, I, P | 100 | ingrossare, T, I, P. | 6 |
| **ingannare**, T, P | 6 | ingrottare, T | 6 |
| ingarbugliare, T, P. | 12 | ingrugnare, I, P | 6 |
| ingegnarsi, P, T | 6 | ingrugnire, I, P. | 100 |
| **ingelosire**, T, I, P. | 100 | ingrullire, T, I, Tosc. | 100 |
| ingemmare, T | 6 | inguaiare, T, R | 12 |
| ingenerare, T, P | 6 | inguainare, T. | 6 |
| ingentilire, T, I, P. | 100 | ingualdrappare, T. | 6 |
| ingerire, T, P. | 100 | inguantare, T, R. | 6 |
| **ingessare**, T | 6 | ingurgitare, T | 6 |
| inghiaiare, T | 12 | inibire, T | 100 |
| **inghiottire**, T, Irr | 100/99 | iniettare, T, P | 6 |
| inghirlandare, T, R. | 6 | inimicare, T, P | 7 |
| ingiallare, T, Lit | 6 | **iniziare**, T, P. | 12 |
| ingiallire, T, I, P | 100 | innacquare, T, *annacquare*. | 6 |
| ingigantire, T, I, P | 100 | innaffiare, T. | 12 |
| ingigliare, T, P, R, Lit | 12 | innalzare, T, P, R. | 6 |

| | |
|---|---|
| **innamorare,** T, P, R | 6 |
| inneggiare, I ♦, T, a | 10 |
| innervare, T, I | 6 |
| innervosire, T, P | 100 |
| innescare, T | 7 |
| innestare, T, P | 6 |
| innevarsi, P | 6 |
| innovare, T, P | 6 |
| innovellare, T, Lit | 6 |
| inoculare, T | 6 |
| **inoltrare,** T, P | 6 |
| inombrare, T, P | 6 |
| inondare, T, I | 6 |
| inorgoglire, T, I, P | 100 |
| inorridire, T, I | 100 |
| inquadrare, T, P | 6 |
| **inquietare,** T, P | 6 |
| **inquinare,** T | 6 |
| inquisire, T, I ♦ | 100 |
| inretire, T, *irretire* | 100 |
| insabbiare, T, P | 12 |
| insaccare, T, P, R | 7 |
| insaldare, T | 6 |
| insalivare, T | 6 |
| insalvatichire, T, I, P, *inselvatichire* | 100 |
| insanguinare, T, P, R | 6 |
| insanire, I, T, Vx, Lit | 100 |
| insaponare, T | 6 |
| insaporare, T, P, Vx | 6 |
| insaporire, T, P | 100 |
| insavire, I, T | 100 |
| inscenare, T | 6 |
| inscrivere, T, R, Irr, Vx, *iscrivere* | 82 |
| inscurire, T, I, P | 100 |
| insecchire, T, I | 100 |
| insediare, T, P | 12 |
| insegare, T | 8 |
| **insegnare,** T, I ♦, a | 6 |
| **inseguire,** T, Irr | 107 |
| insellare, T, P | 6 |
| inselvarsi, P, Lit | 6 |
| inselvatichire, T, I, P | 100 |
| inseminare, T | 18 |
| **inserire,** T, P, Irr | 100 |
| insertare, T, P, Lit | 6 |
| **insidiare,** T, I ♦ | 12 |
| insignire, T | 100 |
| insilare, T | 6 |
| **insinuare,** T, P | 6 |
| **insistere,** I ♦, Irr, a, in | 24 |
| insognare, T, I ♦, Pop | 6 |
| insolcare, T, Lit | 7 |
| insolentire, T, I | 100 |
| insonorizzare, T | 6 |
| insordire, I | 100 |
| **insorgere,** I, Irr | 67 |
| **insospettire,** T, I, P | 100 |
| insozzare, T, R | 6 |
| inspessire, T, P, *ispessire* | 100 |
| inspirare, T | 6 |
| installare, T, P | 6 |
| instare, I, D | 20 |
| ≃ pas de participe passé | |
| instaurare, T, P | 6 |
| insterilire, T, P, *isterilire* | 100 |
| instillare, T | 6 |
| instituire, T, *istituire* | 100 |
| instradare, T, P | 6 |
| instupidire, T, I, P, *istupidire* | 100 |
| insudiciare, T, R | 9/18 |
| insufflare, T, Lit | 6 |
| **insultare,** T, I ♦ | 6 |
| insuperbire, T, I, P | 100 |
| intabaccare, T, P, Tosc | 7 |
| intabarrare, T, R | 6 |
| intaccare, T, I ♦ | 7 |
| intagliare, T | 12 |
| intanarsi, P | 6 |
| intanfire, I | 100 |
| intarlare, I, P | 6 |
| intarmare, I, T | 6 |
| intarsiare, T | 12 |
| **intasare,** T, R | 6 |
| **intascare,** T | 7 |
| intassellare, T | 6 |
| intavolare, T | 6 |

intedescare, T, P . . . . . . . . . . . . . . . . . . . . 7
integrare, T, R . . . . . . . . . . . . . . . . . . . . 17
intelaiare, T . . . . . . . . . . . . . . . . . . . . 12
intellettualizzare, T . . . . . . . . . . . . . . . . . . . . 6
**intendere**, T, I ♦, P, R, Irr, di . . . . . . . 70
intenebrare, T, P . . . . . . . . . . . . . . . . . . . . 18
intenerire, T, I, P . . . . . . . . . . . . . . . . . . . . 100
intensificare, T, P . . . . . . . . . . . . . . . . . . . . 19
intentare, T . . . . . . . . . . . . . . . . . . . . 6
intepidire, T, I, P, *intiepidire* . . . . . . . . . 100
interagire, I ♦ . . . . . . . . . . . . . . . . . . . . 100
intercalare, T . . . . . . . . . . . . . . . . . . . . 6
intercedere, I, T, Irr . . . . . . . . . . . . . . . . . . 20
intercettare, T . . . . . . . . . . . . . . . . . . . . 6
intercidere, T, Irr, Lit . . . . . . . . . . . . . . . 74
intercludere, T, Irr, Lit . . . . . . . . . . . . . . 30
intercorrere, I, Irr, tra . . . . . . . . . . . . . . . 38
interdire, T, Irr . . . . . . . . . . . . . . . . . . . . 41
**interessare**, T, I, a, di . . . . . . . . . . . . . 6
interferire, I ♦ . . . . . . . . . . . . . . . . . . . . 100
interfogliare, T . . . . . . . . . . . . . . . . . . . . 12
interfoliare, T, *interfogliare* . . . . . . . . . . . 12
interinare, T . . . . . . . . . . . . . . . . . . . . 6
interiorizzare, T, P . . . . . . . . . . . . . . . . . . . . 6
interloquire, I ♦ . . . . . . . . . . . . . . . . . . . . 100
intermettere, T, R, Irr . . . . . . . . . . . . . . . . 57
internare, T, P . . . . . . . . . . . . . . . . . . . . 6
interpellare, T . . . . . . . . . . . . . . . . . . . . 6
interpetrare, T, *interpretare* . . . . . . . . . . . 18
interpolare, T . . . . . . . . . . . . . . . . . . . . 18
interporre, T, P, Irr . . . . . . . . . . . . . . . . . . 68
**interpretare**, T . . . . . . . . . . . . . . . . . . . . 18
interpungere, I, Irr . . . . . . . . . . . . . . . . . . 55
interrare, T, P, R . . . . . . . . . . . . . . . . . . . . 6
**interrogare**, T . . . . . . . . . . . . . . . . . . 8/18
**interrompere**, T, P, Irr . . . . . . . . . . . . 77
intersecare, T, R . . . . . . . . . . . . . . . . . . . . 7
intervallare, T . . . . . . . . . . . . . . . . . . . . 6
**intervenire**, I, Irr . . . . . . . . . . . . . . . . . . 110
intervistare, T . . . . . . . . . . . . . . . . . . . . 6
intessere, T, Irr . . . . . . . . . . . . . . . . . . . . 20
intestardirsi, P . . . . . . . . . . . . . . . . . . . . 100
intestare, T, P . . . . . . . . . . . . . . . . . . . . 6

intiepidire, T, I, P . . . . . . . . . . . . . . . . . . . . 100
intimare, T . . . . . . . . . . . . . . . . . . . . 6
**intimidire**, T, P . . . . . . . . . . . . . . . . . . . . 100
intimorire, T, P . . . . . . . . . . . . . . . . . . . . 100
intingere, T, I ♦, Irr . . . . . . . . . . . . . . . . . . 31
intirizzire, T, I, P . . . . . . . . . . . . . . . . . . . . 100
intisichire, T, I, P . . . . . . . . . . . . . . . . . . . . 100
**intitolare**, T, P . . . . . . . . . . . . . . . . . . . . 18
intonacare, T . . . . . . . . . . . . . . . . . . . . 7/18
intonare, T, P . . . . . . . . . . . . . . . . . . . . 6
intontire, T, I, P . . . . . . . . . . . . . . . . . . . . 100
intoppare, I ◊, T . . . . . . . . . . . . . . . . . . . . 6
intorbare, T, P . . . . . . . . . . . . . . . . . . . . 6
intorbidare, T, P . . . . . . . . . . . . . . . . . . . . 6
intorbidire, T, I, P . . . . . . . . . . . . . . . . . . . . 100
intormentire, T, P . . . . . . . . . . . . . . . . . . . . 100
intorniare, T, Lit . . . . . . . . . . . . . . . . . . . . 12
intorpidire, T, I, P . . . . . . . . . . . . . . . . . . . . 100
intoscanire, T, P . . . . . . . . . . . . . . . . . . . . 100
intossicare, T, R . . . . . . . . . . . . . . . . . . . . 19
intozzare, I, P . . . . . . . . . . . . . . . . . . . . 6
intralasciare, T, *tralasciare* . . . . . . . . . . . 9
intralciare, T, P, R . . . . . . . . . . . . . . . . . . . . 9
intrallazzare, I ♦ . . . . . . . . . . . . . . . . . . . . 6
intramezzare, T . . . . . . . . . . . . . . . . . . . . 6
intrappolare, T . . . . . . . . . . . . . . . . . . . . 6
**intraprendere**, T, Irr . . . . . . . . . . . . . . 70
intrattenere, T, P, Irr . . . . . . . . . . . . . . . . 89
**intravedere**, T, Irr . . . . . . . . . . . . . . . . . . 93
intravvedere, T, Irr, *intravedere* . . . . . . . 93
intravvenire, I, Irr . . . . . . . . . . . . . . . . . . 110
**intrecciare**, T, R . . . . . . . . . . . . . . . . . . 9
intregnare, T . . . . . . . . . . . . . . . . . . . . 6
intricare, T, P . . . . . . . . . . . . . . . . . . . . 7
intridere, T, Irr . . . . . . . . . . . . . . . . . . . . 74
intrigare, T, I ♦, P . . . . . . . . . . . . . . . . . . 8
intrippare, T, P, Pop . . . . . . . . . . . . . . . . 6
intristire, I . . . . . . . . . . . . . . . . . . . . 100
**introdurre**, T, P, Irr . . . . . . . . . . . . . . . . 36
introflettersi, R . . . . . . . . . . . . . . . . . . . . 53
introgolare, T, R, Tosc . . . . . . . . . . . . . . . 6
introitare, T . . . . . . . . . . . . . . . . . . . . 6
intromettere, R, T, Irr . . . . . . . . . . . . . . . . 57

| | |
|---|---|
| intronare, T, I ♦, P | 6 |
| intronfiare, I | 12 |
| intronizzare, T | 6 |
| intrudere, T, P, Irr, Lit | 30 |
| intrufolare, T, I, R | 18 |
| intrugliare, T, R | 12 |
| intruppare, I ♦, R, Fam | 6 |
| intubare, T | 6 |
| **intuire,** T | 100 |
| intumidire, I | 100 |
| inturgidire, I, P | 100 |
| inumare, T | 6 |
| inumidire, T, P | 100 |
| inurbarsi, P, Lit | 6 |
| inutilizzare, T | 6 |
| **invadere,** T, Irr | 71 |
| invaghire, T, P, Lit | 100 |
| invaiare, I, T, Vx | 12 |
| invaiolare, I, Lit | 6 |
| invalere, I, D, Irr | 92 |
| ≃ seulement 3ᵉ personne du singulier et du pluriel et participe passé : invalso | |
| invalidare, T, P | 18 |
| invallarsi, P | 6 |
| invasare, T, P | 6 |
| **invecchiare,** I, T | 12 |
| inveire, I ♦ | 100 |
| invelenire, T, I, P | 100 |
| invenire, T, Irr, Lit | 110 |
| **inventare,** T | 6 |
| inventariare, T | 12 |
| inverdire, T, I, P | 100 |
| invermigliare, T, P, Lit | 12 |
| inverminire, I, P | 100 |
| inverniciare, T, R, *verniciare* | 9 |
| invertire, T | 99 |
| invescare, T, P, Lit | 7 |
| investigare, T | 8/18 |
| investire, I, R | 99 |
| invetriare, T | 12 |
| **inviare,** T, P | 11 |
| **invidiare,** T | 12 |
| invigilare, T, I ♦ | 6 |
| invigliacchire, I, P | 100 |
| invigorire, T, I, P | 100 |
| invilire, T, I, P | 100 |
| invillanire, I, P | 100 |
| inviluppare, T, R | 6 |
| inviperire, I, P | 100 |
| invischiare, T, P | 12 |
| inviscidire, I | 100 |
| invispire, I, P | 100 |
| **invitare,** T, R, a | 6 |
| invizzire, I | 100 |
| **invocare,** T | 7 |
| invogliare, T, P | 12 |
| involare, T, P | 6 |
| involgarire, T, I, P | 100 |
| involgere, T, P, Irr, Lit | 97 |
| involtare, T, R | 6 |
| involvere, T, Irr, Lit | 25 |
| inzaccherare, T, R | 6 |
| inzafardare, T, R | 6 |
| inzavorrare, T, P | 6 |
| inzeppare, T | 6 |
| inzolfare, T | 6 |
| inzotichire, T, I, P | 100 |
| inzozzare, T, P | 6 |
| inzuccare, T, P | 7 |
| inzuccherare, T | 18 |
| **inzuppare,** T, P | 6 |
| ionizzare, I ♦, T | 6 |
| iperboleggiare, I ♦ | 10 |
| ipnotizzare, T | 6 |
| ipostatizzare, T | 6 |
| ipotecare, T | 7 |
| ipotizzare, T | 6 |
| ire, I, P, D, Vx, Rég | D |
| ≃ voi ite egli iva, voi ivate, essi ivano tu isti, essi irono ite voi | |
| iridare, T, P | 6 |
| ironeggiare, I ♦ | 10 |
| ironizzare, T, I ♦ | 6 |

irradiare, T, I, P .................... 12
irraggiare, T, I, P .................. 10
irrancidire, I. ....................... 100
irreggimentare, T .................... 6
irretire, T ........................... 100
irridere, T, Irr, Lit ................. 74
irrigare, T. .......................... 8
irrigidire, T, I, P .................. 100
**irritare,** T, P ..................... 17
irrobustire, T, P .................... 100
irrogare, T. .......................... 8
irrompere, I, Irr. .................... 77
irrorare, T. .......................... 6
irrugginire, T, I. ................... 100
irruvidire, T, I, P. ................. 100
**iscrivere,** T, R, Irr .............. 82
iscurire, T, I, P, *inscurire.* ...... 100
islamizzare, T ....................... 6
**isolare,** T, P ..................... 17
ispanizzare, T, P. ................... 6
ispessire, T, P. ..................... 100
**ispirare,** T, P. ................... 6
issare, T, P ......................... 6
istallare, T, P, *installare.* ....... 6
istare, I, D, *instare* .............. 20
≃ pas de participe passé
isterilire, T, P ..................... 100
istigare, T .......................... 8/17
istillare, T, *instillare* ........... 6
**istituire,** T. ..................... 100
istituzionalizzare, T. ............... 6
istoriare, T. ........................ 12
istradare, T, P, *instradare* ........ 6
istruire, T, R, Irr .................. 100
istrumentare, T, I ♦, *strumentare* .. 6
istupidire, T, I, P .................. 100
italianeggiare, I ♦. ................. 10
italianizzare, T, P. ................. 6
iterare, T, Lit. ..................... 6
iugulare, T. ......................... 17

laccare, T. .......................... 7
lacerare, T, P. ...................... 17
lacrimare, I ♦, T .................... 17
ladroneggiare, I ♦ ................... 10
lagnarsi, P. ......................... 6
lagrimare, I ♦, T, *lacrimare* ....... 17
laicizzare, T. ....................... 6
lambere, T, Irr, Vx, *lambire.* ...... 100
lambiccare, T, P ..................... 7
lambire, T ........................... 100
**lamentare,** T, P .................. 6
laminare, T .......................... 17
lampeggiare, I ◊, T, Imp ◊ .......... 10
**lanciare,** T, I ♦, R .............. 9
languire, I ♦ ........................ 99/100
lapidare, T. ......................... 17
lappare, T, I ♦, Fam. ................ 6
lardellare, T. ....................... 6
largare, T, I ♦, P. .................. 8
largheggiare, I ♦. ................... 10
largire, T, Lit. ..................... 100
larvare, T, Lit. ..................... 6
lascare, T, *allascare* .............. 7
**lasciare,** T, R, a ................ 9
lastricare, T. ....................... 19
latineggiare, I ♦ .................... 10
latinizzare, T, I ♦, P. .............. 6
latrare, I ♦ ......................... 6
laudare, T, Vx, *lodare* ............. 6
**laureare,** T, P ................... 17
**lavare,** T, R ..................... 6
lavoracchiare, T, I ♦ ................ 12
**lavorare,** I ♦, T. ................ 6
lavoricchiare, I ♦, *lavoracchiare.* . 12
lavorucchiare, I ♦. .................. 12

**leccare**, T, R . . . . . . . . . . . . . . . . . . . . . 7
lecere, I, D, Imp, Vx, *licere*. . . . . . . . . . . D
ledere, T, Irr . . . . . . . . . . . . . . . . . . . . . . . 35
legalizzare, T . . . . . . . . . . . . . . . . . . . . . . 6
**legare**, T, I ♦, . . . . . . . . . . . . . . . . . . . . 8
\# **leggere**, T, Irr . . . . . . . . . . . . . . . . . . . 56
leggicchiare, T, I ♦, . . . . . . . . . . . . . . . . 12
leggiucchiare, T, I ♦, *leggicchiare* . . . . . . 12
legiferare, I ♦, . . . . . . . . . . . . . . . . . . . . 6
legittimare, T . . . . . . . . . . . . . . . . . . . . . 6
legnare, T, I . . . . . . . . . . . . . . . . . . . . . . 6
lemmatizzare, T . . . . . . . . . . . . . . . . . . . 6
lenire, T . . . . . . . . . . . . . . . . . . . . . . . . . 100
lentare, T, P, Pop. . . . . . . . . . . . . . . . . . . 6
leopardeggiare, I ♦ . . . . . . . . . . . . . . . . . 10
lerciare, T, R . . . . . . . . . . . . . . . . . . . . . . 9
lesinare, T, I ♦, . . . . . . . . . . . . . . . . . . . 6
lesionare, T . . . . . . . . . . . . . . . . . . . . . . . 6
**lessare**, T . . . . . . . . . . . . . . . . . . . . . . . . 6
leticare, I ♦, T, R, *litigare* . . . . . . . . . . . 19
letificare, T, Lit . . . . . . . . . . . . . . . . . . . . 19
letiziare, T, I, Lit . . . . . . . . . . . . . . . . . . 12
**levare**, T, P, R . . . . . . . . . . . . . . . . . . . . 6
levigare, T . . . . . . . . . . . . . . . . . . . . . . . . 8/17
levitare, I ◊, T . . . . . . . . . . . . . . . . . . . . 17
libare, T . . . . . . . . . . . . . . . . . . . . . . . . . 6
**liberare**, T, R . . . . . . . . . . . . . . . . . . . . 17
librare, T, R . . . . . . . . . . . . . . . . . . . . . . . 6
**licenziare**, T, R . . . . . . . . . . . . . . . . . . . 12
licere/licere, I, D, Imp, Irr, Lit . . . . . . . . . D
    ≃ présent : egli lice
    imparfait indicatif : egli liceva,
    essi licevano
    imparfait subjonctif : egli licesse,
    essi licessero
    participe passé : lecito
    (seulement adjectif)
licitare, I ♦, . . . . . . . . . . . . . . . . . . . . . . 17
lievitare, I, T . . . . . . . . . . . . . . . . . . . . . . 18
lignificare, T, P . . . . . . . . . . . . . . . . . . . . 19
limare, T . . . . . . . . . . . . . . . . . . . . . . . . . 6
**limitare**, T, R . . . . . . . . . . . . . . . . . . . . 17

linciare, T . . . . . . . . . . . . . . . . . . . . . . . . 9
liquefare, T, P, Irr. . . . . . . . . . . . . . . . . . . 52
liquidare, T . . . . . . . . . . . . . . . . . . . . . . . 17
liricizzare, T . . . . . . . . . . . . . . . . . . . . . . 6
lisciare, T, R . . . . . . . . . . . . . . . . . . . . . . 9
lisciviare, T . . . . . . . . . . . . . . . . . . . . . . . 12
listare, T, P . . . . . . . . . . . . . . . . . . . . . . . 6
**litigare**, I ♦, T, R ♦ . . . . . . . . . . . . . . . 8/17
litografare, T . . . . . . . . . . . . . . . . . . . . . 18
livellare, T, P. . . . . . . . . . . . . . . . . . . . . . 6
lizzare, T . . . . . . . . . . . . . . . . . . . . . . . . . 6
lobotomizzare, T. . . . . . . . . . . . . . . . . . . 6
localizzare, T, P . . . . . . . . . . . . . . . . . . . . 6
locare, T, P. . . . . . . . . . . . . . . . . . . . . . . . 7
locupletare, T, Lit. . . . . . . . . . . . . . . . . . . 6
**lodare**, T, P, R . . . . . . . . . . . . . . . . . . . . 6
logorare, T, P . . . . . . . . . . . . . . . . . . . . . 17
lontanare, T, I, P, Vx, Lit, *allontanare*. . . 6
lordare, T, R . . . . . . . . . . . . . . . . . . . . . . 6
**lottare**, I ♦, . . . . . . . . . . . . . . . . . . . . . 6
lottizzare, T. . . . . . . . . . . . . . . . . . . . . . . 6
lubricare, T . . . . . . . . . . . . . . . . . . . . . . . 19
lubrificare, T . . . . . . . . . . . . . . . . . . . . . . 19
**luccicare**, I ◊ . . . . . . . . . . . . . . . . . . . . 19
lucciolare, I ♦ . . . . . . . . . . . . . . . . . . . . . 17
lucere, I, D, Irr . . . . . . . . . . . . . . . . . . . . D
    ≃ présent : egli luce, essi lucono
    imparfait indicatif : egli luceva,
    essi lucevano
    imparfait subjonctif : egli lucesse,
    essi lucessero
    participe passé : lucente
    (seulement adjectif)
**lucidare**, T. . . . . . . . . . . . . . . . . . . . . . . 17
lucrare, T. . . . . . . . . . . . . . . . . . . . . . . . . 6
lumeggiare, T . . . . . . . . . . . . . . . . . . . . . 10
luminare, T, I, Lit, *illuminare* . . . . . . . . . 6
lusingare, T, P . . . . . . . . . . . . . . . . . . . . . 8
lussare, T, P . . . . . . . . . . . . . . . . . . . . . . . 6
lussureggiare, I ♦ . . . . . . . . . . . . . . . . . . 10
lustrare, T, I ♦ . . . . . . . . . . . . . . . . . . . . 6
lustreggiare, I ♦ . . . . . . . . . . . . . . . . . . . 10

*m*

**macchiare,** T, P . . . . . . . . . . . . . . . . . . . 12
macchiettare, T . . . . . . . . . . . . . . . . . . . 6
macchinare, T . . . . . . . . . . . . . . . . . . . 17
macellare, T . . . . . . . . . . . . . . . . . . . 6
macerare, T, P, R . . . . . . . . . . . . . . . . 17
macinare, T, R . . . . . . . . . . . . . . . . . . 17
maciullare, T, R . . . . . . . . . . . . . . . . . 6
macolare, T, P, *maculare* . . . . . . . . . . . 6
maculare, T, P . . . . . . . . . . . . . . . . . . 6
madreggiare, I ♦ . . . . . . . . . . . . . . . . . 10
madrigaleggiare, I ♦, Lit . . . . . . . . . . . . 10
magagnare, T, I, P, Lit . . . . . . . . . . . . . 6
magare, T, Vx . . . . . . . . . . . . . . . . . . . 8
maggesare, T . . . . . . . . . . . . . . . . . . . 6
maggiorare, T . . . . . . . . . . . . . . . . . . . 6
magnetizzare, T, P . . . . . . . . . . . . . . . . 6
magnificare, T, R . . . . . . . . . . . . . . . . . 19
mainare, T, *ammainare* . . . . . . . . . . . . . 6
malandare, I, D . . . . . . . . . . . . . . . . . . D
  ≃ participe passé : malandato
**maledire,** T, I ♦, Irr . . . . . . . . . . . . . 41
malfare, I ♦, Irr . . . . . . . . . . . . . . . . . 52
malignare, I ♦, T . . . . . . . . . . . . . . . . . 6
maliziare, I ♦ . . . . . . . . . . . . . . . . . . . 12
mallevare, I ♦, Vx . . . . . . . . . . . . . . . . . 6
malmenare, T . . . . . . . . . . . . . . . . . . . 6
**maltrattare,** T . . . . . . . . . . . . . . . . . 6
malvolere, , T, D . . . . . . . . . . . . . . . . . D
  ≃ infinitif présent : malvolere,
  participe présent : malvolente
  participe passé : malvoluto
**mancare,** I ◊, T, a, di . . . . . . . . . . . . . 7
**mandare,** T, a . . . . . . . . . . . . . . . . . . 6
manducare, T, Lit . . . . . . . . . . . . . . . . . 7
**maneggiare,** T, P . . . . . . . . . . . . . . . . 10
manganare, T . . . . . . . . . . . . . . . . . . . 6

manganellare, T . . . . . . . . . . . . . . . . . 6
**mangiare,** T . . . . . . . . . . . . . . . . . . . 10
mangiucchiare, T . . . . . . . . . . . . . . . . . 12
**manifestare,** T, I ♦, R . . . . . . . . . . . . 6
manimettere, T, Fam, Irr, *manomettere* . . . 57
manipolare, T . . . . . . . . . . . . . . . . . . . 18
manomettere, T, Irr . . . . . . . . . . . . . . . . 57
**manovrare,** T, I ♦ . . . . . . . . . . . . . . . 6
mansuefare, T, P, Irr . . . . . . . . . . . . . . . 52
mansuescere, I, Vx, . . . . . . . . . . . . . . . . 20
  ≃ pas de participe passé
mantecare, T . . . . . . . . . . . . . . . . . . . 7
**mantenere,** T, P, R, Irr . . . . . . . . . . . . 89
mantrugiare, T, Pop, Tosc . . . . . . . . . . . 10
mappare, T . . . . . . . . . . . . . . . . . . . . . 6
maramaldeggiare, I ♦ . . . . . . . . . . . . . . . 10
maravigliare, T, P, Vx, *meravigliare* . . . . . 12
**marcare,** T, I . . . . . . . . . . . . . . . . . . 7
marchiare, T . . . . . . . . . . . . . . . . . . . . 12
**marciare,** I ♦ . . . . . . . . . . . . . . . . . . 9
**marcire,** I, T, D . . . . . . . . . . . . . . . . 112 a
mareggiare, I ♦, Lit . . . . . . . . . . . . . . . . 10
marezzare, T . . . . . . . . . . . . . . . . . . . . 6
marginare, T . . . . . . . . . . . . . . . . . . . . 17
marinare, T, P . . . . . . . . . . . . . . . . . . . 6
maritare, T, P . . . . . . . . . . . . . . . . . . . 6
marmorizzare, T . . . . . . . . . . . . . . . . . . 6
marnare, T . . . . . . . . . . . . . . . . . . . . . 6
marocchinare, T . . . . . . . . . . . . . . . . . 6
martellare, T . . . . . . . . . . . . . . . . . . . . 6
martirizzare, T . . . . . . . . . . . . . . . . . . . 6
martoriare, T, P . . . . . . . . . . . . . . . . . . 12
martorizzare, T . . . . . . . . . . . . . . . . . . 6
mascherare, T, R . . . . . . . . . . . . . . . . . 17
maschiettare, T . . . . . . . . . . . . . . . . . . 6
mascolinizzare, T, P . . . . . . . . . . . . . . . 6
massacrare, T . . . . . . . . . . . . . . . . . . . 6
massaggiare, T . . . . . . . . . . . . . . . . . . 10
massicciare, T . . . . . . . . . . . . . . . . . . . 9
massificare, T . . . . . . . . . . . . . . . . . . . 19
massimare, T . . . . . . . . . . . . . . . . . . . 6
massimizzare, T . . . . . . . . . . . . . . . . . . 6
**masticare,** T . . . . . . . . . . . . . . . . . . 19

| | |
|---|---|
| mastiettare, T, *maschiettare* | 6 |
| masturbare, T, R. | 6 |
| matematizzare, T | 6 |
| materializzare, T, P. | 6 |
| matricolare, T, R, *immatricolare*. | 6 |
| matrizzare, I ♦. | 6 |
| mattonare, T, *ammattonare*. | 6 |
| **maturare,** T, I, P | 6 |
| mazzerare, T, Vx. | 6 |
| mazzolare, T, Pop | 13 |
| meccanizzare, T, P. | 6 |
| mediare, I ♦, T. | 12 |
| **medicare,** T, R. | 19 |
| **meditare,** T, I ♦ | 17 |
| megliorare, T, I, *migliorare* | 6 |
| mellificare, I ♦ | 19 |
| memorizzare, T. | 6 |
| menare, T, R. | 6 |
| mendare, T, R, *emendare* | 6 |
| **mendicare,** T, I ♦ | 19 |
| menomare, T, I, P | 6 |
| menstruare, I ♦, Vx, *mestruare*. | 6 |
| **mentire,** I ♦, T, Irr | 99/100 |
| mentovare, T, Lit | 6 |
| menzionare, T. | 6 |
| **meravigliare,** P, T, di | 12 |
| mercanteggiare, I ♦, T. | 10 |
| mercare, I ♦, T | 7 |
| mercatare, I ♦, Vx | 6 |
| mercerizzare, T | 6 |
| mercificare, T | 19 |
| merendare, I ♦ | 6 |
| meridionalizzare, T, P | 6 |
| meriggiare, I ♦, T. | 10 |
| **meritare,** T, I ♦, P, di | 17 |
| merlare, T | 6 |
| merlettare, T. | 6 |
| mertare, T, I ♦, Vx, *meritare* | 6 |
| mescere, T, Lit | 39 |
| **mescolare,** T, P. | 17 |
| mestare, T. | 6 |
| mesticare, T. | 19 |
| mestruare, I ♦ | 6 |
| metaforeggiare, I ♦ | 10 |
| metallizzare, T. | 6 |
| **mettere,** T, I ♦, P, R, Irr, a | 57 |
| **miagolare,** I ♦, T. | 6 |
| microfilmare, T | 6 |
| **mietere,** T. | 20 |
| **migliorare,** T, I. | 6 |
| mignolare, I ♦. | 6 |
| migrare, I. | 6 |
| militare, I ♦. | 6 |
| militarizzare, T. | 6 |
| millantare, T, R. | 6 |
| mimare, T, I ♦. | 6 |
| **mimetizzare,** T. | 6 |
| **minacciare,** T. | 9 |
| minare, T. | 6 |
| minchionare, T, Pop | 6 |
| mineralizzare, T, P | 6 |
| minestrare, T, Vx | 6 |
| mingere, I ♦, D, Irr | 31 |
| ≃ pas de participe passé | |
| miniare, T, R. | 12 |
| minimizzare, T. | 6 |
| ministrare, T, I ♦, Lit | 6 |
| minorare, T. | 6 |
| minuzzare, T, Vx. | 6 |
| **mirare,** T, I ♦, R. | 6 |
| miscelare, T. | 6 |
| mischiare, T, P. | 12 |
| misconoscere, T, Irr. | 37 |
| mistificare, T | 19 |
| **misurare,** T, I ♦, R | 6 |
| miticizzare, T. | 6 |
| mitigare, T, P | 8/17 |
| mitizzare, T, I ♦ | 6 |
| mitragliare, T. | 12 |
| mitrare, T. | 6 |
| mobiliare, T. | 11 |
| mobilitare, T, R. | 18 |
| moccicare, I ♦ | 19 |
| **modellare,** T, R | 6 |
| moderare, T, R. | 17 |
| modernizzare, T, R. | 6 |

modificare, T, P .................. 19
modulare, T........................ 6
molare, T.......................... 6
molcere, T, D, Irr, Lit............... D
≃ présent : molci, molce, molcete
imparfait : molcevo/i/a,
molcevamo/ate, molcevano
présent subjonctif : egli molca,
essi molcano
imparfait subjonctif : molcessi/i/e,
molcessimo,
molceste, molcessero.
gérondif : molcendo
molestare, T ....................... 6
mollare, T, I ♦, P.................. 6
molleggiare, I ♦, T, R .............. 10
moltiplicare, T, P .................. 19
monacare, P, T, Vx ................. 7
mondare, T, R...................... 6
monetare, T........................ 6
monetizzare, T ..................... 6
monopolizzare, T ................... 6
montare, I, T, P.................... 6
moraleggiare, I ♦ ................... 10
moralizzare, T, I ♦ ................. 6
mordere, T, Irr .................... 51
morire, I, T, P, Irr, da, di ........... 105
mormorare, I ♦, T.................. 17
morsicare, T ....................... 19
morsicchiare, T..................... 12
mortificare, T, P, R ................ 19
mostrare, T, P, R................... 6
motivare, T ........................ 6
motorizzare, T, R .................. 6
motteggiare, I ♦, T................. 10
movimentare, T..................... 6
mozzare, T......................... 6
muffire, I ......................... 100
mugghiare, I ♦ ..................... 12
muggire, I ♦ ....................... 100
mugliare, I ♦, Tosc ................ 12
mugolare, I ♦, T ................... 6
mugugnare, I ♦, Pop................ 6

mulcere, T, D, Irr, Vx, mulcere......... D
≃ pas de participe passé
mulinare, T, I ♦ .................... 6
multare, T.......................... 6
mummificare, T, P .................. 19
mungere, T, Irr..................... 55
municipalizzare, T .................. 6
munire, T, P ....................... 100
muovere, T, I ♦, P, R, Irr............ 58
murare, T, R....................... 6
musicare, T......................... 19
mutare, I, P ....................... 6
mutilare, T......................... 17
mutuare, T.......................... 6

## 𝑛

narcotizzare, T ..................... 6
narrare, T, I ♦...................... 6
nasalizzare, T ...................... 6
nascere, I, Irr ..................... 59
nascondere, T, P, R, Irr ............. 76
naturalizzare, T, R ................. 6
naufragare, I ◊ ...................8/17
nauseare, T ........................ 6
navigare, I ♦, T ...................8/17
nazificare, T........................ 19
nazionalizzare, T.................... 6
nebulizzare, T ...................... 6
necessitare, T, I ................... 6
necrotizzare, T, P .................. 6
negare, T, R ....................... 8
negligere, T, D, Irr, Lit ............. 42
≃ pas de présent indicatif, présent
subjonctif ni d'impératif présent
negoziare, T, I ♦.................... 12
nemicare, T, P, Vx, inimicare.......... 19
nereggiare, I ♦, Lit................. 10
nericare, T, I, Lit................... 19
nettare, T, R ....................... 6

neutralizzare, T .................... 6
**nevicare,** Imp ◊, I ◊, P ............. 19
nicchiare, I ♦ ...................... 12
nichelare, T ....................... 6
nidificare, I ♦ ..................... 19
niellare, T ........................ 6
ninnare, T ........................ 6
ninnolare, T, P .................... 6
nitrire, I ♦ ........................ 100
nobilitare, T, R .................... 6
noiare, T, I, P, *annoiare* ........... 12
**noleggiare,** T ................... 10
nomare, T, P, Lit .................. 6
**nominare,** T, P, R ............... 17
normalizzare, T, P ................. 6
**notare,** T ....................... 6
notificare, T ...................... 19
novellare, I ♦, Lit .................. 6
noverare, T, Lit .................... 6
nudare, T, Lit ..................... 6
**numerare,** T .................... 17
nunziare, T, Vx .................... 12
nuocere, I ♦, Irr ................... 60
**nuotare,** I ♦, T .................. 6
nutricare, T, Lit ................... 19
**nutrire,** T, R, Irr ............... 99/100

# O

obbedire, I ♦, T, *ubbidire* ........... 100
obbiettare, T, *obiettare* ............ 6
**obbligare,** T, R, a ............... 8/17
oberare, T ........................ 6
obiettare, T ....................... 6
obliare, T, R, Lit .................. 11
obliquare, T, I ♦, P, R .............. 6
obliterare, T, P ................... 6
obnubilare, T, P ................... 6
occhieggiare, T, I ♦, R ............. 10
occidentalizzare, T, P .............. 6

occludere, T, Irr ................... 30
**occorrere,** I, Imp, Irr ............ 38
occultare, T, R .................... 6
**occupare,** T, P, di ............... 17
**odiare,** T, R .................... 11
**odorare,** T, I ♦ ................. 6
**offendere,** T, P, R, Irr ........... 21
offerire, T, Irr, Vx, *offrire* .......... 102
officiare, I ♦, T ................... 9
**offrire,** T, P, R, Irr, di, da ......... 102
offuscare, T, P ................... 7
oggettivare, T, P .................. 6
olezzare, I ♦, Lit .................. 6
**oliare,** T ....................... 12
olire, I, D, , Lit, *aulire* ............ D
   ≃ egli aulisce (olisce)
   tu olivi, egli oliva (auliva),
   essi olivano (aulivano)
   olente (aulente)
oltraggiare, T ..................... 10
**oltrepassare,** T ................. 6
ombrare, T, I, P ................... 6
ombreggiare, T .................... 10
omettere, T, Irr ................... 57
omogeneizzare, T ................. 6
omologare, T ..................... 8
ondare, I ♦, Vx ................... 6
**ondeggiare,** I ♦ ................ 10
ondulare, T, I ♦ .................. 17
onerare, T ....................... 6
onnubilare, T, P, Lit, *obnubilare* ..... 6
**onorare,** T, R .................. 6
**operare,** T, I ♦, P .............. 17
opinare, T, I ♦ ................... 6
oppiare, T ....................... 12
**opporre,** T, I ♦, P, Irr .......... 68
**opprimere,** T, Irr ............... 34
oppugnare, T ..................... 6
optare, I ♦ ....................... 6
oracoleggiare, I ♦ ................. 10
orbare, T, Lit .................... 6
orbitare, I ....................... 6
orchestrare, T .................... 6

**ordinare,** T, P, R, di . . . . . . . . . . . . . . . 17
ordire, T. . . . . . . . . . . . . . . . . . . . . . . 100
orecchiare, I ♦ . . . . . . . . . . . . . . . . . . . . 12
orezzare, I ♦, Vx. . . . . . . . . . . . . . . . . . 6
**organizzare,** T, R. . . . . . . . . . . . . . . . . 6
orientalizzare, T, I ♦, R . . . . . . . . . . . . . 6
**orientare,** T, R. . . . . . . . . . . . . . . . . . . 6
**originare,** T, I, P . . . . . . . . . . . . . . . . . 18
origliare, T, I ♦. . . . . . . . . . . . . . . . . . . 12
orinare, I ♦, T. . . . . . . . . . . . . . . . . . . . 6
orizzontare, T, R. . . . . . . . . . . . . . . . . . 6
orlare, T. . . . . . . . . . . . . . . . . . . . . . . . 6
ormeggiare, T, P. . . . . . . . . . . . . . . . . . 10
**ornare,** T, R . . . . . . . . . . . . . . . . . . . . 6
orpellare, T, R. . . . . . . . . . . . . . . . . . . . 6
orzare, I ♦. . . . . . . . . . . . . . . . . . . . . . 6
osannare, I ♦, Lit. . . . . . . . . . . . . . . . . . 6
**osare,** T, I ♦ . . . . . . . . . . . . . . . . . . . . 6
**oscillare,** I ♦ . . . . . . . . . . . . . . . . . . . . 6
oscurare, T, P. . . . . . . . . . . . . . . . . . . . 6
**ospitare,** T . . . . . . . . . . . . . . . . . . . . . 17
ossequiare, T. . . . . . . . . . . . . . . . . . . . 12
**osservare,** T. . . . . . . . . . . . . . . . . . . . 6
ossessionare, T. . . . . . . . . . . . . . . . . . . 6
ossidare, T, P . . . . . . . . . . . . . . . . . . . . 17
ossificare, T, P . . . . . . . . . . . . . . . . . . . 19
ossigenare, T. . . . . . . . . . . . . . . . . . . . 18
**ostacolare,** T . . . . . . . . . . . . . . . . . . . 18
ostare, I ♦, D, Lit. . . . . . . . . . . . . . . . . . 18
  ≃ présent : egli osta
osteggiare, T, I ♦. . . . . . . . . . . . . . . . . . 10
ostentare, T. . . . . . . . . . . . . . . . . . . . . 6
**ostinarsi,** P, a, in. . . . . . . . . . . . . . . . . 6
ostruire, T. . . . . . . . . . . . . . . . . . . . . . 100
ottemperare, I ♦. . . . . . . . . . . . . . . . . . 18
ottenebrare, T, P . . . . . . . . . . . . . . . . . 18
**ottenere,** T, Irr . . . . . . . . . . . . . . . . . . 89
ottimizzare, T . . . . . . . . . . . . . . . . . . . 6
ottonare, T . . . . . . . . . . . . . . . . . . . . . 6
ottundere, T, P, Lit . . . . . . . . . . . . . . . . 54
ottuplicare, T . . . . . . . . . . . . . . . . . . . 19
otturare, T, P . . . . . . . . . . . . . . . . . . . . 6
ovalizzare, T, P. . . . . . . . . . . . . . . . . . . 6

ovattare, T. . . . . . . . . . . . . . . . . . . . . . 6
ovviare, I ♦, T. . . . . . . . . . . . . . . . . . . . 11
oziare, I ♦ . . . . . . . . . . . . . . . . . . . . . . 12
ozieggiare, I ♦ . . . . . . . . . . . . . . . . . . . 10
ozonizzare, T. . . . . . . . . . . . . . . . . . . . 6

*p*

pacare, T, P, Lit . . . . . . . . . . . . . . . . . . . 7
pacificare, T, P, R . . . . . . . . . . . . . . . . . 19
padellare, T, *spadellare*. . . . . . . . . . . . . 6
padreggiare, I ♦ . . . . . . . . . . . . . . . . . . 10
**padroneggiare,** T, R. . . . . . . . . . . . . . . . 10
paganeggiare, I ♦, Lit . . . . . . . . . . . . . . 10
paganizzare, T, I ♦. . . . . . . . . . . . . . . . . 6
**pagare,** T, P, da. . . . . . . . . . . . . . . . . . . 8
palatalizzare, T, P. . . . . . . . . . . . . . . . . 6
palatizzare, T, P, *palatalizzare* . . . . . . . . 6
palesare, T, P, R. . . . . . . . . . . . . . . . . . 6
paletizzare, T. . . . . . . . . . . . . . . . . . . . 6
palettare, T . . . . . . . . . . . . . . . . . . . . . 6
palificare, I ♦ . . . . . . . . . . . . . . . . . . . . 19
palleggiare, I ♦, T . . . . . . . . . . . . . . . . . 10
palliare, T, R, Lit . . . . . . . . . . . . . . . . . . 11
palpare, T, I ♦ . . . . . . . . . . . . . . . . . . . 6
palpebrare, I ♦ . . . . . . . . . . . . . . . . . . . 6
palpeggiare, T. . . . . . . . . . . . . . . . . . . . 10
palpitare, I ♦. . . . . . . . . . . . . . . . . . . . 17
panificare, T, I ♦ . . . . . . . . . . . . . . . . . 19
panneggiare, I ♦, T . . . . . . . . . . . . . . . . 10
pappare, T, Fam. . . . . . . . . . . . . . . . . . 6
paracadutare, T, R. . . . . . . . . . . . . . . . . 6
paraffinare, T. . . . . . . . . . . . . . . . . . . . 6
parafrasare, T . . . . . . . . . . . . . . . . . . . 18
**paragonare,** T, R. . . . . . . . . . . . . . . . . 6
paragrafare, T . . . . . . . . . . . . . . . . . . . 18
paralizzare, T. . . . . . . . . . . . . . . . . . . . 6
paralogizzare, I ♦ . . . . . . . . . . . . . . . . . 6
parancare, I ♦. . . . . . . . . . . . . . . . . . . . 7

| | |
|---|---|
| **parare,** T, I ♦, R | 6 |
| parcellarizzare, T | 6 |
| **parcheggiare,** T | 10 |
| **pareggiare,** T, I ♦, P | 10 |
| **parere,** I, Imp, P, Irr, di | 61 |
| pargoleggiare, I ♦, Lit | 10 |
| parificare, T | 19 |
| parlamentare, I ♦ | 6 |
| **parlare,** I ♦, T, R, di | 6 |
| parlottare, I ♦ | 6 |
| parlucchiare, T | 12 |
| parodiare, T | 12 |
| **partecipare,** I ♦, T, a | 18 |
| **parteggiare,** I ♦ | 10 |
| particolareggiare, T, I ♦ | 10 |
| **partire** (1), I, | |
| pour partir/s'éloigner | 99 |
| partire (2), T, P, Lit | |
| pour diviser en parties | 100 |
| **partorire,** T | 100 |
| parzializzare, T, P | 6 |
| pascere, T, I ♦, R, Irr | 59 |
| **pascolare,** T, I ♦ | 17 |
| **passare,** T, I | 6 |
| **passeggiare,** I ♦, T | 10 |
| passionare, T | 6 |
| pasteggiare, I ♦, T | 10 |
| pasteurizzare, T, *pastorizzare* | 6 |
| pasticciare, T | 9 |
| pastificare, T | 19 |
| pastorizzare, T | 6 |
| pasturare, T, I ♦, R | 6 |
| patinare, T | 6 |
| **patire,** T, I ♦ | 100 |
| patrizzare, I ♦ | 6 |
| patrocinare, T | 6 |
| patteggiare, T, I ♦, R | 10 |
| **pattinare,** I ♦ | 17 |
| pattugliare, I ♦, T | 12 |
| pattuire, T | 100 |
| patullare, I, P, Tosc | 6 |
| pausare, T, I ♦, Lit | 6 |
| paventare, T, I ♦ | 6 |
| pavesare, T | 6 |
| pavimentare, T | 6 |
| pavoneggiarsi, P | 10 |
| pazientare, I ♦ | 6 |
| pazzeggiare, I ♦ | 10 |
| pazziare, I ♦, Rég | 11 |
| peccare, I ♦ | 7 |
| **pedalare,** I ♦ | 6 |
| pedanteggiare, I ♦ | 10 |
| pedinare, T, I ♦ | 6 |
| **peggiorare,** T, I | 6 |
| pelare, T, P, R | 6 |
| pellegrinare, I ♦, Lit | 6 |
| penalizzare, T | 6 |
| penare, I ♦, P | 6 |
| pencolare, I ♦ | 17 |
| **pendere,** I ♦, T, Irr | 21 |
| pendolare, I ♦ | 6 |
| **penetrare,** I ◊, T | 17 |
| pennellare, T, I ♦ | 6 |
| **pensare,** I ♦, T, P, a, di | 6 |
| pensionare, T | 6 |
| **pentirsi,** I, P, Irr, di | 99 |
| penzolare, I ♦ | 6 |
| percepire, T | 100 |
| percorrere, T, Irr | 38 |
| percuotere, T, I ♦, R, Irr | 83 |
| **perdere,** T, I ♦, P, Irr, di | 62 |
| **perdonare,** T, I ♦, R | 6 |
| perdurare, I ◊ | 6 |
| peregrinare, I ♦ | 6 |
| perequare, T | 6 |
| perfezionare, T, P | 6 |
| perfidiare, I ♦ | 11 |
| perforare, T | 6 |
| periclitare, I ♦, T, P, Lit | 18 |
| pericolare, I ♦ | 6 |
| perifrasare, T, Lit | 18 |
| periodare, I ♦ | 6 |
| periodeggiare, I ♦, Lit | 10 |
| periodizzare, T | 6 |
| perire, I | 100 |
| peritarsi, P | 6 |

periziare, T .......................... 12
perlustrare, T ........................ 6
permanere, , I, Irr .................... 75
permeare, T .......................... 17
**permettere**, T, Irr, di ............... 57
permutare, T, P ...................... 17
pernottare, I ♦ ....................... 6
perorare, T, I ♦ ...................... 17
perpetrare, T ......................... 6
perpetuare, T, P ..................... 6
perquisire, T ......................... 100
perscrutare, T, Lit ................... 6
perseguire, T, Irr .................... 107
perseguitare, T ...................... 18
perseverare, I ♦ ..................... 18
persistere, I ♦, Irr, a, in ........... 24
personalizzare, T .................... 6
personificare, T ...................... 19
**persuadere**, T, R, Irr, a, di ........ 63
perturbare, T, P ..................... 6
pervadere, T, Irr ..................... 71
pervenire, I, Irr ...................... 110
pervertire, T, P, Irr .................. 99
**pesare**, T, I, R ...................... 6
**pescare**, T, I ♦ ..................... 7
pestare, T ........................... 6
petrificare, T, P, Vx, *pietrificare* ........ 19
pettegolare, I ♦ ...................... 6
**pettinare**, T, R .................... 17
**piacere**, I, P, Imp, Irr, di ........... 64
piagare, T ........................... 8
piaggiare, T, Lit ..................... 10
piagnucolare, I ♦, T ................. 6
piallare, T ........................... 6
pianeggiare, I ♦, T .................. 10
**piangere**, I ♦, T, P, Irr ............ 65
piangiucchiare, I ♦ .................. 12
pianificare, T ........................ 19
**piantare**, P, R .................... 6
piantonare, T ........................ 6
piare, I ♦, Lit ....................... 11
piatire, I ♦ .......................... 100
piattonare, T ........................ 6

**piazzare**, T, R .................... 6
piccare, T, I, Vx ..................... 7
piccarsi, P, di, per .................. 7
**picchiare**, T, I ♦, R ............... 12
**piegare**, T, I ♦, P, R ............. 8
pieghettare, T ....................... 6
pietrificare, T, P .................... 19
pigiare, T ........................... 10
**pigliare**, T, I ♦, Fam ............. 12
pignorare, T ......................... 6
pigolare, I ♦ ........................ 17
pillottare, T ......................... 6
pilotare, T .......................... 6
piluccare, T ......................... 7
pingere, T, Irr, Vx .................. 31
pinneggiare, I ♦ .................... 10
pinzare, T, Pop ..................... 6
**piombare**, I ♦, T .................. 6
piotare, T ........................... 6
**piovere**, Imp ◊, I, T, Irr .......... 66
piovigginare, Imp ◊ ................. 18
pioviscolare, Imp ◊ ................. 6
pipare, I ♦ .......................... 6
pipiare, I ♦ ......................... 11
pirateggiare, I ♦ .................... 10
piroettare, I ♦ ...................... 6
pirografare, T, Irr ................... 6
pisciare, I ♦, T, Vulg ............... 9
pisolare, I ♦, Fam .................. 6
pispigliare, I ♦ ..................... 12
pispolare, I ♦ ....................... 17
pitoccare, T, I ♦ .................... 7
**pittare**, T, Reg ................... 6
pitturare, T, R ...................... 6
**pizzicare**, T, I ♦, R .............. 19
pizzicottare, T, R ................... 6
placare, T, P ........................ 7
placcare, T .......................... 7
plagiare, T .......................... 10
planare, I ♦ ........................ 6
plasmare, T ......................... 6
plasticare, T ........................ 19
plastificare, T ...................... 19

platinare, T ......................... 17
plaudere, T, Irr, Lit, *plaudire* .......... 99
plaudire, I ♦, Irr ..................... 99
plorare, I ♦, T, Vx ................... 6
poetare, I ♦, T ...................... 6
poeticizzare, T....................... 6
poetizzare, T, I ♦, Lit................ 6
poggiare, T, I ♦ ..................... 10
polarizzare, T, P .................... 6
polemizzare, I ♦ .................... 6
poligrafare, T ....................... 18
polire, T............................ 100
politicizzare, T...................... 6
poltrire, I ♦ ........................ 100
polverizzare, T, P ................... 6
pomiciare, T, I ♦, Fam............... 9
pompare, T .......................... 6
pompeggiare, I ♦, P, R .............. 10
ponderare, T, I ♦ .................... 17
pontare, T, I ♦, Vx, *puntare* .......... 6
pontificare, I ♦ ..................... 19
ponzare, I ♦, T, Fam ................ 6
popolare, T, P ...................... 17
popolarizzare, T .................... 6
poppare, T........................... 6
porgere, T, I ♦, R, Irr .............. 67
porre, T, I, R, Irr.................. 68
portare, T, I, P. .................... 6
posare, T, I, P. ..................... 6
posporre, T, Irr..................... 68
possedere, T, Irr.................... 84
posteggiare, T, I ♦ ................. 10
postergare, T, Lit .................. 8
posticipare, T, I ♦ ................. 18
postillare, T........................ 6
postulare, T......................... 17
potabilizzare, T..................... 6
potare, T........................... 6
potenziare, T........................ 12
potere, I ♦, Irr..................... 69
pranzare, I ♦ ....................... 6
praticare, T, I ♦ ................... 19
preaccennare, T .................... 6

preannunciare, T, *preannunziare* ....... 9
preannunziare, T.................... 12
preavvertire, T..................... 99
preavvisare, T...................... 6
precedere, T, I ♦, Irr.............. 20
precettare, T ...................... 6
precidere, T, Irr, Lit ............. 74
precingere, T, P, R, Irr, Lit.......... 31
precipitare, T, I, P, R.............. 18
precisare, T ....................... 6
precludere, T, Irr.................. 30
precomprimere, T, Irr............... 34
preconizzare, T, Lit ............... 6
preconoscere, T, Irr ............... 37
precorrere, T, I, Irr .............. 38
predare, T ......................... 6
predestinare, T .................... 6
predeterminare, T................... 18
predicare, T, I ♦ .................. 19
prediligere, T, D, Irr.............. 42
  ≃ pas de participe présent
predire, T, Irr .................... 41
predisporre, T, R, Irr.............. 68
predominare, I ♦ ................... 18
preeleggere, T, Irr, Vx............. 56
preesistere, I, Irr................. 24
prefabbricare, T ................... 19
preferire, T........................ 100
prefiggere, T....................... 22
prefigurare, T ..................... 6
prefinanziare, T.................... 12
prefissare, T....................... 6
preformare, T ...................... 6
pregare, T, di ..................... 8
pregiare, T, R, Lit................. 10
pregiudicare, T, I ♦ ............... 19
pregustare, T....................... 6
prelevare, T........................ 6
prelibare, T, Lit................... 6
prelucere, I, D, Irr, Vx, *lucere* .......... D
  ≃ présent : egli preluce,
  essi prelucono
  imparfait : egli preluceva,

essi prelucevano
imparfait subjonctif : egli prelucesse,
essi prelucessero
participe présent : prelucente
(seulement adjectif)

preludere, I ♦, Irr, a . . . . . . . . . . . . . . . . .   30
preludiare, I ♦, a . . . . . . . . . . . . . . . . . .   11
premeditare, T. . . . . . . . . . . . . . . . . . . .   18
premere, T, I ♦, Irr . . . . . . . . . . . . . . . .   20
premettere, T, Irr . . . . . . . . . . . . . . . . .   57
premiare, T. . . . . . . . . . . . . . . . . . . . . .   11
premonire, T, Vx. . . . . . . . . . . . . . . . . .   100
premorire, I . . . . . . . . . . . . . . . . . . . . . .   105
premostrare, T, Lit . . . . . . . . . . . . . . . . .   6
premunire, T, R . . . . . . . . . . . . . . . . . . .   100
premurare, T, P. . . . . . . . . . . . . . . . . . .   6
prendere, T, I ♦, P, R, Irr, a. . . . . . . . .   70
prenotare, T, R . . . . . . . . . . . . . . . . . . .   6
prenunziare, T, Lit . . . . . . . . . . . . . . . . .   12
preoccupare, T, P. . . . . . . . . . . . . . . . . .   18
preordinare, T. . . . . . . . . . . . . . . . . . . .   18
preparare, T, R, a, per . . . . . . . . . . . . .   6
preponderare, I ♦. . . . . . . . . . . . . . . . .   18
preporre, T, Irr . . . . . . . . . . . . . . . . . . .   68
presagire, T. . . . . . . . . . . . . . . . . . . . . .   100
prescegliere, T, Irr . . . . . . . . . . . . . . . . .   79
prescindere, I ♦, Irr . . . . . . . . . . . . . . . .   81
prescrivere, T, P, Irr. . . . . . . . . . . . . . . .   82
presedere, T, I ♦, Irr, Vx, presiedere . . .   84
presentare, T, P, R . . . . . . . . . . . . . . . .   6
presentire, T, I ♦, Irr . . . . . . . . . . . . . . .   99
presenziare, T, I ♦, a . . . . . . . . . . . . . . .   12
preservare, T . . . . . . . . . . . . . . . . . . . . .   6
presidiare, T . . . . . . . . . . . . . . . . . . . . .   11
presiedere, T, I ♦, Irr, a . . . . . . . . . . . . .   84
pressare, T, P . . . . . . . . . . . . . . . . . . . .   6
pressurizzare, T. . . . . . . . . . . . . . . . . . .   6
prestabilire, T . . . . . . . . . . . . . . . . . . . .   100
prestare, T, P, R, a . . . . . . . . . . . . . . . .   6
presumere, T, Irr . . . . . . . . . . . . . . . . . .   26
presupporre, T, Irr . . . . . . . . . . . . . . . . .   68
pretendere, T, I ♦, Irr, a, di. . . . . . . . .   70
preterire, T, I. . . . . . . . . . . . . . . . . . . . .   100

pretermettere, T, Irr, Lit. . . . . . . . . . . . . .   57
prevalere, I ◊, P, Irr . . . . . . . . . . . . . . .   92
prevaricare, I, T . . . . . . . . . . . . . . . . . . .   19
prevedere, T, Irr. . . . . . . . . . . . . . . . . . .   93
prevenire, T, R, Irr . . . . . . . . . . . . . . . . .   110
preventivare, T . . . . . . . . . . . . . . . . . . .   6
prezzare, T, P . . . . . . . . . . . . . . . . . . . .   6
prezzolare, T. . . . . . . . . . . . . . . . . . . . .   6
primeggiare, I ♦ . . . . . . . . . . . . . . . . . .   10
principiare, T, I. . . . . . . . . . . . . . . . . . . .   11
privare, T, R . . . . . . . . . . . . . . . . . . . . .   6
privilegiare, T . . . . . . . . . . . . . . . . . . . .   10
problematizzare, T . . . . . . . . . . . . . . . . .   6
procacciare, T. . . . . . . . . . . . . . . . . . . .   9
procedere, I ◊, Irr . . . . . . . . . . . . . . . . .   20
processare, T. . . . . . . . . . . . . . . . . . . . .   6
proclamare, T, R. . . . . . . . . . . . . . . . . .   6
procombere, I, D, Lit. . . . . . . . . . . . . . . .   20
≃ pas de participe passé
procrastinare, T, I ♦. . . . . . . . . . . . . . . .   18
procreare, T. . . . . . . . . . . . . . . . . . . . . .   6
procurare, T, I ♦ . . . . . . . . . . . . . . . . . .   6
prodigare, T, R. . . . . . . . . . . . . . . . . . . . 8/17
produrre, T, R, Irr . . . . . . . . . . . . . . . . .   36
proemiare, I ♦. . . . . . . . . . . . . . . . . . . .   12
profanare, T . . . . . . . . . . . . . . . . . . . . .   6
proferire, T . . . . . . . . . . . . . . . . . . . . . .   100
professare, T, R . . . . . . . . . . . . . . . . . . .   6
professionalizzare, T . . . . . . . . . . . . . . .   6
profetare, T, I ♦ . . . . . . . . . . . . . . . . . .   6
profetizzare, T, I ♦ . . . . . . . . . . . . . . . .   6
profferire, T. . . . . . . . . . . . . . . . . . . . . .   100
profilare, T, P . . . . . . . . . . . . . . . . . . . .   6
profittare, I ♦, di. . . . . . . . . . . . . . . . . .   6
profondare, I, P, R, T, Lit. . . . . . . . . . . .   6
profondere, T, P, Irr, Lit . . . . . . . . . . . . .   54
profumare, T, I ♦ . . . . . . . . . . . . . . . . .   6
progenerare, T, Lit . . . . . . . . . . . . . . . . .   18
progettare, T . . : . . . . . . . . . . . . . . . . . .   6
prognosticare, T, pronosticare . . . . . . . . .   19
programmare, T . . . . . . . . . . . . . . . . . . .   6
progredire, I ◊ . . . . . . . . . . . . . . . . . . .   100
proibire, T, di. . . . . . . . . . . . . . . . . . . . .   100

| | |
|---|---|
| **proiettare,** T | 6 |
| proletarizzare, T | 6 |
| proliferare, I ♦ | 6 |
| prolificare, I ♦ | 19 |
| proludere, I ♦, Irr | 30 |
| **prolungare,** T, P | 8 |
| **promettere,** T, R, Irr, di | 57 |
| promulgare, T | 8 |
| **promuovere,** T, Irr | 58 |
| pronosticare, T | 19 |
| **pronunciare,** T, P | 9 |
| pronunziare, T, P, *pronunciare* | 12 |
| **propagandare,** T | 6 |
| propagare, T, P | 8 |
| propalare, T | 6 |
| propellere, T, Irr | 50 |
| propendere, I ♦, D, Irr | 70 |
| propinare, T, I ♦ | 6 |
| propiziare, T | 12 |
| **proporre,** T, Irr, di | 68 |
| proporzionare, T | 6 |
| propugnare, T, Lit | 6 |
| prorogare, T | 8/17 |
| prorompere, I ♦, Irr, Lit | 77 |
| prosciogliere, T | 32 |
| prosciorre, T, Irr, *prosciogliere* | 32 |
| **prosciugare,** T, P | 8 |
| proscrivere, T, Irr | 82 |
| **proseguire,** T, I, Irr | 107 |
| prosperare, I ♦, T | 17 |
| prospettare, T, I, R | 6 |
| prostendere, T, P, R, Irr, Lit | 70 |
| prosternare, T, R | 6 |
| prostituire, T, R | 100 |
| prostrare, T, R | 6 |
| **proteggere,** T, Irr | 56 |
| protendere, T, I, R, Irr | 70 |
| **protestare,** T, I ♦, R | 6 |
| protocollare, T | 6 |
| protrarre, T, P, Irr | 91 |
| **provare,** T, P, a, di | 6 |
| **provenire,** I, Irr | 110 |
| provenzaleggiare, I ♦ | 10 |
| provincializzare, P, T | 6 |
| provocare, T | 19 |
| **provvedere,** I ♦, T, R, Irr, a | 93 |
| provvisionare, T, Vx, *approvvigionare* | 6 |
| prudere, I, D, Irr | 20 |
| ≃ seulement 3ᵉ personne du singulier et du pluriel pas de participe passé | |
| prueggiare, I ♦ | 10 |
| psicanalizzare, T | 6 |
| **pubblicare,** T | 19 |
| pubblicizzare, T | 6 |
| pugnalare, T | 6 |
| pugnare, I ♦, Lit | 6 |
| **pulire,** T | 100 |
| pullulare, I ◊ | 17 |
| pulsare, I ♦ | 6 |
| pungere, T, Irr | 55 |
| pungolare, T | 17 |
| **punire,** T | 100 |
| **puntare,** T, I ♦ | 6 |
| punteggiare, T | 10 |
| puntellare, T, P | 6 |
| puntualizzare, T | 6 |
| punzecchiare, T, R | 12 |
| punzonare, T | 6 |
| purgare, T, R | 8 |
| purificare, T, I | 19 |
| pusignare, I, Vx, Tosc | 6 |
| putire, I ♦, Lit | 100 |
| putrefare, I, T, P, Irr | 52 |
| puttaneggiare, I ♦, Vulg | 10 |
| puzzacchiare, I ♦, *puzzicchiare* | 12 |
| **puzzare,** I ♦ | 6 |
| puzzecchiare, I ♦, Vx, *puzzicchiare* | 12 |
| puzzicchiare, I ♦, Fam | 12 |

# q

quadrare, T, I .................... 6
quadrettare, T ................... 6
quadripartire, T................ 100
quadruplicare, T, P ............. 19
quagliare, I .................... 12
**qualificare,** T, R ............. 19
quantificare, T.................. 19
quantizzare, T................... 6
querelare, T, P ................. 6
questionare, I ♦ ................ 6
questuare, I ♦, T ............... 17
quetare, T, P, *quietare*........ 6
quiescere, I, P, D, Vx .......... 20
  ≃ pas de participe passé
quietanzare, T................... 6
quietare, T, P .................. 6
quintuplicare, T, P ............. 19
quistionare, I ♦, Vx, *questionare* ...... 6
quitanzare, T, *quietanzare*........ 6
quotare, T, P................... 6
quotizzare, T, R ............... 6

# r

rabbellire, T, P, *riabbellire*........... 100
rabberciare, T ................. 9
rabboccare, T, *riabboccare*........... 7
rabbonacciare, T, I, P, Vx, *abbonacciare* 9
rabbonire, T, P ............... 100
rabbottonare, T, R, *riabbottonare* ...... 6
rabbrividire, I ◊................ 100
rabbrunare, T, *riabbrunare* ........... 6

rabbruscare, I, P, Tosc .............. 7
rabbuffare, T, P .................... 6
rabbuiare, I, P..................... 12
rabescare, T, *arabescare*............. 7
raccapezzare, T, P ................. 6
raccapricciare, I, P................ 9
raccapriccire, T, P ................ 100
**raccattare,** T ................... 6
raccenciare, T, R ................. 9
raccendere, T, P, Irr, Vx, *riaccendere* ... 21
raccentrare, T, *accentrare*............ 6
raccerchiare, T .................... 12
raccertare, T, P, R ................ 6
racchetare, T, P, Lit............... 6
**racchiudere,** T, Irr............... 30
racciabattare, T................... 6
**raccogliere,** T, Irr ............... 32
**raccomandare,** T, R, di ........... 6
raccomodare, T, *accomodare*.......... 18
racconciare, T, P, R, *acconciare* ....... 9
racconsolare, T, Lit, *consolare*......... 6
**raccontare,** T.................... 6
raccorciare, T, P.................. 9
raccordare, T..................... 6
raccorre, T, P, R, Irr, Lit, *raccogliere*.... 32
raccostare, T, R, *riaccostare*........... 6
raccozzare, T, P .................. 6
racimolare, T..................... 6
racquistare, T, I ♦, *riacquistare* ........ 6
raddensare, T, P.................. 6
raddirizzare, T, P, R, *raddrizzare* ....... 6
raddobbare, T.................... 6
raddolcare, I, Vx.................. 7
raddolcire, T, P................... 100
**raddoppiare,** T, I ♦............... 12
raddormentare, T, P, *riaddormentare* ... 6
**raddrizzare,** T, P, R ............. 6
raddurre, T, P, Irr................. 36
**radere,** T, R, Irr................. 71
radiare, I ♦, T .................... 11
radicaleggiare, I ♦ ................ 10
radicalizzare, T, P................. 6
radicare, I, P..................... 19

radiocomandare, T.................... 6
radiografare, T ...................... 6
radioguidare, T..................... 6
radiolocalizzare, T .................. 6
radiotrasmettere, T, Irr.............. 57
**radunare,** T, P ..................... 6
raffacciare, T, Vx, *rinfacciare* .......... 9
raffagottare, T....................... 6
raffazzonare, T ..................... 6
raffermare, T, I, P................... 6
raffibbiare, T, I, *riaffibbiare*.......... 12
raffievolire, T, P .................... 100
**raffigurare,** T....................... 6
raffilare, T .......................... 6
raffinare, T, P ...................... 6
raffittire, T, I, P.................... 100
**rafforzare,** T, P .................... 6
**raffreddare,** T, P.................... 6
raffrenare, T, R..................... 6
raffrescare, T, I, P .................. 7
raffrontare, T, P, R.................. 6
raggelare, I, T, P ................... 6
raggiare, I ♦, T..................... 10
raggiornare, I, T, Imp, Lit............ 6
raggirare, T, P...................... 6
**raggiungere,** T, R, Irr................ 55
raggiustare, T, R.................... 6
raggomitolare, T, R ................. 6
raggranchiare, T, I, P............... 12
raggranchire, I, P................... 100
raggranellare, T..................... 6
raggrinzare, T, I, P ................. 6
raggrinzire, I, P.................... 100
raggrovigliare, T.................... 12
raggrumare, T, P ................... 6
raggrumolare, T, P.................. 6
**raggruppare,** T, P .................. 6
raggruzzolare, T .................... 6
ragguagliare, T..................... 12
**ragionare,** I ♦..................... 6
ragliare, I ♦, T..................... 12
ragnare, I, T, P .................... 6
rallargare, T, P .................... 8

**rallegrare,** T, P, di, per.............. 6
**rallentare,** T, P.................... 6
rallevare, T, Tosc ................... 6
ramanzinare, T, Rég.................. 6
ramare, T........................... 6
ramazzare, T ....................... 6
rameggiare, T, I ♦, Lit.............. 10
ramificare, I ♦, P ................... 19
ramingare, I ♦, Lit ................. 8
rammagliare, T ..................... 12
rammaricare, T, P................... 19
rammattonare, T.................... 6
rammemorare, T, P, Lit.............. 6
**rammendare,** T ..................... 6
rammentare, T, P ................... 6
rammodernare, T, R, *rimodernare* ...... 6
rammollire, T, I, P ................. 100
rammorbidire, T, I, P ................ 100
rampare, I ♦ ....................... 6
rampicare, I ◊, *arrampicare*.......... 19
rampognare, T, Lit.................. 6
rampollare, I ....................... 6
rancidire, I......................... 100
randeggiare, I ♦ ................... 10
randellare, T ....................... 6
rannerare, I, P..................... 6
rannerire, T, I, P................... 100
rannicchiare, T, R.................. 12
rannodare, T, *riannodare*............ 6
rannuvolare, T, P, Imp .............. 6
rantolare, I ♦...................... 6
rapallizzare, T ..................... 6
rapare, T, R........................ 6
rapinare, T......................... 6
**rapire,** T.......................... 100
rappaciare, T, R .................... 9
rappacificare, T, R .................. 19
rappattumare, T, R.................. 6
rappezzare, T....................... 6
rappigliare, T, P ................... 12
rappisolarsi, P, *riappisolarsi* .......... 6
rapportare, T, P ................... 6
rapprendere, T, I, P, Irr.............. 70

**rappresentare,** T, R . . . . . . . . . . . . . . . 6
rarefare, T, P, Irr. . . . . . . . . . . . . . . . . . . 52
**rasare,** T, R. . . . . . . . . . . . . . . . . . . . . . 6
raschiare, T, I ♦ . . . . . . . . . . . . . . . . . . 12
rasciugare, T, P . . . . . . . . . . . . . . . . . . 8
rasentare, T. . . . . . . . . . . . . . . . . . . . . 6
raspare, T, I ♦. . . . . . . . . . . . . . . . . . . 6
rassegare, I, P, Tosc . . . . . . . . . . . . . . . 8
**rassegnare,** P, T, a (P) . . . . . . . . . . . 6
rassembrare, T, I. . . . . . . . . . . . . . . . . 6
**rasserenare,** T, I, P. . . . . . . . . . . . . . . 6
rassettare, T, R . . . . . . . . . . . . . . . . . . 6
**rassicurare,** T, P . . . . . . . . . . . . . . . . 6
rassodare, T, I, P . . . . . . . . . . . . . . . . 6
**rassomigliare,** I ◊, P, R, *assomigliare* . . 12
rassottigliare, T, P, *assottigliare*. . . . . . . 12
rastrellare, T . . . . . . . . . . . . . . . . . . . . 6
rastremare, T, P . . . . . . . . . . . . . . . . . 6
rateare, T. . . . . . . . . . . . . . . . . . . . . . 6
rateizzare, T. . . . . . . . . . . . . . . . . . . . 6
ratificare, T, R. . . . . . . . . . . . . . . . . . . 19
ratizzare, T, *rateizzare* . . . . . . . . . . . . . 6
rattenere, T, P, R, Irr . . . . . . . . . . . . . . 89
rattizzare, T. . . . . . . . . . . . . . . . . . . . 6
rattoppare, T. . . . . . . . . . . . . . . . . . . 6
rattorcere, T, Irr, Lit. . . . . . . . . . . . . . . 90
rattrappire, T, P . . . . . . . . . . . . . . . . . 100
rattrarre, T, P, Irr . . . . . . . . . . . . . . . . 91
**rattristare,** T, P. . . . . . . . . . . . . . . . . 6
rattristire, T, P. . . . . . . . . . . . . . . . . . 100
ravvalorare, T, Vx. . . . . . . . . . . . . . . . 6
ravvedersi, P, Irr. . . . . . . . . . . . . . . . . 93
ravversare, T, R, Tosc . . . . . . . . . . . . . 6
ravviare, T, R . . . . . . . . . . . . . . . . . . . 11
ravvicinare, T, R. . . . . . . . . . . . . . . . . 6
ravviluppare, T, P, R . . . . . . . . . . . . . . 6
ravvisare, T . . . . . . . . . . . . . . . . . . . . 6
ravvivare, T, P. . . . . . . . . . . . . . . . . . 6
ravvolgere, T, P, R, Irr. . . . . . . . . . . . . 97
ravvoltolare, T, R . . . . . . . . . . . . . . . . 6
raziocinare, I ♦ . . . . . . . . . . . . . . . . . . 6
razionalizzare, T . . . . . . . . . . . . . . . . . 6
razionare, T. . . . . . . . . . . . . . . . . . . . 6

razzare, T, I ♦, P . . . . . . . . . . . . . . . . . 6
razziare, T . . . . . . . . . . . . . . . . . . . . . 12
razzolare, I ♦. . . . . . . . . . . . . . . . . . . 6
**reagire,** I ♦. . . . . . . . . . . . . . . . . . . . 100
**realizzare,** T, I ♦, P. . . . . . . . . . . . . . 6
rebbiare, T. . . . . . . . . . . . . . . . . . . . . 12
recalcitrare, I ♦, *ricalcitrare*. . . . . . . . . . 6
recapitare, T, I ♦ . . . . . . . . . . . . . . . . . 6
recare, T, P . . . . . . . . . . . . . . . . . . . . 7
recedere, I ♦, Irr, Lit . . . . . . . . . . . . . . 20
recensire, T. . . . . . . . . . . . . . . . . . . . 100
recepere, T, Vx, *recepire*. . . . . . . . . . . 100
recepire, T. . . . . . . . . . . . . . . . . . . . . 100
recere, I ♦, D, Irr, Vx. . . . . . . . . . . . . . D
  ≃ seulement egli rece, recere,
  et participe passé reciuto
  et temps composés.
recherere, T, Vx, richiedere. . . . . . . . . . 29
recidere, T, P, Irr . . . . . . . . . . . . . . . . 74
recingere, T, Irr. . . . . . . . . . . . . . . . . . 31
recintare, T . . . . . . . . . . . . . . . . . . . . 6
**recitare,** T, I ♦ . . . . . . . . . . . . . . . . . 17
**reclamare,** I ♦, T . . . . . . . . . . . . . . . . 6
reclamizzare, T . . . . . . . . . . . . . . . . . 6
reclinare, T, I ♦. . . . . . . . . . . . . . . . . . 6
recludere, T, Irr. . . . . . . . . . . . . . . . . . 30
reclutare, T . . . . . . . . . . . . . . . . . . . . 16
recriminare, T, I ♦ . . . . . . . . . . . . . . . . 18
recuperare, T, R, *ricuperare* . . . . . . . . . 18
recusare, T, I ♦, P, Vx, *ricusare*. . . . . . . 6
redarguire, T. . . . . . . . . . . . . . . . . . . 100
redigere, T, Irr. . . . . . . . . . . . . . . . . . 72
redimere, T, R, Irr. . . . . . . . . . . . . . . . 73
redimire, T, Lit . . . . . . . . . . . . . . . . . . 100
redintegrare, T, R, *reintegrare* . . . . . . . . 18
redire, I, D, Irr, Vx, *riedere* . . . . . . . . . . D
redolire, I ♦, Lit . . . . . . . . . . . . . . . . . 100
referire, T, P . . . . . . . . . . . . . . . . . . . 100
refluire, I, *rifluire*. . . . . . . . . . . . . . . . . 100
refrangere, T, P, *rifrangere* . . . . . . . . . . 65
refrigerare, T, R . . . . . . . . . . . . . . . . . 18
refutare, T, P, Vx, *rifiutare* . . . . . . . . . . 6

| | |
|---|---|
| **regalare,** T, R | 6 |
| **reggere,** T, I ♦, P, R, Irr | 56 |
| regionalizzare, T | 6 |
| **registrare,** T | 6 |
| **regnare,** I ♦ | 6 |
| regolamentare, T | 6 |
| **regolare,** T, R | 17 |
| regolarizzare, T | 6 |
| regredire, I | 100 |
| reificare, T | 19 |
| reimbarcare, T, P | 7 |
| reimpiegare, T | 8 |
| reimpostare, T | 6 |
| reincarnare, T, R | 6 |
| reinfettare, T | 6 |
| reinnestare, T | 6 |
| reintegrare, T, R, Lit | 18 |
| reinventare, T | 6 |
| reiterare, T, Lit | 18 |
| relativizzare, T | 6 |
| relazionare, T, I ♦ | 6 |
| relegare, T | 8/17 |
| **remare,** I ♦ | 6 |
| remeggiare, I ♦ | 10 |
| remigare, I ♦, Lit | 8/17 |
| remunerare, T, Lit, *rimunerare* | 18 |
| **rendere,** T, P, Irr | 70 |
| repellere, T, I, Irr, Lit | 50 |
| reperire, T | 100 |
| replicare, T | 19 |
| **reprimere,** T, R, Irr | 34 |
| repudiare, T, Vx, *ripudiare* | 12 |
| repugnare, I ♦, Vx, *ripugnare* | 6 |
| reputare, T, R | 17 |
| requisire, T | 100 |
| rescindere, T, Irr, Lit | 81 |
| resecare, T | 7 |
| residuare, I | 6 |
| resinare, T | 17 |
| **resistere,** I ♦, Irr, a | 24 |
| respignere, T, Vx, *respingere* | 31 |
| **respingere,** T, Irr | 31 |
| **respirare,** I ♦, T | 6 |
| responsabilizzare, T, P | 6 |
| **restare,** I, a, di, in, da | 6 |
| restaurare, T | 6 |
| **restituire,** T | 100 |
| restrignere, T, P, R, Vx, *restringere* | 87 |
| **restringere,** T, P, R, Irr | 87 |
| resultare, I, *risultare* | 6 |
| resurgere, I, Vx, *risorgere* | 67 |
| resuscitare, T, I, *risuscitare* | 6 |
| retare, T, I | 6 |
| reticolare, T | 6 |
| retinare, T | 6 |
| retribuire, T | 100 |
| retrocedere, I, P, Irr | 35 |
| retrodatare, T | 6 |
| retrogradare, I | 18 |
| rettificare, T | 19 |
| reumatizzare, T, R | 6 |
| revellere, T, Irr, Vx | 50 |
| reverberare, T, P, *riverberare* | 6 |
| reviare, I ♦, T | 11 |
| revisionare, T | 6 |
| revocare, T | 19 |
| riabbandonare, T, R | 6 |
| riabbarbicarsi, P | 19 |
| riabbassare, T, P, R | 6 |
| riabbattere, T, P | 20 |
| riabbonare, T, R | 6 |
| riabbottonare, T, R | 6 |
| riabbracciare, T, R | 9 |
| riabbrunare, T, R | 6 |
| riabilitare, T, P | 6 |
| riabitare, T | 17 |
| riabituare, T, P | 6 |
| riaccadere, I, Imp | 28 |
| riaccalappiare, T | 6 |
| riaccalcarsi, P | 7 |
| riaccampare, T, P | 6 |
| riaccasare, T, R | 6 |
| riaccendere, T, P, Irr | 21 |
| riaccennare, T | 6 |
| riaccerchiare, T, *raccerchiare* | 12 |
| riaccertare, T, P, R, *raccertare* | 6 |

| | |
|---|---|
| riaccettare, T | 6 |
| riacchiappare, T | 6 |
| riacciuffare, T | 6 |
| riacclamare, T | 6 |
| riaccoccolarsi, P | 18 |
| riaccogliere, T, Irr | 32 |
| riaccollare, T | 6 |
| riaccomiatare, T, P | 6 |
| riaccomodare, T, R | 18 |
| riaccompagnare, T, R | 6 |
| riaccoppiare, T, R | 12 |
| riaccorciare, T, P | 9 |
| riaccordare, T, P | 6 |
| riaccostare, T, P | 6 |
| riaccovacciarsi, P | 9 |
| riaccozzare, T | 6 |
| riaccreditare, T, P | 18 |
| riaccucciarsi, P | 9 |
| riaccusare, T | 6 |
| riacquartierarsi, P | 6 |
| riacquattarsi, P | 6 |
| **riacquistare,** T, I ♦ | 6 |
| riacutizzare, T, P | 6 |
| riadagiare, T, P | 10 |
| riadattare, T, P | 6 |
| riaddentare, T | 6 |
| riaddolorare, T, P | 6 |
| riaddormentare, T, P | 6 |
| riaddossare, T | 6 |
| riadescare, T | 7 |
| riadirarsi, P | 6 |
| riadombrare, T | 6 |
| riadoperare, T | 18 |
| riadornare, T, R | 6 |
| riadottare, T | 6 |
| riadulare, T | 18 |
| riaffacciare, T, P, R | 9 |
| riaffastellare, T | 6 |
| riaffermare, T, R | 6 |
| riafferrare, T, P | 6 |
| riaffezionare, T, P | 6 |
| riaffiatarsi, R | 6 |
| riaffibbiare, T | 12 |
| riaffilare, T, *raffilare* | 6 |
| riaffittare, T | 6 |
| riaffollare, T | 6 |
| riaffondare, T, P | 6 |
| riaffratellare, T, R | 6 |
| riaffrettare, T, P | 6 |
| riaffrontare, T, R | 6 |
| riaffumicare, T | 19 |
| riagganciare, T, P | 9 |
| riaggeggiare, T | 10 |
| riagghiacciare, T, P | 9 |
| riaggiogare, T | 8 |
| riaggiustare, T, *raggiustare* | 6 |
| riaggravare, T, P | 6 |
| riaggregare, T | 8 |
| riagguantare, T | 6 |
| riagguerrire, T, P | 100 |
| riagitare, T, P | 18 |
| riaguzzare, T | 6 |
| riaiutare, T | 6 |
| rialitare, I ♦ | 6 |
| riallacciare, T, R | 9 |
| riallargare, T, P | 8 |
| riallattare, T | 6 |
| riallentare, T | 6 |
| riallettare, T | 6 |
| riallevare, T | 6 |
| riallogare, T, P | 8 |
| rialloggiare, T | 10 |
| riallungare, T, P | 8 |
| rialterare, T, P | 18 |
| **rialzare,** T, I, P, R | 6 |
| riamare, T | 6 |
| riammalare, I, P | 6 |
| riammanettare, T | 6 |
| riammattonare, T | 6 |
| riammazzare, T | 6 |
| riammettere, T, Irr | 57 |
| riammirare, T | 6 |
| riammobiliare, T | 11 |
| riammogliare, T, P | 12 |
| riammucchiare, T | 12 |

| | |
|---|---:|
| riammutinarsi, P | 6 |
| riandare, I, T, Irr | 14 |
| rianimare, T, P | 18 |
| riannacquare, T | 6 |
| riannaffiare, T | 12 |
| riannebbiare, T, P | 12 |
| riannettere, T, Irr | 53 |
| riannodare, T, P | 6 |
| riannoiare, T, P | 12 |
| riannunziare, T | 12 |
| riannuvolare, I, P | 6 |
| riappaciare, T, R, *rappaciare* | 9 |
| riappacificare, T, R | 19 |
| riappaltare, T | 6 |
| riapparecchiare, T, P | 12 |
| riapparire, I, Irr | 101 |
| riappassionare, T, P | 6 |
| riappianare, T | 6 |
| riappiccare, T, P | 7 |
| riappiccicare, T, P | 19 |
| riappisolarsi, P | 6 |
| riapplicare, T, P | 19 |
| riappoggiare, T, R | 10 |
| riappollaiarsi, P | 12 |
| riapprodare, I ♦ | 6 |
| riappropriarsi, P, T | 12 |
| riapprossimare, T, P | 18 |
| riapprovare, T | 6 |
| riappuntare, T | 6 |
| riappuntellare, T | 6 |
| riaprire, T, P | 102 |
| riardere, T, I, Irr | 23 |
| riarginare, T | 18 |
| riarmare, T, I, R | 6 |
| riarmonizzare, T, P | 6 |
| riascoltare, T | 6 |
| riassegnare, T | 6 |
| riassestare, T, P, R | 6 |
| riassociare, T, R | 9 |
| riassoggettare, | 6 |
| riassoldare, T | 6 |
| riassorbire, T, P | 99/100 |
| riassottigliare, T | 12 |
| **riassumere**, T, Irr | 26 |
| riattaccare, T, R | 7 |
| riattare, T | 6 |
| riatterrare, T, I ♦ | 6 |
| riattivare, T | 6 |
| **riavere,** T, P, Irr | 2 |
| riavvampare, I | 6 |
| riavvelenare, T, R | 6 |
| riavventare, T, P | 6 |
| riavvertire, T | 99 |
| riavvicinare, T, R | 6 |
| riavvinghiare, T | 12 |
| riavvisare, T | 6 |
| riazzannare, T | 6 |
| riazzeccare, T | 7 |
| riazzuffarsi, P | 6 |
| ribaciare, T | 9 |
| ribadire, T, P | 100 |
| ribaltare, T, I, P | 6 |
| ribarattare, T | 6 |
| ribassare, T, I | 6 |
| ribattere, T, I ♦, Irr | 20 |
| ribattezzare, T | 6 |
| ribeccare, T | 7 |
| **ribellarsi**, P, T | 6 |
| ribendare, T | 6 |
| ribeneficiare, T | 9 |
| ribisognare, I, D, *bisognare* | 6 |
| ≃ seulement 3ᵉ personne du singulier et du pluriel | |
| riboccare, I ◊ | 7 |
| ribollire, I ♦, T | 99 |
| ribramare, T, Lit | 6 |
| ribrontolare, I ♦ | 18 |
| ribruciare, T, I | 9 |
| ribucare, T | 7 |
| ribuscare, T | 7 |
| ributtare, T, I ♦, R | 6 |
| ricacciare, T, R | 9 |
| **ricadere,** I, Irr | 28 |

| | |
|---|---|
| ricalare, T, I | 6 |
| **ricalcare,** T | 7 |
| ricalcificare, T, P | 19 |
| ricalcitrare, I ♦ | 6 |
| ricalibrare, T | 6 |
| ricalpestare, T | 6 |
| ricalunniare, T | 12 |
| **ricamare,** T | 6 |
| **ricambiare,** T, R | 12 |
| ricamminare, I ♦ | 6 |
| ricanalizzare, T | 6 |
| ricancellare, T | 6 |
| ricandidare, T, R | 18 |
| ricangiare, T, Lit | 10 |
| ricantare, T | 6 |
| ricapitalizzare, T | 6 |
| ricapitare, I | 6 |
| ricapitolare, T | 6 |
| ricaricare, T, R | 19 |
| ricascare, I, Fam | 7 |
| **ricattare,** T | 6 |
| ricavalcare, T, I ♦ | 7 |
| **ricavare,** T | 6 |
| ricelebrare, T | 18 |
| ricenare, I ♦ | 6 |
| ricensurare, T | 6 |
| riceppare, T | 6 |
| **ricercare,** T | 7 |
| ricerchiare, T | 12 |
| ricesellare, T | 6 |
| ricettare, T, I ♦ | 6 |
| **ricevere,** T, Irr | 20 |
| **richiamare,** T, P | 6 |
| richiappare, T, Pop, Tosc | 6 |
| **richiedere,** T, Irr | 29 |
| richinare, T, R | 6 |
| **richiudere,** T, P, Irr | 30 |
| riciclare, T, P | 6 |
| ricidere, T, P, *recidere* | 74 |
| ricignere, T, Irr, Vx, *recingere* | 31 |
| ricingere, T, Irr, *recingere* | 31 |
| riciondolare, I ♦ | 18 |
| ricircolare, I ♦ | 18 |
| ricircondare, T | 6 |
| ricogliere, T, R, Irr, Vx | 32 |
| ricolare, T, I | 6 |
| ricollegare, T, R | 8 |
| ricollocare, T | 7 |
| ricolmare, T | 6 |
| ricoltivare, T | 6 |
| ricomandare, T | 6 |
| ricombinare, T, P | 6 |
| **ricominciare,** T, I | 9 |
| ricommettere, T, Irr | 57 |
| ricompaginare, T | 18 |
| ricomparire, I, Irr | 101 |
| **ricompensare,** T | 6 |
| ricompilare, T | 6 |
| ricompitare, T | 18 |
| ricomporre, T, P, Irr | 68 |
| ricomprare, T | 6 |
| ricomprovare, T | 6 |
| ricomputare, T | 18 |
| ricomunicare, I ♦ | 19 |
| riconcedere, T, Irr | 35 |
| riconcentare, T, R | 6 |
| riconciare, T, P | 9 |
| **riconciliare,** T, R | 11 |
| ricondannare, T | 6 |
| ricondensare, T, P | 6 |
| ricondizionare, T | 6 |
| **ricondurre,** T, P, R, Irr | 36 |
| riconfermare, T, R | 6 |
| riconfessare, T | 6 |
| riconficcare, T | 7 |
| riconfidare, T, P | 6 |
| riconfiscare, T | 7 |
| riconformare, T, R | 6 |
| riconfortare, T, P | 6 |
| riconfrontare, T | 6 |
| riconfutare, T | 18 |
| ricongedare, T, R | 6 |
| ricongegnare, T | 6 |
| ricongelare, T, P | 6 |
| ricongiungere, T, R, Irr | 55 |
| ricongiurare, I ♦ | 6 |

| | |
|---|---|
| riconnettere, T, P, Irr | 53 |
| **riconoscere,** T, P, R, Irr | 37 |
| **riconquistare,** T | 6 |
| riconsacrare, T | 6 |
| **riconsegnare,** T | 6 |
| riconsentire, I ♦ | 99 |
| riconsiderare, T | 6 |
| riconsigliare, T, P | 12 |
| riconsolare, T, R | 6 |
| riconsolidare, T, R | 18 |
| riconsultare, T | 6 |
| ricontare, T | 6 |
| riconvalidare, T | 18 |
| riconvenire, I ♦, T, Irr | 110 |
| riconvertire, T, P | 99 |
| riconvincere, T, Irr | 94 |
| riconvocare, T | 7 |
| **ricopiare,** T | 12 |
| **ricoprire,** T, R, Irr | 102 |
| ricorbellare, T, Pop | 6 |
| **ricordare,** T, P, di, a | 6 |
| ricoronare, T | 6 |
| ricorreggere, T, R, Irr | 56 |
| **ricorrere,** I, T, P, Irr | 38 |
| ricospirare, I ♦ | 6 |
| ricostituire, T, P | 100 |
| **ricostruire,** T | 100 |
| ricotonare, T | 6 |
| **ricoverare,** T, P | 18 |
| ricovrire, T, P, Vx | 102 |
| ricreare, T, R | 6 |
| ricredere, I, P, Irr | 20 |
| ricrescere, I, T, Irr | 39 |
| ricriticare, T | 19 |
| ricucire, T, Irr | 103 |
| ricuocere, T, Irr | 40 |
| **ricuperare,** T, R | 18 |
| ricurvare, T, P, R | 6 |
| ricusare, T, P | 6 |
| ridacchiare, I ♦ | 12 |
| **ridare,** T, I ♦, Irr | 15 |
| **ridere,** I ♦, P, Irr | 74 |
| ridesinare, I ♦ | 18 |

| | |
|---|---|
| ridestare, T, P | 6 |
| ridettare, T | 6 |
| ridicoleggiare, T | 10 |
| ridicolizzare, T | 6 |
| ridimensionare, T, P | 6 |
| ridimostrare, T | 6 |
| ridipingere, T, R, Irr | 31 |
| ridire, T, P, Irr | 41 |
| ridiscendere, T, I, Irr | 80 |
| ridiscernere, T, D, Irr | 20 |
| ≃ pas de participe passé | |
| ridisciogliere, T, Irr | 32 |
| ridiscorrere, I ♦, Irr | 38 |
| ridisegnare, T | 6 |
| ridisfare, T | 52 |
| ridisgiungere, T, Irr | 55 |
| ridisporre, T, Irr | 68 |
| ridistaccare, T | 7 |
| ridistendere, T, Irr | 70 |
| ridistinguere, T, Irr | 44 |
| ridistribuire, T | 100 |
| ridistruggere, T, Irr | 45 |
| ridivenire, I, Irr | 110 |
| **ridiventare,** I ♦ | 6 |
| **ridividere,** T, P, Irr | 74 |
| ridivorare, T | 6 |
| ridolere, , I ◊, P, Irr | 46 |
| ridomandare, T | 6 |
| ridomare, T | 6 |
| ridonare, T | 6 |
| ridondare, I, T, Lit | 6 |
| ridorare, T | 6 |
| ridormire, I ♦ | 99 |
| ridossare, T, R | 6 |
| ridotare, T | 6 |
| ridovere, , I ◊, Irr | 47 |
| ridrizzare, T | 6 |
| riduellare, I ♦ | 6 |
| **ridurre,** T, P, Irr, a | 36 |
| rieccitare, T, P | 18 |
| riecheggiare, I, T | 10 |
| riedere, I, D, Irr, Vx | D |
| ≃ riedo, riedi, riede, riedono | |

| | |
|---|---|
| riedificare, T | 19 |
| rieducare, T | 19 |
| rielaborare, T | 18 |
| rieleggere, T, Irr | 56 |
| rielettrizzare, T, P | 6 |
| riemancipare, T, R | 18 |
| riemendare, T | 6 |
| riemergere, I, Irr | 48 |
| riemigrare, I ◊ | 6 |
| riempiere, T, P, Irr, *riempire* | 33 |
| **riempire**, T, P, R | 33 |
| **rientrare**, I, T | 6 |
| riepilogare, T | 8 |
| riequilibrare, T, P, R | 6 |
| riergere, T, P, Irr | 48 |
| riesacerbare, T, P | 6 |
| riesaltare, T, R | 6 |
| riesaminare, T | 6 |
| riescire, I, Irr, Fam | 109 |
| riesclamare, I ♦ | 6 |
| riesercitare, T, R | 6 |
| riesiliare, T | 11 |
| riesortare, T | 6 |
| riespellere, T, Irr | 50 |
| riesplorare, T | 6 |
| riesporre, T, R, Irr | 68 |
| riesportare, T | 6 |
| riespugnare, T | 6 |
| riessere, I, Irr | 1 |
| riestendere, T, Irr | 70 |
| riestinguere, T, P, Irr | 44 |
| riestirpare, T | 6 |
| riesumare, T | 6 |
| rievocare, T | 19 |
| rifabbricare, T | 19 |
| rifalciare, T | 9 |
| **rifare**, T, P, Irr | 52 |
| rifasare, T | 6 |
| rifasciare, T | 9 |
| rifavellare, I ♦ | 6 |
| rifecondare, T | 6 |
| **riferire**, T, I ♦, P | 100 |
| rifermare, T, P | 6 |

| | |
|---|---|
| rifermentare, I | 6 |
| riferrare, T | 6 |
| rifervere, I, D, Irr | D |
| ≃ présent : egli riferve, essi rifervono | |
| imparfait : egli riferveva, | |
| essi rifervevano | |
| gérontif présent : rifervendo | |
| participe présent : rifervente (adjectif) | |
| rifesteggiare, T | 10 |
| rifiaccare, T | 7 |
| rifiammeggiare, I ♦ | 10 |
| rifiancare, T | 7 |
| rifiatare, I ♦ | 6 |
| rificcare, T, R | 7 |
| rifiggere, T, Irr | 22 |
| rifigliare, I ♦ | 12 |
| rifigurare, T | 6 |
| rifilare, T | 6 |
| rifiltrare, T | 6 |
| rifinanziare, T | 12 |
| rifinire, T, I ♦, P, R | 100 |
| rifioccare, I, Imp | 7 |
| rifiorire, I, T | 100 |
| rifischiare, T, I ♦ | 12 |
| **rifiutare**, T, P, di | 6 |
| riflagellare, T | 6 |
| **riflettere** (1), T, I ♦, R, Irr | 53 |
| pour réfléchir/méditer : | |
| passé simple : io riflettei, | |
| egli rifletté, essi **rifletterono** | |
| participe passé : riflettuto. | |
| riflettere (2), T, I ♦, R, Irr | 53 |
| pour réfléchir/refléter/renvoyer | |
| passé simple : io riflessi, | |
| egli riflesse, essi **riflessero** | |
| participe passé : riflesso. | |
| rifluire, I | 100 |
| rifocillare, T, R | 6 |
| rifoderare, T | 6 |
| rifolgorare, I ♦ | 6 |
| rifomentare, T | 6 |
| rifondare, T | 6 |

rifondere, T, P, Irr . . . . . . . . . . . . . . . . . . 54
riforare, T . . . . . . . . . . . . . . . . . . . . . . . . . . 6
**riformare,** T, P . . . . . . . . . . . . . . . . . . . . . 6
rifornire, T, R . . . . . . . . . . . . . . . . . . . . . 100
rifrangere, T, P, Irr . . . . . . . . . . . . . . . . . 65
rifreddare, T, I, P . . . . . . . . . . . . . . . . . . . 6
rifregare, T . . . . . . . . . . . . . . . . . . . . . . . . 8
rifrequentare, T . . . . . . . . . . . . . . . . . . . . 6
rifriggere, T, I ♦, Irr . . . . . . . . . . . . . . . . 22
rifrugare, T, I . . . . . . . . . . . . . . . . . . . . . . 8
rifrustare, T . . . . . . . . . . . . . . . . . . . . . . . 6
rifruttare, I ♦ . . . . . . . . . . . . . . . . . . . . . . 6
rifruttificare, I ♦ . . . . . . . . . . . . . . . . . . 19
rifuggire, I . . . . . . . . . . . . . . . . . . . . . . . 104
**rifugiarsi,** P . . . . . . . . . . . . . . . . . . . . . . 10
rifulgere, I ◊, D, Irr . . . . . . . . . . . . . . . . 67
  ≃ participe passé : rifulso
rifumare, T, I ♦ . . . . . . . . . . . . . . . . . . . . 6
rigalleggiare, T . . . . . . . . . . . . . . . . . . . . 10
rigare, T, I ♦ . . . . . . . . . . . . . . . . . . . . . . 8
rigelare, T, I, Imp ◊ . . . . . . . . . . . . . . . . 6
rigenerare, T, I, P . . . . . . . . . . . . . . . . . 18
rigerminare, T, I . . . . . . . . . . . . . . . . . . . 6
rigermogliare, I . . . . . . . . . . . . . . . . . . . 12
rigettare, T, I, R . . . . . . . . . . . . . . . . . . . 6
righettare, T . . . . . . . . . . . . . . . . . . . . . . 6
rigiacere, , , I, Irr. . . . . . . . . . . . . . . . . . . 64
rigiocare, I ♦, T . . . . . . . . . . . . . . . . . . . 13
**rigirare,** T, I ♦, R . . . . . . . . . . . . . . . . . . 6
rigiudicare, T . . . . . . . . . . . . . . . . . . . . . 19
rigiurare, T, I ♦, R . . . . . . . . . . . . . . . . . . 6
rigocciolare, T, I ♦ . . . . . . . . . . . . . . . . . 6
rigonfiare, T, I, P . . . . . . . . . . . . . . . . . . 12
**rigovernare,** T . . . . . . . . . . . . . . . . . . . . 6
rigraffiare, T . . . . . . . . . . . . . . . . . . . . . 12
rigrandinare, Imp ◊ . . . . . . . . . . . . . . . . . 6
riguadagnare, T . . . . . . . . . . . . . . . . . . . 6
**riguardare,** T, I ♦, R . . . . . . . . . . . . . . . . 6
riguastare, T, P . . . . . . . . . . . . . . . . . . . . 6
riguidare, T . . . . . . . . . . . . . . . . . . . . . . . 6
riguizzare, I ◊ . . . . . . . . . . . . . . . . . . . . . 6
rigurgitare, I ◊ . . . . . . . . . . . . . . . . . . . . 6
rigustare, T . . . . . . . . . . . . . . . . . . . . . . . 6

rilacerare, T . . . . . . . . . . . . . . . . . . . . . . 18
rilanciare, T, I ♦ . . . . . . . . . . . . . . . . . . . 9
**rilasciare,** T, P, R . . . . . . . . . . . . . . . . . . 9
**rilassare,** T, P, R . . . . . . . . . . . . . . . . . . 6
rilavare, T, R . . . . . . . . . . . . . . . . . . . . . . 6
**rilegare,** T . . . . . . . . . . . . . . . . . . . . . . . 8
**rileggere,** T, Irr. . . . . . . . . . . . . . . . . . . 56
**rilevare,** T, I ♦, R . . . . . . . . . . . . . . . . . . 6
rilucere, I, D, Irr . . . . . . . . . . . . . . . . . . . D
  ≃ présent : egli riluce, essi rilucono
  imparfait : egli riluceva,
  essi rilucevano
  imparfait subjonctif : egli rilucesse,
  essi rilucessero
  participe présent : rilucente
  (seulement adjectif)
riluttare, I ♦ . . . . . . . . . . . . . . . . . . . . . . 6
rimacinare, T . . . . . . . . . . . . . . . . . . . . . 18
**rimandare,** T . . . . . . . . . . . . . . . . . . . . . 6
rimaneggiare, T . . . . . . . . . . . . . . . . . . . 10
**rimanere,** I, P, Irr . . . . . . . . . . . . . . . . . 75
rimangiare, T . . . . . . . . . . . . . . . . . . . . . 10
rimarcare, T, Vx . . . . . . . . . . . . . . . . . . . 7
rimare, I ♦, T . . . . . . . . . . . . . . . . . . . . . 6
rimarginare, T, I, P . . . . . . . . . . . . . . . . 18
rimasticare, T . . . . . . . . . . . . . . . . . . . . 19
rimbacuccare, T, R. . . . . . . . . . . . . . . . . 7
rimbaldanzire, I, T, P . . . . . . . . . . . . . . 100
rimballare, T . . . . . . . . . . . . . . . . . . . . . . 6
**rimbalzare,** I, T . . . . . . . . . . . . . . . . . . . 6
rimbambinire, I, P . . . . . . . . . . . . . . . . 100
rimbambire, I ♦, P . . . . . . . . . . . . . . . . 100
rimbarbarire, I, T. . . . . . . . . . . . . . . . . 100
rimbeccare, T, R. . . . . . . . . . . . . . . . . . . 7
rimbecillire, T, I, P . . . . . . . . . . . . . . . 100
rimbellire, T, I, P . . . . . . . . . . . . . . . . . 100
rimbiancare, T, P . . . . . . . . . . . . . . . . . . 7
**rimboccare,** T . . . . . . . . . . . . . . . . . . . . 7
rimbombare, I ◊, T. . . . . . . . . . . . . . . . . 6
**rimborsare,** T. . . . . . . . . . . . . . . . . . . . . 6
rimboscare, T, I . . . . . . . . . . . . . . . . . . . 7
rimboschire, T, I, P . . . . . . . . . . . . . . . 100
rimbrecciare, T . . . . . . . . . . . . . . . . . . . 9

| | | | | |
|---|---|---|---|---|
| rimbricconire, I | 100 | rimparare, T, P | 6 |
| rimbrodolare, T | 18 | rimparentarsi, P | 6 |
| rimbrogliare, T, R | 12 | rimpasticciare, T | 9 |
| rimbrottare, T, R | 6 | rimpatriare, I, T | 12 |
| rimbrunare, I | 12 | rimpegnare, T, R | 6 |
| rimbruttire, T, I | 100 | rimpellicciare, T, P, R | 9 |
| rimbucciarsi, P | 9 | rimpennare, I, P, Lit | 6 |
| rimbussolare, T, I ♦ | 18 | rimpetrare, T | 6 |
| rimbustare, T | 6 | rimpettinare, T | 18 |
| rimbuzzare, T, R, Fam, Tosc | 6 | rimpettire, I, P | 100 |
| **rimediare,** I ♦, T, a | 12 | rimpiagare, T | 8 |
| rimeggiare, I ♦ | 10 | rimpiagnere, T, Irr, Vx, *rimpiangere* | 65 |
| rimembrare, T, P, Lit | 6 | rimpiallacciare, T | 9 |
| rimenare, T, P | 6 | rimpiangere, T, Irr | 65 |
| rimeritare, T, Lit | 6 | rimpiattare, T, R | 6 |
| rimescolare, T, P | 6 | rimpiazzare, T | 6 |
| rimestare, T | 6 | rimpiccinire, T, I, P | 100 |
| **rimettere,** T, I ♦, P, Irr | 57 | rimpicciolire, I, P, *rimpiccolire* | 100 |
| riminacciare, T | 9 | rimpiccolire, T, I, P | 100 |
| rimirare, T, I ♦, R | 6 | rimpiegare, T, *reimpiegare* | 8 |
| rimischiare, T | 12 | rimpinguare, T, R | 6 |
| rimisurare, T | 6 | rimpinzare, T, R | 6 |
| rimminchionire, I, T, Vulg | 100 | rimpiombare, T, P | 6 |
| rimodellare, T | 6 | rimpiumare, I, P | 6 |
| rimoderare, T | 18 | rimpolpare, T, P | 6 |
| **rimodernare,** T, P | 6 | rimpolpettare, T, Fam | 6 |
| rimolestare, T | 18 | rimpoltronire, T, I, P | 100 |
| rimoltiplicare, T | 19 | rimporporare, T, P | 6 |
| rimondare, T, P, R | 6 | rimpossessarsi, P | 6 |
| rimontare, T, I | 6 | rimprigionare, T | 6 |
| rimorchiare, T | 12 | rimprosciuttire, I, Fam | 100 |
| rimordere, T, R, Irr | 51 | **rimproverare,** T | 18 |
| rimorire, I | 105 | rimpulizzire, R | 100 |
| rimormorare, T, I ♦ | 18 | rimugghiare, I ♦ | 12 |
| rimorsicare, T | 19 | rimuginare, T | 18 |
| rimostrare, T, I ♦, R | 6 | rimunerare, T, Lit | 6 |
| rimpacchettare, T | 6 | rimuovere, T, P, Irr | 58 |
| rimpaginare, T | 18 | rimurare, T | 6 |
| rimpagliare, T | 12 | **rinascere,** I, Irr | 59 |
| rimpallare, I ♦ | 6 | rinavigare, I ♦, T | 8/18 |
| rimpanare, T | 6 | rincagnarsi, P | 6 |
| rimpannucciare, T, P | 9 | rincalcare, T, Fam | 7 |
| rimpantanarsi, P | 6 | rincalzare, T | 6 |

| | |
|---|---|
| rincamminarsi, P. | 6 |
| rincanalare, T | 6 |
| rincantare, T | 6 |
| rincantucciare, T, R | 9 |
| rincappare, I | 6 |
| **rincarare,** T, I | 6 |
| rincarcerare, T | 6 |
| rincarnare, T, I, P, *reincarnare* | 6 |
| rincartare, T | 6 |
| rincasare, I | 6 |
| rincassare, T | 6 |
| rincastrare, T | 6 |
| rincatenare, T | 6 |
| rincentrare, T | 6 |
| rinceppare, T | 6 |
| rincerottare, T | 6 |
| rinchinare, T | 6 |
| rinchiodare, T | 6 |
| **rinchiudere,** T, R, Irr | 30 |
| rinciampare, T | 6 |
| rincitrullire, T, I, P | 100 |
| rincivilire, T, I, P. | 100 |
| rincoglionire, T, I, P, Vulg | 100 |
| rincollare, T | 6 |
| rincolpare, T | 6 |
| rincominciare, T | 9 |
| rincontrare, T, R | 6 |
| rincoraggiare, T, P | 10 |
| rincorare, T, P. | 13 |
| rincorniciare, T | 9 |
| rincoronare, T, R | 6 |
| rincorporare, T, P. | 6 |
| **rincorrere,** T, R, Irr | 38 |
| rincrescere, I, Imp, Irr, di | 39 |
| rincrespare, T, P, Lit | 6 |
| rincrociare, T | 9 |
| rincrostare, T | 6 |
| rincrudire, T, I, P | 100 |
| rinculare, I ♦ | 6 |
| rinculcare, T | 7 |
| rincuocere, T, Irr | 40 |
| rincuorare, T, P. | 6 |
| rincupire, T, I, P. | 100 |
| rincurvare, T, I | 6 |
| rindebitare, T, R | 6 |
| rindirizzare, T, R | 6 |
| rindossare, T | 6 |
| rindugiare, I ♦ | 10 |
| rindurare, T, I | 6 |
| rinegare, T | 8 |
| rinettare, T, R | 6 |
| rinevicare, Imp ◊ | 19 |
| rinfacciare, T | 9 |
| rinfagottare, T, R | 6 |
| rinfangare, T, R | 8 |
| rinfarinare, T | 6 |
| rinfiammare, T | 6 |
| rinfilare, T | 6 |
| rinfocare, T, P. | 13 |
| rinfocolare, T, P | 6 |
| rinfoderare, T | 6 |
| rinforzare, T, I, P | 6 |
| rinfoscarsi, P, Lit | 7 |
| rinfrancare, T, P | 7 |
| **rinfrescare,** T, I, P, R | 7 |
| rinfronzolire, T, R | 100 |
| ringagliardire, T, R | 100 |
| ringalluzzare, T, I, P, *ringalluzzire* | 6 |
| ringalluzzire, T, I, P | 100 |
| ringarbugliare, T | 12 |
| ringemmare, T, P | 6 |
| **ringhiare,** I ♦ | 12 |
| ringinocchiarsi, P | 12 |
| **ringiovanire,** T, I, P | 100 |
| ringoiare, T | 12 |
| ringolfarsi, P | 6 |
| **ringraziare,** T | 12 |
| ringrossare, T, I, P | 6 |
| ringrullire, T, I, P, Fam, Tosc | 100 |
| ringuainare, T | 6 |
| rinnalzare, T, P, R | 6 |
| rinnamorare, T, P | 6 |
| **rinnegare,** T | 8 |
| rinnervare, T, P. | 6 |
| rinnestare, T, *reinnestare* | 6 |
| **rinnovare,** T, P, R | 6 |

rinnovellare, T, I, R, Lit.............. 6
rinobilitare, T ...................... 18
rinominare, T ...................... 18
rinotificare, T ...................... 19
rinquadrare, T..................... 6
rinsaccare, T, P.................... 7
rinsaldare, T, P.................... 6
rinsanguare, T, P, R............... 6
rinsanire, I........................ 100
rinsaponare, T..................... 6
rinsaporare, T, P.................. 6
rinsavire, I, T..................... 100
rinsecchire, I, T................... 100
rinsegnare, T...................... 6
rinselvare, T, P, R, Lit............ 6
rinserrare, T, R ................... 6
rinsudiciare, T, R ................9/18
rintagliare, T...................... 12
rintanare, T, P.................... 6
rintasare, T, P.................... 6
rintascare, T ..................... 7
rintegrare, T, R, *reintegrare*............ 17
rintelaiare, T...................... 12
rintelare, T........................ 6
rinterrogare, T....................8/18
rinterzare, T....................... 6
rintoccare, I ◊ ................... 7
rintonacare, T..................... 19
rintonare, T....................... 18
rintontire, T, I, P................. 100
rintoppare, T, I ♦, P.............. 6
rintorbidare, T, P................. 18
**rintracciare,** T.................. 9
rintrecciare, T .................... 9
rintristire, I....................... 100
rintronare, I ◊, T................. 6
rintuzzare, T ..................... 6
rinumerare, T...................... 6
**rinunciare,** I ♦, T, a........... 9
rinunziare, I ♦, T, a, *rinunciare* ........ 12
rinuotare, I ♦..................... 6
rinvangare, T, *rivangare* .............. 8
rinvasare, T....................... 6

**rinvenire,** T, I, P, Irr .............. 110
rinverdire, T, I, P.................. 100
rinverginare, T, P.................. 18
rinvermigliare, T, P, Lit............. 12
rinverniciare, T.................... 9
rinverzare, T ...................... 6
rinvestire, T....................... 99
**rinviare,** T....................... 11
rinvigorare, T, I.................... 6
rinvigorire, T, I, P................. 100
rinviliare, T, I, Tosc............... 12
rinviluppare, T, R.................. 6
rinvischiare, T, P ................. 12
rinvitare, T........................ 6
rinvivire, I, P, Tosc................ 100
rinvogliare, T...................... 12
rinvoltare, T, R.................... 6
rinzaccherare, T, R................. 6
rinzaffare, T....................... 6
rinzeppare, T, R, Fam .............. 6
rinzuppare, T....................... 6
riobbligare, T, R.................8/18
rioccultare, T, R ................... 6
rioccupare, T, P, di (P)............. 18
rioffrire, T, R, Irr.................. 102
rioffuscare, T, P ................... 7
rionorare, T........................ 6
rioperare, I ♦, T .................. 18
**riordinare,** T, R .................. 6
riorganizzare, T, R ................. 6
riornare, T ........................ 6
rioscurare, T, I, P.................. 6
riosservare, T...................... 6
ripacificare, T, R................... 19
**ripagare,** T ...................... 8
ripalpare, T ....................... 6
ripalpitare, I ♦.................... 18
ripappare, T, Fam.................. 6
**riparare,** T, I ♦, R, a........... 6
ripareggiare, T..................... 10
**riparlare,** I ♦, R ................ 6
**ripartire** (1), T, Irr, Lit
    pour s'éloigner................... 99

| | |
|---|---|
| ripartire (2), T, R | |
| pour diviser | 100 |
| **ripassare,** T, I | 6 |
| ripeccare, I ♦ | 7 |
| ripeggiorare, T, I, Pop, Tosc | 6 |
| ripenetrare, I | 18 |
| **ripensare,** I ♦ | 6 |
| ripentirsi, P | 99 |
| ripercorrere, T, Irr | 38 |
| ripercuotere, T, P, Irr | 83 |
| riperdonare, I | 6 |
| ripesare, T | 6 |
| **ripescare,** T | 7 |
| ripestare, T | 6 |
| **ripetere,** T, P, R, Irr | 20 |
| ripettinare, T, R | 18 |
| ripiagare, T | 8 |
| ripianare, T | 6 |
| ripiantare, T | 6 |
| ripicchettare, T | 6 |
| ripicchiare, T, R, Fam | 12 |
| **ripiegare,** T, I ♦, P | 8 |
| ripigliare, T, I ♦, R | 12 |
| ripiolare, T, I | 6 |
| ripiombare, I, T | 6 |
| ripisciare, I ♦, T, Vulg | 9 |
| riplacare, T, P | 7 |
| ripoggiare, I ♦ | 10 |
| ripolverizzare, T | 6 |
| riponderare, T | 18 |
| ripopolare, T, P | 18 |
| **riporre,** T, R, Irr | 68 |
| **riportare,** T, P | 6 |
| **riposare,** T, I ♦, P | 6 |
| ripranzare, I ♦ | 6 |
| riprecettare, T | 6 |
| riprecipitare, I, P | 18 |
| ripredicare, T | 19 |
| **riprendere,** T, I ♦, P, Irr, a | 70 |
| ripristinare, T | 6 |
| riprodurre, T, P, Irr | 36 |
| ripromettere, T, P, Irr | 57 |
| riproporre, T, P, R, Irr | 68 |
| riprovare, T, I ♦, P | 6 |
| ripudiare, T | 12 |
| ripugnare, I ♦ | 6 |
| **ripulire,** T, R | 100 |
| riquadrare, T, I | 6 |
| riqualificare, T, R | 19 |
| **risalire,** T, I, Irr | 106 |
| risaltare, T, I | 6 |
| risanare, T, I | 6 |
| risapere, , T, Irr | 78 |
| risarcire, T | 100 |
| **riscaldare,** T, P, R | 6 |
| **riscattare,** T, R | 6 |
| rischiarare, T, I, P, Imp | 6 |
| **rischiare,** T, I ♦, Imp ◊ | 12 |
| rischiarire, T, I, P | 100 |
| **risciacquare,** T | 6 |
| riscontrare, T, I ♦ | 6 |
| riscoprire, T, R, Irr | 102 |
| riscorrere, T, I, Irr | 38 |
| riscrivere, T, I ♦, Irr | 82 |
| **riscuotere,** T, P, Irr | 83 |
| risecare, T | 7 |
| riseccare, T, I, P | 7 |
| risecchire, I, P | 100 |
| risedere, , I, P, Irr | 84 |
| risegare, T, P, Lit | 8 |
| **risentire,** T, I ♦, P | 99 |
| riserbare, T | 6 |
| **riservare,** T, R | 6 |
| riservire, T, Irr | 99 |
| risicare, T, I ♦ | 19 |
| risiedere, I ♦, Irr | 84 |
| risolare, T | 13 |
| risollevare, T, R | 6 |
| **risolvere,** T, I ♦, P, Irr, a, di | 25 |
| risonare, T, I, *risuonare* | 13 |
| **risorgere,** I, Irr | 67 |
| **risparmiare,** T, R | 12 |
| **rispecchiare,** T, R | 12 |
| **rispettare,** T, R | 6 |
| **risplendere,** I ♦, T, D, Irr | 21 |
| ≃ pas de participe passé | |

| | |
|---|---|
| **rispondere**, I ♦, T, Irr, a, di | 76 |
| risquadrare, T | 6 |
| **ristabilire**, T, P | 100 |
| ristagnare, I ♦, P | 6 |
| **ristampare**, T | 6 |
| ristare, I, P, Irr, Lit | 16 |
| ristaurare, T, Vx, *restaurare* | 6 |
| ristorare, T, R | 6 |
| ristornare, I | 6 |
| ristringere, T, P, Irr, *restringere* | 87 |
| ristrutturare, T | 6 |
| **risultare**, I | 6 |
| **risuonare**, T, I | 6 |
| **risuscitare**, T, I | 6 |
| risvegliare, T, P | 12 |
| ritagliare, T | 12 |
| **ritardare**, I ♦, T | 6 |
| ritemperare, T, R, *ritemprare* | 6 |
| **ritenere**, T, P, R, Irr | 89 |
| ritentare, T | 6 |
| **ritingere**, T, Irr | 31 |
| **ritirare**, T, P, R | 6 |
| ritmare, T | 6 |
| **ritoccare**, T | 7 |
| ritorcere, T, P, Irr | 90 |
| **ritornare**, I, T | 6 |
| **ritrarre**, T, I ♦, R, Irr | 91 |
| ritrasmettere, T, Irr | 57 |
| ritrattare, T, R | 6 |
| **ritrovare**, T, P, R | 6 |
| riudire, T | 108 |
| **riunire**, T, P, R | 100 |
| **riuscire**, I, a, di | 109 |
| rivaleggiare, I ♦ | 10 |
| rivalersi, P, Irr | 92 |
| rivalutare, T | 18 |
| rivangare, T | 8 |
| **rivedere**, T, R, Irr | 93 |
| **rivelare**, T, R | 6 |
| **rivendere**, T | 80 |
| **rivendicare**, T, P | 19 |
| rivenire, I, Irr | 110 |
| riverberare, T, P | 6 |
| riverire, T | 100 |
| riversare, T, P | 6 |
| **rivestire**, T, R | 99 |
| rivettare, T | 6 |
| rivincere, T, Irr | 94 |
| rivivere, I ♦, Irr | 95 |
| rivolere, , T, Irr | 96 |
| **rivolgere**, T, P, R, Irr | 97 |
| **rivoltare**, T, P, R | 6 |
| rivoltolare, T, R | 18 |
| rivoluzionare, T | 6 |
| rizzare, T, P, R | 6 |
| robotizzare, T, P | 6 |
| rodare, T | 6 |
| **rodere**, T, R, Irr | 51 |
| rodiare, T | 12 |
| rogare, T | 8 |
| rollare, T | 6 |
| romanzare, T | 6 |
| rombare, I ♦ | 6 |
| **rompere**, T, I ♦, P, Irr | 77 |
| ronfare, I ♦, Fam | 6 |
| ronfiare, I ♦, Vx | 12 |
| **ronzare**, I ♦ | 6 |
| rosicare, T | 19 |
| rosicchiare, T | 12 |
| rosolare, T, R | 17 |
| rosseggiare, I ♦ | 10 |
| rotare, I ♦, T | 13 |
| roteare, I ♦, T | 6 |
| **rotolare**, T, I, R | 17 |
| **rovesciare**, T, P | 9 |
| **rovinare**, I, T, R | 6 |
| rovistare, T | 6 |
| rubacchiare, T | 12 |
| **rubare**, T | 6 |
| rubricare, T | 7 |
| rugghiare, I ♦, Lit | 12 |
| rugginire, I, Vx, Rég | 100 |
| **ruggire**, I ♦, T | 100 |
| rugliare, I ♦ | 12 |
| rullare, I ♦, T | 6 |
| rumare, T, Pop, Tosc | 6 |

ruminare, T . . . . . . . . . . . . . . . . . . . . . . . . 17
rumoreggiare, I ♦ . . . . . . . . . . . . . . . . . . 10
**ruotare,** I ♦, T, *rotare* . . . . . . . . . . . . . 6
ruscellare, I ♦, Vx. . . . . . . . . . . . . . . . . 6
ruspare, I ♦, T . . . . . . . . . . . . . . . . . . . . 6
**russare,** I ♦ . . . . . . . . . . . . . . . . . . . . . . 6
rutilare, I ♦, Lit . . . . . . . . . . . . . . . . . . . 17
**ruttare,** I ♦, T . . . . . . . . . . . . . . . . . . . . 6
ruzzare, I ♦ . . . . . . . . . . . . . . . . . . . . . . 6
ruzzolare, I, T . . . . . . . . . . . . . . . . . . . . 17

# $\underline{S}$

sabbiare, T . . . . . . . . . . . . . . . . . . . . . . . . 12
**sabotare,** T . . . . . . . . . . . . . . . . . . . . . . . 6
**saccheggiare,** T . . . . . . . . . . . . . . . . . . . 10
saccomannare, T, Vx . . . . . . . . . . . . . . . 6
sacralizzare, T . . . . . . . . . . . . . . . . . . . . 6
sacramentare, T, R . . . . . . . . . . . . . . . . . 6
sacrare, T, I ♦, R, Lit . . . . . . . . . . . . . . . 6
**sacrificare,** T, I ♦, R . . . . . . . . . . . . . . . 19
saettare, T . . . . . . . . . . . . . . . . . . . . . . . . 17
saggiare, T . . . . . . . . . . . . . . . . . . . . . . . 10
sagomare, T . . . . . . . . . . . . . . . . . . . . . . 6
sagramentare, T, R, *sacramentare* . . . . . . 6
sagrare, T, I ♦, R, Vx, *sacrare* . . . . . . . . 6
sagrificare, T, I, R, Vx, *sacrificare* . . . . . 19
salamistrare, I ♦, Vx . . . . . . . . . . . . . . . 6
salamoiare, T . . . . . . . . . . . . . . . . . . . . . 12
**salare,** T . . . . . . . . . . . . . . . . . . . . . . . . . 6
salariare, T . . . . . . . . . . . . . . . . . . . . . . . 12
salassare, T . . . . . . . . . . . . . . . . . . . . . . 6
**saldare,** T, P . . . . . . . . . . . . . . . . . . . . . 6
**salire,** I, T, Irr . . . . . . . . . . . . . . . . . . . . 106
salivare, I ♦ . . . . . . . . . . . . . . . . . . . . . . 6
salmeggiare, I ♦, T . . . . . . . . . . . . . . . . 10
salmistrare, T . . . . . . . . . . . . . . . . . . . . . 6
salmodiare, I ♦ . . . . . . . . . . . . . . . . . . . 12
salmonare, T . . . . . . . . . . . . . . . . . . . . . . 6
salpare, T, I . . . . . . . . . . . . . . . . . . . . . . 6

saltabeccare, I ♦ . . . . . . . . . . . . . . . . . . . 7
**saltare,** I ◊, T . . . . . . . . . . . . . . . . . . . . 6
saltellare, I ♦ . . . . . . . . . . . . . . . . . . . . . 6
salterellare, I ♦ . . . . . . . . . . . . . . . . . . . 6
**salutare,** T, R . . . . . . . . . . . . . . . . . . . . 6
salvaguardare, T, R . . . . . . . . . . . . . . . . 6
**salvare,** T, R . . . . . . . . . . . . . . . . . . . . . 6
sanare, T, P . . . . . . . . . . . . . . . . . . . . . . 6
sancire, T . . . . . . . . . . . . . . . . . . . . . . . . 100
sanforizzare, T . . . . . . . . . . . . . . . . . . . . 6
**sanguinare,** I ♦ . . . . . . . . . . . . . . . . . . . 17
sanificare, T . . . . . . . . . . . . . . . . . . . . . . 19
santificare, T, R . . . . . . . . . . . . . . . . . . . 19
sanzionare, T . . . . . . . . . . . . . . . . . . . . . 6
**sapere,** T, I ♦, Irr, di . . . . . . . . . . . . . . . 78
saponificare, T . . . . . . . . . . . . . . . . . . . . 19
saporare, T, Vx, *assaporare*. . . . . . . . . . . 6
saporire, T . . . . . . . . . . . . . . . . . . . . . . . 100
sarchiare, T . . . . . . . . . . . . . . . . . . . . . . 12
sartiare, T . . . . . . . . . . . . . . . . . . . . . . . 12
sataneggiare, I ♦ . . . . . . . . . . . . . . . . . . 10
satellizzare, T . . . . . . . . . . . . . . . . . . . . 6
satinare, T . . . . . . . . . . . . . . . . . . . . . . . 6
satireggiare, T, I ♦ . . . . . . . . . . . . . . . . . 10
satollare, T, P . . . . . . . . . . . . . . . . . . . . 6
saturare, T, P . . . . . . . . . . . . . . . . . . . . . 17
savere, T, I ♦, Irr, Vx, *sapere* . . . . . . . . . 78
**saziare,** T, P . . . . . . . . . . . . . . . . . . . . . 12
sbacchiare, T, Tosc . . . . . . . . . . . . . . . . . 12
sbaciucchiare, T, R . . . . . . . . . . . . . . . . . 12
**sbadigliare,** I ♦ . . . . . . . . . . . . . . . . . . . 12
sbafare, T, Pop . . . . . . . . . . . . . . . . . . . . 6
**sbagliare,** T, I ♦, P . . . . . . . . . . . . . . . . 12
sbaldanzire, T, I . . . . . . . . . . . . . . . . . . . 100
sbalestrare, I ♦, T . . . . . . . . . . . . . . . . . 6
sballare, T, I ♦ . . . . . . . . . . . . . . . . . . . . 6
sballottare, T . . . . . . . . . . . . . . . . . . . . . 6
**sbalordire,** T, I ♦ . . . . . . . . . . . . . . . . . . 100
sbalzare, T, I . . . . . . . . . . . . . . . . . . . . . 6
sbalzellare, I ♦ . . . . . . . . . . . . . . . . . . . . 6
sbancare, T, P . . . . . . . . . . . . . . . . . . . . . 7
sbandare, T, I ♦, P . . . . . . . . . . . . . . . . . 6
sbandierare, T . . . . . . . . . . . . . . . . . . . . . 6

| | | | |
|---|---|---|---|
| sbandire, T | 100 | sbocconcellare, T | 6 |
| sbaraccare, T, Fam | 7 | sbollare, T | 6 |
| sbaragliare, T | 12 | sbollire, I ◊ | 100 |
| sbarazzare, R, di, da | 6 | sbolognare, T, Fam | 6 |
| **sbarbare,** T, R | 6 | sborniare, T, I ♦, P, Fam, Tosc | 12 |
| sbarbicare, T, Vx | 19 | sborrare, I ◊, T, Pop | 6 |
| **sbarcare,** T, I | 7 | sborsare, T | 6 |
| **sbarrare,** T | 6 | sboscare, T, Pop | 7 |
| sbassare, T | 6 | sbottare, I | 6 |
| sbastire, T | 100 | **sbottonare,** T, R | 6 |
| sbatacchiare, T, I ♦ | 12 | sbozzacchire, I, T | 100 |
| **sbattere,** T, I ♦, P | 20 | sbozzare, T | 6 |
| sbattezzare, T, P | 6 | sbozzolare, T, I ♦ | 6 |
| sbaulare, T, Vx, Tosc | 6 | sbracare, T, R | 7 |
| sbavare, I ♦, T, R | 6 | sbracciarsi, P | 9 |
| sbeccare, T, P | 7 | sbraciare, T, I ♦, P | 9 |
| sbeffare, T, *beffare* | 6 | sbraitare, I ♦ | 6 |
| sbeffeggiare, T, *beffeggiare* | 10 | sbramare, T, Lit | 6 |
| sbellicare, T, P, da | 7 | sbranare, T, R | 6 |
| sbendare, T | 6 | sbrancare, T, P | 7 |
| sberciare, I ♦, Fam, Tosc | 9 | sbrancicare, T, Fam | 19 |
| sberrettare, T, P, R, Vx | 6 | sbrattare, T | 6 |
| sbertare, T, Lit | 6 | sbravazzare, I ♦, Pop | 6 |
| sbertucciare, T | 9 | sbreccare, T | 7 |
| sbevacchiare, I ♦, Pop | 12 | sbrecciare, T | 9 |
| sbevazzare, I ♦, Pop, *sbevacchiare* | 6 | sbrendolare, I ♦, Tosc | 6 |
| sbevucchiare, I ♦, Pop | 12 | sbricconeggiare, I ♦, Vx, Tosc | 10 |
| **sbiadire,** I, T, P | 100 | **sbriciolare,** T, P | 6 |
| **sbiancare,** T, I, P | 7 | **sbrigare,** T, P, a (p) | 8 |
| sbianchire, T, I | 100 | sbrigliare, T, P | 12 |
| sbiasciare, T, I ♦, Pop, Tosc, *biasciare* | 9 | sbrinare, T | 6 |
| sbicchierare, I ♦, Tosc | 6 | sbrindellare, T, I | 6 |
| sbiecare, T, I | 7 | sbrodare, T, R | 6 |
| sbiellare, I ♦ | 6 | sbrodolare, T, R | 6 |
| sbiettare, T, I | 6 | sbrogliare, T, R | 12 |
| **sbigottire,** T, I, P | 100 | sbroncare, T, Vx | 7 |
| sbilanciare, T, I ♦, P | 9 | sbronciare, I, Vx | 9 |
| sbilencare, T | 7 | sbroncire, I, Vx | 100 |
| sbirciare, T, Fam | 9 | sbronzarsi, P, Fam | 6 |
| sbizzarrire, T, P | 100 | sbrucare, T | 7 |
| **sbloccare,** T, I ♦ | 7 | sbruffare, T | 6 |
| **sboccare,** I, T | 7 | **sbucare,** I, T | 7 |
| **sbocciare,** I | 9 | **sbucciare,** T, P | 9 |

| | |
|---|---|
| sbudellare, T, R | 6 |
| **sbuffare,** I ♦ | 6 |
| sbugiardare, T | 6 |
| sbullettare, T, I ♦, P | 6 |
| sbullonare, T | 6 |
| sbuzzare, T, P, Fam | 6 |
| **scacciare,** T | 9 |
| **scadere,** I, Irr | 28 |
| scaffalare, T | 6 |
| scagionare, T, R | 6 |
| **scagliare,** T, P, R | 12 |
| scaglionare, T | 6 |
| scalare, T | 6 |
| scalcagnare, T, I ♦ | 6 |
| scalcare, T | 7 |
| scalciare, I ♦ | 9 |
| scalcinare, T, P | 6 |
| **scaldare,** T, I ♦, P, R | 6 |
| scalettare, T | 6 |
| scalfire, T | 100 |
| scalinare, T | 6 |
| scalmanarsi, P | 6 |
| scalpare, T | 6 |
| scalpellare, T | 6 |
| scalpellinare, T, Tosc | 6 |
| scalpicciare, I ♦ | 9 |
| scalpitare, I ♦ | 17 |
| scaltrire, T, P | 100 |
| scalzare, T, R | 6 |
| **scambiare,** T, R | 12 |
| scambiettare, T, I ♦ | 6 |
| scamiciarsi, R | 9 |
| scamosciare, T | 9 |
| scamozzare, T | 6 |
| scampanare, I ♦, T | 6 |
| scampanellare, I ♦ | 6 |
| **scampare,** T, I | 6 |
| scanalare, T | 6 |
| scancellare, T, *cancellare* | 6 |
| scandagliare, T | 12 |
| **scandalizzare,** T, P | 6 |
| scandere, T, D | 49 |
| ≃ pas de participe passé | |
| scandire, T | 100 |
| scannare, T, R | 6 |
| scannellare, T | 6 |
| **scansare,** T, R | 6 |
| scantinare, I ♦ | 6 |
| scantonare, T, I ♦ | 6 |
| scapaccionare, T, Fam | 6 |
| scapezzare, T | 6 |
| scapicollarsi, P, Rég | 6 |
| scapigliare, T, P, R | 12 |
| scapitare, I ♦ | 6 |
| scapitozzare, T | 6 |
| scapocchiare, T | 12 |
| scapolare, T, I, Fam | 6 |
| scaponire, T, Tosc | 100 |
| **scappare,** I | 6 |
| scappellare, T, R | 6 |
| scappellottare, T, Fam | 6 |
| scappiare, T, R, Vx | 12 |
| scappucciare, T, I ♦, R | 9 |
| scapricciare, T, P | 9 |
| scapriccire, T, P, *scapricciare* | 100 |
| scapsulare, T | 6 |
| **scarabocchiare,** T | 12 |
| scaraventare, T, R | 6 |
| **scarcerare,** T | 6 |
| scardinare, T | 6 |
| **scaricare,** T, I, R | 19 |
| scarificare, T | 19 |
| scariolare, T | 6 |
| scarmigliare, T, P, R | 12 |
| scarnificare, T, P | 19 |
| scarnire, T | 100 |
| scarrocciare, I ♦ | 9 |
| scarrozzare, T, I ♦ | 6 |
| scarrucolare, I ♦ | 6 |
| scarruffare, T, P | 6 |
| **scarseggiare,** I ♦ | 10 |
| scartabellare, T | 6 |
| **scartare,** T, I ♦ | 6 |
| scartocciare, T | 9 |
| scasare, I ♦, T | 6 |
| **scassare,** T, P | 6 |

scassettare, T . . . . . . . . . . . . . . . . . . . . . . 6
scassinare, T . . . . . . . . . . . . . . . . . . . . . . 6
scatarrare, I ♦ . . . . . . . . . . . . . . . . . . . . . 6
scatenacciare, I ♦ . . . . . . . . . . . . . . . . . . 9
**scatenare,** T, R . . . . . . . . . . . . . . . . . . . . 6
**scattare,** I ◊, T . . . . . . . . . . . . . . . . . . . 6
scattivare, T, Tosc . . . . . . . . . . . . . . . . . . 6
scaturire, I . . . . . . . . . . . . . . . . . . . . . . . 100
**scavalcare,** T, I . . . . . . . . . . . . . . . . . . . 7
scavallare, I ♦ . . . . . . . . . . . . . . . . . . . . . 6
**scavare,** T . . . . . . . . . . . . . . . . . . . . . . . 6
scavezzare, T . . . . . . . . . . . . . . . . . . . . . . 6
scazzottare, T, R, Pop . . . . . . . . . . . . . . . . 6
**scegliere,** T, Irr, di . . . . . . . . . . . . . . . . . . 79
scemare, T, I . . . . . . . . . . . . . . . . . . . . . . 6
scempiare, T . . . . . . . . . . . . . . . . . . . . . . 12
**scendere,** I, T, Irr . . . . . . . . . . . . . . . . . . 80
sceneggiare, T . . . . . . . . . . . . . . . . . . . . . 10
scentrare, T, P . . . . . . . . . . . . . . . . . . . . . 6
scernere, T, D, Irr, Lit . . . . . . . . . . . . . . . . 20
≃ pas de participe passé
scerpare, T, Vx . . . . . . . . . . . . . . . . . . . . . 6
scervellarsi, P . . . . . . . . . . . . . . . . . . . . . . 6
sceverare, T, Lit . . . . . . . . . . . . . . . . . . . . 6
schedare, T . . . . . . . . . . . . . . . . . . . . . . . 6
scheggiare, T, P . . . . . . . . . . . . . . . . . . . . 10
scheletrire, T, P . . . . . . . . . . . . . . . . . . . . 100
schematizzare, T . . . . . . . . . . . . . . . . . . . 6
schermare, T, R . . . . . . . . . . . . . . . . . . . . 6
schermire, I ♦, T, R . . . . . . . . . . . . . . . . . . 100
schermografare, T . . . . . . . . . . . . . . . . . . 6
schernire, T . . . . . . . . . . . . . . . . . . . . . . . 100
**scherzare,** I ♦ . . . . . . . . . . . . . . . . . . . . . 6
schettinare, I ♦ . . . . . . . . . . . . . . . . . . . . 6
**schiacciare,** T, P . . . . . . . . . . . . . . . . . . . 9
schiaffare, T, P . . . . . . . . . . . . . . . . . . . . . 6
**schiaffeggiare,** T . . . . . . . . . . . . . . . . . . . 10
schiamazzare, I ♦ . . . . . . . . . . . . . . . . . . . 6
**schiantare,** T, I, P . . . . . . . . . . . . . . . . . . 6
schiarare, T, I, P, Lit, *schiarire* . . . . . . . . . 6
schiarire, T, I, P, Imp ◊ . . . . . . . . . . . . . . . 100
schiattare, I . . . . . . . . . . . . . . . . . . . . . . . 6
schiavacciare, T, I ♦ . . . . . . . . . . . . . . . . . 9

schiavizzare, T . . . . . . . . . . . . . . . . . . . . . 6
schidionare, T, Lit . . . . . . . . . . . . . . . . . . . 6
**schierare,** T, R . . . . . . . . . . . . . . . . . . . . 6
schifare, T, P . . . . . . . . . . . . . . . . . . . . . . 6
schioccare, T, I ♦ . . . . . . . . . . . . . . . . . . . 7
schioccolare, I ♦ . . . . . . . . . . . . . . . . . . . 6
schiodare, T . . . . . . . . . . . . . . . . . . . . . . . 6
schiomare, T, Lit . . . . . . . . . . . . . . . . . . . . 6
schitarrare, I ♦ . . . . . . . . . . . . . . . . . . . . . 6
schiudere, T, P, Irr . . . . . . . . . . . . . . . . . . 30
schiumare, T, I ♦ . . . . . . . . . . . . . . . . . . . 6
schivare, T . . . . . . . . . . . . . . . . . . . . . . . . 6
**schizzare,** I, T . . . . . . . . . . . . . . . . . . . . 6
schizzettare, T, Fam . . . . . . . . . . . . . . . . . 6
sciabolare, T, I ♦ . . . . . . . . . . . . . . . . . . . 6
sciabordare, T, I ♦ . . . . . . . . . . . . . . . . . . 6
**sciacquare,** T . . . . . . . . . . . . . . . . . . . . . 6
sciaguattare, T, I ♦ . . . . . . . . . . . . . . . . . . 6
scialacquare, T . . . . . . . . . . . . . . . . . . . . . 6
scialare, I ♦ . . . . . . . . . . . . . . . . . . . . . . . 6
scialbare, T . . . . . . . . . . . . . . . . . . . . . . . 6
sciallare, T . . . . . . . . . . . . . . . . . . . . . . . . 6
sciamare, I ◊ . . . . . . . . . . . . . . . . . . . . . . 6
sciancare, T, P . . . . . . . . . . . . . . . . . . . . . 7
**sciare,** I ♦ . . . . . . . . . . . . . . . . . . . . . . . 9
scimmiottare, T . . . . . . . . . . . . . . . . . . . . 6
scindere, T, P, Irr . . . . . . . . . . . . . . . . . . . 81
scingere, T, R, Lit, Irr . . . . . . . . . . . . . . . . 31
scintillare, I ♦ . . . . . . . . . . . . . . . . . . . . . . 6
scioccare, T, *shoccare* . . . . . . . . . . . . . . . 7
**sciogliere,** T, P, R, Irr . . . . . . . . . . . . . . . 32
sciolinare, T . . . . . . . . . . . . . . . . . . . . . . . 6
**scioperare,** I ♦ . . . . . . . . . . . . . . . . . . . . 17
sciorinare, T, R . . . . . . . . . . . . . . . . . . . . . 6
sciorre, T, P, R, Irr, Vx, Lit, *sciogliere* . . 32
scippare, T . . . . . . . . . . . . . . . . . . . . . . . . 6
sciroppare, T . . . . . . . . . . . . . . . . . . . . . . 6
sciupacchiare, T, Fam . . . . . . . . . . . . . . . . 12
**sciupare,** T, P . . . . . . . . . . . . . . . . . . . . . 6
**scivolare,** I ◊ . . . . . . . . . . . . . . . . . . . . . 17
sclamare, I ♦, *esclamare* . . . . . . . . . . . . . 6
sclerotizzare, T . . . . . . . . . . . . . . . . . . . . . 6
scoccare, T, I . . . . . . . . . . . . . . . . . . . . . . 7

scocciare, T, P ....................... 9
scodare, T ......................... 6
scodellare, T ....................... 6
scodinzolare, I ♦ .................. 6
scoiare, T, *scuoiare* ................ 12/13
scolare, T, I ....................... 6
scolarizzare, T ..................... 6
scollacciarsi, R .................... 9
scollare, T, P ...................... 6
scolmare, T ........................ 6
scolorare, T, P, *scolorire* ........... 6
scolorire, T, I, P .................. 100
scolpare, T, P ...................... 6
**scolpire**, T ...................... 100
scombaciare, T ..................... 9
scombiccherare, T, Fam ............. 6
scombinare, T ...................... 6
scombuiare, T ...................... 12
scombussolare, T ................... 6
**scommettere**, T, Irr, di ........... 57
scommuovere, T, Irr, Lit ............ 58
scomodare, T, I ♦, R ............... 17
scompaginare, T, P ................. 18
scompagnare, T, P, Lit .............. 6
**scomparire** (1), I, Irr
    pour disparaître .................. 101
scomparire (2), I, ♦, Irr
    pour faire piètre figure ........... 100
scompartire, T .................... 100/99
scompensare, T ..................... 6
scompiacere, I ♦, Irr .............. 64
scompigliare. T .................... 12
scompisciare, T, P, Pop ............. 9
scomporre, T, P, Irr ............... 68
scomputare, T ...................... 6
scomunicare, T ..................... 19
sconcertare, T, P ................... 6
sconciare, T, P ..................... 9
sconcludere, T, I, Irr .............. 30
sconfessare, T ..................... 6
sconficcare, T ..................... 7
sconfidare, I, P, Vx ............... 6
**sconfiggere**, T, Irr ............... 22

sconfinare, I ♦ ..................... 6
sconfortare, T, P ................... 6
**scongelare**, T .................... 6
scongiungere, T, Irr ............... 55
**scongiurare**, T ................... 6
sconnettere, T, I ♦, Irr ............ 53
sconoscere, T, Irr .................. 37
sconquassare, T .................... 6
sconsacrare, T ..................... 6
**sconsigliare**, T, da, di ........... 12
sconsolare, T, P ................... 6
scontare, T ........................ 6
scontentare, T ..................... 6
scontorcere, T, R, Irr .............. 90
**scontrarsi**, R .................... 6
sconvenire, I, P, Irr, Lit .......... 110
**sconvolgere**, T, P, Irr ........... 97
scopare, T ......................... 6
scoperchiare, T .................... 12
scopiazzare, T, Pop ................ 6
**scoppiare**, T .................... 12
scoppiettare, I ♦ .................. 6
**scoprire**, T, R, Irr .............. 102
**scoraggiare**, T, P ............... 10
scoraggire, T, P, Tosc ............. 100
scorare, T, Lit .................... 13
scorbiare, T, Tosc, *sgorbiare* ...... 12
scorciare, T, I, P ................. 9
**scordare**, T, P .................. 6
**scorgere**, T, Irr ................ 67
scornare, T, P ..................... 6
scorniciare, T ..................... 9
scoronare, T ....................... 6
scorporare, T ...................... 6
scorrazzare, I ♦, T ................ 6
scorreggere, T, Irr ................ 56
**scorrere**, I, T, Irr ............. 38
scortare, T ........................ 6
scortecciare, T, P ................. 9
scorticare, T ...................... 19
scorzare, T ........................ 6
scoscendere, T, I, P, Irr, Lit ...... 80
scosciare, T, P .................... 9

scostare, T, I ♦, R . . . . . . . . . . . . . . . . . 6
scotennare, T . . . . . . . . . . . . . . . . . . . . 6
scottare, T, I ♦, R . . . . . . . . . . . . . . . . . 6
scovare, T . . . . . . . . . . . . . . . . . . . . . . 6
scovrire, T, R, *scoprire* . . . . . . . . . . . . . . 102
screditare, T, P . . . . . . . . . . . . . . . . . . . 17
scremare, T . . . . . . . . . . . . . . . . . . . . . 6
screpolare, T, P . . . . . . . . . . . . . . . . . . 17
screziare, T . . . . . . . . . . . . . . . . . . . . . 12
scribacchiare, T, Pop . . . . . . . . . . . . . . . 12
scricchiare, I ♦ . . . . . . . . . . . . . . . . . . . 12
scricchiolare, I ♦ . . . . . . . . . . . . . . . . . . 6
scritturare, T . . . . . . . . . . . . . . . . . . . . 6
**scrivere**, T, Irr . . . . . . . . . . . . . . . . . . . 82
scroccare, I ♦ . . . . . . . . . . . . . . . . . . . . 7
scrocchiare, I ♦ . . . . . . . . . . . . . . . . . . . 12
scrollare, T, P . . . . . . . . . . . . . . . . . . . . 6
scrosciare, I ◊ . . . . . . . . . . . . . . . . . . . . 9
scrostare, T, P . . . . . . . . . . . . . . . . . . . . 6
scrudire, T . . . . . . . . . . . . . . . . . . . . . . 100
scrutare, T . . . . . . . . . . . . . . . . . . . . . . 6
scrutinare, T . . . . . . . . . . . . . . . . . . . . . 6
scucchiaiare, I ♦ . . . . . . . . . . . . . . . . . . 12
scucire, T, P, Irr . . . . . . . . . . . . . . . . . . . 103
scuffiare, I ♦, R . . . . . . . . . . . . . . . . . . . 12
sculacciare, T, Pop . . . . . . . . . . . . . . . . 9
sculettare, I ♦ . . . . . . . . . . . . . . . . . . . . 6
scuocere, I, P . . . . . . . . . . . . . . . . . . . . 40
scuoiare, T . . . . . . . . . . . . . . . . . . . . . 12/13
**scuotere**, T, I ♦, P, Irr . . . . . . . . . . . . . . 83
**scurire**, T, I, P, Imp ◊ . . . . . . . . . . . . . 100
**scusare**, T, R, di . . . . . . . . . . . . . . . . . 6
sdamare, I ♦ . . . . . . . . . . . . . . . . . . . . . 6
sdaziare, T . . . . . . . . . . . . . . . . . . . . . . 12
**sdebitare**, R, T . . . . . . . . . . . . . . . . . . 6
**sdegnare**, T, P . . . . . . . . . . . . . . . . . . 6
sdentare, T, P . . . . . . . . . . . . . . . . . . . . 6
sdigiunarsi, P . . . . . . . . . . . . . . . . . . . . 6
sdilinquire, P, T . . . . . . . . . . . . . . . . . . . 100
sdipanare, T . . . . . . . . . . . . . . . . . . . . . 6
sdoganare, T . . . . . . . . . . . . . . . . . . . . 6
sdolenzire, T, P . . . . . . . . . . . . . . . . . . . 100
sdoppiare, T, P . . . . . . . . . . . . . . . . . . . 12

sdottorare, T, I ♦, Vx . . . . . . . . . . . . . . . . 6
sdottoreggiare, I ♦ . . . . . . . . . . . . . . . . . 10
**sdraiare**, T, R . . . . . . . . . . . . . . . . . . . 12
sdrammatizzare, T . . . . . . . . . . . . . . . . . 6
sdrucciolare, I ◊ . . . . . . . . . . . . . . . . . . 17
sdrucire, T, I, P, Irr . . . . . . . . . . . . . . . 100/103
**seccare**, T, I, P . . . . . . . . . . . . . . . . . . 7
secernere, T, D . . . . . . . . . . . . . . . . . . . 20
  ≃ seulement 3e personne
  du singulier et du pluriel
  participe passé : secreto
secolarizzare, T . . . . . . . . . . . . . . . . . . . 6
secondare, T . . . . . . . . . . . . . . . . . . . . . 6
secretare, T . . . . . . . . . . . . . . . . . . . . . 6
sedare, T . . . . . . . . . . . . . . . . . . . . . . . 6
sedentarizzare, T . . . . . . . . . . . . . . . . . . 6
**sedere**, I, P, Irr . . . . . . . . . . . . . . . . . . 84
sedimentare, I ◊ . . . . . . . . . . . . . . . . . . 6
**sedurre**, T, Irr . . . . . . . . . . . . . . . . . . . 36
segare, T . . . . . . . . . . . . . . . . . . . . . . . 8
seghettare, T . . . . . . . . . . . . . . . . . . . . 6
segmentare, T, P . . . . . . . . . . . . . . . . . . 6
**segnalare**, T, R . . . . . . . . . . . . . . . . . . 6
**segnare**, T, R . . . . . . . . . . . . . . . . . . . 6
segregare, T, P . . . . . . . . . . . . . . . . . . 8/17
**seguire**, T, I, Irr . . . . . . . . . . . . . . . . . . 107
seguitare, T, I, a . . . . . . . . . . . . . . . . . . . 17
selciare, T . . . . . . . . . . . . . . . . . . . . . . 9
**selezionare**, T . . . . . . . . . . . . . . . . . . . 6
sellare, T . . . . . . . . . . . . . . . . . . . . . . . 6
semaforizzare, T . . . . . . . . . . . . . . . . . . 6
**sembrare**, I, Imp, di . . . . . . . . . . . . . . . . 6
**seminare**, T . . . . . . . . . . . . . . . . . . . . 17
**semplificare**, T, P . . . . . . . . . . . . . . . . 19
sensibilizzare, T . . . . . . . . . . . . . . . . . . . 6
sensualizzare, T, Lit . . . . . . . . . . . . . . . . 6
sentenziare, T, I ♦ . . . . . . . . . . . . . . . . . 12
**sentire**, T, I ♦, R, di . . . . . . . . . . . . . . . 99
**separare**, T, R . . . . . . . . . . . . . . . . . . . 6
**seppellire**, T, P, Irr . . . . . . . . . . . . . . . . 100
sequestrare, T . . . . . . . . . . . . . . . . . . . . 6
**serbare**, T, R . . . . . . . . . . . . . . . . . . . 6
serializzare, T . . . . . . . . . . . . . . . . . . . . 6

| | |
|---|---|
| sermoneggiare, I ♦, Lit .............. | 10 |
| **serpeggiare,** I ♦ .................... | 10 |
| serpere, I, D, Lit.................... | D |
| ≃ tu serpi, egli serpe, essi serpono | |
| egli serpeva, che io serpa, tu serpa, | |
| egli serpa, essi serpano; serpendo, | |
| serpente. Pas de participe passé | |
| serrare, T, I ♦, R.................... | 6 |
| **servire,** T, I, P, a, da, di, per ........ | 99 |
| setacciare, T ........................ | 9 |
| settuplicare, T, P .................. | 19 |
| seviziare, T ........................ | 12 |
| sezionare, T........................ | 6 |
| sfaccendare, I ♦ .................... | 6 |
| sfaccettare, T ...................... | 6 |
| sfacchinare, I ...................... | 6 |
| sfagiolare, I, Fam.................. | 6 |
| sfagliare, I ♦, T.................... | 12 |
| sfaldare, T, P...................... | 6 |
| sfalsare, T ........................ | 6 |
| **sfamare,** T, R...................... | 6 |
| sfangare, T, I...................... | 8 |
| sfare, T, P, Irr.................... | 52 |
| sfarfallare, I ♦ .................... | 6 |
| sfarinare, T, I ♦, P ................ | 6 |
| sfasare, T.......................... | 6 |
| **sfasciare,** T, P .................... | 9 |
| sfascicolare, T...................... | 6 |
| sfatare, T .......................... | 6 |
| sfaticare, I ♦ ...................... | 7 |
| sfavillare, I ♦...................... | 6 |
| sfebbrare, I ........................ | 6 |
| sfegatarsi, P ...................... | 6 |
| sferragliare, I ♦ .................. | 12 |
| sferrare, T, P...................... | 6 |
| sferruzzare, I ♦ .................... | 6 |
| sferzare, T ........................ | 6 |
| sfiaccolare, I ♦ .................... | 6 |
| sfiammare,´T, I ♦, P................ | 6 |
| sfiancare, T, P...................... | 7 |
| sfiatare, I ♦, P.................... | 6 |
| sfibbiare, T ........................ | 12 |
| sfibrare, T ........................ | 6 |
| **sfidare,** T, R ...................... | 6 |
| sfiduciare, T, P...................... | 9 |
| sfigurare, T, I ♦ .................. | 6 |
| sfilacciare, T, P...................... | 9 |
| **sfilare,** T, I, P.................... | 6 |
| sfilzare, T, P ...................... | 6 |
| sfinire, T, P ........................ | 100 |
| sfioccare, T, P...................... | 7 |
| sfiocinare, T ........................ | 6 |
| **sfiorare,** T........................ | 6 |
| sfiorire, I .......................... | 100 |
| sfittare, T, P ...................... | 6 |
| sfittire, T .......................... | 100 |
| sfocare, T .......................... | 13 |
| **sfociare,** I, T...................... | 9 |
| sfoderare, T ........................ | 6 |
| **sfogare,** T, I, P.................... | 8 |
| sfoggiare, T, I ♦.................... | 10 |
| **sfogliare,** T, P .................... | 12 |
| sfolgorare, I ◊...................... | 6 |
| **sfollare,** I ◊, T, P.................. | 6 |
| sfoltire, T, P ...................... | 100 |
| **sfondare,** T, I ♦, P................ | 6 |
| sforacchiare, T ...................... | 12 |
| sforbiciare, T, I ♦................... | 9/17 |
| sformare, T, P...................... | 6 |
| sfornare, T.......................... | 6 |
| sfornire, T .......................... | 100 |
| **sforzare,** T, P, di ................ | 6 |
| sfottere, T, R...................... | 20 |
| sfracassare, T, *fracassare*............ | 6 |
| sfracellare, T, P.................... | 6 |
| sfragellare, T, P, *sfracellare*........... | 6 |
| sfrangiare, T ...................... | 10 |
| sfrascare, T, I ♦.................... | 7 |
| sfratarsi, P........................ | 6 |
| **sfrattare,** T, I ♦.................... | 6 |
| sfregare, T, I ♦.................... | 8 |
| sfregiare, T, P...................... | 10 |
| sfrenare, T, P ...................... | 6 |
| sfriggere, I ♦, Irr.................. | 22 |
| sfriggolare, I ♦, *sfrigolare*............ | 17 |
| sfrigolare, I ♦ .................... | 17 |

sfrisare, T, *frisare* .................... 6
sfrondare, T, P ...................... 6
**sfruttare,** T ....................... 6
**sfuggire,** T, I, a ................... 104
**sfumare,** T, I ...................... 6
sfuriare, T, I ♦ ..................... 12
sgallettare, I ♦ ..................... 6
sgambare, T, I ...................... 6
sgambettare, I ♦, T .................. 6
sganasciare, T, P .................... 9
**sganciare,** T, P .................... 9
sgangherare, T, P .................... 17
sgarbugliare, T ..................... 12
sgarrare, T, I ♦ ..................... 6
sgattaiolare, I ♦ .................... 6
sgavazzare, I ♦, *gavazzare* ........... 6
sgelare, T, I, Imp ◊ ................. 6
sghiacciare, T, I ♦, P ............... 9
sghignazzare, I ♦ ................... 6
sgobbare, I ♦ ...................... 6
sgocciolare, I ◊, T .................. 6
sgolarsi, P ......................... 6
sgomberare, T, P, *sgombrare* ......... 17
**sgombrare,** T, P .................. 6
**sgomentare,** T, P ................. 6
sgominare, T ....................... 6
sgomitare, T ....................... 6
sgomitolare, T, P ................... 6
sgommare, T, I ♦, P ................. 6
**sgonfiare,** T, I, P ................ 12
sgonnellare, I ♦, Fam ............... 6
sgorbiare, T ....................... 12
sgorgare, I, T ...................... 8
sgovernare, T, I ♦, Lit .............. 6
**sgozzare,** T ...................... 6
sgradire, T, I ...................... 100
sgraffiare, T, Pop .................. 12
sgraffignare, T, Fam ................ 6
sgrammaticare, I ♦ .................. 19
sgranare, T, P ...................... 6
sgranchiare, T, Pop, *sgranchire* ....... 12
sgranchire, T ...................... 100
sgranocchiare, T, Fam ............... 12

**sgrassare,** T ..................... 6
sgravare, T, I ♦, P ................. 6
sgretolare, T, P .................... 6
**sgridare,** T ...................... 6
sgrigiolare, I ♦, Vx, *sgrigliolare* ...... 6
sgrommare, T ...................... 6
sgrondare, T, I ..................... 6
sgroppare, T, I ♦, P ................ 6
sgropponare, I ♦, R ................. 6
sgrossare, T, P ..................... 6
sgrovigliare, T ..................... 12
sgrugnare, T, P, Pop ................ 6
sguainare, T ....................... 6
sgualcire, T, P ..................... 100
sguarnire, T ....................... 100
sguazzare, I ♦, T ................... 6
sguernire, T, *sguarnire* ............. 100
sguinzagliare, T .................... 12
sguisciare, T, Tosc .................. 9
sguizzare, I ◊, *guizzare* ............ 6
sgusciare, T, I, P ................... 9
shoccare, T ........................ 7
shockare, T, *shoccare* .............. 6
sibilare, I ♦ ....................... 17
sigillare, T ........................ 6
siglare, T ......................... 6
**significare,** T .................... 19
signoreggiare, T, I ♦ ............... 10
sillabare, T ........................ 6
sillogizzare, T, I ♦ ................. 6
silurare, T ........................ 6
simboleggiare, T .................... 10
simbolizzare, T ..................... 6
simigliare, T, I, R, *somigliare* ....... 12
simpatizzare, I ♦ ................... 6
simulare, T ........................ 6
sincerare, T, P ..................... 6
sincopare, T ....................... 6
sincronizzare, T .................... 6
sindacalizzare, T ................... 6
sindacare, T ....................... 7
singhiozzare, I ♦ ................... 6
singultire, I ♦, Lit ................. 100

| | |
|---|---|
| sintetizzare, T | 6 |
| sintonizzare, T, P | 6 |
| siringare, T | 8 |
| **sistemare**, T, R | 6 |
| **situare**, T | 6 |
| slabbrare, T, I, P | 6 |
| **slacciare**, T, P | 9 |
| slamare, T, I, P | 6 |
| **slanciare**, R, T | 9 |
| slargare, T, P, *allargare* | 8 |
| slattare, T | 6 |
| slegare, T, P, R | 8 |
| slentare, T, P, *allentare* | 6 |
| slittare, I ◊ | 6 |
| **slogare**, T, P | 8 |
| **sloggiare**, T, I ♦ | 10 |
| slombare, P, T | 6 |
| slungare, T, P, *allungare* | 8 |
| smaccare, T, Vx | 7 |
| **smacchiare**, T | 12 |
| smagare, T, P, Lit. | 8 |
| smagliare, T, P | 12 |
| smagnetizzare, T | 6 |
| smagrare, T, I, P, *dimagrire* | 6 |
| smagrire, T, I, P, *dimagrire* | 100 |
| smaliziare, T, P | 12 |
| smaltare, T, P | 6 |
| smaltire, T | 100 |
| smammare, I ♦, Pop | 6 |
| smanacciare, I ♦, Fam. | 9 |
| smanettare, I ♦ | 6 |
| smaniare, I ♦ | 12 |
| smantellare, T | 6 |
| smarcare, T, P. | 7 |
| smarginare, T | 17 |
| **smarrire**, T, P | 100 |
| smarronare, I ♦, Fam. | 6 |
| **smascherare**, T, R | 6 |
| smaterializzare, T, P | 6 |
| smattonare, T | 6 |
| smelare, T, *smielare* | 6 |
| smembrare, T | 6 |
| **smentire**, T, R | 100 |
| smerciare, T | 9 |
| smerigliare, T | 12 |
| smerlare, T | 6 |
| smerlettare, T | 6 |
| **smettere**, T, I ♦, Irr, di | 57 |
| smezzare, T, *dimezzare* | 6 |
| smidollare, T, P | 6 |
| smielare, T | 6 |
| smilitarizzare, T | 6 |
| sminuire, T, R | 100 |
| sminuzzare, T, P | 6 |
| sminuzzolare, T, P | 6 |
| smistare, T | 6 |
| smitizzare, T | 6 |
| smobiliare, T | 11 |
| smobilitare, T | 18 |
| smocciare, T, Fam | 9 |
| smoccolare, T, I ♦, Fam | 17 |
| smoare, I ♦, P | 6 |
| smoderare, I ♦, P | 6 |
| smollicare, T, P | 7 |
| smonacare, T, P | 7 |
| **smontare**, T, I, P | 6 |
| smorire, I, P, D, Vx | 105 |
| ≃ pas de participe passé | |
| smorzare, T, P | 6 |
| smottare, I | 6 |
| smozzare, T | 6 |
| smozzicare, T | 19 |
| smungere, T, Irr | 55 |
| **smuovere**, T, P, Irr | 58 |
| smurare, T | 6 |
| smusare, T, I ♦ | 6 |
| smussare, T, P | 6 |
| snaturare, T, P | 6 |
| snazionalizzare, T | 6 |
| snebbiare, T | 12 |
| snerbare, T, P, Vx, *snervare* | 6 |
| snervare, T, P | 6 |
| snidare, T | 6 |
| sniffare, T | 6 |
| snobbare, T | 6 |
| snocciolare, T | 6 |

| | |
|---|---|
| snodare, T, P | 6 |
| snudare, T | 6 |
| sobbalzare, I ♦ | 6 |
| sobbarcare, T, R | 7 |
| sobbillare, T, Rég, *sobillare* | 6 |
| sobbollire, I ♦, Irr | 99 |
| sobillare, T | 6 |
| socchiudere, T, Irr | 30 |
| soccombere, I, D, | 20 |
| ≃ seulement 3ᵉ personne | |
| du singulier et du pluriel | |
| pas de participe passé | |
| **soccorrere,** T, I, Irr | 38 |
| socializzare, T, I ♦ | 6 |
| **soddisfare,** T, I ♦, P, Irr | 52 |
| sodisfare, T, I, P, Irr, *soddisfare* | 52 |
| sofferire, T, I ♦, P, Irr, Lit, *soffrire* | 102 |
| soffermare, T, P | 6 |
| **soffiare,** T, I ♦ | 12 |
| soffittare, T | 6 |
| **soffocare,** T, I | 19 |
| soffolcere, T, P, D, Irr, Lit | D |
| pour appuyer/soutenir | |
| ≃ présent : soffolco/i/e, | |
| soffolciamo/ete, soffolcono | |
| passé simple : soffolsi/soffolcesti/ | |
| soffolse, soffolcemmo, | |
| soffolceste, soffolsero | |
| participe passé : soffolto | |
| soffondere, T, P | 54 |
| **soffriggere,** T, I ♦, Irr | 22 |
| **soffrire,** T, I ♦, Irr, a, di | 102 |
| sofisticare, I ♦, T | 19 |
| soggettivare, T | 6 |
| sogghignare, I ♦ | 6 |
| soggiacere, , I ♦, Irr | 64 |
| soggiogare, T | 8 |
| soggiornare, I ♦ | 6 |
| **soggiungere,** T, I ♦, Irr | 55 |
| sogguardare, T, I ♦ | 6 |
| sognare, T, I ♦, P, di | 6 |
| solarizzare, T | 6 |
| solcare, T | 7 |

| | |
|---|---|
| soleggiare, T | 10 |
| solennizzare, T | 6 |
| solere, I, D, Imp, Irr | 98 a |
| ≃ pas de futur, conditionnel, | |
| imparfait indicatif, impératif, | |
| participes présent et passé | |
| solettare, T | 6 |
| solfare, T | 6 |
| solfeggiare, T, I ♦ | 10 |
| solforare, T | 6 |
| solidarizzare, I ♦ | 6 |
| solidificare, T, I, P | 19 |
| sollazzare, T, P | 6 |
| **sollecitare,** T, I, P | 18 |
| solleticare, T | 19 |
| **sollevare,** T, P | 6 |
| solubilizzare, T | 6 |
| solvere, T, P, Lit | 25 |
| somatizzare, I ♦ | 6 |
| someggiare, T, I ♦ | 10 |
| **somigliare,** T, I, R | 12 |
| **sommare,** T, I | 6 |
| **sommergere,** T, Irr | 48 |
| sommettere, T, Irr, Lit | 57 |
| somministrare, T | 6 |
| sommuovere, T, Irr, Lit | 58 |
| sonare, T, I, *suonare* | 13 |
| sondare, T | 6 |
| sonnecchiare, I ♦ | 12 |
| sonorizzare, T, P | 6 |
| sopire, T, Lit | 100 |
| sopperire, I ♦ | 100 |
| soppesare, T | 6 |
| soppiantare, T | 6 |
| **sopportare,** T, di | 6 |
| soppressare, T | 6 |
| **sopprimere,** T, Irr | 34 |
| soprabbondare, I ◊, *sovrabbondare* | 6 |
| sopraccaricare, T, *sovraccaricare* | 19 |
| sopraccennare, T | 6 |
| sopraeccedere, T, I ♦, *sopreccedere* | 20 |
| sopraeccitare, T, P, *sovreccitare* | 6 |
| sopraedificare, T, *sopredificare* | 19 |

| | |
|---|---|
| sopraelevare, T, *soprelevare* | 6 |
| sopraffare, T, Irr | 52 |
| **sopraggiungere,** I, T, Irr | 55 |
| sopraintendere, I, Irr, a, *soprintendere* | 76 |
| soprammettere, T, Irr | 57 |
| soprammontare, T, I, Vx | 6 |
| soprannominare, T | 6 |
| soprapporre, T, P, Irr, *sovrapporre* | 68 |
| soprassedere, I ♦, Irr, a | 84 |
| soprastare, I, Irr | 16 |
| sopravanzare, T, I | 6 |
| **sopravvalutare,** T | 6 |
| **sopravvenire,** I, Irr | 110 |
| **sopravvivere,** I, Irr | 95 |
| sopreccedere, T, I ♦, Irr | 20 |
| sopreccitare, T, P, *sovreccitare* | 6 |
| sopredificare, T | 19 |
| soprelevare, T | 6 |
| soprintendere, I ♦, Irr, a | 70 |
| sorbire, T | 100 |
| **sorgere,** I, Irr | 67 |
| sormontare, T, I | 6 |
| **sorpassare,** T | 6 |
| **sorprendere,** T, P, Irr | 70 |
| **sorreggere,** T, P, R, Irr | 56 |
| **sorridere,** I ♦, Irr | 74 |
| sorseggiare, T | 10 |
| **sorteggiare,** T | 10 |
| sortire (1), T | |
| pour tirer au sort | 100 |
| sortire (2), I | |
| pour sortir | 99 |
| **sorvegliare,** T | 12 |
| sorvolare, T, I ♦ | 6 |
| **sospendere,** T, R, Irr | 70 |
| **sospettare,** T, I ♦ | 6 |
| sospingere, T, Irr | 31 |
| **sospirare,** I ♦, T | 6 |
| sostantivare, T | 6 |
| **sostare,** I ♦ | 6 |
| **sostenere,** T, P, R, Irr | 89 |
| sostentare, T, R | 6 |
| **sostituire,** T, R | 100 |

| | |
|---|---|
| sottacere, T, Irr | 64 |
| sottendere, T, Irr | 70 |
| sottentrare, T, I | 6 |
| **sotterrare,** T | 6 |
| sottilizzare, I ♦, T | 6 |
| sottintendere, T, Irr | 70 |
| **sottolineare,** T | 6 |
| **sottomettere,** T, Irr | 57 |
| **sottoporre,** T, P, Irr | 68 |
| **sottoscrivere,** T, I ♦, Irr | 82 |
| sottosegnare, T | 6 |
| sottostare, I, Irr | 16 |
| sottovalutare, T | 6 |
| **sottrarre,** T, R, Irr | 91 |
| soverchiare, T, I ♦, Lit | 12 |
| sovesciare, T | 9 |
| sovietizzare, T | 6 |
| sovrabbondare, I ◊ | 6 |
| sovraccaricare, T | 19 |
| sovraccennare, T, *sopraccennare* | 6 |
| sovraffaticare, T, P | 7 |
| sovraimporre, T, Irr, *sovrimporre* | 68 |
| sovrainnestare, T | 6 |
| sovraintendere, I, Irr, *sovrintendere* | 70 |
| sovrappopolare, T | 6 |
| **sovrapporre,** T, P, Irr | 68 |
| sovrastampare, T | 6 |
| **sovrastare,** T | 6 |
| sovreccitare, T, P | 6 |
| sovrimporre, T, Irr | 68 |
| sovrintendere, I, Irr | 70 |
| sovvenire, T, I ♦, P, Irr, Lit | 110 |
| sovvenzionare, T | 6 |
| sovvertire, T | 99 |
| sozzare, T, Vx, *insozzare* | 6 |
| **spaccare,** T, P | 7 |
| spacchettare, T | 6 |
| spacciare, T, R | 9 |
| spadroneggiare, I ♦ | 10 |
| spaginare, T | 18 |
| spagliare, T, I ♦ | 12 |
| spagnoleggiare, I ♦ | 10 |
| spaiare, T | 12 |

| | | | | |
|---|---|---|---|---|
| **spalancare**, T, P | 7 | spedare, T, P | 6 |
| **spalare**, T | 6 | **spedire**, T | 100 |
| spalcare, T | 7 | spegnare, T | 6 |
| spallare, T, P | 6 | **spegnere**, T, P, Irr | 86 |
| spalleggiare, T, R | 10 | spelacchiare, T, P | 12 |
| **spalmare**, T, R | 6 | spelagare, T, I, Vx | 8 |
| spampanare, T, P | 6 | spelare, T, P | 6 |
| spanare, T, P | 6 | **spellare**, T, P | 6 |
| spanciare, T, I ◆ | 9 | spelluzzicare, T, *spilluzzicare* | 19 |
| **spandere**, T, P, Irr | 49 | **spendere**, T, R, Irr | 70 |
| spaniare, T, I ◆, P | 12 | spengere, T, Irr, *spegnere* | 86 |
| spannare, T | 6 | spennacchiare, T, P | 12 |
| spannocchiare, T | 12 | **spennare**, T, P | 6 |
| spaparacchiarsi, R | 12 | spennellare, T, I ◆ | 6 |
| spappagallare, I ◆ | 6 | spenzolare, T, I ◆ | 6 |
| spappolare, T, P, Pop | 6 | **sperare**, T, I ◆, di, in | 6 |
| sparagnare, T, I ◆, Rég | 6 | sperdere, T, P, Irr | 62 |
| **sparare**, T, I ◆, R | 6 | spergere, T, Irr, Vx | 48 |
| sparecchiare, T | 12 | spergiurare, T, I ◆ | 6 |
| **spargere**, T, P, Irr | 85 | spericolarsi, P, Tos | 6 |
| sparigliare, T | 12 | sperimentare, T, R | 6 |
| **sparire**, I, D, Irr | 112 b | speronare, T | 6 |
| sparlare, I ◆, di | 6 | sperperare, T | 6 |
| sparpagliare, T, P | 12 | spersonalizzare, T, P | 6 |
| **spartire**, T | 100 | sperticarsi, P | 7 |
| spasimare, I ◆ | 6 | spesare, T | 6 |
| spassare, T, P | 6 | spetrare, T, P, Vx | 6 |
| spastoiare, T, P | 12 | **spettare**, I, Imp, a, di | 6 |
| spatriare, T, I, P, *espatriare* | 12 | spettegolare, I ◆ | 6 |
| spaurare, T, P, Vx, *spaurire* | 6 | **spettinare**, T, P, R | 6 |
| spaurire, T, I, P | 100 | **spezzare**, T, P | 6 |
| **spaventare**, T, P | 6 | spezzettare, T | 6 |
| spaziare, I ◆, T | 12 | spiaccicare, T, P | 19 |
| spazieggiare, T | 10 | **spiacere**, I, P, Irr | 64 |
| spazientirsi, P | 100 | **spianare**, T, I ◆ | 6 |
| **spazzare**, T | 6 | spiantare, T, P | 6 |
| **spazzolare**, T | 17 | spiare, T | 11 |
| **specchiarsi**, R | 12 | spiattellare, T | 6 |
| **specializzare**, T, R | 6 | spiazzare, T | 6 |
| specificare, T | 19 | **spiccare**, T, I ◆, P | 7 |
| specillare, T | 6 | spicciare, T, I, P | 9 |
| specolare, T, I ◆, *speculare* | 6 | spiccicare, T, P | 19 |
| **speculare**, T, I ◆ | 17 | spicciolare, T | 6 |

| | |
|---|---|
| spicinare, T, Fam, Tosc | 6 |
| spidocchiare, T, R | 12 |
| **spiegare,** T, R | 8 |
| spiegazzare, T | 6 |
| spieggiare, T, I ♦, Tosc | 10 |
| spiemontizzare, T, P | 6 |
| spietrare, T | 6 |
| spifferare, T, I ♦, Fam | 6 |
| spigare, I ◊ | 8 |
| spignere, T, I ♦, P, Irr, Vx, *spingere* | 31 |
| spignorare, T | 6 |
| spigolare, T | 17 |
| spillaccherare, T, Tosc | 6 |
| spillare, T, I | 6 |
| spilluzzicare, T | 19 |
| spinare, T | 6 |
| spingare, T, Lit | 8 |
| **spingere,** T, I ♦, P, Irr, a. | 31 |
| spintonare, T | 6 |
| spiombare, T, I | 6 |
| spiovere, Imp ◊, I, Irr | 66 |
| spirare, I ◊, T | 6 |
| spiritare, I | 6 |
| spiritualizzare, T, P | 6 |
| spittinare, I ♦, Tosc | 6 |
| spiumare, T | 6 |
| spizzicare, T | 19 |
| **splendere,** I ♦, D, Irr | 21 |
| spodestare, T | 6 |
| spoetizzare, T | 6 |
| **spogliare,** T, P, R | 12 |
| spoliticizzare, T | 6 |
| spollaiare, T, P | 12 |
| spollinarsi, R | 6 |
| spollonare, T | 6 |
| spolmonarsi, P | 6 |
| spolpare, T, P | 6 |
| spoltrire, T, I, P | 100 |
| spoltronire, T, P | 100 |
| **spolverare,** T, I ♦, R | 17 |
| spompare, T, R, Fam | 6 |
| sponsorizzare, T | 6 |
| spopolare, T, I ♦, P | 6 |
| spoppare, T | 6 |
| sporcare, T, P, R | 7 |
| **sporgere,** T, I, R, Irr | 67 |
| **sposare,** T, R | 6 |
| spossare, T, P | 6 |
| spossessare, T, R | 6 |
| **spostare,** T, P, R | 6 |
| spotestare, T, *spodestare* | 6 |
| sprangare, T | 8 |
| **sprecare,** T, P | 7 |
| spregiare, T, R | 10 |
| spregiudicare, T, P | 19 |
| **spremere,** T, Irr | 20 |
| spretarsi, P | 6 |
| sprezzare, T, R, Lit | 6 |
| sprigionare, T, P | 6 |
| sprimacciare, T | 9 |
| springare, T, Vx, *spingare* | 8 |
| sprizzare, I, T | 6 |
| **sprofondare,** T, I, R | 6 |
| sproloquiare, I ♦ | 12 |
| spronare, T | 6 |
| sproporzionare, T | 6 |
| spropositare, I ♦ | 6 |
| spropriare, T, R, Rég, *espropriare* | 12 |
| sprovincializzare, T, P | 6 |
| sprovvedere, T, R, Irr, Lit | 93 |
| **spruzzare,** T | 6 |
| spulciare, T, R | 9 |
| spuleggiare, I, Vx, *spulezzare* | 10 |
| spulezzare, I, Vx | 6 |
| spulizzire, T, Fam, Rég, Tosc | 100 |
| spumare, I ♦ | 6 |
| spumeggiare, I ♦ | 10 |
| **spuntare,** T, I, P | 6 |
| spuntellare, T | 6 |
| spunzecchiare, T, R, *punzecchiare* | 12 |
| spupazzare, T, P | 6 |
| spurgare, T, P | 8 |
| sputacchiare, I ♦, T | 12 |
| **sputare,** T, I ♦ | 6 |
| sputtanare, T, P, Vulg | 6 |
| squadernare, T, P, Lit | 6 |

| | |
|---|---|
| squadrare, T | 6 |
| squagliare, T, P | 12 |
| squalificare, T, R | 19 |
| squamare, T, R | 6 |
| squarciare, T, P | 9 |
| squartare, T | 6 |
| squassare, T, R | 6 |
| squattrinare, T, P | 6 |
| squilibrare, T, P | 6 |
| squillare, I ◊ | 6 |
| squinternare, T | 6 |
| squittire, I ♦ | 100 |
| sradicare, T | 19 |
| sragionare, I ♦ | 6 |
| srotolare, T, P | 6 |
| stabaccare, I ♦, Pop | 7 |
| stabbiare, T, I ♦ | 12 |
| **stabilire,** T, R, di | 100 |
| stabilizzare, T, P | 6 |
| stabulare, T, I ♦ | 6 |
| **staccare,** T, I ♦, P | 7 |
| stacciare, T, *setacciare* | 9 |
| staffare, T, I ♦, P | 6 |
| staffilare, T | 6 |
| stagionare, T, I, P | 6 |
| stagliare, T, I, P | 12 |
| stagnare, I ♦, I ♦, P | 6 |
| stalinizzare, T | 6 |
| stallare, I ♦, T | 6 |
| stamburare, T, I ♦ | 6 |
| **stampare,** T, P | 6 |
| stampigliare, T | 12 |
| stampinare, T, *stampigliare* | 6 |
| **stanare,** T, P | 6 |
| **stancare,** T, P | 7 |
| standardizzare, T | 6 |
| stangare, T | 8 |
| stanziare, T, I ♦, P | 12 |
| stappare, T | 6 |
| starare, T, P | 6 |
| **stare,** I, Irr, a, in, per | 16 |
| starnazzare, I ♦ | 6 |
| starnutare, I ♦, *starnutire* | 6 |
| starnutire, I ♦ | 100 |
| stasare, T | 6 |
| statalizzare, T | 6 |
| statizzare, T | 6 |
| statuire, T | 100 |
| stazionare, I ♦ | 6 |
| stazzare, T | 6 |
| stazzonare, T | 6 |
| steccare, T, I ♦ | 7 |
| stecchire, I ♦, T, P | 100 |
| stellare, T, P | 6 |
| stemperare, T, P | 6 |
| stempiarsi, P | 12 |
| **stendere,** T, P, R, Irr | 70 |
| stenebrare, T, Lit | 6 |
| stenografare, T | 18 |
| **stentare,** I ♦, T | 6 |
| stepidire, T, Vx, *stiepidire* | 100 |
| stereotipare, T | 6 |
| sterilire, T, I, P | 100 |
| sterilizzare, T | 6 |
| sterlineare, T | 6 |
| sterminare, T | 6 |
| sternutire, I ♦, Vx, *starnutire* | 100 |
| sterpare, T, Lit | 6 |
| sterrare, T | 6 |
| **sterzare,** T, I ♦ | 6 |
| stessere, T, P, Lit | 20 |
| stiacciare, T, P, *schiacciare* | 9 |
| stiaffare, T, P, *schiaffare* | 6 |
| stiantare, T, I, P, *schiantare* | 6 |
| stiattare, I, *schiattare* | 6 |
| stiepidire, T | 100 |
| stigmatizzare, T | 6 |
| stilare, T | 6 |
| stilizzare, T | 6 |
| stillare, T, I | 6 |
| **stimare,** T, R | 6 |
| stimatizzare, T, *stigmatizzare* | 6 |
| stimolare, T | 17 |
| stingere, T, I, P, Irr | 31 |
| stipare, T, P | 6 |
| **stipendiare,** T | 12 |

| | |
|---|---|
| stipolare, T, *stipulare* | 6 |
| stipulare, T | 6 |
| stiracchiare, T, I ♦, R | 12 |
| **stirare,** T, R | 6 |
| stirizzire, T, R | 100 |
| stivare, T | 6 |
| stizzire, T, I, P | 100 |
| stomacare, T, P, di | 7 |
| stonacare, T | 7 |
| **stonare,** T, I ♦ | 6 |
| stondare, T | 6 |
| stoppare, T | 6 |
| **storcere,** T, R, Irr | 90 |
| stordire, T, I, R | 100 |
| storicizzare, T | 6 |
| stormire, I ♦ | 100 |
| stornare, T, I | 6 |
| stornellare, I ♦ | 6 |
| storpiare, T, P | 12 |
| strabenedire, T | 41 |
| strabiliare, I ♦, T | 11 |
| straboccare, I ◊ | 7 |
| strabuzzare, T | 6 |
| stracanarsi, P, Fam, Tosc | 6 |
| straccare, T, P | 7 |
| stracciare, T, P | 9 |
| stracuocere, T, Irr | 40 |
| strafare, I ♦, Irr | 52 |
| strafelarsi, P, Pop, Tosc | 6 |
| strafottere, I, P, Vulg | 20 |
| stralciare, T | 9 |
| stralunare, T | 6 |
| stramaledire, T, Pop | 41 |
| stramazzare, T, I | 6 |
| strambare, I ♦ | 6 |
| stramortire, I, T, Fam | 100 |
| **strangolare,** T, P | 17 |
| straniare, T, R, Lit | 11 |
| straorzare, I ♦, T | 6 |
| strapagare, T | 8 |
| straparlare, I ♦ | 6 |
| strapazzare, T, R | 6 |
| straperdere, T, I ♦, Irr | 62 |
| strapiantare, T, Pop | 6 |
| strapiombare, I ◊, D | 6 |
| **strappare,** T, P | 6 |
| straripare, I ◊ | 6 |
| strascicare, T, I ♦, R | 19 |
| strascinare, T, P, R | 6 |
| stratificare, T, P | 19 |
| strattonare, T | 6 |
| stravaccarsi, P, Pop, Rég | 7 |
| stravedere, T, I ♦, Irr | 93 |
| stravincere, T, Irr | 94 |
| straviziare, I ♦ | 12 |
| stravolgere, T, R, Irr | 97 |
| **straziare,** T | 12 |
| strecciare, T | 9 |
| stregare, T | 8 |
| stremare, T | 6 |
| strepere, I, D, Vx, Lit | 20 |
| ≃ pas de participe passé | |
| strepitare, I ♦ | 17 |
| stressare, T, P | 6 |
| strettire, T, Fam, Rég, Tosc | 100 |
| striare, T | 11 |
| stridere, I ♦, D | 74 |
| stridire, I, D, Lit | 100 |
| ≃ pas de parcipipe passé | |
| stridulare, I ♦ | 17 |
| strigliare, T, R | 12 |
| **strillare,** I ♦, T | 6 |
| striminzire, T, P, R | 100 |
| strimpellare, T | 6 |
| strinare, T, P | 6 |
| stringare, T | 8 |
| **stringere,** T, I ♦, R, Irr | 87 |
| strippare, I ♦, P | 6 |
| **strisciare,** T, I ♦, R | 9 |
| stritolare, T, P | 17 |
| strizzare, T | 6 |
| **strofinare,** T, P | 6 |
| strogolare, I ♦, Pop | 17 |
| strolagare, I ♦, T, Vx, *strologare* | 8/17 |
| strologare, I ♦, T | 8/17 |
| strombazzare, T, I ♦ | 6 |

| | |
|---|---|
| strombettare, I ♦ | 6 |
| **stroncare,** T, P | 7 |
| stronfiare, I ♦, Fam, Tosc | 12 |
| stropicciare, T, P | 9 |
| stroppiare, T, P, *storpiare* | 12 |
| strosciare, I ♦ | 9 |
| **strozzare,** T, P, R | 6 |
| struccare, T, R | 7 |
| strucinare, T, Pop, Tosc | 6 |
| struggere, T, P, Irr | 45 |
| strumentalizzare, T | 6 |
| strumentare, T, I ♦ | 6 |
| strusciare, T, I ♦, R | 9 |
| strutturare, T | 6 |
| stuccare, T | 7 |
| studiacchiare, T, I ♦ | 12 |
| **studiare,** T, I ♦, P | 12 |
| **stufare,** T, P | 6 |
| stupefare, T, I, P, Irr | 52 |
| stupidire, T, I | 100 |
| **stupire,** T, I, P | 100 |
| stuprare, T | 6 |
| sturare, T, P | 6 |
| sturbare, T, P | 6 |
| stuzzicare, T | 19 |
| suadere, , T, I ♦, Irr, Vx | 63 |
| subaccollare, T | 6 |
| subaffittare, T | 6 |
| subappaltare, T | 6 |
| subbiare, T | 12 |
| subdelegare, T | 18 |
| subentrare, I | 6 |
| suberificare, I, T | 19 |
| suberizzare, I, P | 6 |
| **subire,** T | 100 |
| subissare, T, I | 6 |
| sublimare, T, I, P | 6 |
| sublocare, T | 7 |
| subodorare, T | 6 |
| subordinare, T | 6 |
| subornare, T | 6 |
| **succedere,** I, P, Imp, Irr, a | 35 |
| **succhiare,** T | 12 |

| | |
|---|---|
| succhiellare, T | 6 |
| succiare, T, Pop, Tosc | 9 |
| succidere, T, Irr | 74 |
| succingere, T, Irr, Lit | 31 |
| sudacchiare, I ♦ | 12 |
| **sudare,** I ♦, T | 6 |
| suddistinguere, T, Irr | 44 |
| suddividere, T, Irr | 74 |
| suffolcere, T, P, D, Lit, |  |
|    *soffolcere* | D |
|    ≃ seulement : présent indicatif, |  |
|    passé simple et participe passé |  |
| suffragare, T | 8 |
| suffumicare, T | 19 |
| sugare, T, Vx, Pop | 8 |
| suggellare, T, Lit | 6 |
| suggere, T, D, Irr, Lit | 98 b |
|    ≃ pas de participe passé |  |
| **suggerire,** T, di | 100 |
| suggestionare, T, P | 6 |
| **suicidarsi,** R | 6 |
| **suonare,** T, I | 6 |
| **superare,** T | 17 |
| supervalutare, T | 18 |
| **supplicare,** T, I ♦, di | 19 |
| supplire, I ♦, T | 100 |
| **supporre,** T | 68 |
| suppurare, I ◊ | 6 |
| supputare, T, Lit | 17 |
| surclassare, T | 6 |
| surgelare, T | 6 |
| surriscaldare, T, P | 6 |
| surrogare, T | 8 |
| survoltare, T | 6 |
| **suscitare,** T | 17 |
| **susseguire,** R, T, I, Irr | 107 |
| sussidiare, T | 12 |
| sussistere, I ◊, Irr | 24 |
| sussultare, I ♦ | 6 |
| sussurrare, T, I ♦ | 6 |
| svagare, T, P | 8 |
| svagolarsi, P | 6 |
| svaligiare, T | 10 |
| svalutare, T, P | 6 |

svampare, I ◊ . . . . . . . . . . . . . . . . . . . . . . . 6
**svanire,** I . . . . . . . . . . . . . . . . . . . . . . . 100
svaporare, I ♦ . . . . . . . . . . . . . . . . . . . . . . 6
svariare, T, I . . . . . . . . . . . . . . . . . . . . . . 12
svasare, T . . . . . . . . . . . . . . . . . . . . . . . . 6
svecchiare, T . . . . . . . . . . . . . . . . . . . . . . 12
**svegliare,** T, P . . . . . . . . . . . . . . . . . . . . 12
svelare, T, R . . . . . . . . . . . . . . . . . . . . . . 6
svelenare, T, P . . . . . . . . . . . . . . . . . . . . . 6
svelenire, T, P . . . . . . . . . . . . . . . . . . . . 100
svellere, T, R, Irr, Lit . . . . . . . . . . . . . 88
sveltire, T, P . . . . . . . . . . . . . . . . . . . . . 100
svenare, T, R . . . . . . . . . . . . . . . . . . . . . . 6
svendere, T, Irr . . . . . . . . . . . . . . . . . . . . 80
**svenire,** I, Irr . . . . . . . . . . . . . . . . . . . 110
sventagliare, T, R . . . . . . . . . . . . . . . . . . 12
sventare, T . . . . . . . . . . . . . . . . . . . . . . . . 6
**sventolare,** T, I ♦, R . . . . . . . . . . . . . . 17
sventrare, T, R . . . . . . . . . . . . . . . . . . . . . 6
sverginare, T . . . . . . . . . . . . . . . . . . . . . . 18
svergognare, T . . . . . . . . . . . . . . . . . . . . . 6
svergolare, T, P . . . . . . . . . . . . . . . . . . . . 17
sverlare, I ♦ . . . . . . . . . . . . . . . . . . . . . . 6
svernare, I ♦ . . . . . . . . . . . . . . . . . . . . . . 6
sverniciare, T . . . . . . . . . . . . . . . . . . . . . 9
sverzare, T, P . . . . . . . . . . . . . . . . . . . . . 6
svesciare, T, Fam, Tosc . . . . . . . . . . . . . . 9
svescicare, T, P . . . . . . . . . . . . . . . . . . . . 7
svestire, T, P, R . . . . . . . . . . . . . . . . . . . 99
svettare, T, I ♦ . . . . . . . . . . . . . . . . . . . . 6
svezzare, T, P . . . . . . . . . . . . . . . . . . . . . 6
sviare, T, I ♦, P . . . . . . . . . . . . . . . . . . . 11
svicolare, I ◊ . . . . . . . . . . . . . . . . . . . . . . 6
svignare, I . . . . . . . . . . . . . . . . . . . . . . . . 6
svigorire, T, P . . . . . . . . . . . . . . . . . . . . 100
svilire, T . . . . . . . . . . . . . . . . . . . . . . . . 100
svillaneggiare, T, R . . . . . . . . . . . . . . . . 10
**sviluppare,** T, I ♦, P . . . . . . . . . . . . . . 6
svinare, T . . . . . . . . . . . . . . . . . . . . . . . . 6
svincolare, T, R, da . . . . . . . . . . . . . . . . 6
sviolinare, T, Fam . . . . . . . . . . . . . . . . . . 6
svirilizzare, T . . . . . . . . . . . . . . . . . . . . . 6
svisare, T . . . . . . . . . . . . . . . . . . . . . . . . 6

sviscerare, T, R . . . . . . . . . . . . . . . . . . . . 6
svitare, T, P . . . . . . . . . . . . . . . . . . . . . . 6
sviziare, T, P . . . . . . . . . . . . . . . . . . . . . 12
svolare, I ♦, Lit . . . . . . . . . . . . . . . . . . . . 6
svolazzare, I ♦ . . . . . . . . . . . . . . . . . . . . . 6
**svolgere,** T, P, R, Irr . . . . . . . . . . . . . . 97
svoltare, T, I ♦ . . . . . . . . . . . . . . . . . . . . 6
svoltolare, T, R . . . . . . . . . . . . . . . . . . . . 6
svotare, T, P, *svuotare* . . . . . . . . . . . . . 13
svuotare, T, P . . . . . . . . . . . . . . . . . . . . . 6

# *t*

tabaccare, I ♦ . . . . . . . . . . . . . . . . . . . . . . 7
taccheggiare, T, I ♦ . . . . . . . . . . . . . . . . 10
tacchettare, I ♦ . . . . . . . . . . . . . . . . . . . . 6
tacciare, T . . . . . . . . . . . . . . . . . . . . . . . . 9
tacconare, T . . . . . . . . . . . . . . . . . . . . . . 6
**tacere,** I ♦, T, P, Irr . . . . . . . . . . . . . . 64
tacitare, T . . . . . . . . . . . . . . . . . . . . . . . 17
**tagliare,** T, I ♦, P, R . . . . . . . . . . . . . . 12
taglieggiare, T . . . . . . . . . . . . . . . . . . . . 10
tagliuzzare, T . . . . . . . . . . . . . . . . . . . . . 6
talentare, I, Lit . . . . . . . . . . . . . . . . . . . . 6
tallire, I ◊ . . . . . . . . . . . . . . . . . . . . . . . 100
tamburare, T, I ♦ . . . . . . . . . . . . . . . . . . 6
tambureggiare, I ♦, T . . . . . . . . . . . . . . . 10
tamburellare, I ♦, T . . . . . . . . . . . . . . . . 6
tamburinare, I ♦, T . . . . . . . . . . . . . . . . . 6
**tamponare,** T . . . . . . . . . . . . . . . . . . . . 6
tanagliare, T . . . . . . . . . . . . . . . . . . . . . 12
tangere, T, D, Lit . . . . . . . . . . . . . . . . . . 65
   ≃ présent : egli tange, essi tangono
   participe présent : tangente
   (nom féminin ou adjectif)
tangheggiare, I ♦ . . . . . . . . . . . . . . . . . . 10
tannare, T . . . . . . . . . . . . . . . . . . . . . . . . 6
tapinare, I ♦, P, Lit . . . . . . . . . . . . . . . . 6
**tappare,** T, R . . . . . . . . . . . . . . . . . . . . 6

| | |
|---|---|
| tappezzare, T | 6 |
| tarare, T | 6 |
| **tardare,** I ◊, T, a | 6 |
| targare, T | 8 |
| tariffare, T | 6 |
| tarlare, T, I, P | 6 |
| tarmare, T, I, P | 6 |
| taroccare, I ♦, Fam | 7 |
| tarpare, T | 6 |
| tarsiare, T | 11 |
| tartagliare, I ♦, T | 12 |
| tartassare, T, Fam. | 6 |
| tartufare, T | 6 |
| **tassare,** T, R | 6 |
| tassellare, T | 6 |
| tastare, T | 6 |
| tasteggiare, T | 10 |
| tatuare, T, R | 17 |
| tecnicizzare, T | 6 |
| tecnologizzare, T | 6 |
| tedescheggiare, I ♦ | 10 |
| tediare, T, P | 12 |
| telare, I, Pop, Tosc | 6 |
| telecomandare, T | 6 |
| telecomunicare, I ♦, T | 19 |
| telecontrollare, T | 6 |
| **telefonare,** T, I ♦ | 18 |
| telegrafare, T, I ♦ | 18 |
| teleguidare, T | 6 |
| telemetrare, T | 18 |
| teletrasmettere, T, Irr | 57 |
| **temere,** T, I ♦, P, di, a | 20 |
| temperare, T, P, R | 6 |
| tempestare, T, I ♦, Imp ◊ | 6 |
| temporeggiare, I ♦ | 10 |
| temprare, T, P, R | 6 |
| **tendere,** T, I ♦, P, Irr. | 70 |
| **tenere,** T, I ♦, R, Irr, a | 89 |
| tenoreggiare, I ♦ | 10 |
| **tentare,** T, di, a | 6 |
| tentennare, I ♦, T | 6 |
| tenzonare, I ♦, Lit | 6 |
| teologare, I ♦ | 8 |
| teologizzare, T | 6 |
| teorizzare, T | 6 |
| tepere, I, D, Irr, Vx, Lit | D |
| ≃ egli tepe, tepente | |
| tergere, T, Irr, Lit | 48 |
| tergiversare, I ♦ | 6 |
| **terminare,** T, I | 17 |
| termofissare, T | 6 |
| termoregolare, T | 18 |
| termosaldare, T | 6 |
| ternare, T | 6 |
| terrapienare, T, Vx | 6 |
| terrazzare, T | 6 |
| terrificare, T | 19 |
| **terrorizzare,** T | 6 |
| terzinare, T | 6 |
| tesare, T | 6 |
| tesaurizzare, T, I ♦ | 6 |
| tesoreggiare, T, I ♦ | 10 |
| tesorizzare, T, I ♦, *tesaurizzare* | 6 |
| tesserare, T, P. | 6 |
| tessere, T, Irr. | 20 |
| testare, I ♦, T | 6 |
| testificare, T | 19 |
| **testimoniare,** T, I ♦ | 12 |
| testurizzare, T | 6 |
| texturizzare, T | 6 |
| ticchettare, I ♦ | 6 |
| tifare, I ♦, Fam, per | 6 |
| tignare, I ♦ | 6 |
| timbrare, T | 6 |
| tingere, T, I ♦, P, R, Irr. | 31 |
| tinnire, I ♦, Lit | 100 |
| tinteggiare, T | 10 |
| tintinnare, I ◊ | 6 |
| tintinnire, I ◊, Lit, *tintinnare* | 100 |
| tipizzare, T | 6 |
| tiranneggiare, T, I ♦ | 10 |
| **tirare,** T, I ♦, R. | 6 |
| titillare, T | 6 |
| titolare, T, I ♦ | 17 |
| titoleggiare, I ♦ | 10 |
| titubare, I ♦ | 6 |

**toccare,** T, I, R, Imp, di, a . . . . . . . . . . 7
**togliere,** T, R, Irr . . . . . . . . . . . . . . . . 32
tollerare, T . . . . . . . . . . . . . . . . . . . . . 17
tomare, I ♦, T, Vx . . . . . . . . . . . . . . . . 6
tombolare, I, T, Fam . . . . . . . . . . . . . . 6
tonare, I ♦, Imp ◊, *tuonare* . . . . . . . . . . 13
tonchiare, I . . . . . . . . . . . . . . . . . . . . . 12
tondeggiare, I . . . . . . . . . . . . . . . . . . . 10
tondere, T, Irr, Vx, Lit . . . . . . . . . . . . . . 54
tonfare, I, T, Tosc . . . . . . . . . . . . . . . . 6
tonneggiare, T, P . . . . . . . . . . . . . . . . . 10
tonsurare, T . . . . . . . . . . . . . . . . . . . . . 6
toppare, T . . . . . . . . . . . . . . . . . . . . . . 6
torbidare, T, Vx, *intorbidare* . . . . . . . . . . 6
**torcere,** T, I, P, R, Irr . . . . . . . . . . . . . . 90
torchiare, T . . . . . . . . . . . . . . . . . . . . . 12
toreare, I ♦ . . . . . . . . . . . . . . . . . . . . . 6
**tormentare,** T, R . . . . . . . . . . . . . . . . . 6
**tornare,** I, a, da . . . . . . . . . . . . . . . . . 6
torneare, I ♦, T . . . . . . . . . . . . . . . . . . 6
tornire, T, I . . . . . . . . . . . . . . . . . . . . . 100
torre, T, R, Vx, *togliere* . . . . . . . . . . . . . 32
torrefare, T, Irr . . . . . . . . . . . . . . . . . . 52
torreggiare, I ♦ . . . . . . . . . . . . . . . . . . 10
tortoreggiare, I ♦ . . . . . . . . . . . . . . . . . 10
**torturare,** T, R . . . . . . . . . . . . . . . . . . 6
**tosare,** T . . . . . . . . . . . . . . . . . . . . . . 6
toscaneggiare, I ♦ . . . . . . . . . . . . . . . . 10
toscanizzare, T, I ♦ . . . . . . . . . . . . . . . 6
tossicchiare, I ♦ . . . . . . . . . . . . . . . . . 12
**tossire,** I ♦, Irr . . . . . . . . . . . . . . . . . 100/99
tostare, T . . . . . . . . . . . . . . . . . . . . . . 6
totalizzare, T . . . . . . . . . . . . . . . . . . . . 6
*traballare,* I ♦ . . . . . . . . . . . . . . . . . . . 6
trabaltare, I, Vx . . . . . . . . . . . . . . . . . . 6
trabalzare, T, I ◊ . . . . . . . . . . . . . . . . . 6
**traboccare,** I ◊, T . . . . . . . . . . . . . . . . 7
tracannare, T . . . . . . . . . . . . . . . . . . . . 6
traccheggiare, I ♦, T . . . . . . . . . . . . . . . 10
**tracciare,** T . . . . . . . . . . . . . . . . . . . . 9
tracimare, I ♦ . . . . . . . . . . . . . . . . . . . 6
tracollare, I . . . . . . . . . . . . . . . . . . . . . 6
**tradire,** T, R . . . . . . . . . . . . . . . . . . . 100

**tradurre,** T, P, Irr . . . . . . . . . . . . . . . . 36
trafficare, I ♦, T . . . . . . . . . . . . . . . . . 19
trafiggere, T, Irr . . . . . . . . . . . . . . . . . 22
trafilare, T . . . . . . . . . . . . . . . . . . . . . 6
traforare, T . . . . . . . . . . . . . . . . . . . . . 6
trafugare, T . . . . . . . . . . . . . . . . . . . . . 8
traggere, T, I ♦, R, Irr, Vx, Lit, *trarre* . . . 91
traghettare, T . . . . . . . . . . . . . . . . . . . 6
tragittare, T, P, *traghettare* . . . . . . . . . . . 6
traiettare, T, Vx . . . . . . . . . . . . . . . . . . 6
**trainare,** T . . . . . . . . . . . . . . . . . . . . . 6
tralasciare, T . . . . . . . . . . . . . . . . . . . . 9
tralignare, I ◊ . . . . . . . . . . . . . . . . . . . 6
tralucere, I, D, Irr . . . . . . . . . . . . . . . . . D
  ≃ présent : egli traluce,
  essi tralucono
  imparfait : egli traluceva,
  essi tralucevano
  imparfait subjonctif : egli tralucesse,
  essi tralucessero
  participe présent : tralucente
  (seulement adjectif)
tramandare, T . . . . . . . . . . . . . . . . . . . 6
tramare, T . . . . . . . . . . . . . . . . . . . . . . 6
tramenare, T, Vx . . . . . . . . . . . . . . . . . 6
tramestare, T, I ♦ . . . . . . . . . . . . . . . . . 6
tramezzare, T . . . . . . . . . . . . . . . . . . . 6
tramischiare, T, P, Vx . . . . . . . . . . . . . . 12
**tramontare,** I . . . . . . . . . . . . . . . . . . . 6
tramortire, I, T . . . . . . . . . . . . . . . . . . . 100
trampolare, I ♦, Vx . . . . . . . . . . . . . . . . 6
tramutare, T, P, R . . . . . . . . . . . . . . . . . 6
trangugiare, T . . . . . . . . . . . . . . . . . . . 10
tranquillare, T, P . . . . . . . . . . . . . . . . . 6
**tranquillizzare,** T, P . . . . . . . . . . . . . . . 6
transare, T, Vx, Lit, Irr, *transigere* . . . . . . 72
transarre, I ♦, Irr, *transigere* . . . . . . . . . . 72
transcendere, T, I ♦, Irr, *trascendere* . . . . 80
transcorrere, T, I, Irr, *trascorrere* . . . . . . . 38
transennare, T . . . . . . . . . . . . . . . . . . . 6
transigere, I, D, Irr . . . . . . . . . . . . . . . . 72
transitare, I . . . . . . . . . . . . . . . . . . . . . 6
transumanare, I, P, Vx . . . . . . . . . . . . . . 6

| | | |
|---|---|---|
| transumare, I. | 6 | |
| transustanziare, T, P | 12 | |
| transvolare, T, I ♦, *trasvolare* | 6 | |
| trapanare, T. | 17 | |
| trapassare, T, I | 6 | |
| trapelare, I, T | 6 | |
| trapiantare, T, P | 6 | |
| trapungere, T, Irr | 55 | |
| trapuntare, T | 6 | |
| **trarre**, T, I ♦, R, Irr | 91 | |
| trasalire, I ♦. | 100 | |
| trasandare, T. | 6 | |
| trasbordare, T, I | 6 | |
| trascegliere, T, Irr. | 79 | |
| trascendere, T, I ♦, Irr. | 80 | |
| **trascinare**, T, R | 6 | |
| trascolare, I, Vx | 6 | |
| trascorrere, T, I, Irr. | 38 | |
| trascrivere, T, Irr. | 82 | |
| **trascurare**, T, R. | 6 | |
| trasecolare, I ♦ | 6 | |
| trasentire, T. | 99 | |
| **trasferire**, T, P. | 100 | |
| trasfigurare, T, P. | 6 | |
| trasfluire, I. | 100 | |
| trasfondere, T, Irr, Lit | 54 | |
| **trasformare**, T, P | 6 | |
| trasgredire, T, I ♦. | 100 | |
| **traslocare**, T, I ♦, P | 7 | |
| trasmettere, T, Irr | 57 | |
| trasmigrare, I ◊ | 6 | |
| trasmodare, I ♦, P | 6 | |
| trasmutare, T, P, Lit. | 6 | |
| trasognare, I, P. | 6 | |
| trasparire, I, Irr | 101 | |
| traspirare, I ♦ | 6 | |
| trasporre, T, Irr | 68 | |
| **trasportare**, T | 6 | |
| trastullare, T, R. | 6 | |
| trasudare, I ◊ | 6 | |
| trasumanare, I, P, Lit. | 6 | |
| trasvolare, T, I. | 6 | |
| **trattare**, T, I ♦, R, di, con | 6 | |
| tratteggiare, T. | 10 | |
| **trattenere**, T, P, R, Irr | 89 | |
| traudire, T, I ♦, Lit. | 108 | |
| traumatizzare, T | 6 | |
| travagliare, T, I ♦, P | 12 | |
| travalicare, T, I ♦, Lit. | 19 | |
| **travasare**, T, P. | 6 | |
| travedere, I ♦, Irr | 93 | |
| traversare, T | 6 | |
| **travestire**, T, R | 99 | |
| traviare, T, P. | 11 | |
| travisare, T, P | 6 | |
| travolgere, T, R, Irr | 97 | |
| **trebbiare**, T | 12 | |
| **tremare**, I ♦ | 6 | |
| tremolare, I ♦ | 17 | |
| trempellare, I ♦, Pop, Tosc, *trimpellare*… | 6 | |
| trepidare, I ♦. | 6 | |
| trescare, I ♦. | 7 | |
| tribbiare, T, *trebbiare*. | 12 | |
| tribolare, T, I ♦ | 6 | |
| tributare, T | 6 | |
| triforcare, T, P. | 7 | |
| trillare, I ♦ | 6 | |
| trimestralizzare, T | 6 | |
| trimpellare, I ♦, Pop, Tosc | 6 | |
| trincare, T, Fam | 7 | |
| trincerare, T, P | 6 | |
| trinciare, T, P | 9 | |
| trionfare, I ♦ | 6 | |
| tripartire, T | 100 | |
| triplicare, T, P. | 19 | |
| tripudiare, I ♦ | 12 | |
| **tritare**, T | 6 | |
| triturare, T. | 6 | |
| trivellare, T | 6 | |
| trombare, T, Vulg. | 6 | |
| trombizzare, T. | 6 | |
| troncare, T. | 7 | |
| troneggiare, I ♦ | 10 | |
| tronfiare, I ♦ | 12 | |
| tropicalizzare, T | 6 | |
| **trottare**, I ♦ | 6 | |

trotterellare, I ♦ . . . . . . . . . . . . . . . . . . . . . . 6
trottolare, I ♦ . . . . . . . . . . . . . . . . . . . . . . . 6
**trovare,** T, P . . . . . . . . . . . . . . . . . . . . . . . 6
**truccare,** T, R . . . . . . . . . . . . . . . . . . . . . . 7
trucidare, T . . . . . . . . . . . . . . . . . . . . . . . . 6
**truffare,** T . . . . . . . . . . . . . . . . . . . . . . . . 6
tubare, I ♦ . . . . . . . . . . . . . . . . . . . . . . . . . 6
**tuffare,** T, R . . . . . . . . . . . . . . . . . . . . . . . 6
tumefare, T, P, Irr . . . . . . . . . . . . . . . . . . . 52
tumulare, T . . . . . . . . . . . . . . . . . . . . . . . . 6
tumultuare, I ♦ . . . . . . . . . . . . . . . . . . . . . . 6
tuonare, I ♦, Imp ◊ . . . . . . . . . . . . . . . . . . . 6
turare, T, P . . . . . . . . . . . . . . . . . . . . . . . . 6
**turbare,** T, P . . . . . . . . . . . . . . . . . . . . . . . 6
turbinare, I ♦ . . . . . . . . . . . . . . . . . . . . . . . 17
turchineggiare, I ♦, Vx . . . . . . . . . . . . . . . . 10
turlupinare, T . . . . . . . . . . . . . . . . . . . . . . . 6
tutelare, T, R . . . . . . . . . . . . . . . . . . . . . . . 6

# u

**ubbidire,** I ♦, T . . . . . . . . . . . . . . . . . . . . . 100
ubriacare, T, P, R . . . . . . . . . . . . . . . . . . . . 7
uccellare, I ♦, T . . . . . . . . . . . . . . . . . . . . . 6
**uccidere,** T, P, R, Irr . . . . . . . . . . . . . . . . . 74
**udire,** T, Irr . . . . . . . . . . . . . . . . . . . . . . . 108
ufficializzare, T . . . . . . . . . . . . . . . . . . . . . 6
ufficiare, I ♦, T, *officiare* . . . . . . . . . . . . . . 9
uggiolare, I ♦ . . . . . . . . . . . . . . . . . . . . . . . 6
uggire, T, P, Lit . . . . . . . . . . . . . . . . . . . . . 100
uguagliare, T, R . . . . . . . . . . . . . . . . . . . . . 12
ulcerare, T, P . . . . . . . . . . . . . . . . . . . . . . . 6
**ultimare,** T . . . . . . . . . . . . . . . . . . . . . . . . 6
ululare, I ♦ . . . . . . . . . . . . . . . . . . . . . . . . . 17
umanare, T, R . . . . . . . . . . . . . . . . . . . . . . . 6
umanizzare, T, R . . . . . . . . . . . . . . . . . . . . 6
umettare, T . . . . . . . . . . . . . . . . . . . . . . . . 6
umidificare, T . . . . . . . . . . . . . . . . . . . . . . . 19
umidire, T, *inumidire* . . . . . . . . . . . . . . . . . 100

**umiliare,** T, R . . . . . . . . . . . . . . . . . . . . . . 11
uncinare, T, P . . . . . . . . . . . . . . . . . . . . . . 6
**ungere,** T, R, Irr . . . . . . . . . . . . . . . . . . . . 55
unguentare, T, R, Vx . . . . . . . . . . . . . . . . . 6
**unificare,** T, R . . . . . . . . . . . . . . . . . . . . . 19
uniformare, T, R . . . . . . . . . . . . . . . . . . . . . 6
**unire,** T, P, R . . . . . . . . . . . . . . . . . . . . . . 100
universalizzare, T, P . . . . . . . . . . . . . . . . . . 6
untare, T . . . . . . . . . . . . . . . . . . . . . . . . . . 6
urbanizzare, T . . . . . . . . . . . . . . . . . . . . . . 6
urgere, T, I, D, Irr . . . . . . . . . . . . . . . . . . . . 55
  ≃ seulement 3ᵉ personne
  du singulier et du pluriel
  présent : urge, urgono
  imparfait : urgeva, urgevano
  imparfait subj. : urgesse, urgessero
  gérondif présent : urgendo
  participe présent : urgente (adjectif)
  pas de participe passé
urinare, I ♦, T, *orinare* . . . . . . . . . . . . . . . 6
**urlare,** I ♦, T . . . . . . . . . . . . . . . . . . . . . . 6
**urtare,** T . . . . . . . . . . . . . . . . . . . . . . . . . 6
**usare,** T, I ♦, Imp . . . . . . . . . . . . . . . . . . . 6
**uscire,** I, Irr . . . . . . . . . . . . . . . . . . . . . . . 109
ustolare, I ♦, Pop, Tosc . . . . . . . . . . . . . . . 6
**usufruire,** I ♦ . . . . . . . . . . . . . . . . . . . . . . 100
usufruttuare, T, Vx, *usufruttare* . . . . . . . . 6
usureggiare, I ♦, Vx . . . . . . . . . . . . . . . . . . 10
usurpare, T . . . . . . . . . . . . . . . . . . . . . . . . 6
**utilizzare,** T . . . . . . . . . . . . . . . . . . . . . . . 6

# v

vacare, I . . . . . . . . . . . . . . . . . . . . . . . . . . 7
vaccinare, T, R . . . . . . . . . . . . . . . . . . . . . . 6
vacillare, I ♦ . . . . . . . . . . . . . . . . . . . . . . . 6
vacuare, T, I ♦, *evacuare* . . . . . . . . . . . . . 6
vagabondare, I ♦ . . . . . . . . . . . . . . . . . . . . 6
vagare, I ♦ . . . . . . . . . . . . . . . . . . . . . . . . . 8

| | |
|---|---|
| vagellare, I ♦, Vx | 6 |
| vagheggiare, T, R, Lit | 10 |
| **vagire**, I ♦ | 100 |
| vagliare, T, R | 12 |
| vagolare, I ♦ | 6 |
| vaiare, I ◊, Vx | 12 |
| **valere**, I, T, P, Irr | 92 |
| valicare, T | 19 |
| valorizzare, T | 6 |
| **valutare**, T | 18 |
| vampeggiare, I ♦ | 10 |
| vanagloriarsi, P | 12 |
| vaneggiare, I ♦ | 10 |
| vangare, T | 8 |
| vangelizzare, T, Vx, *evangelizzare* | 6 |
| vanghettare, T | 6 |
| vanificare, T | 19 |
| vanire, I, Lit | 100 |
| **vantare**, T, R, di | 6 |
| vaporare, T, I | 6 |
| vaporizzare, I, T, P | 6 |
| varare, T | 11 |
| varcare, T | 7 |
| variare, T, I | 11 |
| vasectomizzare, T | 6 |
| vaticinare, T | 6 |
| **vedere**, T, R, Irr, di | 93 |
| vedovare, T, Lit | 6 |
| vegetare, I ♦ | 17 |
| **vegliare**, I ♦, T | 12 |
| veicolare, T | 6 |
| velare, T, P, R | 6 |
| veleggiare, I ♦, T | 10 |
| vellicare, T | 19 |
| velocitare, T, P, Vx | 6 |
| venare, T | 6 |
| **vendemmiare**, T | 12 |
| **vendere**, T, R, Irr | 80 |
| **vendicare**, T, R | 19 |
| vendicchiare, T | 12 |
| venerare, T | 17 |
| **venire**, I, P, Irr, a, per | 110 |
| ventare, I ♦, Imp ◊, T, Vx | 6 |
| ventilare, T | 17 |
| verbalizzare, T | 6 |
| verberare, T, Vx | 6 |
| verdeggiare, I ♦ | 10 |
| vergare, T | 8 |
| vergere, I, D, Irr, Lit | 48 |
| ≃ pas de Participe passé | |
| **vergognarsi**, P, di, a | 6 |
| **verificare**, T, P | 19 |
| verniciare, T, R | 9 |
| verrinare, T | 6 |
| **versare**, T, P | 6 |
| verseggiare, I ♦, T | 10 |
| versificare, I ♦, T | 19 |
| vertere, I, D, Irr | 20 |
| ≃ seulement 3e personne | |
| du singulier et du pluriel | |
| pas de participe passé | |
| verticalizzare, T | 6 |
| verzicare, I ♦, Lit | 19 |
| vessare, T | 6 |
| **vestire**, T, I ♦, R | 99 |
| vetrificare, T, I, P | 19 |
| vetrioleggiare, T | 10 |
| vettovagliare, T, R | 12 |
| vezzeggiare, T, I ♦, R | 10 |
| **viaggiare**, I ♦, T | 10 |
| **vibrare**, T, I ♦ | 6 |
| vidimare, T | 17 |
| **vietare**, T, di | 6 |
| vigere, I, D, | 72 |
| pour être en vigueur | |
| ≃ présent : vige, vigono | |
| imparfait : vigeva, vigevano | |
| participe présent : vigente | |
| (souvent adjectif) | |
| pas de participe passé | |
| **vigilare**, T, I ♦ | 17 |
| vigoreggiare, I ♦, Lit | 10 |
| vilificare, T, R, Lit | 19 |
| vilipendere, T, Irr | 70 |
| villeggiare, I ♦ | 10 |
| **vincere**, T, I ♦, R, Irr | 94 |

| | |
|---|---|
| vincolare, T | 17 |
| vinificare, I ♦ | 19 |
| **violare**, T | 17 |
| **violentare**, T | 6 |
| virare, T, I | 6 |
| virgolettare, T | 6 |
| virilizzare, T, P | 6 |
| visionare, T | 6 |
| **visitare**, T | 17 |
| vistare, T | 6 |
| visualizzare, T | 6 |
| vitalizzare, T, Lit | 6 |
| vitaminizzare, T | 6 |
| vituperare, T | 18 |
| vivacchiare, I ♦ | 12 |
| vivacizzare, T | 6 |
| **vivere**, I, T, Irr | 95 |
| vivificare, T | 19 |
| vivisezionare, T | 6 |
| vivucchiare, I ♦, *vivacchiare* | 12 |
| **viziare**, T, P | 12 |
| vocalizzare, I ♦, T | 6 |
| vocare, T, P, Vx | 7 |
| vociare, I ♦ | 9 |
| vociferare, I ♦, T | 18 |
| vogare, I ♦ | 8 |
| volantinare, T | 6 |
| **volare**, I ◊ | 6 |
| volatilizzare, T, P | 6 |
| volatizzare, T, P, *volatilizzare* | 6 |
| **volere**, T, R, Irr | 96 |
| volgarizzare, T | 6 |
| **volgere**, T, I ♦, P, Irr, a. | 97 |
| volicchiare, I ◊, R | 12 |
| volitare, I ♦, Lit | 6 |
| **voltare**, T, I ♦, P, R | 6 |
| volteggiare, I ♦ | 10 |
| voltolare, T, R | 17 |
| **vomitare**, T, I ♦ | 17 |
| **votare**, T, I ♦, R | 6 |
| vulcanizzare, T | 6 |
| vulnerare, T | 6 |
| **vuotare**, T, P | 6 |

# X

| | |
|---|---|
| xerocopiare, T | 12 |
| xerografare, T | 6 |

# Z

| | |
|---|---|
| zaffare, T, Vx | 6 |
| zampare, I ♦ | 6 |
| zampeggiare, I ♦ | 10 |
| zampettare, I ♦ | 6 |
| zampillare, I ◊ | 6 |
| zanzerare, I ♦ | 17 |
| **zappare**, T | 6 |
| zappettare, T | 6 |
| zapponare, T | 6 |
| zavorrare, T | 6 |
| zeppare, T | 6 |
| zigare, I ♦ | 8 |
| zigrinare, T | 6 |
| zigzagare, I ♦ | 8 |
| zillare, I ♦ | 6 |
| zincare, T | 7 |
| zipolare, T | 17 |
| zirlare, I ♦ | 6 |
| zittire, I, T, P | 100 |
| zoccolare, I ♦, Pop | 17 |
| zolfare, T, *solfare* | 6 |
| zombare, T, Pop | 6 |
| zompare, I ◊ | 6 |
| zonare, T, Vx | 6 |
| zonizzare, T | 6 |
| zoppare, I, Tosc | 6 |
| **zoppicare**, I ♦ | 19 |
| zuccherare, T | 17 |
| zufolare, I ♦ | 17 |
| zuppare, T | 6 |

Achevé d'imprimer par Ouest Impressions Oberthur - 35000 Rennes - N° 13033
Dépôt légal n° 13059 - Juillet 1992